Στην Άννα και τον Ιάσωνα

1

Κλεάνθης Αρβανιτάκης   Φρόσω Αρβανιτάκη

επικοινωνήστε ελληνικά

ΔΕΛΤΟΣ

Επικοινωνήστε Ελληνικά 1
Νέα Έκδοση - Σεπτέμβριος 2002
12η Ανατύπωση - Μάρτιος 2007

© Copyright Ε. ΑΡΒΑΝΙΤΑΚΗ & ΣΙΑ Ο.Ε.

I.S.B.N. 960-8464-08-0

Επιμέλεια έκδοσης: *Φρόσω Αρβανιτάκη*
Σελιδοποίηση: *Κλεάνθης Αρβανιτάκης - Βασιλική Μπεκυρά*
Εξώφυλλο: *Άννα Νότη*
Σκίτσα: *Πάνος Λαμπίρης, Πάνος Αρβανιτάκης*

Εκδόσεις Δέλτος
Πλαστήρα 69, 17121 Νέα Σμύρνη, Ελλάς
tel: +30210-9322393   fax: +30210-9337082
www.deltos.gr   e-mail: info@deltos.gr
Deltos Publishing
69 Plastira St., 17121 Nea Smyrni, Athens, Greece

Ο εκδότης θέλει να ευχαριστήσει τις Λέλια Παντελόγλου, Μαρία Σταματοπούλου-Blümnlein, Ελένη Χαρατσή, Mariangela Rapacciuolo, και Σιμέλα Μαλινίδου για την απόδοση του λεξιλογίου στα γαλλικά, στα γερμανικά, στα ισπανικά, στα ιταλικά, και στα ρωσικά, αντίστοιχα, καθώς και τους Φώτη Καβουκόπουλο, Γιάννη Κατσαούνη, Στυλ Ροδαρέλλη, και Letizia Pascalino για την απόδοση του συμπληρωματικού λεξιλογίου της νέας έκδοσης στα γαλλικά, στα γερμανικά, στα ισπανικά, και στα ιταλικά.

Πρόλογος

Η σειρά **Επικοινωνήστε Ελληνικά** είναι μια σύγχρονη μέθοδος εκμάθησης της νέας ελληνι-
κής για ξενόγλωσσους μαθητές, από το επίπεδο του αρχαρίου ώς το επίπεδο του προχωρη-
μένου. Αποτελείται από τρεις τόμους που καλύπτουν 250-270 ώρες διδασκαλίας και είναι
κατάλληλη, τόσο για μαθήματα σε ομάδες, όσο και για ιδιαίτερα μαθήματα.

Η προσέγγιση, σε ό,τι αφορά την εξάσκηση στον προφορικό λόγο, είναι κατά το πλείστον
επικοινωνιακή ενώ, παράλληλα, υπάρχουν αρκετές γραπτές ασκήσεις γραμματικής για την
πλήρη εξοικείωση του μαθητή με τα σημαντικότερα γραμματικά φαινόμενα της νέας ελληνι-
κής. Κύριος στόχος της σειράς είναι να βοηθήσει τον μαθητή να καταλάβει, να πει, να δια-
βάσει και να γράψει αυτά που χρειάζεται για να επικοινωνήσει με τον σημερινό Έλληνα, όσο
πιο σωστά γίνεται.

Οι πρώτοι δύο τόμοι καλύπτουν τα σπουδαιότερα γραμματικά φαινόμενα. Ο καθένας από
αυτούς περιέχει 24 μαθήματα, τέσσερα από τα οποία είναι ανακεφαλαιωτικά. Η γραμματική
και οι λειτουργίες της γλώσσας παρουσιάζονται μέσα από διαλόγους καθημερινής χρήσης
και κείμενα, τα οποία είτε αναφέρονται σε θέματα που έχουν άμεση σχέση με την Ελλάδα
και τον πολιτισμό της είτε είναι γενικότερου ενδιαφέροντος.

Η εξάσκηση στον προφορικό λόγο γίνεται μέσα από ρεαλιστικές περιστάσεις. Περιέχονται
επίσης πίνακες των γραμματικών φαινομένων με τις απαραίτητες εξηγήσεις, πολλές και ποι-
κίλες γραπτές ασκήσεις γραμματικής, λεξιλογίου κτλ., καθώς και ασκήσεις ακουστικής
κατανόησης.

Ο τρίτος τόμος αποτελείται από 12 μαθήματα, δύο από τα οποία είναι ανακεφαλαιωτικά.
Κύριοι στόχοι του τρίτου τόμου είναι η κάλυψη των υπόλοιπων γραμματικών φαινομένων, η
περαιτέρω εξάσκηση στον προφορικό λόγο καθώς και ο εμπλουτισμός του λεξιλογίου μέσα
από διαλόγους, κείμενα και πολλές προφορικές, ακουστικές και γραπτές ασκήσεις.

Και οι τρεις τόμοι περιέχουν λεξιλόγιο σε έξι γλώσσες (αγγλικά, γαλλικά, γερμανικά, ισπανι-
κά, ιταλικά και ρωσικά), πίνακες γραμματικής και λύσεις των γραπτών ασκήσεων. Συνοδεύο-
νται δε από κασέτα και CD ήχου καθώς και βιβλία ασκήσεων - δύο για τον πρώτο τόμο, δύο
για τον δεύτερο και ένα για τον τρίτο.

Δύο λόγια για τη Νέα Έκδοση

Το **Επικοινωνήστε Ελληνικά 1** κυκλοφορεί στην αγορά σχεδόν δεκαπέντε χρόνια. Όλοι
ξέρουμε πως η γλώσσα είναι ζωντανός οργανισμός και μεταβάλλεται. Γι' αυτό, και τα βιβλία
που την υπηρετούν θα πρέπει να ανανεώνονται. Η δραχμή ανήκει πια στην ιστορία, όπως
και η γραφομηχανή. Άλλαξαν και οι κωδικοί των τηλεφώνων. Μέσα στο πνεύμα αυτό,
ξαναγράφτηκαν το βιβλίο του σπουδαστή, τα βιβλία ασκήσεων και η κασέτα ενώ προ-
στέθηκε και αντίστοιχο CD ήχου.
Πιστεύουμε ότι οι νέοι διάλογοι και τα κείμενα με σημερινή γλώσσα καθώς και η νέα
διάταξη του υλικού θα βοηθήσουν τον καθηγητή και τους σπουδαστές να έχουν καλύτερα
αποτελέσματα.

Περιεχόμενα

Περιεχόμενα

Περιεχόμενα

9

Περιεχόμενα

Περιεχόμενα

Για τον καθηγητή

Α. ΕΙΣΑΓΩΓΗ

Γενικές αντιλήψεις

Η σειρά *Επικοινωνήστε Ελληνικά* έχει σχεδιαστεί ειδικά για να διδάξει στους ξενόγλωσσους σπουδαστές των ελληνικών πώς να επικοινωνούν αποτελεσματικά και σωστά στα ελληνικά, τόσο προφορικά, όσο και γραπτά.

Γράφοντας αυτή τη σειρά, ήμασταν επηρεασμένοι από δύο χωριστές προσεγγίσεις στις οποίες βασίζεται η διδασκαλία διαφόρων ευρωπαϊκών γλωσσών ως ξένων γλωσσών τα τελευταία χρόνια. Η μία - πιο παραδοσιακή - υποστηρίζει ότι η γραμματική ακρίβεια είναι η βασικότερη προϋπόθεση για την εκμάθηση μιας γλώσσας και, επομένως, επιμένει στον αυστηρό λεξικό και γραμματικό έλεγχο ανά πάσαν στιγμήν, έστω και εις βάρος του ρεαλισμού (;). Η άλλη δίνει έμφαση στις ψυχολογικές συνιστώσες της ανθρώπινης επικοινωνίας και κατά συνέπεια απαιτεί ενεργό συνεχή συμμετοχή των μαθητών, έστω και εις βάρος της γραμματικής ακρίβειας. Πολλοί σήμερα, μεταξύ των οποίων και εμείς, πιστεύουν ότι οι δύο αυτές προσεγγίσεις δεν είναι ασυμβίβαστες. Στη σειρά αυτή, το "πάντρεμα" των δύο τάσεων υλοποιείται με τον ακόλουθο τρόπο: ενώ τα βιβλία που αποτελούν τη σειρά έχουν ως κορμό τη γραμματική (κι αυτό κυρίως γιατί τα περισσότερα μέρη του λόγου στην ελληνική είναι κλιτά), η αλληλουχία με την οποία παρουσιάζονται τα γραμματικά φαινόμενα καθορίζεται μάλλον από τις επικοινωνιακές ανάγκες του μαθητή (ιδιαίτερα στους πρώτους δύο τόμους), παρά από οποιεσδήποτε προκαταλήψεις σχετικά με το ποια είναι η πιο "λογική" ή συνηθισμένη σειρά παρουσίασής τους. Έτσι, η αιτιατική μετά από κάποιες προθέσεις εμφανίζεται πριν από την ονομαστική, ενώ το θα ήθελα εισάγεται προς χρήση πολύ πριν παρουσιαστεί ως γραμματικό θέμα (δυνητική).

Με δυο λόγια, εκείνο που επιχειρεί αυτή η σειρά, ιδιαίτερα στους δύο πρώτους τόμους, είναι να βοηθήσει τον καθηγητή που διδάσκει ελληνικά στην Ελλάδα ή στην αλλοδαπή, να δώσει τη δυνατότητα στους μαθητές του να καταλάβουν, να μιλήσουν, να διαβάσουν και να γράψουν αυτά που χρειάζονται στα ελληνικά, όσο πιο σωστά γίνεται. Κύριοι στόχοι του τρίτου τόμου είναι η κάλυψη πιο σύνθετων ή λιγότερο συχνών γραμματικών φαινομένων, ο εμπλουτισμός του λεξιλογίου και η παραπέρα εξάσκηση στον προφορικό λόγο.

Σε ό,τι αφορά την εργασία που γίνεται μέσα στην τάξη, εκείνο για το οποίο οι περισσότεροι έμπειροι συνάδελφοι φαίνεται να συμφωνούν σήμερα είναι η ανάγκη των μαθητών να επικοινωνήσουν προφορικά στη γλώσσα-στόχο για θέματα που τους ενδιαφέρουν, είτε αναφορικά με τη χώρα και τον πολιτισμό της χώρας όπου καταρχήν μιλιέται η γλώσσα-στόχος (για την ελληνική γλώσσα, θέματα που έχουν σχέση με την Ελλάδα), είτε γενικότερης φύσεως (π.χ. η ρύπανση του περιβάλλοντος, το κυκλοφοριακό πρόβλημα, το κάπνισμα). Γι' αυτό και η σειρά περιέχει πολλές ασκήσεις προφορικής επικοινωνίας, μέσα από ρεαλιστικές, κατά το δυνατόν, καταστάσεις: από τις πιο απλές και αυστηρά ελεγχόμενες ασκήσεις προφορικής επικοινωνίας, ώς εκείνες που παρέχουν στον μαθητή αρκετή ελευθερία για κάποιους αυτοσχεδιασμούς. Ακόμα, οι διάλογοι και τα κείμενα που έχουν γραφτεί καλύπτουν καθημερινές καταστάσεις, θέματα που αφορούν τον ελληνικό πολιτισμό, αλλά και θέματα που απασχολούν τον περισσότερο κόσμο σήμερα.

Μια άλλη ανάγκη φαίνεται να είναι η εναλλαγή και η ποικιλία, πράγμα που επιχειρείται τόσο με τη χρησιμοποίηση διαφόρων τύπων ασκήσεων, προφορικών και γραπτών, όσο και με τη χρησιμοποίηση πολλών γραμματοσειρών, σκίτσων κ.ά.

Οι τεχνικές αυτές όχι μόνο παρέχουν τη δυνατότητα για ενεργό εξάσκηση και συμμετοχή, αλλά συγχρόνως ετοιμάζουν τον μαθητή να επικοινωνήσει αποτελεσματικά με τους Έλληνες που θα συναντήσει στην πραγματική ζωή. Αυτός άλλωστε είναι ο απώτατος στόχος, το τελικό "τεστ" οποιουδήποτε παρόμοιου εγχειρήματος.

Βασικοί στόχοι

Με βάση τις πιο πάνω γενικές αντιλήψεις, μπορούμε να πούμε ότι οι βασικοί στόχοι αυτής της σειράς είναι τρεις:

(α) Να δείξει στον μαθητή πώς μπορεί να επικοινωνήσει στα ελληνικά μέσα σε ένα ευρύ φάσμα καταστάσεων.

(β) Να βοηθήσει τον μαθητή να μιλάει απλά και όσο γίνεται σωστά, και να αναπτύξει την ακουστική του αντίληψη, την αναγνωστική του αντίληψη, καθώς και την ικανότητά του να γράφει σωστά.

(γ) Να τονώσει τον ενθουσιασμό του μαθητή, δείχνοντάς του ότι μαθαίνει και λέει χρήσιμα πράγματα από την αρχή.

Διάρθρωση της ύλης

Καθένας από τους δύο πρώτοι τόμους της σειράς *Επικοινωνήστε Ελληνικά* αποτελείται από ένα εισαγωγικό μάθημα, είκοσι τέσσερα κυρίως μαθήματα, ανακεφαλαιωτικούς πίνακες γραμματικής, πίνακα ρημάτων, λύσεις ασκήσεων, και γλωσσάρι.

Τα Μαθήματα 6, 12, 18 και 24 είναι ανακεφαλαιωτικά της ύλης των προηγούμενων πέντε μαθημάτων, κατά περίπτωση. Ο τρίτος τόμος περιέχει δώδεκα μαθήματα, από τα οποία τα Μαθήματα 6 και 12 είναι ανακεφαλαιωτικά. Επίσης, περιέχει, όπως και οι προηγούμενοι δύο τόμοι, ανακεφαλαιωτικούς πίνακες γραμματικής, πίνακα ρημάτων, λύσεις ασκήσεων, και γλωσσάρι.

Τα γραμματικά φαινόμενα, οι λειτουργίες της γλώσσας και οι επικοινωνιακές καταστάσεις παρουσιάζονται μέσα από διαλόγους ή μέσα από κείμενα. Τους διαλόγους και τα κείμενα ακολουθούν πάντα είτε ερωτήσεις κάτω από τον τίτλο *Ρωτήστε και Απαντήστε* είτε προτάσεις κάτω από τον τίτλο *Σωστό ή Λάθος*, που καταρχήν ελέγχουν πόσα κατάλαβαν οι μαθητές από αυτά που άκουσαν και διάβασαν. Εν συνεχεία, συνήθως ακολουθούν ένας ή περισσότεροι πίνακες γραμματικής, όπου αναλύονται τα γραμματικά φαινόμενα που καλύπτει ο διάλογος ή το κείμενο. Κάτω από τον τίτλο *Κοιτάξτε* ή δίπλα στο "θαυμαστικό" θα βρείτε κάποια επέκταση ή συμπλήρωση γραμματικού ή άλλου φαινομένου το οποίο έχει ήδη παρουσιαστεί. Η εκμάθηση του κάθε καινούργιου γλωσσικού σημείου που παρουσιάζεται, συνεχίζεται με ελεγχόμενες προφορικές ασκήσεις διαφόρων τύπων και με γραπτές ασκήσεις. Σε πολλά μαθήματα των πρώτων δύο τόμων θα βρείτε έναν τύπο άσκησης κάτω από τον τίτλο *Ακούστε την ερώτηση και βρείτε τη σωστή απάντηση*, που δοκιμάζει την ακουστική κατανόηση του μαθητή, Ο τρίτος τόμος, περιέχει πιο εκτενείς ασκήσεις ακουστικής κατανόησης, όπως συνεντεύξεις, αποσπάσματα από ομιλίες κ.ά. Η ύλη ακόμα περιέχει λιγότερο ελεγχόμενες προφορικές ασκήσεις (π.χ. παίγνια ρόλων), σταυρόλεξα, καθώς και ασκήσεις για πιο δημιουργικό γράψιμο. Στον τρίτο τόμο θα βρείτε επιπλέον και μια σειρά από φωτογραφίες που μπορούν να αξιοποιηθούν ποικιλοτρόπως.

Σ' αυτό ίσως το σημείο θα πρέπει να υπογραμμιστεί ότι το βιβλίο που έχετε στα χέρια σας, όπως και οποιοδήποτε παρόμοιο βιβλίο για την εκμάθηση της ελληνικής ή κάποιας άλλης γλώσσας ως ξένης, αποτελεί απλώς βοήθημα για τον καθηγητή. Δεν είναι πανάκεια. Εσείς θα πρέπει να προσαρμόσετε την ύλη καθως και τις ιδέες που παρατίθενται εδώ, στη συγκεκριμένη ομάδα που έχετε να διδάξετε, κάνοντας χρήση των γνώσεων που διαθέτετε όσον αφορά τις μαθησιακές ανάγκες των μαθητών σας, τα ενδιαφέροντά τους, τον επαγγελματικό και κοινωνικό τους περίγυρο, τα ήθη και τα έθιμά τους, έτσι ώστε να τους βοηθήσετε να εκφραστούν όσο πιο άνετα γίνεται.

Β. ΤΡΟΠΟΣ ΔΙΔΑΣΚΑΛΙΑΣ

Ο ρόλος του καθηγητή στην τάξη

Για να διδάξει αποτελεσματικά μέσα από την ύλη αυτής της σειράς, ο καθηγητής καλείται να παίξει τέσσερις διαφορετικούς ρόλους.

Ο πρώτος είναι ο γνωστός, παραδοσιακός ρόλος του *διδασκάλου ξένης γλώσσας*. Ο καθηγητής παρουσιάζει και εξηγεί την καινούργια ύλη, εποπτεύει την πρακτική εξάσκηση, αξιολογεί και διορθώνει την απόδοση των μαθητών. Ο ισχυρός αυτός ρόλος του δασκάλου που δεσπόζει με τις ενέργειές του μέσα στην τάξη είναι απαραίτητος σε ορισμένα στάδια του μαθήματος, όπως η εξήγηση κάποιου γραμματικού φαινομένου ή η διεξαγωγή κάποιας προφορικής άσκησης όπου παρέχεται αρκετή ελευθερία και οι μαθητές χρειάζονται καθοδήγηση.

Ο δεύτερος ρόλος είναι ο ρόλος του "*μάνατζερ*", με τη σύγχρονη έννοια του όρου. Ο καθηγητής, σε σύμπραξη με το βιβλίο, επιλέγει και συντονίζει τις δραστηριότητες που χρειάζονται για τη διεξαγωγή ενός ολοκληρωμένου μαθήματος, το οποίο χαρακτηρίζεται από ειρμό και συνοχή. Επιπλέον, οργανώνει και επιβλέπει την προφορική εξάσκηση ανά ζεύγη ή ομάδες, παρεμβαίνοντας και παρέχοντας βοήθεια όπου και όταν χρειάζεται.

Ο τρίτος ρόλος είναι αυτός του *σιωπηλού παρατηρητή*. Ο καθηγητής αφού οργανώσει κάποια εργασία που θα γίνει στην τάξη, επιτρέπει στους μαθητές να την διεξαγάγουν χωρίς καμιά παρέμβαση από την πλευρά του. Ο μη συμμετοχικός αυτός ρόλος του καθηγητή δίνει τη δυνατότητα στους μαθητές να λειτουργήσουν ελεύθερα, να αυτοσχεδιάσουν, να αναπτύξουν τις δικές τους μαθησιακές στρατηγικές. Παράλληλα, όμως, απαιτεί από τον καθηγητή να βρίσκεται σε συνεχή εγρήγορση και να ελέγχει τη διεξαγωγή της εργασίας, σημειώνοντας τυχόν αδυναμίες στις οποίες θα πρέπει να επανέλθει σε κάποιο μελλοντικό μάθημα.

Ο τέταρτος, εξίσου ουσιαστικός, ρόλος είναι ο ρόλος του *ισότιμου μέλους της ομάδας*. Εδώ ο καθηγητής συμμετέχει στη διεξαγωγή διαφόρων εργασιών επί ίσης βάσεως. Με τον τρόπο αυτό ο καθηγητής συμβάλλει στη δημιουργία κλίματος άνεσης και συνεργασίας, ενώ παράλληλα, με τη συμμετοχή του μπορεί να ανεβάσει το επίπεδο της συγκεκριμένης εργασίας.

Η αποδοχή και η υλοποίηση και των τεσσάρων αυτών ρόλων από τον καθηγητή θα συμβάλλουν, χωρίς αμφιβολία, στην καλύτερη δυνατή αξιοποίηση, τόσο των προσπαθειών που καταβάλλει, όσο και της ύλης που θα χρησιμοποιήσει από τη

Για τον καθηγητή

σειρά αυτή. Θυμίζουμε, πάντως, ότι οι τέσσερις αυτοί ρόλοι συνιστούν αυξομειούμενα και αλληλοεπικαλυπτόμενα μέρη της ίδιας ακέραιης προσωπικότητας του εκπαιδευτικού.

Γλώσσα 1

Ένα ζήτημα για το οποίο έχουν γραφτεί πολλά, και για το οποίο εξακολουθούν να υπάρχουν αντικρουόμενες ώς ένα βαθμό αντιλήψεις και θέσεις, είναι η χρησιμοποίηση (ή μη) κάποιας κοινής γλώσσας για την εξήγηση διαφόρων θεμάτων από τον καθηγητή. Στην περίπτωση που οι μαθητές μιας τάξης έχουν την ίδια εθνικότητα, η κοινή γλώσσα (ας την ονομάσουμε Γλώσσα 1) θα είναι βεβαίως η μητρική, ενώ στην περίπτωση που οι μαθητές δεν έχουν την ίδια μητρική γλώσσα, η Γλώσσα 1 θα είναι η γλώσσα στην οποία μπορούν να συνεννοηθούν οι περισσότεροι τουλάχιστον μαθητές.

Τα τελευταία χρόνια η τάση είναι υπέρ της χρησιμοποίησης της Γλώσσας 1 σε τάξεις αρχαρίων, όταν ο καθηγητής πρέπει να δώσει οδηγίες για τη διεξαγωγή κάποιας άσκησης, όταν αναλύει κάποιο γλωσσικό φαινόμενο ή όταν εξηγεί κάποια αφηρημένη έννοια ή ένα πολιτισμικό σημείο. Κι αυτό , για να εξοικονομηθεί χρόνος που μπορεί να αναλωθεί σε πιο χρήσιμες δραστηριότητες (π.χ. εντατική εξάσκηση στον προφορικό λόγο).

Από την άλλη πλευρά, το όφελος που αποκομίζει ο μαθητής ακούγοντας όσο περισσότερα ελληνικά γίνεται, σε σχέση με διάφορες καταστάσεις, είναι, χωρίς αμφιβολία, τεράστιο. Γι' αυτό θα πρέπει *(α) η όποια χρησιμοποίηση της Γλώσσας 1 να γίνεται με φειδώ και (β) ο καθηγητής να έχει ως στόχο τη σταδιακή εγκατάλειψή της ως μέσο επικοινωνίας με τους μαθητές το γρηγορότερο δυνατό*, αντικαθιστώντας την με απλές και μικρές προτάσεις και χρησιμοποιώντας λεξιλόγιο και γραμματικές δομές που οι μαθητές έχουν ήδη μάθει.

Τα κύρια στάδια ενός μαθήματος

Αν θέλετε να αξιοποιήσετε πιο σωστά την ύλη αυτής της σειράς, είναι σκόπιμο να τηρήσετε την παρακάτω δοκιμασμένη διαδικασία, στον βαθμό που αυτή ταιριάζει στο "ύφος σας" και στον βαθμό που η ύλη την οποία έχετε να καλύψετε κάθε φορά προσφέρεται για τη διεξαγωγή όλων των σταδίων της διαδικασίας.

(α) Παρουσιάζετε την καινούργια γλώσσα (γραμματικό φαινόμενο, λειτουργία της γλώσσας, λεξιλόγιο) με τη βοήθεια κάποιου διαλόγου ή κάποιου κειμένου.

(β) Οι μαθητές εξασκούνται σ' αυτό που έμαθαν, με τη βοήθεια των ασκήσεων ελεγχόμενης προφορικής επικοινωνίας.

(γ) Εξηγείτε αναλυτικότερα το γλωσσικό φαινόμενο.

(δ) Οι μαθητές κάνουν στην τάξη κάποια γραπτή άσκηση (ή έστω ένα μέρος της άσκησης) πάνω στο θέμα που εξηγήσατε, για παραπέρα εμπέδωση.

(ε) Οι μαθητές κάνουν τις άλλες ασκήσεις πιο ελεύθερης προφορικής επικοινωνίας.

(ζ) Κάνετε, εφόσον υπάρχει, την άσκηση ακουστικής κατανόησης.

(η) Οι μαθητές κάνουν τις υπόλοιπες γραπτές ασκήσεις στην τάξη ή στο σπίτι, κατά την κρίση σας.

Διάλογοι

Με τους διαλόγους εισάγονται, πρώτον, ένα ή περισσότερα γλωσσικά φαινόμενα, και, δεύτερον, νέο λεξιλόγιο. Η διαδικασία που προτείνεται πιο κάτω είναι μια από μερικές από τις παραλλαγές που μπορείτε να χρησιμοποιήσετε.

1. Αν έχετε την κασέτα ή το CD

(α) Βάζετε τους μαθητές στο κλίμα του διαλόγου, κάνοντάς τους δυο ή τρεις προκαταρκτικές ερωτήσεις.

(β) Παρουσιάζετε τις καινούργιες λέξεις ή εκφράσεις που θα μπορούσαν να δημιουργήσουν δυσκολίες στους μαθητές σας και τους εξηγείτε τα πολιτισμικά σημεία που μπορεί να υπάρχουν στον διάλογο.

(γ) Ζητάτε από τους μαθητές να κοιτάξουν τις ερωτήσεις κάτω από τον τίτλο *Ρωτήστε και απαντήστε* ή τις προτάσεις κάτω από τον τίτλο *Σωστό ή λάθος* που ακολουθούν τον διάλογο.

(δ) Παίζετε τον διάλογο στην κασέτα ή το CD μια φορά. Αν ο διάλογος είναι μάλλον μακρύς, σταματήστε την κασέτα ή το CD σε δύο ή τρία σημεία, καλύπτοντας κάθε φορά τη διαδικασία που περιγράφεται στο στάδιο (ε).

(ε) Οι μαθητές απαντούν στις ερωτήσεις *(Ρωτήστε και απαντήστε)* ή χαρακτηρίζουν τις προτάσεις *(Σωστό ή λάθος)*. Η εργασία αυτή μπορεί είτε να γίνει ανάμεσα σε σάς και τους μαθητές είτε να την κάνουν οι μαθητές μεταξύ τους. Εφόσον το θεωρήσετε σκόπιμο, μπορείτε να αναφερθείτε πάλι στον διάλογο, εξηγώντας δύσκολες λέξεις ή εκφράσεις που δεν έγιναν απόλυτα κατανοητές στο στάδιο (β).

(ζ) Ξαναπαίζετε ολόκληρο τον διάλογο στην κασέτα ή το CD .

(η) Παίζετε πάλι τον διάλογο σταματώντας στο τέλος κάθε πρότασης, ώστε οι μαθητές να ακούσουν και να επαναλάβουν "εν χορώ".

(θ) Οι μαθητές διαβάζουν τον διάλογο "εν χορώ".

(ι) Ζητάτε από δύο ή τρεις (ανάλογα με τον αριθμό των χαρακτήρων που εμφανίζονται στον διάλογο) "καλούς" μαθητές να πουν τον διάλογο, ενώ οι υπόλοιποι ακούνε.

(κ) Οι μαθητές λένε τον διάλογο μεταξύ τους, ενώ εσείς πηγαίνετε γύρω-γύρω επιβλέποντας και διορθώνοντας διακριτικά, όπου χρειάζεται.

2. Αν δεν έχετε την κασέτα ή το CD

(α) Όπως πιο πάνω.

(β) Όπως πιο πάνω.

(γ) Όπως πιο πάνω.

(δ) Διαβάζετε τον διάλογο όσο πιο εκφραστικά μπορείτε. (Μια καλή ιδέα εδώ είναι να σχεδιάσετε στον πίνακα απλές φιγούρες για τα πρόσωπα που εμφανίζονται στον διάλογο και να δείχνετε κάθε φορά με το χέρι ή με τον χάρακα τη φιγούρα που αντιστοιχεί στο πρόσωπο που μιλάει).

(ε) Όπως πιο πάνω.

(ζ) Ξαναδιαβάζετε τον διάλογο.

(η) Διαβάζετε τον διάλογο πρόταση πρόταση και οι μαθητές επαναλαμβάνουν "εν χορώ".

(θ) Όπως πιο πάνω.

(ι) Όπως πιο πάνω.

(κ) Όπως πιο πάνω.

Αν το θέμα του διαλόγου έχει καθημερινή χρησιμότητα, μπορείτε να ζητήσετε από τους μαθητές σας να τον αποστηθίσουν για το επόμενο μάθημα.

Κείμενα

Όπως έχει γίνει με τους διαλόγους, έτσι και τα κείμενα που θα βρείτε στη σειρά *Επικοινωνήστε Ελληνικά* έχουν γραφτεί για να εισάγουν κάθε φορά ένα ή περισσότερα γραμματικά φαινόμενα, κάποια ή κάποιες λειτουργίες της γλώσσας και καινούρ-γιο λεξιλόγιο. Κι εδώ η προτεινόμενη διαδικασία αποτελεί μία από μερικές από τις παραλλαγές που μπορείτε να χρησιμοποι-ήσετε.

1. Αν έχετε την κασέτα ή το CD

(α) Βάζετε τους μαθητές στο κλίμα του κειμένου, κάνοντάς τους δυο ή τρεις προκαταρκτικές ερωτήσεις.

(β) Παρουσιάζετε τις καινούργιες λέξεις ή εκφράσεις που θα μπορούσαν να δημιουργήσουν δυσκολίες στους μαθητές σας και τους εξηγείτε τα πολιτισμικά σημεία που μπορεί να υπάρχουν στο κείμενο.

(γ) Ζητάτε από τους μαθητές να κοιτάξουν τις ερωτήσεις κάτω από τον τίτλο *Ρωτήστε και απαντήστε* ή τις προτάσεις κάτω από τον τίτλο *Σωστό ή λάθος* που ακολουθούν το κείμενο.

(δ) Παίζετε το κείμενο στην κασέτα ή το CD μια φορά. Αν το κείμενο είναι μάλλον μακρύ, σταματήστε την κασέτα ή το CD σε δύο ή τρία σημεία, καλύπτοντας κάθε φορά τη διαδικασία που περιγράφεται στο στάδιο (ε).

(ε) Οι μαθητές απαντούν στις ερωτήσεις *(Ρωτήστε και απαντήστε)* ή χαρακτηρίζουν τις προτάσεις *(Σωστό ή λάθος)*. Η εργασία αυτή μπορεί είτε να γίνει ανάμεσα σε σάς και τους μαθητές είτε να την κάνουν οι μαθητές μεταξύ τους. Εφόσον το θεωρήσετε σκόπιμο, μπορείτε να αναφερθείτε πάλι στο κείμενο εξηγώντας δύσκολες λέξεις ή εκφράσεις που δεν έγιναν απόλυτα κατανοητές στο στάδιο (β).

(ζ) Ξαναπαίζετε το κείμενο στην κασέτα ή το CD. (Αυτό το στάδιο είναι προαιρετικό).

(η) Οι μαθητές διαβάζουν το κείμενο σιωπηλά.

(θ) Ζητάτε από μερικούς μαθητές (αρχίζετε πάντα από κάποιο "καλό μαθητή") από δύο έως τρεις προτάσεις του κειμέ-νου ο καθένας.

(ι) Εφόσον το επίπεδο της τάξης το επιτρέπει, κάντε μερικές πιο "απαιτητικές" ή γενικότερης φύσεως ερωτήσεις πάνω στο κείμενο.

2. Αν δεν έχετε την κασέτα ή το CD

(α) Όπως πιο πάνω.

(β) Όπως πιο πάνω.

γ) Όπως πιο πάνω.
(δ) Διαβάζετε το κείμενο μια φορά και οι μαθητές ακούνε.
(ε) Όπως πιο πάνω.
(ζ) Ξαναδιαβάζετε το κείμενο και οι μαθητές ακούνε (Αυτό το στάδιο είναι προαιρετικό).
(η) Όπως πιο πάνω.
(θ) Όπως πιο πάνω.
(ι) Όπως πιο πάνω.

Παρουσίαση νέου λεξιλογίου

Όπου το καινούργιο λεξιλόγιο δεν συνοδεύεται από σχετικές εικόνες, μπορείτε να επιλέξετε οποιονδήποτε από τους πιο κάτω τρόπους για να διδάξετε τις νέες λέξεις ή εκφράσεις.

(α) Δείχνετε πραγματικά αντικείμενα.
(β) Σχεδιάζετε στον πίνακα ή χρησιμοποιείτε εικόνες από εφημερίδες και περιοδικά.
(γ) Εκφράζετε αυτό που θέλετε με μιμική.
(δ) Δίνετε παραδείγματα.
(ε) Εξηγείτε με απλά ελληνικά.
(ζ) Εξηγείτε σύντομα στη Γλώσσα 1.
(η) Παραπέμπετε στο Γλωσσάρι του βιβλίου ή σε κάποιο λεξικό.
(θ) Χρησιμοποιείτε ανάλογες ασκήσεις λεξιλογίου (Γ! τόμος).

Η επιλογή της μεθόδου που θα χρησιμοποιήσετε θα εξαρτηθεί από το είδος της λέξης που θέλετε να παρουσιάσετε. Αντικείμενα καθημερινής χρήσης, όπως *καρέκλα, παράθυρο, κλειδί, ποτήρι* κ.ά. μπορείτε να τα δείξετε, εφόσον υπάρχουν στην τάξη ή να τα έχετε μαζί σας ή να τα σχεδιάσετε με απλές γραμμές στον πίνακα ή, ακόμα, να τα δείξετε σε εικόνες από κάποιο περιοδικό ή εφημερίδα. Για επαγγέλματα χρησιμοποιήστε εικόνες. Για την παρουσίαση επιθέτων, όπως *μεγάλο, βαρύ, κόκκινο* κ..ά., μπορείτε να χρησιμοποιήσετε μιμική ή παραδείγματα. Αφηρημένες έννοιες και λέξεις ή εκφράσεις που έχουν συγκεκριμένη πολιτισμική σημασία, μπορείτε να τις εξηγήσετε ή να τις μεταφράσετε χρησιμοποιώντας την Γλώσσα 1. Γενικά, αποφεύγετε να βασίζεστε αποκλειστικά και μόνο στο Γλωσσάρι ή στο λεξικό για την παρουσίαση νέου λεξιλογίου, ιδιαίτερα σε επίπεδο αρχαρίων. Με τη χρησιμοποίηση οποιουδήποτε συνδυασμού των πιο πάνω μεθόδων θα κάνετε το μάθημα πιο ζωντανό και πιο ευχάριστο.

Ασκήσεις προφορικής επικοινωνίας σε ζεύγη

Η σειρά *Επικοινωνήστε Ελληνικά* περιέχει πολλές τέτοιες ασκήσεις (η συνήθης χαρακτηριστική οδηγία που δίνεται είναι *Μιλήστε μεταξύ σας*). Εδώ όλοι οι μαθητές δουλεύουν σε ζεύγη, ταυτοχρόνως. Το βασικό πλεονέκτημα αυτού του τρόπου είναι η δυνατότητα που παρέχεται σε όλους τους μαθητές για εκτεταμένη εξάσκηση μέσα σε μικρό χρονικό διάστημα. Ακόμα, η προφορική εξάσκηση ανά δύο απαλλάσσει τους μαθητές από την ανία που αναπόφευκτα αισθάνονται όταν είναι υποχρεωμένοι να ακούνε τους συμμαθητές τους να κάνουν την άσκηση ο ένας μετά τον άλλο ή με τον καθηγητή, περιμένοντας πότε θα έρθει - αν έρθει - η σειρά τους.

Η πιο συνηθισμένη διαδικασία είναι η εξής:

(α) Διαιρείτε τους μαθητές σας σε ζεύγη.
(β) Τους εξηγείτε λεπτομερώς τι ακριβώς χρειάζεται να κάνουν.
(γ) Βεβαιώνεστε ότι ξέρουν όλο το λεξιλόγιο που εμφανίζεται στην άσκηση.
(δ) Ζητάτε από κάποιο ζεύγος να κάνει προφορικά το παράδειγμα, για να ακούσουν οι υπόλοιποι.
(ε) Ένα άλλο ζεύγος (εδώ προτιμάτε δύο "καλούς" μαθητές) κάνει το πρώτο ή το δεύτερο κομμάτι της άσκησης για μεγαλύτερη εξοικείωση όλων.
(ζ) Οι μαθητές δουλεύουν την άσκηση κομμάτι κομμάτι με τη σειρά Α-Β και μετά αλλάζοντας ρόλους με τη σειρά Β-Α. Όλα τα ζεύγη δουλεύουν ταυτοχρόνως.

Μόλις οι μαθητές αρχίζουν να δουλεύουν μόνοι τους, εσείς πηγαίνετε γύρω-γύρω βοηθώντας και επιβλέποντας όσα ζεύγη μπορείτε. Αποφεύγετε να διορθώνετε κάθε φορά που ακούτε κάποιο λάθος. Η διόρθωση θα πρέπει να γίνεται επιλεκτικά και διακριτικά, έτσι ώστε να μην εμποδίζει (πρακτικά και ψυχολογικά) τους μαθητές που προσπαθούν να επικοινωνήσουν μεταξύ τους, έστω και μέσα σε προκαθορισμένα γλωσσικά πλαίσια, χρησιμοποιώντας καινούργια γλώσσα για πρώτη φορά.

Άλλες προφορικές ασκήσεις

Στη σειρά **Επικοινωνήστε Ελληνικά** θα συναντήσετε αρκετούς άλλους τύπους προφορικών ασκήσεων πάνω σε γραμματικά φαινόμενα ή λειτουργίες της γλώσσας, οι οποίες γίνονται ανά ζεύγη ή ομάδες των τριών ή τεσσάρων μαθητών. Για τις ασκήσεις αυτές δεν χρειάζεται να πούμε περισσότερα εδώ, αφού οι οδηγίες είναι αρκετά κατατοπιστικές για το τι πρέπει να γίνει. Η διαδικασία που θα ακολουθήσετε είναι αυτή που περιγράφεται πιο πάνω για τις Ασκήσεις Προφορικής Επικοινωνίας σε Ζεύγη ή κάποια παρεμφερής διαδικασία που σας εξυπηρετεί καλύτερα.

Στο σημείο αυτό, θα πρέπει να επισημάνουμε δύο πράγματα σχετικά με τη διεξαγωγή προφορικών ασκήσεων, είτε σε ζεύγη είτε σε ομάδες περισσότερων ατόμων.

(α) Καλό είναι οι ομάδες ή τα ζεύγη να αποτελούνται, κατά το δυνατόν, τόσο από "δυνατούς", όσο και από "πιο αδύνα τους" μαθητές. Ωστόσο, θα πρέπει να αποφεύγει κανείς μεγάλες διακυμάνσεις ανά ομάδα ή ζεύγος σε ό,τι αφορά την ικανότητα ή την προηγούμενη γνώση της γλώσσας. Στους "καλούς" μαθητές συνήθως αρέσει να βοηθούν τους πιο αδύνατους, εφόσον δεν νοιώθουν ότι αυτό γίνεται εις βάρος της δικιάς τους προόδου. Οι πιο αδύνατοι, πάλι, δεν θα ωφεληθούν αν αισθανθούν πτοημένοι ή μειωμένοι από τις γνώσεις ή την ικανότητα των πιο δυνατών συνεργατών τους.

(β) Οι περισσότεροι άνθρωποι έχουν την περιέργεια να πληροφορηθούν διάφορα πράγματα για τους άλλους, κάτι που θα πρέπει να αξιοποιήσετε για να ενθαρρύνετε τους μαθητές σας να επικοινωνούν, να αισθάνονται άνετα, και να αποκτήσουν την αίσθηση ότι όλοι ανήκουν σε μια φιλική ομάδα. Χρειάζεται προσοχή, ωστόσο, να μην ξεπεραστούν τα όρια κάποιας στοιχειώδους ευγένειας.

Παίγνια ρόλων

Ειδικά για τον τύπο αυτό δημιουργικής προφορικής εξάσκησης, θα πρέπει να υπογραμμιστούν (α) η ανάγκη για σαφείς και λεπτομερείς οδηγίες από σάς σχετικά με το τι πρέπει να κάνουν οι μαθητές, και (β) η ανεξαρτησία που απαιτείται να έχουν για να μπορέσουν να αυτοσχεδιάσουν ώς ένα βαθμό, πράγμα που σημαίνει ότι η εποπτεία σας θα πρέπει να είναι όσο πιο διακριτική και σιωπηλή γίνεται.

Κείμενα ανακεφαλαιωτικών μαθημάτων (1ος και 2ος Τόμος)

Τα κείμενα που υπάρχουν στα ανακεφαλαιωτικά μαθήματα (6, 12, 18, 24) των πρώτων δύο τόμων γράφτηκαν με σκοπό (α) να εμφανίσουν μαζί γραμματικά φαινόμενα, λειτουργίες της γλώσσας και λεξιλόγιο από τα προηγούμενα πέντε μαθήματα, (β) να εισαγάγουν νέο λεξιλόγιο για ενεργητική ή παθητική χρήση, και (γ) να εξοικειώσουν τους μαθητές παραπέρα με τον γραπτό λόγο. Ακολουθήστε και γι ' αυτά τα κείμενα την ίδια διαδικασία που περιγράφεται πιο πάνω.

Όπως και τα άλλα κείμενα, έτσι και αυτά συνοδεύονται από ερωτήσεις ή άλλους τρόπους που ελέγχουν το πόσο οι μαθητές κατανόησαν αυτά που διάβασαν. Ακολουθούν προφορικές και γραπτές ασκήσεις που έχουν αντίστοιχα σκοπό (α) να δώσουν το έναυσμα για κάποια, απλή έστω, συνομιλία στην τάξη και (β) να εμπεδώσουν καλύτερα το νέο λεξιλόγιο. Πολλά από αυτά τα κείμενα μπορούν να χρησιμέψουν ως μοντέλα για γράψιμο.

Ασκήσεις ακουστικής κατανόησης

1ος και 2ος Τόμος

Σε ορισμένα από τα μαθήματα των πρώτων δύο τόμων της σειράς **Επικοινωνήστε Ελληνικά**, θα βρείτε έναν τύπο ασκήσεως ακουστικής κατανόησης με τίτλο *Ακούστε την ερώτηση και βρείτε τη σωστή απάντηση*. Οι μαθητές βλέπουν μόνο τις απαντήσεις. Αφού ακούσουν την πρώτη ερώτηση, έχουν λίγα δευτερόλεπτα στη διάθεσή τους για να διαλέξουν την πιο κατάλληλη από τις τρεις απαντήσεις που τους δίνονται, την οποία και σημειώνουν. Μετά προχωρείτε στη δεύτερη ερώτηση κ.ο.κ.

Εφόσον το κρίνετε απαραίτητο, επιτρέψτε στους μαθητές σας να διαβάσουν όλες τις απαντήσεις που υπάρχουν κάτω από τον τίτλο *Λύσεις των Ασκήσεων* στο τέλος του βιβλίου, πριν αρχίσουν να ακούνε τις ερωτήσεις.

Γ! Τόμος

Τα μαθήματα του τρίτου τόμου περιλαμβάνουν και πιο "απαιτητικές" ασκήσεις ακουστικής κατανόησης, οι οποίες βασίζονται σε κάποιο διάλογο, σε κάποια συνέντευξη, σε κάποιο απόσπασμα ομιλίας κ.ά. Οι ασκήσεις αυτές είναι αμιγώς ακουστικές, με την έννοια ότι ο μαθητής δεν μπορεί να ελέγξει αυτά που άκουσε παρά μόνο ξανακούγοντας την κασέτα ή το CD. Πριν παίξετε την κασέτα ή το CD, κάνετε τις εισαγωγικές ασκήσεις που προηγούνται για να εξοικειωθούν οι μαθητές σας ως ένα βαθμό με το θέμα και το λεξιλόγιο που θα συναντήσουν. Μετά, ακολουθείτε οποιαδήποτε παρεμφερή διαδικασία με αυτή που περιγράφεται πιο πάνω για τα Κείμενα και τους Διαλόγους. Τα κείμενα και τους διαλόγους που ακούγονται σ' αυτές τις ασκήσεις ακουστικής κατανόησης θα βρείτε στο τέλος του τρίτου τόμου κάτω από τον τίτλο *Κείμενα και Διάλογοι Ακουστικής Κατανόησης.*

Φωτογραφίες για συζήτηση

Στο τέλος του τρίτου τόμου της σειράς θα βρείτε δέκα φωτογραφίες κάτω από τον τίτλο *Φωτογραφίες για συζήτηση.* Κάθε μία από αυτές τις φωτογραφίες παρουσιάζει ένα θέμα και συνοδεύεται από υποδειγματικές ερωτήσεις. Το υλικό αυτό μπορείτε να αξιοποιήσετε επιλεκτικά και με διάφορους τρόπους για την παραγωγή συνομιλίας μέσα στην τάξη.

Διόρθωση γραπτής εργασίας

Μερικές ιδέες:

(α) Μαζεύετε τη γραπτή εργασία που οι μαθητές σας ετοίμασαν στο σπίτι, την διορθώνετε και τους την επιστρέφετε στο επόμενο μάθημα. Ένας πιο δημιουργικός τρόπος για να κάνετε τις διορθώσεις σας είναι να υπογραμμίσετε το σημείο όπου υπάρχει το λάθος και, παράλληλα, να σημειώσετε στο περιθώριο της αντίστοιχης γραμμής κάποιο σύμβολο που αντιπροσωπεύει τον τύπο του λάθους, π.χ. ορθ = ορθογραφικό λάθος, λεξ = λάθος λέξη, χρ = λάθος χρόνος κ.ο.κ. Με αυτόν τον τρόπο, ο μαθητής υποχρεώνεται να βασανίσει λίγο το μυαλό του σχετικά με τα λάθη που έκανε, πράγμα που μάλλον δεν θα κάνει αν του γράψετε τη σωστή απόδοση πάνω από το λάθος του.

(β) Οι μαθητές ανταλλάσσουν τα γραπτά τους ανά δύο και διορθώνουν, όσο μπορούν, ο ένας την εργασία του άλλου, είτε γράφοντας τη σωστή απόδοση είτε χρησιμοποιώντας σύμβολα, όπως πιο πάνω. Τα διορθωμένα γραπτά επιστρέφονται κι εσείς πηγαίνετε γύρω-γύρω βοηθώντας, όπου υπάρχει ανάγκη.

(γ) Ζητάτε από μερικούς μαθητές - προτιμήστε τους "πιο καλούς" - να διαβάσουν την εργασία τους δυνατά για τους υπόλοιπους, οι οποίοι ακούνε και διορθώνουν τα λάθη τους. Κανονικά, δεν θα πρέπει να υπάρχουν πολλά λάθη, εφόσον η εργασία που ορίσατε για το σπίτι έχει ήδη μισοετοιμαστεί στην τάξη. Εσείς, βέβαια, θα πρέπει στο τέλος να βεβαιωθείτε ότι έγιναν όλες οι διορθώσεις από όλους.

(δ) Οι σωστές απαντήσεις ασκήσεων του τύπου *Βάλτε το ουσιαστικό στον σωστό τύπο κτλ.* μπορούν να ελεγχθούν προφορικά στην τάξη. Οι μαθητές διαβάζουν αλυσιδωτά από μία απάντηση ο καθένας και οι άλλοι διορθώνουν ή σχολιάζουν. Εσείς παρεμβαίνετε, εφόσον υπάρχει ανάγκη.

Υπαγόρευση προτάσεων για ορθογραφία

Κατά καιρούς, είναι σκόπιμο να υπαγορεύετε δύο έως τρεις προτάσεις από γνωστή ύλη στους μαθητές σας. Το όφελος είναι πολλαπλό: σας δίνει την ευκαιρία να ελέγξετε αδυναμίες στην ορθογραφία ώστε να προγραμματίσετε κάποια επανάληψη, ενεργεί σαν άσκηση ακουστικής κατανόησης, και προσφέρει μια αλλαγή στον ρυθμό και στο "κλίμα" του μαθήματος.

Επανάληψη ρημάτων

Οι χρόνοι των ρημάτων θα πρέπει να επαναλαμβάνονται συχνά. Μη διστάζετε κάθε τόσο να ζητάτε από τους μαθητές σας να κλίνουν, είτε "εν χορώ" είτε ένας ένας χωριστά, κάποια ρήματα στον αόριστο, στον μέλλοντα κτλ. και μετά να τα γράφουν. Ένας άλλος τρόπος, εφόσον έχετε καλύψει τουλάχιστον τρεις βασικούς χρόνους (π.χ. ενεστώτα, απλό μέλλοντα και αόριστο), είναι ο εξής. Γράφετε στον πίνακα μερικές προτάσεις στον ενεστώτα με ρήματα που θέλετε να επαναλάβετε. Φροντίστε τα ρήματα να είναι, τόσο στον ενικό, όσο και στον πληθυντικό, και σε περισσότερα από ένα πρόσωπα. Σε καρτέλες ή στον πίνακα έχετε γράψει με ευκρινή στοιχεία υποβοηθητικές φρασούλες, χαρακτηριστικές για τον καθένα από τους χρόνους που σας ενδιαφέρουν, όπως "κάθε πρωί", "αύριο το απόγευμα", "χθες το βράδυ", κ.λπ. Ζητάτε από κάποιο μαθητή να διαβάσει την πρώτη πρόταση από τον πίνακα. Μετά, δείχνοντας τη φράση-κλειδί στην καρτέλα ή στον πίνακα, ζητάτε από έναν άλλο μαθητή να ξαναπεί την πρόταση με τις απαραίτητες αλλαγές. Προχωρήστε με τον τρόπο αυτό και στους υπόλοιπους μαθητές της τάξης.

Γ. ΓΕΝΙΚΕΣ ΠΑΡΑΤΗΡΗΣΕΙΣ ΓΙΑ ΤΗΝ ΠΡΩΤΗ ΣΥΝΑΝΤΗΣΗ

Εξοικείωση με το βιβλίο

Αφήστε τους μαθητές σας να ξεφυλλίσουν το βιβλίο τους, για να πάρουν μια πρώτη γεύση. Ύστερα, αναφερθείτε στον πίνακα περιεχομένων, δίνοντάς τους μερικά παραδείγματα της γλώσσας που θα καλύψουν τις πρώτες δύο ή τρεις εβδομάδες.

Κάποιοι μαθητές θα θέλουν να ξέρουν πού θα βρουν τη γραμματική που θα πρέπει να μάθουν. Δείξτε τους τα κομμάτια της Γραμματικής, όπως εμφανίζονται σε κάθε μάθημα μέσα σε πλαίσιο, καθώς και τους Πίνακες Γραμματικής και τον Πίνακα Ρημάτων στο τέλος του βιβλίου.

Σε ό,τι αφορά τα Λεξιλόγια, εξηγήστε τους ότι η εννοιολογική απόδοση των λέξεων περιορίζεται, κατά κανόνα, στη σημασία που έχει η κάθε λέξη μέσα στη φράση ή στις φράσεις που υπάρχουν στο βιβλίο.

Όσο για τις λύσεις των ασκήσεων, συμβουλέψτε τους να αναφέρονται σ' αυτές μόνο εφόσον θέλουν να βεβαιωθούν για κάποιο σημείο, και αφού έχουν προσπαθήσει πρώτα να κάνουν όλη την άσκηση.

Πώς θα καθίσουν οι μαθητές σας στην τάξη

Ένα από τα πρώτα και πιο βασικά μελήματα του καθηγητή κατά την πρώτη συνάντηση, είναι το πώς θα καθίσουν σωστά οι μαθητές στην τάξη. Για μικρές τάξεις (6-15 μαθητές), ο καλύτερος τρόπος είναι να καθίσουν σε ομάδες 3-6 ατόμων, γύρω από χωριστά τραπέζια. Αν δεν υπάρχουν τραπέζια, ένας αρκετά αποτελεσματικός τρόπος είναι να τοποθετήσετε τις καρέκλες σε σχήμα πετάλου, σε κάποια απόσταση από τον τοίχο. Έτσι, έχετε την άνεση να κινείστε μπροστά στους μαθητές σας (και πίσω τους, αν χρειάζεται), ενώ εκείνοι μπορούν να βλέπουν ο ένας τον άλλο καθώς και τον πίνακα. Αν πρέπει να διδάξετε σε μεγάλες τάξεις (πάνω από 15 μαθητές), βεβαιωθείτε ότι οι μαθητές σας κάθονται σε ζεύγη, και ότι όλοι μπορούν να βλέπουν χωρίς δυσκολία εσάς και τον πίνακα και να ακούνε το κασετόφωνο ή το CD player, εφόσον θα χρησιμοποιήσετε κασέτα ή CD.

Δύο παρατηρήσεις

(α) Αν δεν τους έχετε υποδείξει εσείς τις θέσεις τους, είναι πολύ πιθανόν οι μαθητές σας να επιλέξουν να καθίσουν δίπλα σε άτομα της προτίμησής τους. Αυτό είναι κάτι που συμβάλλει στην καλύτερη επικοινωνία, και θα πρέπει να το αξιοποιήσετε ανάλογα, μόλις γίνει φανερό.

(β) Μαθητές που διαφέρουν φανερά μεταξύ τους, π.χ. ως προς την ηλικία, την ενδυμασία, την κοινωνική τάξη, καλό είναι να τους βάλετε να καθίσουν χωριστά, εκτός αν αποφασίσουν οι ίδιοι ότι θέλουν να καθίσουν μαζί.

Εισαγωγικό Μάθημα

Α. Το ελληνικό αλφάβητο (The Greek alphabet)

Μικρά   : α β γ δ ε ζ η θ ι κ λ μ ν ξ ο π ρ σ τ υ φ χ ψ ω

Κεφαλαία : Α Β Γ Δ Ε Ζ Η Θ Ι Κ Λ Μ Ν Ξ Ο Π Ρ Σ Τ Υ Φ Χ Ψ Ω

1   Κοιτάξτε πώς γράφουμε τα μικρά γράμματα

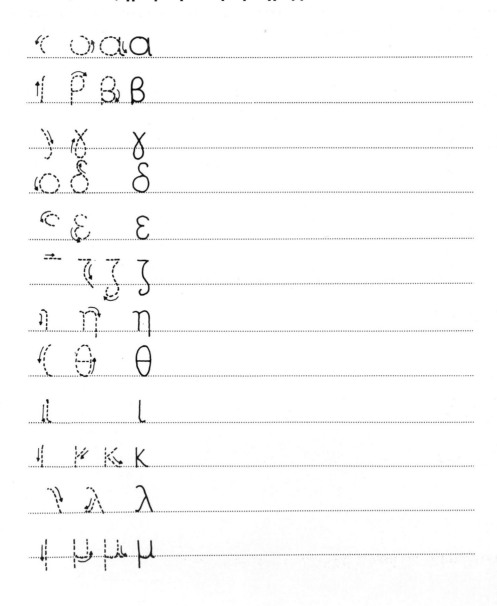

2 Τώρα αντιγράψτε τα μικρά γράμματα 5 φορές ✎

3 Κοιτάξτε πώς γράφουμε αυτά τα μικρά γράμματα

α α   θ θ ϑ   τ τ

β β   κ υ   φ φ

ε ε   ξ ξ   χ χ

ζ ζ ζ z   π ω   ψ ψ

4 Κοιτάξτε πώς γράφουμε τα κεφαλαία γράμματα

Α _____

Β _____

Γ _____

Δ _____

Ε _____

Ζ _____

Η _____

Θ _____

Ι

Κ

Λ

Μ

Ν

Ξ

Ο

Π

Ρ

Σ

Τ

Υ

Φ

Χ

Ψ

Ω

5 Τώρα αντιγράψτε τα κεφαλαία γράμματα 5 φορές

6 Κοιτάξτε πώς γράφουμε αυτά τα κεφαλαία γράμματα

Γ Γ   Ξ Ξ

Δ Δ   Χ Χ

Ε Ε   Ω Ω

Κ Κ

7 Γράψτε μία φορά τα μικρά και τα κεφαλαία, το ένα δίπλα στο άλλο

8 Κοιτάξτε πώς λέμε τα γράμματα του αλφαβήτου

Α α	άλφα		Ν ν	νι
Β β	βήτα		Ξ ξ	ξι
Γ γ	γάμα		Ο ο	όμικρον
Δ δ	δέλτα		Π π	πι
Ε ε	έψιλον		Ρ ρ	ρο
Ζ ζ	ζήτα		Σ σ/ς	σίγμα
Η η	ήτα		Τ τ	ταυ
Θ θ	θήτα		Υ υ	ύψιλον
Ι ι	γιώτα		Φ φ	φι
Κ κ	κάπα		Χ χ	χι
Λ λ	λάμδα		Ψ ψ	ψι
Μ μ	μι		Ω ω	ωμέγα

9   Πείτε το αλφάβητο 10 φορές

10   Ακούστε τα γράμματα και γράψτε το μικρό και το κεφαλαίο

11   Κοιτάξτε τον διάλογο και βάλτε:

έναν κύκλο γύρω από κάθε α, Α
ένα τετράγωνο γύρω από κάθε ε, Ε
ένα τρίγωνο γύρω από κάθε π, Π
μια γραμμή κάτω από κάθε σ, ς

Είμαι απ' τη Ρωσία, απ' τη Μόσχα

Ιβάν Πετρόφ   Από πού είστε;
Φιλίπ Μαρέ   Είμαι απ' τη Γαλλία.
Ιβάν Πετρόφ   Από ποιο μέρος;
Φιλίπ Μαρέ   Απ' το Παρίσι. Εσείς από πού είστε;
Ιβάν Πετρόφ   Εγώ είμαι απ' τη Ρωσία, απ' τη Μόσχα.

12   Κοιτάξτε το κείμενο και βάλτε:

έναν κύκλο γύρω από κάθε η, Η
ένα τετράγωνο γύρω από κάθε ν, Ν
ένα τρίγωνο γύρω από κάθε σ, Σ
μια γραμμή κάτω από κάθε τ, Τ

Από την Ισπανία στην Ελλάδα

Η Παλόμα Σουάρεθ είναι απ' την Ισπανία, απ' το Τολέδο. Είναι παντρεμένη με το Χουάν κι έχουν δύο παιδιά, ένα κορίτσι, την Ντολόρες, κι ένα αγόρι, τον Αντόνιο. Ο Χουάν είναι γιατρός και η Παλόμα είναι γραμματέας.
Τώρα μένουνε στην Αθήνα. Ο Χουάν δουλεύει στο Νοσοκομείο Αλεξάνδρα. Η Παλόμα δε δουλεύει τώρα. Η διεύθυνσή τους είναι Ολύμπου 18, Χαλάνδρι, και το τηλέφωνό τους είναι 210 6821736.
Ο Χουάν μιλάει ελληνικά αρκετά καλά. Η Παλόμα καταλαβαίνει αλλά δε μιλάει καλά ακόμα. Τα παιδιά μιλάνε πολύ καλά.

Εισαγωγικό Μάθημα

Β. Προφορά (Pronunciation)

1. Απλά και δίψηφα φωνήεντα (Simple and two-letter vowels)

α	a as in rather	πάλι	pali
η, ι, υ, ει, οι	i as in fatigue	μήλο	milo
		τι	ti
		πολύ	poli
		είκοσι	ikossi
		μισοί	missi
ε, αι	e as in pen	πατέρας	pateras
		Μαίρη	Meri
ο, ω	o as in lot	Ιταλός	Italos
		μένω	meno
ου	u as in lubricant	ούτε	ute

1. Απλά σύμφωνα (Simple consonants)

β	v as in voice	βάζω	vazo
δ	dh as in then	εδώ	edho
ζ	z as in zebra	ζείτε	zite
θ	th as in thick	θέλω	thelo
λ	l as in leave	λέξη	lexi
μ	m as in meet	μήνας	minas
ν	n as in nun	νέος	neos
π	p as in peep	πρέπει	prepi
ρ	r as in pretty	νερό	nero
σ / ς	s as in soft	ίσως	issos
τ	t as in tea	τώρα	tora
φ	f as in fox	φάρμακο	farmako

γ	(a)	y as in **y**ear when followed by sounds "ε" or "ι"	γέρος → yeros γιατί → yati
	(b)	gh: makes a continuous "gh" sound without withdrawing the tongue; when followed by a consonant or a sound other than "ε" and "ι"	μεγάλη → meghali γράφω → ghrafo
χ	(a)	ch as in German i**ch** when followed by sounds "ε" or "ι"	όχι → ochi χαίρω → chero
	(b)	kh as in Scottish lo**ch** when followed by a consonant or a sound other than "ε" and "ι"	έχω → ekho νύχτα → nikhta
κ	(a)	k as in **k**ey when followed by sounds "ε" and "ι"	εκεί → eki
	(b)	ck as in lo**ck** before a consonant or a sound other than "ε" and "ι"	εκατό → eckato έκθεση → eckthessi

3. Δίψηφα σύμφωνα (Two-letter consonants)

μπ	(a)	b as in **b**eat - when initial sound - when preceded by a consonant - when the same combination exists twice in a word	μπάνιο → banio τουρμπίνα → turbina μπαμπάς → babas
	(b)	**mb** as in nu**mb**er - when in the middle of a word	γαμπρός → ghambros
ντ	(a)	d as in **d**ignity - when initial sound - when preceded by a consonant - when the same combination exists twice in a word	ντύνομαι → dinome καπαρντίνα → ckapardina νταντά → dada
	(b)	**nd** as in u**nd**er - when in the middle of a word	πάντα → panda

Εισαγωγικό Μάθημα

γκ	(a) g as in **g**o - when initial sound - when preceded by a consonant	γκάφα αργκό	gafa argo
γκ / γγ	(b) ng as in bi**ng**o - when in the middle of a word	Παγκράτι αγγλικά	pangrati anglicka
τσ	ts as in i**ts**	τσάντα	tsanda
τζ	dz as in bea**ds**	τζάκι	dzaki

4. Διπλά σύμφωνα (Double consonants)

ξ	ks as in bea**ks**	έξυπνος	eksipnos
ψ	ps as in sho**ps**	ψωμί	psomi

5. Δίφθογγοι (Dipthongs)

αι, αη	νεράιδα, αηδόνι	neraidha, aidhoni
οι, οη	κορόιδο, βόηθα	koroidho, voitha

6. Καταχρηστικές δίφθογγοι (Pallatised dipthongs)

ια, ιο, ιε, ιου

(a) When preceded by μπ, ντ, β, ζ, ρ, π, τ, φ, θ and σ
the "ι" sound of the dipthong is pronounced as a strong γ (in γέρος) or as a soft χ (in όχι)
e.g. βαθιά, ήπιε, ποιος

(b) The "ι" sound of the dipthong pallatises the preceding ν, λ, κ, γ, χ, γκ
e.g. νιος, ελιά, για

7. Συνδυασμοί (Combinations)

αυ, ευ are pronounced af, ef before γκ, κ, ξ, π, σ, τ, φ, χ
e.g. αυτό, αυξάνω, ευχαριστώ, εύκολο

αυ, ευ are pronounced αv, ev before a vowel or before β, γ, δ, λ, μ, ν, ρ

8. Πότε το "σ" γίνεται "ζ" (Sound "σ" changes to "ζ")

When sound "σ" precedes β, γ, δ, λ, μ, ν, ρ, μπ, ντ it changes to "ζ"
e.g.   σμήνος   zminos
         στους δρόμους   stuz dhromus

9. Το τελικό "ν" (Final "n")

(a) Final "ν" followed by initial "π", "τ", or "κ" are pronounced respectively "mb", "nd", or "ng"

e.g.   δεν πάω   dhen bao
         στην Τήνο   stin dino
         έναν καφέ   enan gafe

(b) Final "ν" followed by initial "ξ" or "ψ" are pronounced respectively "ngz" or "nbz"

e.g.   τον ξέρεις   ton gzeris
         την ψάχνει   tin bzakhni

10. Το "γ" πριν από το "χ" (Consonant "γ" when followed by "χ")

When followed by "χ", consonant "γ" changes to "ν"

e.g.   συγχαρητήρια   sinkharitiria

11. Δύο όμοια σύμφωνα (Two same-letter consonants)

Two same-letter consonants, except for "γγ", are pronounced as one.

e.g.   αλλά   ala
         κόκκινο   kokino

Γ. Το μονοτονικό σύστημα τονισμού των λέξεων (Stress System)

The accent mark (ˊ) indicates which syllable is stressed in a word.

The accent mark is not written over one-syllable words, except for question words *πού* and *πώς*, conjunction *ή* and preposition *ώς*.

Greek words can only be stressed on one of the last three syllables.

When the stressed syllable is one of the two-letter vowels *αι, ου, ει, οι, υι* or one of the combinations *αυ,* or *ευ,* the accent mark goes over the second letter of the combination, e.g. *είναι, γυναίκα, εύκολο, αυτοί.*

If the accent mark is on the first letter of the two-leter combination, this indicates that the two vowels are pronounced separately, e.g. *ρολόι, Κάιρο.*

The mark (¨) is used to indicate that the two vowels of an unstressed two-letter vowel or combination are pronounced separately, e.g. *χαϊδεύω, τρόλεϊ, λαϊκή.*

13 Γράψτε τα 5 "ι", τα 2 "ο" και τα 2 "ε". Κεφαλαία και μικρά

14 Ακούστε και διαβάστε δυνατά

τα	μα	θα	λα	πα	κα	σα	να
ΤΟ	ΜΟ	ΘΟ	ΛΟ	ΠΟ	ΚΟ	ΣΟ	ΝΟ
τε	με	θε	λε	πε	κε	σε	νε
ΤΙ	ΜΙ	ΘΙ	ΛΙ	ΠΙ	ΚΙ	ΣΙ	ΝΙ
του	μου	θου	λου	που	κου	σου	νου

βα	δα	φα	γα	χα	ρα	ξα	ψα
ΒΟ	ΔΟ	ΦΟ	ΓΟ	ΧΟ	ΡΟ	ΞΟ	ΨΟ
βε	δε	φε	γε	χε	ρε	ξε	ψε
ΒΙ	ΔΙ	ΦΙ	ΓΙ	ΧΙ	ΡΙ	ΞΙ	ΨΙ
βου	δου	φου	γου	χου	ρου	ξου	ψου

γκα	ντα	μπα	τσα	τζα	γρα	φτα	στα	ντρα
ΓΚΟ	ΝΤΟ	ΜΠΟ	ΤΣΟ	ΤΖΟ	ΓΡΟ	ΦΤΟ	ΣΤΟ	ΝΤΡΟ
γκε	ντε	μπε	τσε	τζε	γρε	φτε	στε	ντρε
ΓΚΙ	ΝΤΙ	ΜΠΙ	ΤΣΙ	ΤΖΙ	ΓΡΙ	ΦΤΙ	ΣΤΙ	ΝΤΡΙ
γκου	ντου	μπου	τσου	τζου	γρου	φτου	στου	ντρου

15 Ακούστε και διαβάστε δυνατά

αέρας	Μαίρη	αδελφός	ψηλή	χαίρετε	τέταρτο	αμβροσία
ΠΛΑΚΑ	ΚΡΗΤΗ	ΕΛΛΑΔΑ	ΕΥΡΩΠΗ	ΜΠΡΑΧΑΜΙ	ΣΟΥΝΙΟ	
Γερμανός	μουσική	Παγκράτι	δεσποινίς	υπάλληλος	αχθοφόρος	
ΦΑΡΜΑΚΕΙΟ	ΕΙΔΗ	ΓΚΑΡΑΖ	ΑΤΟΜΑ	ΩΔΕΙΟ	ΕΙΣΑΓΩΓΕΣ	
μονότονος	βενζινάδικο	ντροπή	μπάνιο	δωμάτιο	συμφορά	
ΑΓΓΛΙΑ	ΑΝΔΡΕΑΣ	ΠΑΝΤΕΛΗΣ	ΕΜΠΟΡΙΟ	ΑΜΦΙΛΟΧΙΑ		
ευχαριστώ	ευλογία	αυτοκίνητο	αύριο	Πέμπτη		

16 Γράψτε τις πιο πάνω λέξεις στο τετράδιό σας

17 Διαβάστε δυνατά

Λέγομαι Κώστας Αρβανίτης. Είμαι από την Αθήνα αλλά μένω στην Θεσσαλονίκη.
Είμαι παντρεμένος και έχω δύο παιδιά.

18 Διαβάστε δυνατά

Η Ελένη είναι από την Πάτρα αλλά τώρα μένει στην Αθήνα.

Είναι καθηγήτρια.

Μάθημα **1**

Γεια σας.

Κώστας Κανάκης	Γεια σας. Λέγομαι Κώστας Κανάκης.
Λόρα Γκριν	Χαίρω πολύ. Λόρα Γκριν.
Κώστας Κανάκης	Χαίρω πολύ.

Καλημέρα (σας)	Καλησπέρα (σας)	
Γεια σας	Γεια σας	
Χαίρετε	Χαίρετε	
Αντίο (σας)	Αντίο (σας)	
	Καληνύχτα (σας)	

Λέγομαι Είμαι ο	Κώστα**ς** Κανάκη**ς**. Γιάννη**ς** Μαράτο**ς**. Πέτρο**ς** Δήμα**ς**.
Λέγομαι Είμαι η	Μαρία Καραγιάννη. Ελένη Παππά.

1 Μιλήστε μεταξύ σας

Α: Γεια σας. / Χαίρετε. / Καλημέρα σας. Λέγομαι . . .

Β: Χαίρω πολύ. (Λέγομαι) . . .

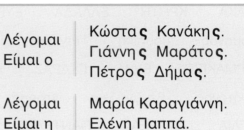

Με λένε	Κώστα~~ς~~ Κανάκη~~ς~~. Γιάννη~~ς~~ Μαράτο~~ς~~. Πέτρο~~ς~~ Δήμα~~ς~~.
Με λένε	Μαρία Καραγιάννη. Ελένη Παππά.

 Πώς σας λένε;

Πέτρος Δήμας	Πώς σας λένε;
Κάρμεν Μοράλες	Με λένε Κάρμεν Μοράλες. Εσάς;
Πέτρος Δήμας	Με λένε Πέτρο Δήμα.
Κάρμεν Μοράλες	Χαίρω πολύ.
Πέτρος Δήμας	Κι εγώ.

2 Ρωτήστε και απαντήστε

Α: Πώς σας λένε;

Β: Με λένε . . . Εσάς;

Α: Με λένε . . .

Γεια σου.

Μόνικα   Γεια σου. Με λένε Μόνικα.
Γιάννης   Γεια σου Μόνικα. Με λένε Γιάννη.

☀	☾
Καλημέρα Γεια (σου)	Καλησπέρα Γεια (σου)
Αντίο	Αντίο Καληνύχτα

3 Μιλήστε μεταξύ σας

A: Γεια σου. / Καλησπέρα. Με λένε . . .
B: Γεια σου . . . Με λένε . . .

Με λένε	Κώστας . Γιάννης . Πέτρος .
Με λένε	Μαρία. Ελένη.

 # Πώς σε λένε;

Κατερίνα   Πώς σε λένε;
Πέτρος   Με λένε Πέτρο. Εσένα;
Κατερίνα   Με λένε Κατερίνα.

4 Ρωτήστε και απαντήστε

A: Πώς σε λένε;
B: Με λένε . . . Εσένα
A: Με λένε . . .

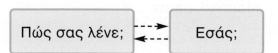
Πώς σας λένε;   ⇄   Εσάς;

Πώς σε λένε;   ⇄   Εσένα;

Πώς	**σε**	λένε;	**Με**	λένε Κώστα / Μαρία.
Πώς	**τον**	λένε;	**Τον**	λένε Κώστα.
Πώς	**την**	λένε;	**Την**	λένε Μαρία.

5 *Ρωτήστε για δύο ή τρεις συμμαθητές σας*

Α: Πώς τον/την λένε;
Β: Τον/Την λένε...

 Από πού είστε;

Κώστας Κανάκης	Από πού είστε κυρία Γκριν;
Λόρα Γκριν	Είμαι από τον Καναδά. Εσείς;
Κώστας Κανάκης	Είμαι από την Ελλάδα.

Εσείς ⇄ Είστε

Από πού είσαι;

Σοφί	Από πού είσαι Τερέζα;
Τερέζα	Από την Ιταλία. Εσύ;
Σοφί	Είμαι από την Γαλλία.

Εσύ ⇄ Είσαι

Είμαι από	**τον**	Καναδά. / Λίβανο.
	την	Αγγλία. / Γαλλία. / Ρωσία. / Αμερική. / Αυστραλία.
	το	Βέλγιο. / Μεξικό. / Μαρόκο. / Ιράν.

6 Μιλήστε μεταξύ σας

Παράδειγμα

το Βέλγιο / την Αγγλία

A: Από πού είστε/είσαι;
B: Είμαι από το Βέλγιο. Εσείς/Εσύ;
A: Είμαι από την Αγγλία.

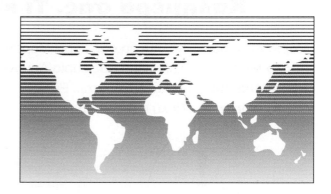

1. το Βέλγιο / την Αγγλία
2. την Γερμανία / τον Καναδά
3. την Νορβηγία / το Μεξικό
4. τον Λίβανο / την Αμερική

5. την Γαλλία / το Ισραήλ
6. το Μαρόκο / την Τουρκία
7. την Ολλανδία / το Ιράν
8. την Ελβετία / την Αλβανία

7 Ρωτήστε και απαντήστε

A: Από πού είστε/είσαι;
B: Είμαι από (την Αυστρία). Εσείς;/ Εσύ;
A: Είμαι από (το Πακιστάν).

8 Γράψτε τη σωστή λέξη

(α) A: Γεια σας. ___*Λέγομαι*___ Γιώργος Σαββίδης.

B: Χαίρω _____ . Μαρία Μπράουν.

A: Χαίρω πολύ. Από _____ είστε, κυρία Μπράουν;

B: Από _____ Γερμανία. Εσείς;

A: _____ από την Ελλάδα.

    (β) A: Καλημέρα. _____ σε λένε;

         B: _____ λένε Κώστα. Εσένα;

         A: _____ λένε Χοσέ.

         B: Από πού _____ Χοσέ;

         A: Είμαι _____ την Ισπανία.

Καλημέρα σας. Τι κάνετε;

Μαρία Δημαρά	Καλημέρα σας κύριε Μορέτι.
Πάολο Μορέτι	Καλημέρα σας κυρία Δημαρά. Τι κάνετε;
Μαρία Δημαρά	Καλά, ευχαριστώ. Εσείς;
Πάολο Μορέτι	Πολύ καλά, ευχαριστώ.

! Τι κάνετε; = Πώς είστε;

♂	ο κύριος Κανάκης	⇨	Γεια σας κύρι**ε** Κανάκη~~ς~~.
	ο κύριος Μαράτος	⇨	Γεια σας κύρι**ε** Μαράτο~~ς~~.
	ο κύριος Δήμας	⇨	Γεια σας κύρι**ε** Δήμα~~ς~~.
♀	η κυρία Καραγιάννη	⇨	Γεια σας κυρία Καραγιάννη

 ## Γεια σου. Τι κάνεις;

Χοσέ	Γεια σου, Αλίκη.
Αλίκη	Γεια σου, Χοσέ. Τι κάνεις;
Χοσέ	Καλά, εσύ;
Αλίκη	Μια χαρά.

! Τι κάνεις; = Πώς είσαι;

♂			♀		
ο Κώστας	⇨	Γεια σου Κώστα~~ς~~	η Μαρία	⇨	Καλημέρα Μαρία
ο Γιώργος	⇨	Τι κάνεις Γιώργο~~ς~~;	η Ελένη	⇨	Καλησπέρα Ελένη

1 Μιλήστε μεταξύ σας

A: Γεια σας κύριε/κυρία . . .
B: Γεια σας. Τι κάνετε;
A: (Πολύ) καλά, ευχαριστώ. Εσείς;
B: (Πολύ) καλά, ευχαριστώ.

A: Καλημέρα / Καλησπέρα . . .
B: Γεια (σου) . . . . Τι κάνεις;
A: (Πολύ) καλά, (ευχαριστώ). / Μια χαρά. Εσύ;
B: (Πολύ) καλά, (ευχαριστώ).

Κοιτάξτε!

A: Τι κάνετε; / Τι κάνεις;

B: Πολύ καλά. / Μια χαρά. / Καλά. / Έτσι κι έτσι. / Όχι (και) πολύ καλά.

Η κυρία Γαρδέλ. Ο κύριος Μαράτος.

Κώστας Παππάς	Η κυρία Γαρδέλ. Ο κύριος Μαράτος.
Μαρία Γαρδέλ	Χαίρω πολύ.
Γιάννης Μαράτος	Χαίρω πολύ.
Κώστας Παππάς	Γιάννη, η κυρία Γαρδέλ είναι από την Αργεντινή.

Ο Στέφαν. Η Μόνικα.

Άννα	Ο Στέφαν. Η Μόνικα.
Μόνικα	Γεια σου Στέφαν.
Στέφαν	Γεια σου Μόνικα.
Άννα	Μόνικα, ο Στέφαν είναι από την Αυστρία.

Μάθημα 2

2 Μιλήστε μεταξύ σας

(α) Α: Ο κύριος... . Η κυρία...
     Β: Χαίρω πολύ.
     Γ: Χαίρω πολύ.
     Α: ..., ο κύριος / η κυρία... είναι από...

(β) Α: Ο/Η... . Ο/Η... .
     Β: Γεια σου...
     Γ: Γεια σου...
     Α: ..., ο/η... είναι από...

Ρήμα "είμαι"

εγώ	είμαι
εσύ	είσαι
ο Γιώργος / η Μαρία	είναι
εμείς	είμαστε
εσείς	είστε (είσαστε)
ο Γιώργος και η Μαρία	είναι

---

3 Βάλτε το ρήμα "είμαι" στο σωστό πρόσωπο

1. Εγώ ___*είμαι*___ από την Ολλανδία. Εσείς από πού _____ ;
2. Ο κύριος Μορέτι _____ από την Ιταλία.
3. Η κυρία Δήμα _____ από την Ελλάδα.
4. Εμείς _____ από την Ρουμανία. Εσύ από πού _____ ;
5. Η Έλσα και η Λόρα _____ από τον Καναδά και η Πατ _____ από την Αμερική.
6. Εγώ _____ καλά. Εσύ πώς _____ ;
7. Χαίρετε. Πώς _____ ;

Αριθμοί

1	ένα	6	έξι	
2	δύο	7	εφτά (επτά)	
3	τρία	8	οχτώ (οκτώ)	0 μηδέν
4	τέσσερα	9	εννιά (εννέα)	
5	πέντε	10	δέκα	

4 Διαβάστε

Ομήρου 6

Δαβάκη 1

Βυζαντίου 2

Εγνατίας 5

Υμηττού 10

Δημοκρατίας 3

Αγίας Ελένης 8

Τσιμισκή 7

Σολωμού 4

5 Μιλήστε μεταξύ σας

Παράδειγμα

2 + 2 = ;

A: Πόσο κάνει δύο και δύο;

B: Δύο και δύο κάνει τέσσερα.

2 + 2 = ;	5 + 1 = ;
4 + 1 = ;	2 + 6 = ;
6 + 3 = ;	3 + 4 = ;
8 + 2 = ;	5 + 0 = ;

6 Ακούστε την ερώτηση και διαλέξτε τη σωστή απάντηση

1.	(α)	Κάνει δέκα.
	(β)	Είμαι καλά, ευχαριστώ.
	(γ)	Είμαι από τον Καναδά.
2.	(α)	Χαίρω πολύ. Κώστας Αναστασίου.
	(β)	Πολύ καλά, ευχαριστώ.
	(γ)	Εγώ είμαι από την Ισπανία.
3.	(α)	Είμαι ο Γιώργος.
	(β)	Είμαι από τον Λίβανο.
	(γ)	Είμαι καλά.

7 Γράψτε την σωστή λέξη

A: Καλησπέρα Κάθριν.

B: Α, Γεια σου. _____*Τι*_____ κάνεις;

A: Μια χαρά. _____ ;

B: _____ καλά, _____ .

A: Από _____ είσαι Κάθριν;

B: _____ από την Ιρλανδία. Εσύ;

A: Είμαι _____ το Μεξικό.

Pardon?

Είσαι από τη Γαλλία;

8 Γράψτε τον αριθμό

Οριζόντια ➡

1. **2**
2. **9**
3. **5**
4. **1**
5. **10**
6. **3**

Κάθετα ⬇

1. **0**
2. **7**
3. **4**
4. **6**

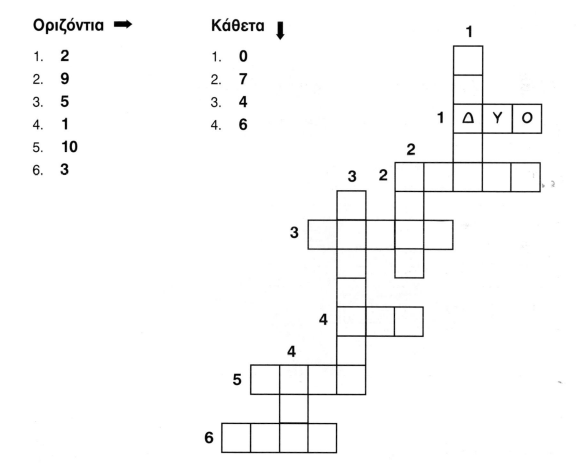

Η Μονίκ δουλεύει στην Ελλάδα

Η Μονίκ Μονσερά είναι από την Ελβετία και είναι καθηγήτρια.
Τώρα δουλεύει στην Ελλάδα. Μένει στην Αθήνα, στο Παγκράτι.
Η Μονίκ είναι παντρεμένη. Ο άντρας της δουλεύει στην Ελβετία.
Έχουν ένα παιδί, τον Πιέρ. Ο Πιέρ μένει με τον πατέρα του.

1 Σωστό ή λάθος;

1. Η Μονίκ Μονσερά είναι από την Ελβετία.
2. Η Μονίκ δουλεύει στην Ελβετία.
3. Η Μονίκ είναι καθηγήτρια.
4. Ο άντρας της δουλεύει στην Αθήνα.
5. Η Μονίκ έχει ένα παιδί.
6. Το παιδί μένει στην Αθήνα με τη μητέρα του.

Είμαι απ' τη Ρωσία, απ' τη Μόσχα

Ιβάν Πετρόφ	Από πού είστε;
Φιλίπ Μαρέ	Είμαι απ' τη Γαλλία.
Ιβάν Πετρόφ	Από ποιο μέρος;
Φιλίπ Μαρέ	Απ' το Παρίσι. Εσείς από πού είστε;
Ιβάν Πετρόφ	Εγώ είμαι απ' τη Ρωσία, απ' τη Μόσχα.

Χοσέ	Από πού είσαι, Έλενα;
Έλενα	Απ' την Αυστρία.
Χοσέ	Από ποιο μέρος;
Έλενα	Απ' τη Βιέννη. Εσύ από πού είσαι;
Χοσέ	Εγώ είμαι απ' την Ισπανία, απ' τη Μαδρίτη.

Ονομαστική

♂	ο	Καναδ**άς**
	ο	Λίβαν**ος**
♀	η	Γαλλί**α**
	η	Αμερικ**ή**
⊕	το	Μαρόκ**ο**

Αιτιατική

Είμαι από (απ')	τον	Καναδ**άς**
	το(ν)	Λίβαν**ος**
	τη(ν)	Γαλλί**α**
	την	Αμερικ**ή**
	το	Μαρόκ**ο**

♂	ο	Πειραι**άς**
	ο	Βόλ**ος**
♀	η	Πράγ**α**
	η	Μαδρίτ**η**
⊕	το	Λονδίν**ο**
	το	Βουκουρέστ**ι**

Είμαι από (απ')	τον	Πειραι**άς**
	το(ν)	Βόλ**ος**
	την	Πράγ**α**
	τη(ν)	Μαδρίτ**η**
	το	Λονδίν**ο**
	το	Βουκουρέστ**ι**

2 Μιλήστε μεταξύ σας

Παράδειγμα

η Γαλλία / το Παρίσι // η Ρωσία / η Μόσχα

A: Από πού είστε/είσαι;

B: Είμαι από/(απ') τη Γαλλία.

A: Από ποιο μέρος;

B: Από/(απ') το Παρίσι. Εσείς/Εσύ από πού είστε/είσαι;

A: Είμαι από/(απ') τη Ρωσία, από/(απ') τη Μόσχα.

1. η Γαλλία / το Παρίσι // η Ρωσία / η Μόσχα
2. ο Καναδάς / το Τορόντο // η Ισπανία / η Μαδρίτη
3. η Ρουμανία / το Βουκουρέστι // η Ελλάδα / η Θεσσαλονίκη
4. η Βρετανία / το Λίβερπουλ // Η Νορβηγία / το Όσλο
5. η Τουρκία / η Άγκυρα // η Νότια Αφρική / το Κέιπ Τάουν
6. ο Λίβανος / η Τρίπολη // η Κίνα / το Πεκίνο
7. η Αμερική / το Σαν Φρανσίσκο // το Πακιστάν / το Καράτσι

 # Πού μένετε;

Λάουρα Βίτι	Μένετε στην Πλάκα κύριε Μαρέ;
Φιλίπ Μαρέ	Ναι. Εσείς πού μένετε κυρία Βίτι;
Λάουρα Βίτι	Εγώ μένω στο Θησείο. Κι ο Στέφαν μένει στο Θησείο, νομίζω.
Στέφαν Λέμαν	Όχι, δε μένω στο Θησείο. Μένω στην Κηφισιά.

Κοιτάξτε! ☉ ☉

A : Μένετε/Μένεις στην Πλάκα;

B : Ναι, μένω στην Πλάκα. / Ναι.
Όχι, δε μένω στην Πλάκα. / Όχι.

A : Είστε/Είσαι από την Παλαιστίνη;

B : Ναι, είμαι από την Παλαιστίνη. / Ναι, είμαι. / Ναι.
Όχι, δεν είμαι από την Παλαιστίνη. / Όχι, δεν είμαι. / Όχι.

A: ~~Εγώ~~ είμαι από τη Γαλλία.
B: Εγώ είμαι από τη Ρωσία.

A: ~~Εγώ~~ μένω στη Γλυφάδα.
B: Εγώ μένω στον Κορυδαλλό.

Ονομαστική

	o	Πειραι**άς**
♂	o	Κορυδαλλ**ός**
♀	η	Κηφισι**ά**
	η	Φιλοθέ**η**
⊕	το	Νέο Ψυχικ**ό**
	το	Κολωνάκ**ι**
	το	Πέρα**μα**

➡

Αιτιατική

		τον	Πειραι**άς**
		τον	Κορυδαλλ**ός**
Μένω σ(ε)	την	Κηφισι**ά**
	τη(ν)	Φιλοθέ**η**
	το	Νέο Ψυχικ**ό**
	το	Κολωνάκ**ι**
	το	Πέρα**μα**

σε + το(ν)	➡	στον
σε + τη(ν)	➡	στη(ν)
σε + το	➡	στο

3 Μιλήστε μεταξύ σας

Παράδειγμα

το Παγκράτι / η Γλυφάδα / η Βούλα

A: Μένετε/μένεις στο Παγκράτι;
B: Όχι, δε μένω στο Παγκράτι. Μένω στη Γλυφάδα.
Εσείς/Εσύ πού μένετε/μένεις;
A: Μένω στη Βούλα.

1. το Παγκράτι / η Γλυφάδα / η Βούλα
2. η Φιλοθέη / το Χαλάνδρι / ο Χολαργός
3. το Κολωνάκι / ο Κολωνός / η Κυψέλη
4. η Κηφισιά / το Περιστέρι / η Νέα Ιωνία
5. το Μοσχάτο / ο Πειραιάς / η Δάφνη
6. η Βάρκιζα / η Νέα Σμύρνη / ο Βύρωνας
7. το Παλιό Φάληρο / ο Ρέντης / το Κουκάκι
8. η Καλλιθέα / ο Περισσός / η Πετρούπολη

		Ονομαστική		Αιτιατική
♂	ο	Άλιμος Πειραιάς Ρέντης	από τον / στον από τον / στον από το(ν) / στο(ν)	Άλιμο Πειραιά Ρέντη
♀	η	Γλυφάδα Εκάλη	από τη(ν) / στη(ν) από την / στην	Γλυφάδα Εκάλη
⊕	το	Μοσχάτο Καλαμάκι Πέραμα	από το / στο από το / στο από το / στο	Μοσχάτο Καλαμάκι Πέραμα

Άρθρα

	Ονομαστική	Αιτιατική
♂	ο	το(ν)
♀	η	τη(ν)
⊕	το	το

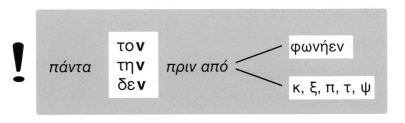

4 Βάλτε το σωστό άρθρο στην ονομαστική

1. _Η_ Ελένη
2. _____ Κώστας
3. _____ Ιταλία
4. _____ Παγκράτι
5. _____ Κυψέλη

6. _____ Καναδάς
7. _____ Μεξικό
8. _____ Γιώργος
9. _____ κυρία
10. _____ Αμαλία

11. _____ Αμερική
12. _____ κύριος
13. _____ Βέλγιο
14. _____ Άρης
15. _____ μάθημα

5 Βάλτε το σωστό άρθρο στην αιτιατική

1. από __την__ Ισπανία
2. σ _____ Καναδά
3. από _____ Λίβανο
4. σ _____ παιδί
5. από _____ Χαλάνδρι

6. σ _____ Κυψέλη
7. από _____ Πειραιά
8. σ _____ Βουδαπέστη
9. από _____ Πέραμα
10. σ _____ κύριο

11. από _____ Γιώργο
12. σ _____ μάθημα
13. από _____ Ελβετία
14. σ _____ Γερμανία
15. από _____ Μόναχο

6 Βάλτε το σωστό

1. __Η__ Μαδρίτη είναι __στην__ Ισπανία.
2. _____ Κώστας μένει _____ Αθήνα.
3. _____ Μάρκ είναι από _____ Βέλγιο.
4. _____ Ελένη μένει _____ Δάφνη.
5. _____ Πάολο είναι από _____ Ιταλία.
6. _____ Νέα Υόρκη είναι _____ Αμερική.
7. _____ Νίκος μένει _____ Θεσσαλονίκη.
8. _____ Τορόντο είναι _____ Καναδά.

7 Μιλήστε μεταξύ σας

A: Από πού είστε/είσαι;

B: Είμαι από/(απ') τ...

A: Από ποιο μέρος;

B: Από τ... Εσείς/Εσύ από πού είστε/είσαι;

A: (Εγώ) είμαι από/(απ') τ... , από τ...

B: Και πού μένετε/μένεις;

A: Μένω στ... Εσείς/Εσύ;

B: (Εγώ) μένω στ...

Ρήματα

Τύπος Α

εγώ	μέν **ω**	έχ **ω**	δουλεύ **ω**	**-ω**
εσύ	μέν **εις**	έχ **εις**	δουλεύ **εις**	**-εις**
αυτός / αυτή / αυτό	μέν **ει**	έχ **ει**	δουλεύ **ει**	**-ει**
εμείς	μέν **ουμε**	έχ **ουμε**	δουλεύ **ουμε**	**-ουμε**
εσείς	μέν **ετε**	έχ **ετε**	δουλεύ **ετε**	**-ετε**
αυτοί / αυτές / αυτά	μέν **ουν(ε)**	έχ **ουν(ε)**	δουλεύ **ουν(ε)**	**-ουν**

8   Βάλτε τα ρήματα στο σωστό πρόσωπο

1. Εγώ ___μένω___ στην Κυψέλη. Εσείς πού _____ ; (μένω)

2. Η κυρία Τανάκα _____ από την Ιαπωνία. Εμείς _____
   από την Δανία. (είμαι)

3. Αυτοί δεν _____ τώρα. (δουλεύω)

4. Εμείς _____ στην Καλαμάτα. Εσύ πού _____ ; (μένω)

5. Ο κύριος και η κυρία Δημαρά _____ ένα παιδί. (έχω)

6. Εγώ _____ από την Κρήτη. Εσείς από πού _____ ; (είμαι)

7. Αυτός _____ στην Πάτρα. Εγώ _____ στο Παρίσι. (δουλεύω)

Αριθμοί

11 **έντεκα**	21 **είκοσι** ένα	76 **εβδομήντα** έξι
12 **δώδεκα**		
13 δεκατρία	32 **τριάντα** δύο	87 **ογδόντα** εφτά (επτά)
14 δεκατέσσερα		
15 δεκαπέντε	43 **σαράντα** τρία	98 **ενενήντα** οχτώ (οκτώ)
16 δεκαέξι/δεκάξι		
17 δεκαεφτά (δεκαεπτά)	54 **πενήντα** τέσσερα	100 **εκατό**
18 δεκαοχτώ (δεκαοκτώ)		
19 δεκαεννιά (δεκαεννέα)	65 **εξήντα** πέντε	
20 **είκοσι**		

9 Διαβάστε

ΑΓΡΙΝΙΟ	26 4 10
ΑΘΗΝΑ	2 10
ΑΝΔΡΟΣ	22 8 20
ΑΡΑΧΩΒΑ	22 6 70
ΑΡΓΟΣ	27 5 10
ΑΡΓΟΣΤΟΛΙ	26 7 10
ΗΡΑΚΛΕΙΟ	28 10
ΘΕΣΣΑΛΟΝΙΚΗ	23 10
ΘΗΒΑ	22 6 20

ΙΘΑΚΗ	26 7 40
ΙΩΑΝΝΙΝΑ	26 5 10
ΚΑΒΑΛΑ	25 10
ΚΑΛΑΜΑΤΑ	27 2 10
ΚΑΣΤΟΡΙΑ	24 6 70
ΛΑΓΟΝΗΣΙ	22 9 90
ΜΑΝΗ	25 5 30
ΜΕΤΣΟΒΟ	26 5 60
ΜΥΚΟΝΟΣ	22 8 90

10 Ρωτήστε και απαντήστε

Παράδειγμα

6 + 5 = ;

A: Πόσο κάνει έξι και πέντε;
B: Έξι και πέντε κάνει έντεκα.

1. 6 + 5 = ;
2. 13 + 7 = ;
3. 18 + 4 = ;
4. 32 + 25 = ;
5. 47 + 48 = ;

6. 34 + 44 = ;
7. 63 + 12 = ;
8. 59 + 19 = ;
9. 15 + 75 = ;
10. 11 + 88 = ;

Μάθημα 3

11 Μιλήστε μεταξύ σας

Παράδειγμα

A: Αθήνα Κινέτα;
B: Πενήντα έξι χιλιόμετρα. Αθήνα Πάρνηθα;
A: Τριάντα δύο χιλιόμετρα.

Αθήνα — Ερέτρια	51		Θεσσαλονίκη — Βασιλικό	27
Αθήνα — Θήβα	89		Θεσσαλονίκη — Βέρροια	79
Αθήνα — Κερατέα	40		Θεσσαλονίκη — Επανωμή	29
Αθήνα — Κινέτα	56		Θεσσαλονίκη — Κιλκίς	50
Αθήνα — Μέγαρα	41		Θεσσαλονίκη — Νάουσα	93
Αθήνα — Μπογιάτι	24		Θεσσαλονίκη — Σέρρες	98
Αθήνα — Πάρνηθα	32			
Αθήνα — Πειραιάς	9			
Αθήνα — Ραφήνα	30			

12 Ακούστε την ερώτηση και διαλέξτε τη σωστή απάντηση

1.	(α)	Δεν μένω.
	(β)	Στο Παγκράτι.
	(γ)	Από την Νέα Σμύρνη.
2.	(α)	Ναι.
	(β)	Ναι, είμαι απ' τη Γαλλία.
	(γ)	Κι εγώ.
3.	(α)	Ευχαριστώ.
	(β)	Πολύ καλά.
	(γ)	Όχι, δεν είμαι.
4.	(α)	Δουλεύω στην Κηφισιά.
	(β)	Ναι, ευχαριστώ.
	(γ)	Από την Θεσσαλονίκη.
5.	(α)	Η Ελλάδα.
	(β)	Στην Ελλάδα.
	(γ)	Απ' την Ελλάδα.

13 Γράψτε τι λέει ο "Α"

1. A: *Τι κάνεις;*

   B: Είμαι καλά. Εσύ;

2. A: _____

   B: Είμαι απ' τη Συρία.

3. A: _____

   B: Μαρία.

4. A: _____

   B: Μένουμε στον Χολαργό.

5. A: _____

   B: Πολύ καλά, ευχαριστώ. Εσείς;

6. A: _____

   B: Χαίρω πολύ. Ελένη Περάκη.

7. A: _____

   B: Ναι, μένει στην Πάτρα.

Πώς λέγεστε, παρακαλώ;

Γραμματέας	... και πώς λέγεστε, παρακαλώ;
Νίνο Σόρντι	Σόρντι. Νίνο Σόρντι.
Γραμματέας	Είστε απ' την Ιταλία;
Νίνο Σόρντι	Ναι.
Γραμματέας	Τώρα πού μένετε, κύριε Σόρντι;
Νίνο Σόρντι	Στην Καλλιθέα.
Γραμματέας	Πού ακριβώς;
Νίνο Σόρντι	Δοϊράνης 44.
Γραμματέας	Ένα τηλέφωνο;
Νίνο Σόρντι	210 9519263.
Γραμματέας	Τι δουλειά κάνετε;
Νίνο Σόρντι	Είμαι γιατρός.
Γραμματέας	Εντάξει, κύριε Σόρντι. Ευχαριστώ.
Νίνο Σόρντι	Παρακαλώ. Αντίο σας.

1 Σωστό ή λάθος;

1. Ο κύριος Σόρντι είναι από την Ιταλία.
2. Μένει στην Γλυφάδα
3. Μένει Δοϊράνης 44.
4. Δεν έχει τηλέφωνο.
5. Είναι γιατρός.

Κοιτάξτε! ☉ ☉

Λέμε	:	Μένω		Δοϊράνης 44.
				Δημοκρατίας 67.
				Ελευθερίου Βενιζέλου 30.
Επίσης λέμε	:	Μένω	**στην**	οδό Αμαλίας 53.
				λεωφόρο Κηφισίας 129.
				πλατεία Αμερικής.

Αριθμοί

101 εκατό**ν** ένα

  102 εκατό**ν** δύο

    130 εκατό**ν** τριάντα

      199 εκατό**ν** ενενήντα εννιά/εννέα

        200 διακόσια

          300 τριακόσια (τρακόσια)

            400 **τετρ**ακόσια

              500 πεντακόσια

              600 εξακόσια

                700 εφτακόσια (επτακόσια)

                  800 οχτακόσια (οκτακόσια)

                    900 εννιακόσια

                1.000 χίλια

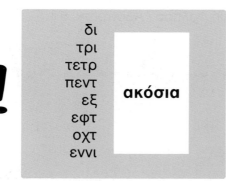

! δι / τρι / τετρ / πεντ / εξ / εφτ / οχτ / εννι | **ακόσια**

Μάθημα **4**

2 Ρωτήστε και απαντήστε

Παράδειγμα

(α) A: Πόσο κάνει εκατόν πέντε συν διακόσια;
     B: Κάνει τριακόσια πέντε.

(β) A: Πόσο κάνει εξακόσια ογδόντα πλην τριακόσια;
     B: Κάνει τριακόσια ογδόντα.

1. 105 + 200 = ;
2. 680 − 300 = ;
3. 420 + 230 = ;
4. 890 − 690 = ;

5. 910 − 510 = ;
6. 715 + 200 = ;
7. 950 − 350 = ;
8. 380 + 120 = ;

| + = συν / και |
| − = πλην |

3 Μιλήστε μεταξύ σας

Παράδειγμα

(η) Νέα Σμύρνη / Ιωνίας 45

A: Πού μένεις ... ;
B: Μένω στη Νέα Σμύρνη.
A: Στη Νέα Σμύρνη; Πού ακριβώς;
B: Ιωνίας 45.

1. (η) Νέα Σμύρνη / Ιωνίας 45
2. (το) Παγκράτι / Φιλολάου 62
3. (ο) Κορυδαλλός / Δελφών 24
4. (το) Παλιό Ψυχικό / Ανθέων 19

5. (η) Αγία Παρασκευή / Ελευθερίου Βενιζέλου 229
6. (η) Καλλιθέα / Θησέως 294
7. (ο) Χολαργός / Τερψιχόρης 78
8. (το) Παλιό Φάληρο / Αμφιτρίτης 51

4 Μιλήστε μεταξύ σας

A: Πού μένεις;
B: Μένω στ...
A: Πού ακριβώς;
B: ... Εσύ πού μένεις;
A: ...

Το τηλέφωνό μου είναι 210 9519263

Γραμματέας	Ένα τηλέφωνο;
Νίνο Σόρντι	Το τηλέφωνό μου στο σπίτι είναι 210 9519263.
Γραμματέας	Μήπως έχετε και κινητό;
Νίνο Σόρντι	Ναι. Ένα λεπτό. Ε... το κινητό μου είναι 0944 822356.

Κοιτάξτε! ☉ ☉

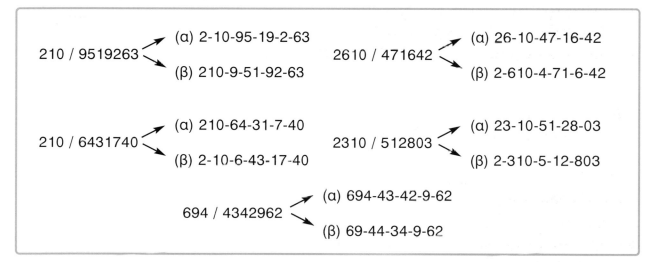

210 / 9519263
- (α) 2-10-95-19-2-63
- (β) 210-9-51-92-63

2610 / 471642
- (α) 26-10-47-16-42
- (β) 2-610-4-71-6-42

210 / 6431740
- (α) 210-64-31-7-40
- (β) 2-10-6-43-17-40

2310 / 512803
- (α) 23-10-51-28-03
- (β) 2-310-5-12-803

694 / 4342962
- (α) 694-43-42-9-62
- (β) 69-44-34-9-62

Κτητικό

Ο γιατρός	**μου**
	σου
Η δουλειά	**του / της / του**
	μας
Το παιδί	**σας**
	τους

Το τηλέφωνό **του** είναι 010-8765452.
Ο άντρας **της** δουλεύει στη Θεσσαλονίκη.
Το παιδί **μας** είναι στο σπίτι.

5 Γράψτε το σωστό κτητικό ✍

1. Το τηλέφονό __*μου*__ είναι 2 10 3456901. (εγώ)
2. Ο άντρας _____ είναι από την Πολωνία. (η Ελένη)
3. Το παιδί _____ μένει στην Ελβετία. (εμείς)
4. Ο γιατρός _____ μένει στο Κολωνάκι. (ο Κώστας και η Άννα)
5. Η δουλειά _____ είναι στον Πειραιά. (ο Γιάννης)
6. Πού μένει η καθηγήτριά _____ ; (εσύ)
7. Το τηλέφονό _____ είναι 2310 652301. (ο φίλος μου κι εγώ)
8. Πού είναι το κινητό _____ ; (εσείς)

6 Μιλήστε μεταξύ σας

Παράδειγμα

A: Πού μένει ο Χρήστος Κωνσταντάρας;
B: Μένει Σέκερη 3.
A: Το τηλέφονό του;
B: Το τηλέφονό του είναι 210 3613076.
A: Ευχαριστώ.
B: Παρακαλώ.

Κωνσταντάρας Χρήστος, Σέκερη 3, ... 210 361 3076
Κωνσταντάς Αθανάσιος, Μιλτιάδου 12, ... 210 324 6973
Κωνσταντάτου Παρασκευή, Ιωάννου Ράλλη 32, ... 210 561 0708
Κωνσταντινίδης Ανδρέας, Συγγρού 87, ... 210 646 3866
Κωνσταντίνου Λουκάς, Φιλολάου 55, ... 210 751 1743
Κωνσταντοπούλου Ελένη, Παπακώστα 29, ... 210 806 4789
Κωσταράς Αριστοτέλης, Κασσιανής 18, ... 210 646 6279

7 Μιλήστε μεταξύ σας

Από πού είναι (η Άλισον); Πού μένει; Έχεις το τηλέφονό (της);

Τι δουλειά κάνετε;

Μάρθα Πιλαφίδου	Τι δουλειά κάνετε κύριε Μάρκου;
Πέτρος Μάρκου	Είμαι γιατρός. Εσείς;
Μάρθα Πιλαφίδου	Είμαι καθηγήτρια.

! Τι δουλειά κάνετε; = Με τι ασχολείστε;

 # Τι δουλειά κάνεις;

Άννα	Τι δουλειά κάνεις Θανάση;
Θανάσης	Είμαι φωτογράφος. Εσύ;
Άννα	Είμαι δασκάλα.

! Τι δουλειά κάνεις; = Με τι ασχολείσαι;

Κοιτάξτε!

Είμαι	καθηγητής πωλητής δάσκαλος μαθητής	Είμαι	καθηγήτρια πωλήτρια δασκάλα μαθήτρια	Είμαι	γιατρός φωτογράφος μηχανικός γραμματέας διπλωμάτης

8 Μιλήστε μεταξύ σας

Παράδειγμα

γιατρός / μηχανικός

Α: Τι δουλειά κάνετε/κάνεις;

Β: Είμαι γιατρός. Εσείς/ Εσύ;

Α: Είμαι μηχανικός.

1. γιατρός / μηχανικός
2. δικηγόρος / γραμματέας
3. μηχανικός / δάσκαλος (δασκάλα)
4. φωτογράφος / διπλωμάτης
5. καθηγητής (καθηγήτρια) / πωλητής (πωλήτρια)
6. φοιτητής (φοιτήτρια) / φωτομοντέλο

9 **Ρωτήστε έναν συμμαθητή σας**

A: Τι δουλειά κάνετε/κάνεις;
B: Είμαι (γιατρός). Εσείς;/Εσύ;
A: Είμαι (φωτογράφος).

10 **Γράψτε τι δουλειά κάνετε.**
Γράψτε τι δουλειά κάνει ο... , η...

11 **Ακούστε την ερώτηση και βρείτε τη σωστή απάντηση**

1.	(α)	Στο Χολαργό, Θάλειας 23.
	(β)	Όχι, δεν μένω εδώ.
	(γ)	Ναι.
2.	(α)	Ναι, έχω.
	(β)	210 9322931.
	(γ)	Όχι, δεν είμαι.
3.	(α)	Ναι, είμαι δάσκαλος.
	(β)	Ναι, είσαι γιατρός.
	(γ)	Όχι, δεν είμαι.
4.	(α)	Ναι.
	(β)	Όχι, δεν είμαι.
	(γ)	Ναι, Ομήρου 48.

12 Γράψτε την ερώτηση ✎

1. A: **_Πώς λέγεστε / Πώς σε λένε;_** _____

   B: Λέγομαι Εύη Σωτηρίου.

2. A: _____

   B: Ναι. Το κινητό μου είναι 694 2234571.

3. A: _____

   B: Στο Παγκράτι, Υμηττού 45.

4. A: _____

   B: Όχι, είμαι δασκάλα.

13 Ρωτήστε και συμπληρώστε ✎

Παράδειγμα

A : Πώς λέγεστε;
B : Κάρμεν Μοράλες.
κτλ.
A : Μια υπογραφή εδώ, παρακαλώ.

Επώνυμο ·
Όνομα ·
Χώρα ·
Διεύθυνση ·
Τηλέφωνο ·
Κινητό ·
                    Υπογραφή · · · · · · · · · · · · · ·

Μιλάς ελληνικά;

Γιώργος	Γεια σου.
Κάρεν	Γεια σου. Πώς σε λένε;
Γιώργος	Με λένε Γιώργο. Εσένα;
Κάρεν	Κάρεν.
Γιώργος	Μιλάς ελληνικά;
Κάρεν	Όχι πολύ καλά.
Γιώργος	Έλα τώρα! Μιλάς μια χαρά.
	Είσαι απ' την Αγγλία;
Κάρεν	Όχι. Είμαι απ' τη Σκωτία, απ' το Εδιμβούργο.
Γιώργος	Και τι δουλειά κάνεις;
Κάρεν	Είμαι γιατρός αλλά τώρα δε δουλεύω.
	Μαθαίνω ελληνικά. Εσύ;
Γιώργος	Εγώ; Είμαι μουσικός. Πού μένεις Κάρεν;
Κάρεν	Στο Μαρούσι.
Γιώργος	Παντρεμένη, ελεύθερη;
Κάρεν	Παντρεμένη.
Γιώργος	Έχεις παιδιά;
Κάρεν	Ναι, έχω. Ένα κορίτσι.

1 Ρωτήστε και απαντήστε

1. Η Κάρεν είναι από την Αγγλία;
2. Μιλάει ελληνικά;
4. Τι δουλειά κάνει;
5. Πού δουλεύει τώρα;
6. Ο Γιώργος είναι καθηγητής;
7. Πού μένει η Κάρεν τώρα;
8. Είναι παντρεμένη;
9. Έχει παιδιά;
10. Πού είναι ο άντρας της;

Κοιτάξτε! ☉ ☉

A: Μιλάτε/Μιλάς ελληνικά;
B: Ναι, μιλάω. / Όχι, δεν μιλάω.

A: Μιλάτε/Μιλάς αγγλικά;
B: Ναι, πολύ καλά. / Ναι, αρκετά καλά. / Έτσι κι έτσι. /
Όχι πολύ καλά. / Λίγο. / Πολύ λίγο. / Όχι, καθόλου.

A: Μιλάτε/Μιλάς αραβικά;
B: Όχι, δε μιλάω καθόλου αραβικά.

Μιλάω	ελλην **ικά**	Μιλάω	κιν **έζικα**
	αγγλ **ικά**		γιαπων **έζικα**
	γαλλ **ικά**		
	ρωσ **ικά**		
	γερμαν **ικά**		
	ισπαν **ικά**		
	ιταλ **ικά**		
	αραβ **ικά**		
	αλβαν **ικά**		

Ρήματα

Τύπος B1

εγώ	μιλ **άω**
εσύ	μιλ **άς**
αυτός / αυτή / αυτό	μιλ **άει**
εμείς	μιλ **άμε**
εσείς	μιλ **άτε**
αυτοί / αυτές / αυτά	μιλ **άνε**

Δεν μιλάω καθόλου.

2 Μιλήστε μεταξύ σας

Παράδειγμα

ελληνικά; / πολύ λίγο

A: Μιλάτε/μιλάς ελληνικά;
B: Πολύ λίγο.

1. ελληνικά; / πολύ λίγο
2. γαλλικά; / ναι, αρκετά καλά
3. κινέζικα; / όχι, καθόλου
4. ισπανικά; / λίγο
5. ρωσικά; / πολύ λίγο

6. αγγλικά; / ναι, πολύ καλά
7. ιταλικά; / λίγο
8. ολλανδικά; / ναι, αρκετά καλά
9. γερμανικά; / όχι, καθόλου
10. νορβηγικά; / ναι, πολύ καλά

3 Ρωτήστε και συμπληρώστε τον πίνακα

π.χ. A: Μιλάς... ;
     B: ...

Γλώσσα	Πόσο καλά μιλάτε;				
πολύ καλά	αρκετά καλά	έτσι κι έτσι	λίγο	καθόλου
Αγγλικά					
Ιταλικά					
Κινέζικα					
Γερμανικά					
Ρωσικά					
Γιαπωνέζικα					
Ισπανικά					
Σουηδικά					
Ολλανδικά					
Τουρκικά					

Παντρεμένος ή ελεύθερος;

Κοιτάξτε! ☉ ☉

♂	A: Είστε/είσαι παντρεμένος; B: Ναι, είμαι. / Όχι, δεν είμαι. Είμαι ελεύθερος/χωρισμένος. Όχι, αλλά μένω με τη σύντροφό μου.
♀	A: Είστε/είσαι παντρεμένη; B: Ναι, είμαι. / Όχι, δεν είμαι. Είμαι ελεύθερη/χωρισμένη. Όχι, αλλά μένω με τον σύντροφό μου.

4 Μιλήστε μεταξύ σας

A: Είσαι παντρεμένος/η;
B: Ναι, είμαι. / Όχι, δεν είμαι... Εσύ;

Μάθημα 5

Έχεις παιδιά;

Κοιτάξτε! ◉ ◉

A:	Έχεις παιδιά;		A: Έχεις παιδιά;
B:	Ναι, έχω	δύο. Ένα κορίτσι κι ένα αγόρι.	B: Όχι, δεν έχω.
		τρία. Δύο αγόρια κι ένα κορίτσι.	

Ενικός	**Πληθυντικός**
ένα παιδ **ί**	δύο/τρία... παιδι **ά**
ένα κορίτσ ι	δύο/τρία... κορίτσι **α**
ένα αγόρ ι	δύο/τρία... αγόρι **α**

5 Μιλήστε μεταξύ σας

Παράδειγμα

A: Έχεις παιδιά;
B: Ναι, έχω δύο. Ένα αγόρι κι ένα κορίτσι. Εσύ;
A: Εγώ δεν έχω παιδιά.

1.    4.
2.   5.
3.   6.

6 Μιλήστε μεταξύ σας

A: Είσαι παντρεμένος;

B: .... Εσύ;

A: .... Έχεις παιδιά;

B: .... Εσύ;

Η οικογένεια

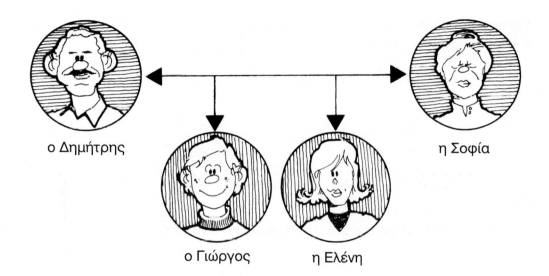

ο Δημήτρης   η Σοφία

ο Γιώργος   η Ελένη

Ο Δημήτρης είναι ο άντρας της.
Η Ελένη είναι η κόρη της.
Ο Γιώργος είναι ο γιος της.

η Σοφία

Ο Δημήτρης είναι ο πατέρας του.
Η Σοφία είναι η μητέρα του.
Η Ελένη είναι η αδελφή του.

ο Γιώργος

Η Σοφία είναι η γυναίκα του.
Η Ελένη είναι η κόρη του.
Ο Γιώργος είναι ο γιος του.

ο Δημήτρης

Η Σοφία είναι η μητέρα της.
Ο Δημήτρης είναι ο πατέρας της.
Ο Γιώργος είναι ο αδελφός της.

η Ελένη

Μάθημα 5

7 **Παίξτε θέατρο!**
Οι συμμαθητές σας είναι... ο πατέρας σας ή η μητέρα σας,
ο άντρας σας ή η γυναίκα σας κτλ. Μιλήστε μεταξύ σας

π.χ. Α: Ο πατέρας μου. Η μητέρα μου.
      Β: Χαίρω πολύ. Κώστας Αναστασίου. Η γυναίκα μου.
      Α: Χαίρω πολύ.

8 **Μιλήστε για τον άντρα σας / τη γυναίκα σας,
τον φίλο σας / τη φίλη σας / τα παιδιά σας κτλ.**

π.χ. Ο άντρας μου είναι από την Ιταλία και είναι μηχανικός...

!	Γράφουμε : π.χ. Λέμε : για παράδειγμα ή παραδείγματος χάριν

9 **Ακούστε την ερώτηση και βρείτε τη σωστή απάντηση**

1.	(α)	Λίγο.
	(β)	Δεν είμαι καλά.
	(γ)	Πολύ.
2.	(α)	Ναι, έχω.
	(β)	Όχι.
	(γ)	Έτσι κι έτσι.
3.	(α)	Όχι, δεν είμαστε.
	(β)	Ναι, έχουμε δύο.
	(γ)	Ναι, αρκετά καλά.
4.	(α)	Από την Πάτρα.
	(β)	Με την Πάτρα.
	(γ)	Στην Πάτρα.

10 Γράψτε τις προτάσεις στον ενικό

1. Από πού είστε; _Από πού είσαι;_ _____

2. Πού μένετε; _____

3. Πώς σας λένε; _____

4. Τι κάνετε; _____

5. Είμαστε από την Αργεντινή. _____

6. Έχετε παιδιά; _____

7. Δουλεύουμε στη Λαμία. _____

8. Γεια σας. _____

11 Γράψτε τι λέει ο "Α"

1 A: _Μιλάτε / Μιλάς αγγλικά;_ _____

   B: Ναι, μιλάω αρκετά καλά.

2. A: _____

   B: Όχι, είμαι χωρισμένος.

3. A: _____

   B: Ναι, έχουμε τρία. Δύο αγόρια κι ένα κορίτσι.

4. A: _____

   B: Είμαι διπλωμάτης.

Πώς σε λένε κούκλα;

Επανάληψη Μαθημάτων 1-5

1 Ρωτήστε πού μιλάνε... και βάλτε ένα ✔

Χώρα	Αγγλικά	Γαλλικά	Γερμανικά	Ισπανικά	Αραβικά	Κινέζικα
Αίγυπτος (η)					✔	
Αμερική (η)						
Αυστραλία (η)						
Αυστρία (η)						
Βέλγιο (το)						
Γαλλία (η)						
Γερμανία (η)						
Ελβετία (η)						
Καναδάς (ο)						
Κίνα (η)						
Χιλή (η)						
Μεξικό (το)						
Τυνησία (η)						

2 Γράψτε πέντε προτάσεις 🖋

Στη Γερμανία μιλάνε γερμανικά.

3 Ο πίνακας είναι λάθος.
Βρείτε από πού είναι ο Φρανσουά, ο Αλμπέρτο κτλ., πού μένουν και τι γλώσσα μιλάνε.

π.χ. Ο Φρανσουά είναι από τη Γαλλία, μένει στο Παρίσι και μιλάει γαλλικά.

ο Φρανσουά	Αγγλία	Τόκιο	ελληνικά
ο Αλμπέρτο	Ιαπωνία	Παρίσι	τούρκικα
η Ελένη	Γαλλία	Λονδίνο	ρωσικά
ο Ρόμπερτ	Ελλάδα	Άγκυρα	γιαπωνέζικα
η Τόμικο	Ρωσία	Ρώμη	γαλλικά
ο Ιβάν	Τουρκία	Θεσσαλονίκη	αγγλικά
η Λεϊλά	Ιταλία	Μόσχα	ιταλικά

4 Τώρα γράψτε προτάσεις όπως αυτή

Ο Αλμπέρτο είναι από την Ιταλία, μένει στη Ρώμη και μιλάει μόνο ιταλικά.

5 Ρωτήστε έναν συμμαθητή σας

- από πού είναι
- πού μένει
- το τηλέφωνό του/της
- τι δουλειά κάνει

- αν είναι παντρεμένος/η
- αν έχει παιδιά
- αν μιλάει αγγλικά / γαλλικά / γιαπωνέζικα

Τώρα πείτε στην τάξη τι ξέρετε:

Παράδειγμα Ο Μπρους είναι από την Αυστραλία, από την Καμπέρα. Είναι γιατρός. Μένει στην Κυψέλη, Νάξου 7 και το τηλέφωνό του είναι...

6 Βάλτε τις λέξεις στο σωστό κουτί ✏

μητέρα	Ινδία	Πλατεία Μαβίλη	δασκάλα
ισπανικά	αδελφός	Βραζιλία	κόρη
γιατρός	αγγλικά	πατέρας	ιταλικά
οδός Σκουφά	γραμματέας	διπλωμάτης	Ιθάκης 14
Σουηδία	Τσιμισκή 67	ελληνικά	Μαρόκο

ισπανικά	*Σουηδία*	*οδός Σκουφά*	*γιατρός*	*μητέρα*

7 Βάλτε τις λέξεις στη σωστή σειρά ✏

1. δουλειά τι κάνετε;

   Τι δουλειά κάνετε; _____

2. την Ιταλία είμαι από Ρώμη τη από

   _____

3. η Παπακώστα μένει κυρία πού;

   _____

4. καθόλου μιλάω δεν γερμανικά

   _____

5. έχω ναι τρία κορίτσια αγόρι και ένα δύο

   _____

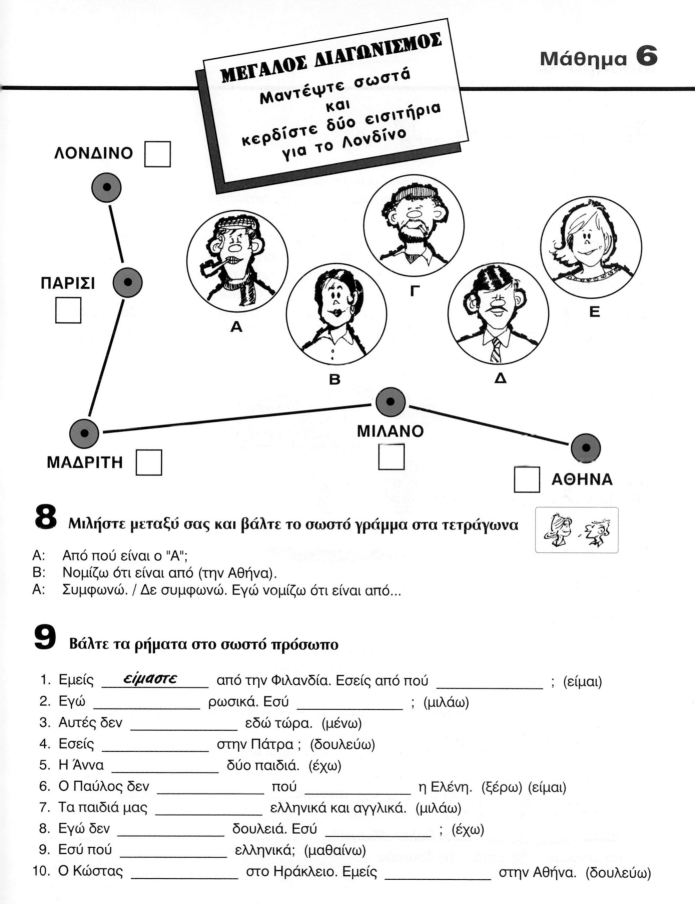

ΜΕΓΑΛΟΣ ΔΙΑΓΩΝΙΣΜΟΣ
Μαντέψτε σωστά
και
κερδίστε δύο εισιτήρια
για το Λονδίνο

ΛΟΝΔΙΝΟ ☐

ΠΑΡΙΣΙ ☐

Α

Β

Γ

Δ

Ε

ΜΙΛΑΝΟ ☐

ΜΑΔΡΙΤΗ ☐

☐ ΑΘΗΝΑ

8 Μιλήστε μεταξύ σας και βάλτε το σωστό γράμμα στα τετράγωνα

A: Από πού είναι ο "Α";
B: Νομίζω ότι είναι από (την Αθήνα).
A: Συμφωνώ. / Δε συμφωνώ. Εγώ νομίζω ότι είναι από...

9 Βάλτε τα ρήματα στο σωστό πρόσωπο

1. Εμείς ___*είμαστε*___ από την Φιλανδία. Εσείς από πού _____ ; (είμαι)
2. Εγώ _____ ρωσικά. Εσύ _____ ; (μιλάω)
3. Αυτές δεν _____ εδώ τώρα. (μένω)
4. Εσείς _____ στην Πάτρα ; (δουλεύω)
5. Η Άννα _____ δύο παιδιά. (έχω)
6. Ο Παύλος δεν _____ πού _____ η Ελένη. (ξέρω) (είμαι)
7. Τα παιδιά μας _____ ελληνικά και αγγλικά. (μιλάω)
8. Εγώ δεν _____ δουλειά. Εσύ _____ ; (έχω)
9. Εσύ πού _____ ελληνικά; (μαθαίνω)
10. Ο Κώστας _____ στο Ηράκλειο. Εμείς _____ στην Αθήνα. (δουλεύω)

Μάθημα 6

10 Μιλήστε μεταξύ σας

Παράδειγμα

η Μαδρίτη / η Ισπανία

A: Πού είναι η Μαδρίτη;
B: Η Μαδρίτη είναι στην Ισπανία.
A: Και πού είναι η Ισπανία;
B: Η Ισπανία είναι στην Ευρώπη.

1. η Μαδρίτη / η Ισπανία
2. το Ραμπάτ / το Μαρόκο
3. το Τόκιο / η Ιαπωνία
4. το Τελ Αβίβ / το Ισραήλ
5. το Μιλάνο / η Ιταλία
6. το Κάιρο / η Αίγυπτος
7. το Παρίσι / η Γαλλία
8. η Βουδαπέστη / η Ουγγαρία
9. η Λευκωσία / η Κύπρος
10. η Καλκούτα / η Ινδία

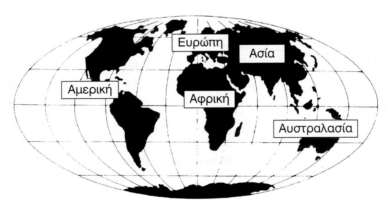

11 Βρείτε τη σωστή λέξη

1. " __*Είσαι*__ παντρεμένος;" "Όχι, είμαι χωρισμένος."
   (α) Εσύ   (β) Είσαι   (γ) Εσείς
2. "Μιλάτε ελληνικά;" "Ναι, _____ αρκετά καλά."
   (α) μιλάει   (β) μιλάτε   (γ) μιλάω
3. "Ένα τηλέφωνο;" "Το τηλέφωνό _____ είναι 210 8763201".
   (α) σας   (β) σου   (γ) μας
4. "Είμαι από την Ολλανδία. _____ ;" "Εγώ είμαι από το Ισραήλ."
   (α) Είστε   (β) Εσείς   (γ) Είσαι
5. "Μένετε _____ Μαρούσι;" "Όχι, μένουμε _____ Γλυφάδα."
   (α) στο/στην   (β) στην/στο   (γ) στο/στον
6. "Εμείς _____ στον Βόλο." "Κι εγώ."
   (α) μένουμε   (β) είστε   (γ) δουλεύω

Από την Ισπανία στην Ελλάδα

Η Παλόμα Σουάρεθ είναι απ' την Ισπανία, απ' το Τολέδο. Είναι παντρεμένη με το Χουάν κι έχουν δύο παιδιά, ένα κορίτσι, την Ντολόρες, κι ένα αγόρι, τον Αντόνιο. Ο Χουάν είναι γιατρός και η Παλόμα είναι γραμματέας.

Τώρα μένουνε στην Αθήνα. Ο Χουάν δουλεύει στο Νοσοκομείο Αλεξάνδρα. Η Παλόμα δε δουλεύει τώρα. Η διεύθυνσή τους είναι Ολύμπου 18, Χαλάνδρι, και το τηλέφωνό τους είναι 210 6821736.

Ο Χουάν μιλάει ελληνικά αρκετά καλά. Η Παλόμα καταλαβαίνει αλλά δε μιλάει καλά ακόμα. Τα παιδιά μιλάνε πολύ καλά.

12 Ρωτήστε και απαντήστε

1. Από πού είναι η Παλόμα;
2. Είναι από την Μαδρίτη;
3. Η Παλόμα είναι παντρεμένη ;
4. Έχει παιδιά;
5. Πού μένουν η Παλόμα κι ο Χουάν τώρα;
6. Το τηλέφωνό τους είναι 210 68217367;
7. Τι δουλειά κάνει ο Χουάν;
8. Η Παλόμα τι δουλειά κάνει;
9. Η Παλόμα δουλεύει τώρα;
10. Ο Χουάν μιλάει ελληνικά καλά; Η Παλόμα;

13 Ταιριάξτε αριθμούς και γράμματα

1. η Παλόμα
2. τον γιο τους
3. ο Χουάν
4. την κόρη τους
5. η διεύθυνσή τους
6. τώρα

α. είναι γιατρός
β. μένουνε στην Αθήνα
γ. τη λένε Ντολόρες
δ. δε μιλάει ελληνικά καλά
ε. τον λένε Αντόνιο
ζ. δε δουλεύει στην Ελλάδα
η. μιλάει ελληνικά αρκετά καλά
θ. είναι Ολύμπου 18, Χαλάνδρι

14 Γράψτε για ένα φίλο σας και την οικογένεια του

Πόσο κάνει αυτό το ρολόι;

Πελάτης	Καλημέρα.
Πωλητής	Καλημέρα σας. Παρακαλώ.
Πελάτης	Θα ήθελα... ε... μια ομπρέλα.
Πωλητής	Βεβαίως. Αυτή σας αρέσει;
Πελάτης	Ναι, μ' αρέσει. Πόσο κάνει;
Πωλητής	Είκοσι εννέα ευρώ και τριάντα πέντε λεπτά.
Πελάτης	Ναι... Και αυτός ο αναπτήρας πόσο έχει;
Πωλητής	Σαράντα τέσσερα ευρώ.
Πελάτης	Είναι για δώρο, ξέρετε... και...
Πωλητής	Καταλαβαίνω κύριε. Μήπως σας αρέσει αυτό το ρολόι; Κάνει μόνο δεκατέσσερα κι εξήντα.
Πελάτης	Ναι, αυτό το ρολόι μ' αρέσει πολύ. Πόσο κάνει;
Πωλητής	Δεκατέσσερα κι εξήντα, κύριε.
Πελάτης	Λοιπόν, εντάξει. Ορίστε είκοσι.
Πωλητής	Τα ρέστα σας. Πέντε ευρώ και σαράντα λεπτά.
Πελάτης	Ευχαριστώ πολύ. Γεια σας.
Πωλητής	Αντίο σας... Συγνώμη κύριε, η απόδειξή σας.
Πελάτης	Α, ευχαριστώ.
Πωλητής	Παρακαλώ.

1 Σωστό ή λάθος;

1. Η ομπρέλα κάνει είκοσι και τριάντα πέντε.
2. Ο αναπτήρας κάνει σαράντα τέσσερα ευρώ.
3. Το ρολόι κάνει δέκα κι εξήντα.
4. Τα ρέστα είναι πέντε ευρώ και σαράντα λεπτά.

Ουσιαστικά
Ενικός - Ονομαστική

♂	♀	⊕
ο αναπτήρ **ας** υπολογιστ **ής** φάκελ **ος**	η μηχαν **ή** ομπρέλ **α**	το βιβλί **ο** ρολό **ι** άγαλ **μα**

2 Βάλτε τη σωστή λέξη

βιβλίο - τηλεόραση - αναπτήρας - σπίτι - πορτοφόλι - εφημερίδα - μηχανή - σουβλάκι - αυτοκίνητο

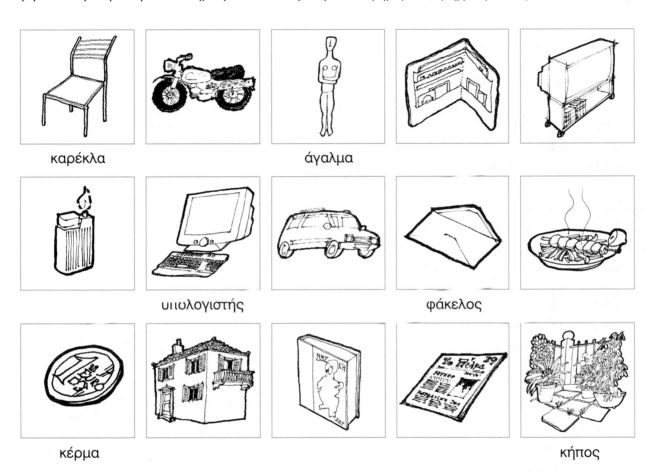

καρέκλα   άγαλμα

υπολογιστής   φάκελος

κέρμα   κήπος

3 Βάλτε το σωστό άρθρο

1. __*o*__ κήπος
2. _____ σουβλάκι
3. _____ φάκελος
4. _____ μηχανή
5. _____ άγαλμα

6. _____ σπίτι
7. _____ αναπτήρας
8. _____ καρέκλα
9. _____ κέρμα
10. _____ αυτοκίνητο

11. _____ πορτοφόλι
12. _____ εφημερίδα
13. _____ βιβλίο
14. _____ τηλεόραση
15. _____ υπολογιστής

Δεικτική Αντωνυμία "αυτός, αυτή, αυτό"

♂	Αυτ**ός**	ο	αναπτήρας υπολογιστής φακός	κάνει	τριάντα ευρώ εννιακόσια ευρώ είκοσι ευρώ
♀	Αυτ**ή**	η	τηλεόραση καρέκλα	κάνει	πεντακόσια ευρώ ογδόντα ευρώ
⊕	Αυτ**ό**	το	βιβλίο ρολόι άγαλμα	κάνει	δεκαπέντε ευρώ εκατό ευρώ χίλια ευρώ

Κοιτάξτε! ☉ ☉

μία	λίρα κορόνα		ένα	δολάριο ρούβλι ευρώ γιεν λεβ	
δύο			δύο		
τρ**εις** τέσσερ**ις**			τρία τέσσερα		
πέντε έξι			πέντε έξι		δολάρι**α** ρούβλι**α**
δεκατρ**είς** δεκατέσσερ**ις**	λίρ**ες** κορόν**ες**		δεκατρία δεκατέσσερα		
είκοσι τρ**εις** είκοσι τέσσερ**ις**			είκοσι τρία είκοσι τέσσερα		ευρώ γιεν λεβ
διακόσι**ες** τριακόσι**ες** τετρακόσι**ες**			διακόσια τριακόσια τερακόσια		
χίλι**ες**			χίλια		

4 Βάλτε την αντωνυμία στον σωστό τύπο

1. Πόσο κάνει ___*αυτός*___ ο φακός;

2. _____ το άγαλμα είναι από την Ολυμπία.

3. _____ η ομπρέλα έχει μόνο είκοσι τέσσερα ευρώ.

4. Πόσο έχει _____ το πορτοφόλι;

5. Πόσο κάνει _____ ο υπολογιστής;

6. _____ η τηλεόραση κάνει πεντακόσια δέκα ευρώ.

7. _____ το βιβλίο πόσο κάνει;

> Παρακαλώ,
> πόσο κάνει;

5 Γράψτε τους αριθμούς

1. Αυτή η τηλεόραση κάνει ___*τριακόσιες*___ λίρες. (300)

2. Αυτός ο αναπτήρας έχει _____ δολάρια. (105)

3. Αυτό το πορτοφόλι έχει _____ κορόνες. (420)

4. Αυτή η μηχανή κάνει _____ λίρες. (1.000)

5. Αυτό το βιβλίο κάνει _____ κορόνες. (280)

6. Αυτός ο φακός έχει _____ γιεν. (950)

7. Αυτό το άγαλμα έχει _____ ευρώ. (540)

Αριθμοί

2.000	δύο
3.000	τρεις
4.000	τέσσερις
5.000	πέντε
6.000	έξι
....	
13.000	δεκατρείς
14.000	δεκατέσσερις
23.000	είκοσι τρεις
24.000	είκοσι τέσσερις
....	
100.000	εκατό
210.000	διακόσιες δέκα
320.000	τριακόσιες είκοσι
....	
999.000	εννιακόσιες ενενήντα εννιά
1.000.000	ένα εκατομμύρι**ο**
2.100.000	δύο εκατομμύρι**α** εκατό χιλιάδες
3.250.000	τρία εκατομμύρι**α** διακόσιες πενήντα χιλιάδες
....	

χιλιάδες

♀

6 Διαβάστε τους αριθμούς

1.	2.400	6.	256.000	11.	1.236.000
2.	3.100	7.	323.300	12.	1.643.000
3.	67.621	8.	678.503	13.	2.414.000
4.	94.702	9.	894.894	14.	5.783.100
5.	50.001	10.	999.090	15.	13.084.214

7 Ρωτήστε και απαντήστε

Παράδειγμα

(α)   5.600 + 13.000 = ;

   Α: Πόσο κάνει πέντε χιλιάδες εξακόσια και δεκατρείς χιλιάδες;
   Β: Κάνει δεκαοχτώ χιλιάδες εξακόσια.

(β)   840.000 − 30.000 = ;

   Α: Πόσο κάνει οχτακόσιες σαράντα χιλιάδες πλην τριάντα χιλιάδες;
   Β: Κάνει οχτακόσιες δέκα χιλιάδες.

1.	5.600 + 13.000 = ;	6.	1.500.000 + 300.000 = ;
2.	840.000 − 30.000 = ;	7.	3.000.000 − 400.000 = ;
3.	14.000 − 7.000 = ;	8.	15.000.000 + 4.000.000 = ;
4.	624.000 + 6.000 = ;		
5.	900.000 − 450.000 = ;		

Καλέ, πόσο κάνει
το μπουζούκι σας;

8 Μιλήστε μεταξύ σας

Παράδειγμα

A: Πόσο κάνει αυτό το τηλέφωνο;

B: Αυτό το τηλέφωνο κάνει εκατόν τριάντα δύο ευρώ και πενήντα λεπτά.

€ 132,50	€ 40,00	€ 3.200,00
	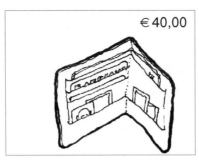	

€ 1,20	€ 480.000,00	€ 9.200,00

€ 185,30	€ 17,60	€ 739,90

€ 60,00	€ 88,00	€ 9,45
		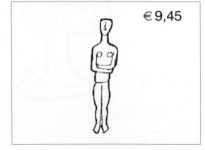

Πώς το λέτε αυτό στα ελληνικά;

Τι σημαίνει "αυτοκίνητο";

9 Ρωτήστε τον καθηγητή σας / την καθηγήτριά σας

A: Πώς | το λέτε | αυτό στα ελληνικά;
     | λέγεται |

B: "Ποτήρι".

  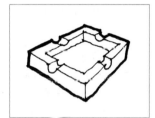 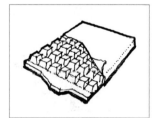

 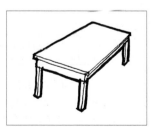  

10 Ρωτήστε τι σημαίνει

τυρόπιτα / νερό / κρασί / στιλό / γάλα / σαπούνι / μηχανάκι / ασανσέρ

Παράδειγμα

A: Τι σημαίνει "κρασί";
B: (Σημαίνει) "wine" / "vin" / "vino" / "Wein"

Κοιτάξτε! ◉ ◉

A: **Σ'** αρέσει αυτή η τηλεόραση, Μαρία;
Σας αρέσει αυτό το βιβλίο, κύριε Κανάκη;

B: Ναι, **μ'** αρέσει πολύ.
Ναι, **μ'** αρέσει.
Έτσι κι έτσι.
Όχι, δε(ν) **μ'** αρέσει.
Όχι, δε(ν) **μ'** αρέσει καθόλου.

11 Μιλήστε μεταξύ σας

Παράδειγμα

αυτοκίνητο; / +

A: Σας / Σ' αρέσει αυτό το αυτοκίνητο;
B: Ναι, μ' αρέσει.

Κώδικας	
+ +	μ' αρέσει πολύ
+	μ' αρέσει
+ −	έτσι κι έτσι
−	δε μ' αρέσει
− −	δε μ' αρέσει καθόλου

1. το αυτοκίνητο; / +
2. ο υπολογιστής; / −
3. η εφημερίδα; / + −

4. η τηλεόραση; / + +
5. ο αναπτήρας; / − −
6. το άγαλμα; / −

7. το CD; / +
8. ο φακός; / + −
9. η ομπρέλα; / + +

12 Ακούστε την ερώτηση και βρείτε τη σωστή απάντηση

1.	(α)	Τριάντα δύο ευρώ.
	(β)	Δεν κάνει.
	(γ)	Έτσι κι έτσι.
2.	(α)	Αυτό δε μ' αρέσει.
	(β)	Τασάκι.
	(γ)	Ευχαριστώ.
3.	(α)	Όχι, δεν έχουμε.
	(β)	Όχι, δεν είναι.
	(γ)	Όχι.

13 Βάλτε τη σωστή λέξη

Πελάτης Γεια σας.

Πωλητής ***Καλημέρα σας*** . Παρακαλώ.

Πελάτης Θα _____ ένα πορτοφόλι.

Πωλητής Βεβαίως. Αυτό _____ αρέσει;

Πελάτης Ναι. _____ κάνει;

Πωλητής Τριάντα τέσσερα _____ εξήντα πέντε.

Πελάτης Και _____ πόσο έχει;

Πωλητής Είκοσι έξι ευρώ.

Πελάτης Μ' _____ αυτό. Είκοσι έξι, ε;

Πωλητής Μάλιστα.

Πελάτης _____ τριάντα.

Πωλητής _____ ρέστα σας και _____ απόδειξή σας.

Πελάτης Ευχαριστώ.

Πωλητής _____ .

Ποιος είναι αυτός;

Ποιος είναι
αυτός εκεί;

Πάολα	Τι ωραίο πάρτι!
Ελένη	Ναι. Πολύ ωραίο.
Πάολα	Θέλεις κρασί ή μπίρα;
Ελένη	Ένα ποτήρι κρασί, σε παρακαλώ.
Πάολα	Έλα, στην υγειά σου.
Ελένη	Γεια μας. Δε μου λες, ποιος είναι αυτός εκεί;
Πάολα	Ποιος; Αυτός δίπλα στη Μόνικα;
Ελένη	Ναι. Πολύ ωραίος, δεν είναι;
Πάολα	Μμ...καλός είναι. Τον λένε Μπρους. Είναι Αυστραλός.
Ελένη	Και αυτή με τον Αλέκο ποια είναι;
Πάολα	Μια καινούργια μαθήτρια στην τάξη μου. Είναι Ολλανδέζα. Δεν ξερω πώς τη λένε.
Ελένη	Πολύ ωραία κοπέλα.

1 Ρωτήστε και απαντήστε

1. Η Πάολα και η Ελένη είναι στο μάθημα ή σ' ένα πάρτι;
2. Η Ελένη θέλει μπίρα;
3. Από πού είναι ο Μπρους;
4. Ο Μπρους είναι ωραίος;
5. Η κοπέλα με τον Αλέκο είναι Αυστραλέζα;
6. Πώς τη λένε;
7. Είναι καινούργια στην τάξη;

A:	Ποι **ος** είναι αυτός;		A:	Ποι **α** είναι αυτή;	
B:	Είναι ο	Κώστας κύριος Δήμας.	B:	Είναι η	Ελένη κυρία Δήμα.

2 Μιλήστε μεταξύ σας

Ποιος είναι αυτός εδώ; / Ποια είναι αυτή εδώ;

Από πού είναι;   Τι δουλειά κάνει;   Πού μένει τώρα;

Λιβ
Σουηδία
γιατρός
Παρίσι

Γιώργος
Ελλάδα
αρχιτέκτονας
Μόναχο

Πήτερ
Αγγλία
καθηγητής
Ρώμη

Τουφίκ
Λίβανος
τραπεζικός
Αθήνα

Μαλένα
Ισπανία
φωτογράφος
Ελσίνκι

Χανς
Γερμανία
μηχανικός
Μαδρίτη

3 Ρωτήστε για τους συμμαθητές σας

Ποιος είναι αυτός εδώ/εκεί; Από πού είναι; κτλ.

Γράφουμε	: κτλ.
Λέμε	: και τα λοιπά

Ο Μπρους είναι Αυστραλός

Ο Μπρους είναι Αυστραλός. Είναι απ' τη Μελβούρνη και δουλεύει στην Αθήνα.
Η φίλη του η Γκρέτα είναι Ολλανδέζα, απ' το Άμστερνταμ και είναι δημοσιογράφος.
Κι αυτή δουλεύει στην Αθήνα. Μένουνε στον Νέο Κόσμο, κοντά στο κέντρο.

4 **Σωστό ή λάθος;**

1. Ο Μπρους είναι Ιρλανδός.
2. Τώρα δουλεύει στη Μελβούρνη.
3. Η φίλη του λέγεται Γκρέτα.
4. Η Γκρέτα είναι από την Ολλανδία.
5. Τώρα δουλεύει στην Αθήνα.
6. Ο Μπρους είναι δημοσιογράφος.
7. Η Γκρέτα και ο Μπρους μένουν στην Κυψέλη.

Από πού είστε;

Χώρα	♂ Εθνικότητα	♀
η Ελλάδα	Έλλην **ας**	Ελλην **ίδα**
η Ιταλία	Ιταλ **ός**	Ιταλ **ίδα**
η Αγγλία	Άγγλ **ος**	Αγγλ **ίδα**
η Αμερική	Αμερικαν **ός**	Αμερικαν **ίδα**
η Ρωσία	Ρώσ **ος**	Ρωσ **ίδα**
ο Καναδάς	Καναδ **ός**	Καναδ **έζα**
η Σουηδία	Σουηδ **ός**	Σουηδ **έζα**
η Πολωνία	Πολων **ός**	Πολων **έζα**
η Αυστραλία	Αυστραλ **ός**	Αυστραλ **έζα**
η Κίνα	Κιν **έζος**	Κιν **έζα**
η Ιαπωνία	Γιαπων **έζος**	Γιαπων **έζα**
η Ινδία	Ινδ **ός**	Ινδ **ή**
η Αλβανία	Αλβαν **ός**	Αλβαν **ή** (Αλβανίδα)
το Ισραήλ	Ισραηλ **ινός**	Ισραηλ **ινή**
η Ρουμανία	Ρουμάν **ος**	Ρουμάν **α**
η Βουλγαρία	Βούλγαρ **ος**	Βουλγάρ **α**
η Τουρκία	Τούρκ **ος**	Τουρκ **άλα**

5 Μιλήστε μεταξύ σας

Παράδειγμα

ο Τάρο / Ιαπωνία; // Γιαπωνέζος

A: Ο Τάρο είναι από την Ιαπωνία;
B: Ναι, είναι Γιαπωνέζος.

1.   ο Τάρο / Ιαπωνία; // Γιαπωνέζος
2.   η Έμα / Αγγλία; // Αγγλίδα
3.   η Ντολόρες / Ισπανία; // Ισπανίδα
4.   ο Ότο / Γερμανία; // Γερμανός
5.   ο Μάρκο / Ιταλία; // Ιταλός

6.   η Σάρα / Ισραήλ; // Ισραηλινή
7.   ο Εμιλιάνο / Μεξικό; // Μεξικανός
8.   ο Στιβ / Αυστραλία; // Αυστραλός
9.   η Γκένα / Βουλγαρία; / Βουλγάρα
10.   ο Κώστας / Ελλάδα; // Έλληνας

6 Μιλήστε (α) για τους συμαθητές σας και (β) για διεθνείς προσωπικότητες

A: Ξέρεις από πού είναι ο / η... ;
B: Ναι. Είναι από...

A: Ξέρεις από πού είναι ο / η... ;
B: Όχι. Από πού είναι;

7 Βάλτε τη σωστή λέξη

Χώρα	Εθνικότητα	Γλώσσα
Σουηδία	_____	_____
ΕΛΛάδα	Έλληνας/Ελληνίδα	_____
_____	_____	αγγλικά
Γαλλία	_____	
_____	_____	ιταλικά
_____	Γερμανός/Γερμανίδα	_____
_____	_____	ισπανικά
Κίνα	Κύπριος/Κύπρια	_____
_____	_____	_____
	Πορτογάλος/Πορτογαλέζα	

Επίθετα - Ονομαστική

♂ **-ος**	♀ **-η**	⊕ **-ο**
ακριβ **ός**	ακριβ **ή**	ακριβ **ό**
φτην **ός**	φτην **ή**	φτην **ό**
μικρ **ός**	μικρ **ή**	μικρ **ό**
καθαρ **ός**	καθαρ **ή**	καθαρ **ό**
μεγάλ **ος**	μεγάλ **η**	μεγάλ **ο**
άσχημ **ος**	άσχημ **η**	άσχημ **ο**
βρώμικ **ος**	βρώμικ **η**	βρώμικ **ο**

♂ **-ος**	♀ **-α**	⊕ **-ο**
ωραί **ος**	ωραί **α**	ωραί **ο**
καινούργι **ος**	καινούργι **α**	καινούργι **ο**
παλι **ός**	παλι **ά**	παλι **ό**

8 Συμπληρώστε τον κατάλογο ✎

1. μικρός   _μικρή_   _μικρό_
2. _____ παλιά _____
3. _____ _____ άσχημο
4. φτηνός _____ _____

5. _____ ακριβή _____
6. _____ _____ καινούργιο
7. μεγάλος _____ _____
8. _____ ωραία _____

9 Βάλτε τα επίθετα στον σωστό τύπο

1. Η Ολλανδέζα δημοσιογράφος είναι _____ _ωραία_ _____ . (ωραίος)
2. Αυτό το σπίτι είναι πολύ _____ . (ακριβός)
3. Η μηχανή μου δεν είναι _____ . (καινούργιος)
4. Ο αναπτήρας αυτός είναι πολύ _____ . (φτηνός)
5. Το αυτοκίνητό μας είναι _____ . (βρώμικος)
6. Αυτή η ζώνη είναι λίγο _____ . (μικρός)

10 Μιλήστε μεταξύ σας

Παράδειγμα

A: Αυτό το αυτοκίνητο είναι μεγάλο ή μικρό;

B: Είναι μεγάλο, (νομίζω).

μεγάλο / μικρό;

ωραίο / άσχημο;

παλιό / καινούργιο;

ακριβός / φτηνός;

μικρή / μεγάλη;

ακριβό / φτηνό;

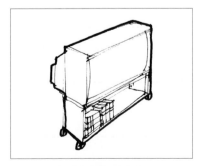

παλιά / καινούργια;

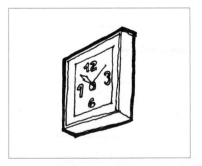

ωραίο / άσχημο;

παλιός / καινούργιος;

11 Μιλήστε μεταξύ σας

Παράδειγμα

(α) Αυτό εκεί το ρολόι είναι ακριβό;   (β) Το βιβλίο σου είναι παλιό ή καινούργιο;

το ρολόι - το πορτοφόλι - το τετράδιο - το βιβλίο - το αυτοκίνητο - το τραπέζι
η μηχανή - η τηλεόραση - η καρέκλα
ο πίνακας - ο αναπτήρας - ο υπολογιστής

12 Γράψτε προτάσεις όπως αυτή

Αυτός ο αναπτήρας δεν είναι ακριβός, είναι φτηνός.

13 Γράψτε τις προτάσεις σωστά

1. Αυτό ο υπολογιστής είναι ακριβός.
    Αυτός ο υπολογιστής είναι ακριβός.

2. Αυτή το άγαλμα είναι ωραίο.

3. Αυτό το τηλέφωνο είναι παλιός.

4. Αυτός ο αναπτήρας είναι καινούργια.

5. Αυτή η μηχανή είναι καθαρό.

6. Αυτή το ομπρέλα είναι φτηνή.

7. Αυτό το τηλεόραση είναι μικρή.

14 Βάλτε τη λέξη στο σωστό τύπο ✒

1. Αυτός ο αναπτήρας είναι ___*ακριβός*___ . (ακριβός)

2. Αυτή η μαθήτρια είναι _____ . (Ρώσος)

3. Αυτό το σουβλάκι είναι _____ . (ωραίος)

4. Αυτός ο κύριος είναι _____ . (Πολωνός)

5. Αυτό το αυτοκίνητο είναι _____ . (παλιός)

6. Αυτή η τηλεόραση είναι _____ . (καινούργιος)

7. Αυτό το κέρμα είναι _____ . (μικρός)

8. Αυτός ο δημοσιογράφος είναι _____ . (Έλληνας)

15 Ακούστε την ερώτηση και βρείτε τη σωστή απάντηση

1.	(α)	Είναι η Άννα.
	(β)	Είναι ο Κώστας.
	(γ)	Είναι καλά.
2.	(α)	Είναι Ελληνίδα.
	(β)	Είναι Έλληνας.
	(γ)	Είναι από το σπίτι.
3.	(α)	Ναι, πολύ.
	(β)	Ναι, δεν μ' αρέσει καθόλου.
	(γ)	Ναι, είναι γιατρός.
4.	(α)	Ναι, είναι πολύ άσχημη.
	(β)	Όχι, είναι πολύ ωραία.
	(γ)	Όχι, καθόλου.

 # Έτσι είναι η ζωή!

Ο Γιάννης αγαπάει τη Μαρία αλλά η Μαρία δεν αγαπάει τον Γιάννη, αγαπάει τον Αντρέα.
Ο Αντρέας όμως δε θέλει τη Μαρία. Είναι ερωτευμένος με την Ελένη.
Δυστυχώς η Ελένη αγαπάει τον Νίκο και όχι τον Αντρέα. Και ο Νίκος; Ο Νίκος αγαπάει την καθηγήτριά του αλλά αυτή είναι παντρεμένη κι αγαπάει τον άντρα της.
Τι να κάνουμε; Έτσι είναι η ζωή.

1 Σωστό ή λάθος;

1. Ο Γιάννης αγαπάει τη Μαρία.
2. Η Μαρία αγαπάει τον Γιάννη.
3. Ο Αντρέας είναι ερωτευμένος με την Ελένη.
4. Η Ελένη δεν αγαπάει τον Αντρέα.
5. Ο Νίκος θέλει την καθηγήτριά του.
6. Η καθηγήτριά του είναι ελεύθερη.

Ουσιαστικά - Οριστικό άρθρο
Ονομαστική και Αιτιατική

	♂		♀		⊕
Ονομαστική	**ο** αναπτήρ**ας** Κώστ**ας** υπολογιστ**ής** Γιάνν**ης** φάκελ**ος** Πέτρ**ος**	**η** μηχαν**ή** Ελέν**η** καρέκλ**α** Μαρί**α**		**το** παιδ**ί** βιβλί**ο** μάθη**μα**	
Αιτιατική	**τον** υπολογιστ**ή** Γιάνν**η** αναπτήρ**α** Κώστ**α** φάκελ**ο** Πέτρ**ο**	**την** μηχαν**ή** Ελέν**η** καρέκλ**α** Μαρί**α**		**το** παιδ**ί** βιβλί**ο** μάθη**μα**	

**Ονομαστική
ή
Αιτιατική;**

1. *έχω, θέλω, ξέρω, αγαπάω* + **αιτιατική**

   Ο Γιάννης *έχει* **τον αναπτήρα** σου.
   Θέλεις **την ομπρέλα** μου;
   Η Ελένη κι ο Κώστας *ξέρουν* **τον Γιάννη** και **την Άννα**.
   Ο Νίκος αγαπάει **την καθηγήτριά** του;

2. *από, σε, για, με* + **αιτιατική**

   Η κυρία Πέτρου είναι *από* **την Πάτρα**.
   Ο φίλος μου μένει *στον* **Πειραιά**.
   Αυτό το βιβλίο είναι *για* **τον Κώστα** και **την Ελένη**.
   Η Μαρία είναι *με* **τη φίλη** της.

2 Μιλήστε μεταξύ σας

Παράδειγμα

(θέλω) (ο) αναπτήρας / (το) πορτοφόλι;

A: Θέλεις τον αναπτήρα ή το πορτοφόλι;
B: Θέλω το πορτοφόλι.

1. (θέλω) (ο) αναπτήρας / (το) πορτοφόλι;
2. (αγαπάω) (ο) Κώστας / (ο) Γιάννης;
3. (έχω) (το) βιβλίο / (η) εφημερίδα;
4. (θέλω) (η) μηχανή / (ο) υπολογιστής;
5. (έχω) (το) άγαλμα / (η) καρέκλα;
6. (ξέρω) (η) διεύθυνση / (το) τηλέφωνο;
7. (ξέρω) (η) κυρία Κανάκη / (η) κυρία Κορμά;

3 Βάλτε τα ουσιαστικά στην αιτιατική

1. Ο καθηγητής θέλει _____ *την Ελένη* _____ . (η Ελένη)
2. Ο Πήτερ είναι από _____ . (ο Καναδάς)
3. Ξέρετε _____ μας; (η καθηγήτρια)
4. Μένεις σ _____ ; (το Κολωνάκι)
5. Ο Λάκης είναι πολύ ερωτευμένος με _____ του. (η γυναίκα)
6. Είστε από _____ ; (η Βραζιλία)
7. Η Ματίνα αγαπάει _____ . (ο Κώστας)
8. Αυτό το βιβλίο είναι για _____ σας. (το παιδί)

4 Γράψτε τι λέει ο "A" με το ρήμα "θέλω"

1. A: *(Εγώ) θέλω τη μηχανή μου.*   (εγώ)

    B: Η μηχανή σου δεν είναι εδώ.

2. A: _____ (η Ελένη)

    B: Δεν ξέρω πού είναι η κυρία Παππά.

3. A: _____ (ο Κώστας)

    B: Το ρολόι του είναι στο τραπέζι.

4. A: _____ (εμείς)

    B: Ο καθηγητής σας δεν είναι εδώ τώρα.

5. A: _____ (η Άννα)

    B: Το βιβλίο της είναι στο σπίτι.

6. A: _____ (εγώ)

    B: Ο αναπτήρας σου είναι στην καρέκλα.

Ξέρεις την καινούργια μαθήτρια;

Κώστας   Σοφία, ξέρεις την καινούργια μαθήτρια απ' τη Βουλγαρία.
Σοφία   Για την Τάνια μιλάς;
Κώστας   Ναι. Πόσω χρονών είναι, νομίζεις;
Σοφία   Δεκάξι... δεκαεφτά...
Κώστας   Είναι είκοσι τεσσάρων!
Σοφία   Τι λες; Είναι μεγάλη λοιπόν.

5 Ρωτήστε και απαντήστε

1. Η Τάνια είναι παλιά μαθήτρια ;
2. Από πού είναι;
3. Πόσω χρονών νομίζει η Σοφία ότι είναι η Τάνια;
4. Πόσω χρονών είναι;
5. Είναι μικρή ή μεγάλη;

Επίθετα		
Αιτιατική		
-ος, -η, -ο		
	♂	♀	⊕

	♂	♀	⊕
Ονομαστική	ακριβ **ός**	ακριβ **ή**	ακριβ **ό**
Αιτιατική	ακριβ **ό**	ακριβ **ή**	ακριβ **ό**
-ος, -α, -ο			
Ονομαστική	παλι **ός**	παλι **ά**	παλι **ό**
Αιτιατική	παλι **ό**	παλι **ά**	παλι **ό**

6 Μιλήστε μεταξύ σας.

Χρησιμοποιήστε τα επίθετα *φτηνός/ή/ό, ακριβός/ή/ό, μικρός/ή/ό, μεγάλος/η/ο, παλιός/ά/ό, καινούργιος/α/ο*

A: Θέλεις το ακριβό μολύβι ή το φτηνό;

B: Θελω το ακριβό. Δε μ' αρέσει το φτηνό.

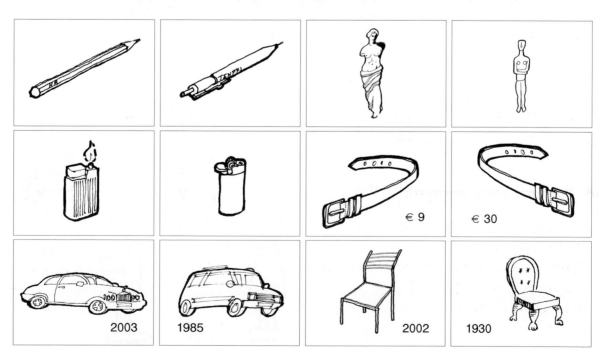

95

7 *Βάλτε τα ουσιαστικά και τα επίθετα στην αιτιατική*

1. Δεν ξέρετε _____*την καινούργια καθηγήτρια*_____ ; (η καινούργια καθηγήτρια)

2. Θέλεις _____ ; (ο ακριβός φακός)

3. Η Έλσα ξέρει καλά _____ . (ο έλληνας καθηγητής)

4. Τα παιδιά θέλουν _____ . (το μικρό αυτοκίνητο)

5. Ο αδελφός μου μένει σ _____ ; (η Νέα Κηφισιά)

6. Αυτό το βάζο είναι για _____ . (το μεγάλο τραπέζι)

7. Θέλετε _____ ; (ο παλιός υπολογιστής)

8. Η Αθηνά μένει με _____ της. (ο καινούργιος φίλος)

9. Μένουνε στο σπίτι με _____ . (ο ωραίος κήπος)

Κοιτάξτε! ☺ ☺

| Ο Άρης
Η Χριστίνα
Το παιδί | είναι | δύο
τριών
τεσσάρων
πέντε
έξι
κτλ. | έντεκα
δώδεκα
δεκα**τριών**
δεκα**τεσσάρων**
δεκαπέντε
δεκαέξι
κτλ. | είκοσι **ενός**
είκοσι δύο
είκοσι **τριών**
είκοσι **τεσσάρων**
είκοσι πέντε
είκοσι έξι
κτλ. | χρονώ(ν)
/
ετών |

ενός έτους
τριών/τεσσάρων μηνώ(ν)

Πόσων χρονών είναι ο πατέρας σου;

8 Μιλήστε μεταξύ σας

A: Πόσω(ν) χρονώ(ν) είσαι;
B: Είμαι...
A: Ο/Η... πόσω(ν) χρονώ(ν) είναι;
B: Δεν ξέρω. Ένα λεπτό. Πόσω(ν) χρονώ(ν) είσαι;
Γ: Είμαι...
B: Ο/Η... είναι...

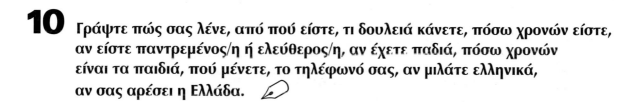

Δεκαεννιά.

Πόσω(ν) χρονώ(ν) είσαι;/είστε;

9 Μιλήστε για διεθνείς προσωπικότητες

A: Πόσω(ν) χρονώ(ν) είναι ο/η... ;
B: Είναι... / Δεν ξέρω ακριβώς. Νομίζω (ότι) είναι ...

10 Γράψτε πώς σας λένε, από πού είστε, τι δουλειά κάνετε, πόσω χρονών είστε, αν είστε παντρεμένος/η ή ελεύθερος/η, αν έχετε παιδιά, πόσω χρονών είναι τα παιδιά, πού μένετε, το τηλέφωνό σας, αν μιλάτε ελληνικά, αν σας αρέσει η Ελλάδα.

11 Ακούστε την ερώτηση και βρείτε τη σωστή απάντηση

1.	(α)	Ποτήρι.
	(β)	Μαρία Δουκάκη.
	(γ)	Δεν το λένε.
2.	(α)	Όχι, είναι φτηνή.
	(β)	Όχι, είναι μεγάλη.
	(γ)	Όχι, είναι ωραία.
3.	(α)	Όχι, είναι μικρός.
	(β)	Δώδεκα.
	(γ)	Είναι μεγάλη.
4.	(α)	Όχι, η μεγάλη.
	(β)	Ναι, τη μεγάλη.
	(γ)	Όχι, τη μεγάλη.

Πάω στο γραφείο

Νίκος	Γεια σου Ορέστη μου. Τι γίνεται; Περνάς καλά βλέπω!
Ορέστης	Ναι, τρώω τυρόπιτα κι ακούω μουσική. Εσύ, καλά;
Νίκος	Έτσι κι έτσι. Πού πας;
Ορέστης	Πάω στη δουλειά. Εσύ;
Νίκος	Πάω σπίτι.
Ορέστης	Από πού έρχεσαι;
Νίκος	Έρχομαι απ' το σχολείο.
Ορέστης	Α... Η Μαρία τι κάνει;
Νίκος	Μια χαρά.
Ορέστης	Χαιρετίσματα.
Νίκος	Ευχαριστώ. Λοιπόν, γεια. Τα λέμε, ε;
Ορέστης	Ναι, γεια.

12 Σωστό ή λάθος;

1. Ο Ορέστης περνάει καλά.
2. Ο Νίκος δεν είναι πολύ καλά.
3. Ο Ορέστης ακούει μουσική.
4. Ο Ορέστης τρώει σουβλάκι.
5. Ο Ορέστης πάει στο σχολείο.

6. Ο Νίκος έρχεται από το σπίτι του.
7. Ο Νίκος πάει στο σπίτι του.
8. Η Μαρία είναι καλά.
9. Ο Ορέστης δεν ξέρει τη Μαρία.

Ρήματα - Τύπος Β1

	-άω
αγαπ	**-άς**
περν	**-άει**
ρωτ	**-άμε**
απαντ	**-άτε**
	-άνε

Πού πας;

Ρήματα

Ανώμαλα ρήματα πάω, λέω, τρώω, ακούω

πά**ω**	λέ**ω**	τρώ**ω**	ακού**ω**
πα**ς**	λε**ς**	τρω**ς**	ακού**ς**
πά**ει**	λέ**ει**	τρώ**ει**	ακού**ει**
πά**με**	λέ**με**	τρώ**με**	ακού**με**
πά**τε**	λέ**τε**	τρώ**τε**	ακού**τε**
πά**νε**	λέ**νε**	τρώ**νε**	ακού**νε**

Ρήματα Τύπος Γ1 (-ομαι)

έρχ**ομαι**	γίν**ομαι**	σκέφτ**ομαι**
έρχ**εσαι**	γίν**εσαι**	σκέφτ**εσαι**
έρχ**εται**	γίν**εται**	σκέφτ**εται**
ερχ**όμαστε**	γιν**όμαστε**	σκεφτ**όμαστε**
έρχ**εστε**	γίν**εστε**	σκέφτ**εστε**
έρχ**ονται**	γίν**ονται**	σκέφτ**ονται**

13 Βάλτε τα ρήματα στο σωστό πρόσωπο

1. Τα παιδιά _____*πάνε*_____ στο σχολείο; (πάω)
2. Τι _____ , κυρία Αναστασίου; (ακούω)
3. Εσείς _____ από τη δουλειά; (έρχομαι)
4. Τι _____ , Ελένη; Σουβλάκι; (τρώω)
5. Ο κύριος Σόρντι δεν _____ στο σχολείο. (έρχομαι)
6. Τι _____ , κυρία Κορμά; Είστε καλά; (γίνομαι)
7. Η Πάολα κι εγώ _____ στο μάθημα. (πάω)
8. Τι _____! Η κόρη σου είναι δέκα χρονών; (λέω)
9. Εγώ τώρα _____ τη Μαρία. (σκέφτομαι)
10. Νομίζω ότι ο Πέτρος _____ πολύ. (τρώω)
11. Κοιτάξτε ποιος _____ ! (έρχομαι)
12. Εμείς δεν _____ μουσική. (ακούω)

Τι ώρα είναι;

Άννα	Βρε Μάρθα, τι μέρα είναι σήμερα;
Μάρθα	Παρασκευή.
Άννα	Παρασκευή; Πο πο, έχω ραντεβού με τον Βασίλη. Και δε θυμάμαι τι ώρα.
	Πού είναι η ατζέντα μου; Λοιπόν... Παρασκευή... Βασίλης... στις δέκα και μισή.
	Μήπως ξέρεις τι ώρα είναι τώρα;
Μάρθα	Δέκα και δέκα ακριβώς.
Άννα	Φεύγω.
Μάρθα	Καλά, πού είναι το ραντεβού σου;
Άννα	Στο Μουσείο. Έρχεσαι μαζί μου;
Μάρθα	Δεν μπορώ. Έχω δουλειά ακόμα. Λυπάμαι.
Άννα	Δεν πειράζει. Έλα, γεια, εμείς τα λέμε τη Δευτέρα.
Μάρθα	Εντάξει. Καλό σαββατοκύριακο.
Άννα	Ευχαριστώ, επίσης.

1 Ρωτήστε και απαντήστε

1. Τι μέρα είναι σήμερα;
2. Τι ώρα είναι;
3. Τι ώρα έχει ραντεβού η Άννα με τον Βασίλη;
4. Πού είναι το ραντεβού;
5. Η Μάρθα πάει με την Άννα;

A: Τι ώρα είναι/έχεις, σε παρακαλώ; Τι ώρα είναι/έχετε, σας παρακαλώ;
Μήπως ξέρετε/ξέρεις τι ώρα είναι;
(Μήπως) έχετε/έχεις ώρα;

B:

Είναι δύο   Είναι πέντε   Είναι εφτά

Είναι **μία**   Είναι **τρεις**   Είναι **τέσσερις**

Επίσης λέμε: Είναι *η ώρα* μία/δύο/τρεις κτλ.
και   Είναι μία/δύο/τρεις κτλ. *η ώρα*

δύο και
πέντε

δύο και
δέκα

δύο και
τέταρτο

δύο και
είκοσι

δύο και
είκοσι πέντε

δύο και
μισή

τρεις παρά
είκοσι πέντε

τρεις παρά
είκοσι

τρεις παρά
τέταρτο

τρεις παρά
δέκα

τρεις παρά
πέντε

Κοιτάξτε! ☉ ☉

μία και μισή	και	μιάμισ**η**	εφτά και μισή	και	εφτάμισι
δύο και μισή	και	δυόμισι	οχτώ και μισή	και	οχτώμισι
τρεις και μισή	και	τρεισ**ή**μισι	εννιά και μισή	και	εννιάμισι
τέσσερις και μισή	και	τεσσερισ**ή**μισι	δέκα και μισή	και	δεκάμισι
πέντε και μισή	και	πεντέμισι	έντεκα και μισή	και	εντεκάμισι
έξι και μισή	και	εξίμισι	δώδεκα και μισή	και	δωδεκάμισι

Καλό
σαββατοκύριακο.

Ευχαριστώ,
επίσης.

! 1 ώρα = 60 **λεπτά**
1 λεπτό = 60 **δευτερόλεπτα**

Μάθημα 10

2 Ρωτήστε την ώρα

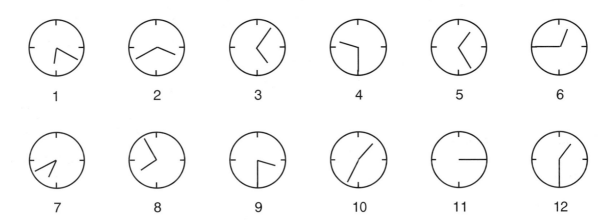

| 1 | 2 | 3 | 4 | 5 | 6 |

| 7 | 8 | 9 | 10 | 11 | 12 |

A: Τι ώρα λέει το ρολόι νούμερο 6;
B: Έξι και είκοσι.

3 Ρωτήστε και απαντήστε

A: Τι ώρα είναι/έχεις, σε παρακαλώ;
B: . . .
A: Μήπως ξέρεις τι ώρα είναι τώρα στο Λονδίνο; / στη Νέα Υόρκη; / στο Τόκιο; / στη Ρώμη; /
    στην Καλκούτα; / στο Γιοχάνεσμπουργκ; / στη Σόφια;
B: Ένα λεπτό. ...

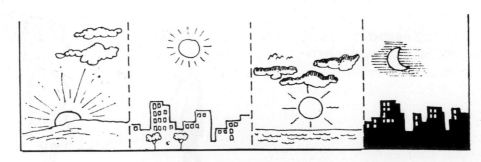

04:00 πρωί 12:00 μεσημέρι 15:00 απόγευμα 19:00 βράδυ 24:00

Κοιτάξτε! ☺ ☺

> Το μάθημα *αρχίζει* **στις** 9.30 **το** πρωί.
> Το σινεμά *τελειώνει* **στις** 11 **το** βράδυ.
>
> Το σούπερ μάρκετ *ανοίγει* **στις** 8 **το** πρωί.
> Η τράπεζα *κλείνει* **στις** 2 **το** μεσημέρι.
>
> Το τρένο *φτάνει* **στις** 9.15 **το** βράδυ.
> Το αεροπλάνο *φεύγει* **στη** 1 **το** μεσημέρι.

4 Μιλήστε μεταξύ σας

Παράδειγμα

A: Τι ώρα φτάνει η πτήση 679 από (το) Μόναχο;
B: Η πτήση 679 από (το) Μόναχο φτάνει στις δέκα παρά δέκα το πρωί.

A: Τι ώρα φεύγει η πτήση 670 για (τη) Στοκχόλμη;
B: Η πτήση 680 για (τη) Στοκχόλμη φεύγει στη μία και μισή το μεσημέρι.

ΠΤΗΣΗ	ΑΦΙΞΗ	ΑΠΟ
679	09:50	ΜΟΝΑΧΟ
387	09:55	ΜΑΔΡΙΤΗ
455	10:20	ΚΑΪΡΟ
725	11:25	ΛΟΝΔΙΝΟ
593	12:10	ΝΕΑ ΥΟΡΚΗ
811	15:45	ΓΕΝΕΥΗ

ΠΤΗΣΗ	ΑΝΑΧΩΡΗΣΗ	ΓΙΑ
670	13:10	ΣΤΟΚΧΟΛΜΗ
392	13:55	ΡΩΜΗ
456	14:20	ΜΕΛΒΟΥΡΝΗ
724	16:25	ΛΕΥΚΩΣΙΑ
582	17:35	ΑΓΚΥΡΑ
818	18:45	ΠΑΡΙΣΙ

μεσάνυχτα

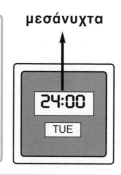

Γράφουμε			Λέμε
8 π.μ.	ή	08:00	οχτώ το πρωί
12.30 μ.μ.	ή	12:30	δωδεκάμισι (δώδεκα και μισή) το μεσημέρι
4.45 μ.μ.	ή	16:45	πέντε παρά τέταρτο το απόγευμα
9.30 μ.μ.	ή	21:30	εννιάμισι (εννιά και μισή) το βράδυ
1 π.μ.	ή	01:00	μία (μετά) τα μεσάνυχτα
5 π.μ.	ή	05:00	πέντε το πρωί

Στο τηλέφωνο, στο 141, ακούμε: Στον επόμενο τόνο η ώρα θα είναι δεκατρείς και σαράντα εννέα και είκοσι δευτερόλεπτα.
Στο τηλέφωνο, στο 1440, ακούμε: Για Πάρο, Νάξο, ώρα δεκαέξι το "Ροδάνθη".

Μάθημα 10

5 Μιλήστε μεταξύ σας

Παράδειγμα

ανοίγει / τράπεζα // 08:00

A: Τι ώρα ανοίγει η τράπεζα;
B: Στις οχτώ το πρωί.

1. ανοίγει / τράπεζα; // 08:00
2. κλείνει / σουπερμάρκετ; // 20:00
3. αρχίζει / μάθημα ; // 18:00
4. φτάνει / τρένο; // 13:00

5. τελειώνει / σινεμά; // 24:00
6. κλείνει / τράπεζα; // 13:30
7. φεύγει / αεροπλάνο; // 16:15
8. αρχίζει / σινεμά; // 19:45

Ρήματα - Τύπος Α

ανοίγ	**-ω**
κλείν	**-εις**
φτάνω	**-ει**
φεύγ	**-ουμε**
αρχίζ	**-ετε**
τελειών	**-ουν(ε)**

6 Γράψτε την ώρα

Παράδειγμα

(μία και είκοσι το μεσημέρι) ___*13:20*___

1. (μία και είκοσι το μεσημέρι) _____
2. (οχτώ παρά είκοσι το πρωί) _____
3. (τέσσερις το απόγευμα) _____
4. (δέκα παρά τέταρτο το βράδυ) _____
5. (δύο και μισή μετά τα μεσάνυχτα) _____
6. (έντεκα παρά είκοσι το πρωί) _____
7. (εννέα και είκοσι πέντε το βράδυ) _____
8. (τρεις παρά πέντε το μεσημέρι) _____

7 Γράψτε το σωστό και βρείτε την κρυφή λέξη

1. Η ώρα είναι ___*τρεις*___ και πέντε.

2. Είναι _____ παρά είκοσι πέντε.

3. Η ώρα είναι δέκα και τέσσερα _____ ακριβώς.

4. Είναι εφτά παρά _____ .

5. Είναι δύο _____ τέταρτο.

Μάθημα 10

Τι μέρα είναι σήμερα;

Τι μέρα είναι σήμερα;

Σήμερα είναι Τετάρτη.

Οι μέρες της εβδομάδας

η Κυριακή
    η Δευτέρα
        η Τρίτη
           η Τετάρτη
               η Πέμπτη
                  η Παρασκευή
                     το Σάββατο

---

8   Μιλήστε μεταξύ σας

Παράδειγμα

Τρίτη / Δευτέρα;

Α: Η Τρίτη είναι πριν από τη Δευτέρα ή μετά;
Β: Η Τρίτη είναι μετά από τη Δευτέρα.

1. Τρίτη / Δευτέρα;
2. Πέμπτη / Παρασκευή;
3. Τετάρτη / Τρίτη;
4. Σάββατο Παρασκευή;
5. Σάββατο / Κυριακή;
6. Δευτέρα / Τρίτη;
7. Δευτέρα / Κυριακή;
8. Παρασκευή / Σάββατο;

Κοιτάξτε! ⊙ ⊙

Έχω μάθημα **την** Τρίτη και **την** Πέμπτη το πρωί.
Τη Δευτέρα η τράπεζα είναι ανοιχτή **από τις** οχτώ το πρωί
μέχρι τις δύο το μεσημέρι.
Το γραφείο μας είναι ανοιχτό Δευτέρα **έως** Παρασκευή.
Το Σάββατο και **την** Κυριακή είναι κλειστό.

!   μέχρι = έως = ώς

9   Κοιτάξτε το "Αθηνόραμα" και βρείτε το σωστό και το λάθος

Θέατρο **ΑΚΑΔΗΜΟΣ**
Ιπποκράτους 17 και Ακαδημίας
τηλ: 210 3625119

Τελευταία εβδομάδα!
Η γνωστή κωμωδία του Δημήτρη Ψαθά
Ο φίλος μου ο Δημητράκης

Παίζουν:
Όλγα Λυβικού
Γιάννης Λογοθέτης
Ελένη Ντάνια
Βέρα Βακιρτζή
Απόστολος Νομικός

Παραστάσεις:
Βραδινή, 9.30 μ.μ.: Τετ., Πεμ., Παρ., Σάβ., Κυρ.
Απογευματινή, 6.30 μ.μ.: Τετ., Σάβ., Κυρ.

Είσοδος:
Γενική 25,00 - φοιτητές 15,00 - παιδιά 12,00

1. Το θέατρο λέγεται Ακαδημία.
2. Η κωμωδία λέγεται "Ο φίλος μου
   ο Δημητράκης".
3. Στην κωμωδία παίζει και η Ελένη Ντάνια.
4. Την Πέμπτη έχει μόνο μία παράσταση.
5. Η βραδινή αρχίζει στις 8.30 π.μ.
6. Την Παρασκευή δεν έχει απογευματινή.
7. Για τα παιδιά η είσοδος είναι 22 ευρώ.

10 Κοιτάξτε το "Αθηνόραμα" και ρωτήστε

Πού είναι; Τι τηλέφωνο έχει; Έχει μουσική; Μέχρι τι ώρα είναι ανοιχτό το βράδυ;
Την Κυριακή είναι ανοιχτά ή κλειστά; Ποια μέρα είναι κλειστά; Τι ώρα ανοίγει το πρωί;
Πόσο πάει το άτομο; / Πόσο έχει το εισιτήριο; κτλ. κτλ.

ΓΕΥΣΗ ΕΣΤΙΑΤΟΡΙΑ

ΚΛΑΣΙΚΗ ΚΟΥΖΙΝΑ

ΜΠΑΛΚΟΝΙ ΜΕ ΘΕΑ
'Ιωνα Δραγούμη 42 & Διοχάρους, Χίλτον,
210 7257852.
Μοντέρνος χώρος, κουζίνα ελληνική (στα
ορεκτικά) και διεθνής (στα κύρια πιάτα).
Παρ. και Σάβ. ζωντανή μουσική.
Έως 24:00. Κυριακή κλειστά. € 12,00-15,00

ΦΡΟΥΡΑΡΧΕΙΟ
Αγίων Αναργύρων 6, Πλατεία Ψυρρή,
210 3215156.
Ατμοσφαιρικός χώρος με πιάτα από τη διεθνή
και την ελληνική κουζίνα.
Έως 1.30 π.μ. Κυρ. μόνο μεσημ. € 30,00-33,00

ΒΙΒΛΙΟΠΩΛΕΙΟ **Πολιτεία**

Ασκληπιού 1-3 & Ακαδημίας - Αθήνα 10679
Τηλ: 210 3600235 — Fax: 210 3604462
Καθημερινά ανοιχτά
από τις 9.00 π.μ. ώς τις 8.30 μ.μ.
(και Δευτέρα και Τετάρτη)
Σάββατο: 9.00 π.μ. - 4.00 μ.μ.

ΜΟΥΣΕΙΑ & ΑΡΧΑΙΟΛΟΓΙΚΟΙ ΧΩΡΟΙ

ΜΟΥΣΕΙΑ

ΜΟΥΣΕΙΟ ΜΠΕΝΑΚΗ
Κουμπάρη 1, Κολωνάκι, 210 3671000
Από την προϊστορία της Ελλάδας μέχρι τις αρχές
του 20ού αιώνα. Εστιατόριο με ελληνική κουζίνα
στον δεύτερο όροφο.
9 π.μ. - 5 μ.μ., Πεμ. 9 π.μ. - 12 μεσάν.,
Κυρ. 9 π.μ. - 3 μ.μ., Τρ. κλειστά
Εισιτήριο: € 6,00, άνω των 65 ετών € 3,00
Πεμ. είσοδος ελεύθερη

Πηγαίνει πάντα με το μετρό

Η Ελένη Σημίτη είναι από τον Βόλο αλλά ζει στην Αθήνα. Μένει στον Χολαργό. Είναι καθηγήτρια και δουλεύει στο Πάντειο Πανεπιστήμιο. Διδάσκει Στατιστική.

Από Δευτέρα μέχρι Παρασκευή ξυπνάει νωρίς το πρωί. Δεν τρώει τίποτε. Πίνει μόνο έναν χυμό πορτοκάλι. Φεύγει απ' το σπίτι της στις 8.30 και φτάνει στο Πανεπιστήμιο στις 9. Δεν έχει αυτοκίνητο, γιατί δεν οδηγεί. Έτσι πηγαίνει πάντα στη δουλειά της με το λεωφορείο και το μετρό. Δεν αργεί ποτέ.

Συνήθως έχει μάθημα ώς τη 1.30. Το μεσημέρι τρώει κάτι και μετά πηγαίνει στο γραφείο της. Συχνά έχει μάθημα και το απόγευμα. Τελειώνει στις 4.30 αλλά καμιά φορά μένει μέχρι αργά και διαβάζει.

Το βράδυ, όταν δεν είναι κουρασμένη, τηλεφωνεί στην παρέα της και βγαίνουν έξω. Πηγαίνουν σινεμά, θέατρο ή πάνε για φαγητό. Όταν είναι κουρασμένη, μένει στο σπίτι και βλέπει τηλεόραση. Ποτέ δεν κοιμάται πριν από τις 12.30.

11 Ρωτήστε και απαντήστε

1. Από πού είναι η Ελένη Σημίτη;
2. Πού ζει τώρα;
3. Πού μένει;
4. Τι δουλειά κάνει;
5. Τι τρώει το πρωί;
6. Τι πίνει;
7. Τι ώρα φεύγει από το σπίτι της;
8. Γιατί δεν έχει αυτοκίνητο;
9. Αργεί στη δουλειά της;
10. Ώς τι ώρα έχει μάθημα το πρωί;
11. Το απόγευμα τι κάνει;
12. Τι ώρα τελειώνει;
13. Τι κάνει το βράδυ;
14. Πού πάει το βράδυ, όταν βγαίνει έξω;
15. Τι κάνει όταν μένει στο σπίτι;
16. Τι ώρα κοιμάται το βράδυ;

!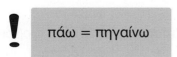

Κοιτάξτε! ⊙ ⊙

> Τρώει **κάτι**.
> **Δεν** τρώει **τίποτε** (τίποτα).
> **Δεν** αργεί **ποτέ**.

0/10	▼	1/10	3/10	7/10	9/10	▼	10/10
ποτέ	σχεδόν ποτέ	σπάνια	καμιά φορά κάπου κάπου πότε πότε μερικές φορές	συχνά πολλές φορές	συνήθως	σχεδόν πάντα	πάντα

Κοιτάξτε! ☉ ☉

Ποτέ δεν δουλεύω το βράδυ. / Δεν δουλεύω **ποτέ** το βράδυ. / Δεν δουλεύω το βράδυ **ποτέ**.
Σπάνια πάω στο σινεμά. / Πάω **σπάνια** στο σινεμά. / Πάω στο σινεμά **σπάνια**.
Καμιά φορά πίνω καφέ. / Πίνω **καμιά φορά** καφέ. / Πίνω καφέ **καμιά φορά**.
Συχνά βγαίνω έξω. / Βγαίνω **συχνά** έξω. / Βγαίνω έξω **συχνά**.
Συνήθως κοιμάμαι στη μία. / Κοιμάμαι **συνήθως** στη μία. / Κοιμάμαι στη μία **συνήθως**.
Πάντα αργώ στο μάθημα. / Αργώ **πάντα** στο μάθημα. / Αργώ στο μάθημα **πάντα** .

Ρήματα

Τύπος Β2

μπορ**ώ**	οδηγ**ώ**	ζ**ω**	αργ**ώ**	τηλεφων**ώ**
μπορ**είς**	οδηγ**είς**	ζ**εις**	αργ**είς**	τηλεφων**είς**
μπορ**εί**	οδηγ**εί**	ζ**ει**	αργ**εί**	τηλεφων**εί**
μπορ**ούμε**	οδηγ**ούμε**	ζ**ούμε**	αργ**ούμε**	τηλεφων**ούμε**
μπορ**είτε**	οδηγ**είτε**	ζ**είτε**	αργ**είτε**	τηλεφων**είτε**
μπορ**ούν(ε)**	οδηγ**ούν(ε)**	ζ**ούν(ε)**	αργ**ούν(ε)**	τηλεφων**ούν(ε)**

Ρήματα Τύπος Γ2 (-άμαι)

κοιμ**άμαι**	λυπ**άμαι**	θυμ**άμαι**	φοβ**άμαι**
κοιμ**άσαι**	λυπ**άσαι**	θυμ**άσαι**	φοβ**άσαι**
κοιμ**άται**	λυπ**άται**	θυμ**άται**	φοβ**άται**
κοιμ**όμαστε**	λυπ**όμαστε**	θυμ**όμαστε**	φοβ**όμαστε**
κοιμ**άστε** (κοιμ**όσαστε**)	λυπ**άστε** (λυπ**όσαστε**)	θυμ**άστε** (θυμ**όσαστε**)	φοβ**άστε** (φοβ**όσαστε**)
κοιμ**ούνται**	λυπ**ούνται**	θυμ**ούνται**	φοβ**ούνται**

12 Μιλήστε μεταξύ σας

1. Το πρωί τι ώρα ξυπνάς συνήθως; Την Κυριακή;
2. Τρως κάτι το πρωί; (Τι τρως;)
3. Πού δουλεύεις;
4. Τι ώρα φεύγεις από το σπίτι σου το πρωί;
5. Πηγαίνεις στο σπίτι σου το μεσημέρι;
6. Πού τρως το μεσημέρι;
7. Το σαββατοκύριακο τι κάνεις συνήθως;
8. Αργείς καμιά φορά στο μάθημα;
9. Το βράδυ τι κάνεις συνήθως;
10. Πας στο σινεμά; Στο θέατρο;
11. Ακούς μουσική; Τι μουσική ακούς;
12. Τι ώρα κοιμάσαι το βράδυ;

13 Βάλτε τα ρήματα στο σωστό πρόσωπο

1. Η Ολίβια δεν ____*αργεί*____ ποτέ στη δουλειά της. (αργώ)
2. Γιώργο, _____ τι ώρα είναι το ραντεβού; (θυμάμαι)
3. Εγώ _____ στις έξι. Εσείς _____ ; (μπορώ)
4. _____ αλλά δεν έχω ευρώ. Έχω μόνο δολάρια. (λυπάμαι)
5. Ο πατέρας μου και η μητέρα μου _____ στη Νορβηγία. (ζω)
6. Η Ασπασία _____ συχνά στην κόρη της. (τηλεφωνώ)
7. Εσείς _____ το αυτοκίνητό σας ή η γυναίκα σας; (οδηγώ)
8. Ο γιος μου _____ το αεροπλάνο. (φοβάμαι)
9. Σσσσ... Τα παιδιά _____ . (κοιμάμαι)

14 Γράψτε δύο πράγματα που κάνετε πάντα, δύο πράγματα που κάνετε συνήθως, δύο πράγματα που κάνετε πότε πότε και δύο πράγματα που δεν κάνετε ποτέ

15 Γράψτε πώς περνάτε τη μέρα σας

Το πρωί συνήθως ξυπνάω στις...

Υπάρχει κανένα φαρμακείο εδώ κοντά;

Ραμόν	Με συγχωρείτε, μήπως ξέρετε πού είναι η Τράπεζα Κύπρου;
Μια κυρία	Ναι, είναι λίγο πιο πάνω, δίπλα στο σινεμά Νιρβάνα.
Ραμόν	Είναι κοντά;
Μια κυρία	Διακόσια μέτρα περίπου από 'δώ.
Ραμόν	Ευχαριστώ πολύ. Και... συγνώμη, μήπως υπάρχει κανένα φαρμακείο εδώ κοντά;
Μια κυρία	Φαρμακείο; Μμ... όχι, δεν υπάρχει κανένα εδώ κοντά. Υπάρχει όμως ένα στην πλατεία, απέναντι απ' το σουπερμάρκετ Άλφα Βήτα.
Ραμόν	Δεν είναι μακριά;
Μια κυρία	Μπα. Δέκα λεπτά με τα πόδια.
Ραμόν	Ευχαριστώ.
Μια κυρία	Νά 'στε καλά.

1 Ρωτήστε και απαντήστε

1. Πού είναι η Τράπεζα Κύπρου;
2. Είναι κοντά;
3. Υπάρχει κανένα φαρμακείο κοντά στην Τράπεζα Κύπρου;
4. Πού είναι το φαρμακείο;
5. Είναι μακριά;

Αόριστο Άρθρο

♂	♀	⊕
ένας	μία	ένα

2 *Ένας, μία ή ένα;*

1. **μία** τράπεζα
2. _____ γιατρός
3. _____ φαρμακείο
4. _____ φούρνος
5. _____ πιτσαρία

6. _____ εστιατόριο
7. _____ βενζινάδικο
8. _____ ταβέρνα
9. _____ ταχυδρομείο
10. _____ σουβλατζίδικο

11. _____ υδραυλικός
12. _____ ηλεκτρολόγος
13. _____ πάρκινγκ
14. _____ κινηματογράφος

A:	Συγνώμη, Με συγχωρείτε,	υπάρχει	**κανένας...** **καμιά / καμία...** **κανένα...**	εδώ κοντά;

B:	Ναι,	υπάρχει	**ένας** **μία** **ένα**	στην πλατεία... στην οδό... λίγο πιο πάνω/κάτω.
	Όχι, Μπα,	δεν υπάρχει	**(κανένας).** **(καμία).** **(κανένα).**	

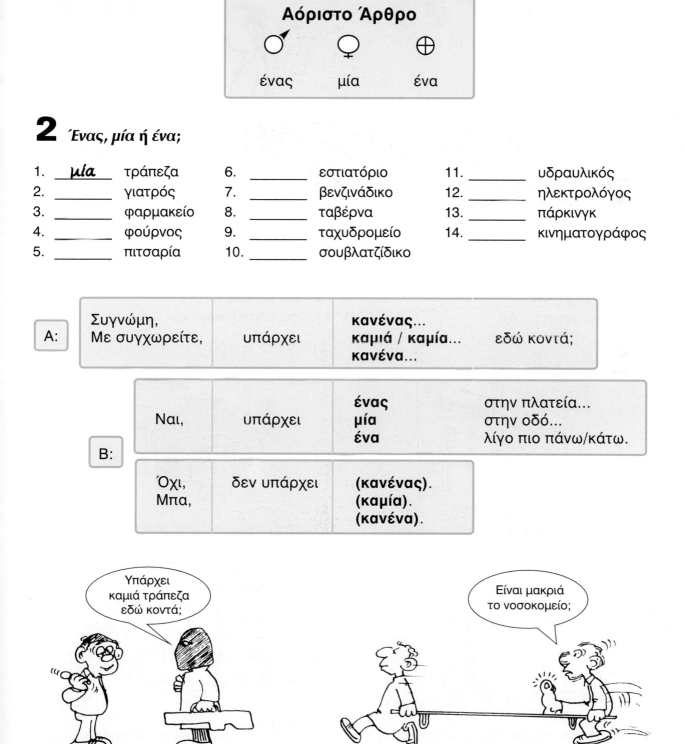

Υπάρχει
καμιά τράπεζα
εδώ κοντά;

Είναι μακριά
το νοσοκομείο;

3 Μιλήστε μεταξύ σας

Παράδειγμα

(α) ταβέρνα; / ναι

A: Συγνώμη, υπάρχει καμιά ταβέρνα εδώ κοντά;
B: Ναι, υπάρχει μία.

(β) πάρκινγκ; / όχι

A: Συγνώμη, υπάρχει κανένα πάρκινγκ εδώ κοντά;
B: Όχι, δεν υπάρχει κανένα.

Κανένας γιατρός εδώ κοντά;

1. ταβέρνα; / ναι
2. πάρκινγκ / όχι
3. πιτσαρία; / όχι
4. φούρνος; / ναι
5. σουπερμάρκετ; / όχι

6. υδραυλικός; / ναι
7. τράπεζα; / ναι
8. βενζινάδικο; / όχι
9. εστιατόριο; / όχι
10. σουβλατζίδικο; / ναι

Το φαρμακείο είναι δίπλα στην τράπεζα

Το περίπτερο είναι μπροστά από το σουπερμάρκετ

Η πιτσαρία είναι απέναντι από τον φούρνο

Η εκκλησία είναι πίσω από τον σταθμό του μετρό

A:	Μήπως ξέρετε πού είναι	ο... ; η... ; το... ;

B:	Ο... Η... Το...	είναι	δίπλα κοντά	**σέ**	το(ν)... / τη(ν)... / το...
			πίσω μακριά	**απ(ό)'**	
			μπροστά απέναντι	**απ(ό)' / σέ** **απ(ό)' / σέ**	

4 **Γράψτε το σωστό**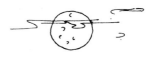

1. Η ταβέρνα είναι δίπλα ____**στο**____ φαρμακείο.

2. Το σινεμά είναι απέναντι _____ πιτσαρία.

3. Το ταχυδρομείο είναι πίσω _____ ταβέρνα "Καλυψώ".

4. Το πάρκινγκ είναι κοντά _____ σταθμό του μετρό.

5. Ο φούρνος είναι δίπλα _____ σουπερμάρκετ.

6. Ο κινηματογράφος είναι απέναντι _____ τράπεζα.

7. Η στάση είναι μπροστά _____ φούρνο.

8. Το ταχυδρομείο είναι μακριά _____ σπίτι μου.

Μένει μακριά από τη Θεσσαλονίκη;

Μάθημα 11

5 Ρωτήστε και απαντήστε

κλινική / ταβέρνα / φούρνος / υδραυλικός / βιβλιοπωλείο / πάρκινγκ / βενζινάδικο / πιτσαρία

(α) Α : Συγνώμη, υπάρχει κανένας (φούρνος) εδώ κοντά;

Β : Ναι, υπάρχει ένας δίπλα...   (β) Α : Συγνώμη, υπάρχει καμιά (κλινική) εδώ κοντά;

Β : Όχι, δεν υπάρχει καμία (εδώ κοντά).

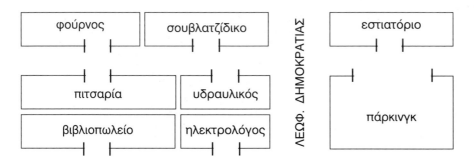

6 Ρωτήστε και απαντήστε

Κλινική "Μητέρα " / βιβλιοπωλείο "Γνώση" / κινηματογράφος "Άστυ" / εστιατόριο "Ιθάκη"

Α : Με συγχωρείτε, μήπως ξέρετε πού είναι ο... / η... / το...

Β : Ναι, είναι στην οδό... δίπλα/απέναντι/μπροστά...

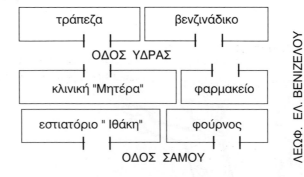

7 Κοιτάξτε την άσκηση 4 και 5 και γράψτε προτάσεις

Δίπλα στον υδραυλικό υπάρχει μία πιτσαρία και απέναντι...

Είναι ο τρίτος δρόμος δεξιά

Σοφία   Συγνώμη, μήπως ξέρετε πού είναι το "Αθηναϊκό";
Ένας κύριος   Το "Αθηναϊκό"; Ναι, είναι στην οδό Θεμιστοκλέους.
Σοφία   Δυστυχώς δεν ξέρω ποια είναι η Θεμιστοκλέους.
Ένας κύριος   Λοιπόν, ευθεία κάτω την Πανεπιστημίου. Πρώτος δρόμος δεξιά, η Χαριλάου
                 Τρικούπη. Δεύτερος η Εμμανουήλ Μπενάκη, τρίτος δεξιά είναι η
                 Θεμιστοκλέους. Το "Αθηναϊκό" είναι σχεδόν γωνία Πανεπιστημίου και
                 Θεμιστοκλέους.

Σοφία   Ευχαριστώ.
Ένας κύριος   Παρακαλώ.

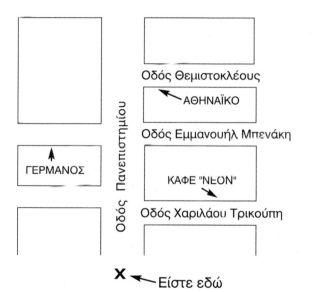

Οδός Θεμιστοκλέους
ΑΘΗΝΑΪΚΟ
Οδός Εμμανουήλ Μπενάκη
ΚΑΦΕ "ΝΕΟΝ"
Οδός Χαριλάου Τρικούπη
ΓΕΡΜΑΝΟΣ
Οδός Πανεπιστημίου
X ← Είστε εδώ

Κοιτάξτε! 👁 👁

Ο ... Η... είναι στον Το...	πρώτο δεύτερο τρίτο τέταρτο	δρόμο	δεξιά. αριστερά.

Το " MUSIC CORNER" είναι γωνία Πανεπιστημίου και Εμμανουήλ Μπενάκη.

8   **Ρωτήστε και απαντήστε**

A: Μήπως ξέρετε πού είναι (ο Γερμανός);
B: Ναι. Είναι στον...

9   **Μιλήστε μεταξύ σας**

Υπάρχει	κανένας φούρνος/υδραυλικός καμιά τράπεζα/κλινική/πιτσαρία κανένα βενζινάδικο/σουβλατζίδικο	κοντά στο σχολείο; / κοντά στο σπίτι σου;

Πού είναι ακριβώς;

Μάθημα 11

 Έναν ελληνικό μέτριο, παρακαλώ

Γιώργος	Έναν κατάλογο, παρακαλώ.
Σερβιτόρος	Βεβαίως, ορίστε.
Αγγελική	Σερβίρετε πρωινό;
Σερβιτόρος	Μάλιστα.
Αγγελική	Τι ακριβώς έχει το πρωινό;
Σερβιτόρος	Ψωμί, βούτυρο, μαρμελάδα, μέλι, καφέ ή τσάι και χυμό πορτοκάλι.
Αγγελική	Λοιπόν, ένα πρωινό με μέλι και τσάι. Εσύ Λεωνίδα;
Λεωνίδας	Εγώ θα ήθελα έναν ελληνικό μέτριο κι ένα κρουασάν σοκολάτα.
Γιώργος	Εγώ ένα φραπέ με γάλα χωρίς ζάχαρη κι ένα τοστ με τυρί μόνο. Κι ένα ποτήρι νερό.

....

Γιώργος	Τον λογαριασμό, παρακαλώ.
Σερβιτόρος	Ορίστε. Είναι... δεκατρία και ογδόντα.
Γιώργος	Λεωνίδα, μήπως έχεις πέντε ευρώ;
Λωνίδας	Ναι, έχω. Έλα.
Σερβιτόρος	Τα ρέστα σας κύριε.
Γιώργος	Είμαστε εντάξει.
Σερβιτόρος	Ευχαριστώ.
Λεωνίδας	Πάμε παιδιά;

> **!**
>
> **και / κι**
>
> **ΚΙ** πριν από μια λέξη
> που αρχίζει με **φωνήεν**.

10 Σωστό ή λάθος;

1. Στο τραπέζι δεν υπάρχει κατάλογος.
2. Σ' αυτό το καφέ δεν σερβίρουν πρωινό.
3. Η Αγγελική δε θέλει καφέ.
4. Ο Λεωνίδας θέλει ένα φραπέ μέτριο.
5. Ο Γιώργος θέλει ένα φραπέ με γάλα και ζάχαρη.
6. Ο λογαριασμός είναι δεκατρία και ογδόντα.

Κοιτάξτε! ☉ ☉

> Το **πρωί** τρώμε **πρωινό**.
> Το **μεσημέρι** τρώμε **μεσημεριανό**.
> Το **βράδυ** τρώμε **βραδινό**.

ένας ελληνικός
καφές

ένα νεσκαφέ
με γάλα

ένας χυμός
πορτοκάλι

ένα τοστ
ζαμπόν τυρί

ένας (καφές) φραπέ

μία πάστα

ένα κρουασάν

ένα παγωτό

μία μπίρα

ένα καπουτσίνο

μία κόκα κόλα

ένα εσπρέσο

Κοιτάξτε! ⊙ ⊙

ένας χυμός ένας κατάλογος ένας καφές	Θα ήθελα ➤ Θέλω	έναν χυμός̶ έναν κατάλογος̶ έναν καφές̶

Αόριστο Άρθρο

	Ονομαστική	Αιτιατική
♂	ένας	ένα(ν)
♀	μία /μια	μία /μια
⊕	ένα	ένα

11 Βάλτε το σωστό αόριστο άρθρο

1. Θα ήθελα __**έναν**__ χυμό μπανάνα, παρακαλώ.

2. _____ νεσκαφέ με γάλα.

3. Η Ρένα θέλει _____ κατάλογο.

4. Θέλεις _____ μπίρα;

5. _____ ελληνικό μέτριο, σε παρακαλώ.

6. _____ παγωτό σοκολάτα.

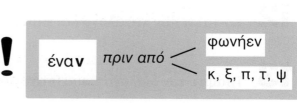

! | ένα**ν** | *πριν από* < φωνήεν / κ, ξ, π, τ, ψ

Café ENA

Κατάλογος

Ροφήματα

	Ευρώ
Espresso	2,60
Cappuccino	2,90
Γαλλικός καφές	2,90
Νες καφέ	2,90
Φραπέ	2,90
Ελληνικός καφές	2,30
Ελληνικός διπλός	2,90

Τοστ

Τυρί	2,50
Τυρί ζαμπόν	2,80

Σάντουϊτς

Μπαγκέτα	3,50
(τυρί, ζαμπόν ή καπνιστή γαλοπούλα, ντομάτα ή μαρούλι)	
Club sandwich	5,15

Γλυκά

Προφιτερόλ	3,90
Κρεμ brulée	3,90
Τάρτες	3,50
Μηλόπιτα	3,90
Μηλόπιτα με παγωτό	4,70
Καρυδόπιτα	4,10
Μπακλαβάς	4,10
Γαλακτομπούρεκο	4,10

Παγωτά

	Ευρώ
	4,80
Σοκολάτα	4,80
Βανίλια	4,80
Φράουλα	4,80
Παρφέ κρέμα	4,80
Παρφέ σοκολάτα	4,80
Μπανάνα	

Χυμοί

	3,50
Χυμός πορτοκάλι	3,50
Χυμός λεμόνι	3,50
Χυμός γκρέιπ φρουτ	

Αναψυκτικά

	2,60
Coca Cola	2,60
Sprite	2,60
Πορτοκαλάδα	2,60
Λεμονίτα	2,60
Σόδα	

Ποτά

	3,20
Ποτήρι κρασί λευκό ή κόκκινο	5,20
Ουΐσκι	4,40
Κονιάκ	

Μπίρες

	3,50
Μύθος	3,50
Amstel	3,50
Heineken	

Οι τιμές περιλαμβάνουν Φ.Π.Α., Δημοτικό φόρο, Service

12 Κοιτάξτε τον κατάλογο και παίξτε τους δύο πελάτες και τον σερβιτόρο

13 Γράψτε τον διάλογο που είπατε ✎

ένα καφέ

ένας καφές

Ο ελληνικός καφές

Για τον ελληνικό καφέ θέλουμε:

ένα μπρίκι

νερό

καφέ

ζάχαρη

ένα κουταλάκι

ένα φλιτζανάκι
κι ένα πιατάκι

Ο ελληνικός καφές είναι:

σκέτος

με ολίγη

μέτριος

γλυκός

Πώς φτιάχνουμε έναν ελληνικό μέτριο

Βάζουμε στο 🫖 ένα ☕ νερό, ένα 🥄 και ένα 🥄

Βάζουμε το 🫖 στη φωτιά.

Ανακατεύουμε 10 δευτερόλεπτα.

Όταν 🫖 , βάζουμε τον καφέ στο ☕

Επανάληψη Μαθημάτων 7-11

1 Μιλήστε μεταξύ σας

(α) A: Συγνώμη, ξέρετε αν υπάρχει κανένα ζαχαροπλαστείο στην οδό Πυθαγόρα;
B: Στην οδό Πυθαγόρα; Δε νομίζω. Υπάρχει όμως ένα στην οδό Ελευθερίας, απέναντι απ' το φούρνο.
A: Ευχαριστώ.
B: Παρακαλώ.

(β) A: Με συγχωρείτε, ξέρετε αν υπάρχει καμία ταβέρνα στην οδό Πυθαγόρα;
B: Στην οδό Πυθαγόρα; Ναι, υπάρχουν δύο. Μία...και μία...

1. ζαχαροπλαστείο / οδός Πυθαγόρα;
2. ανθοπωλείο / οδός Ελευθερίας;
3. τράπεζα / οδός Πυθαγόρα;
4. φαρμακείο / οδός Πυθαγόρα;

5. καθαριστήριο / οδός Ελευθερίας;
6. βενζινάδικο / οδός Ελευθερίας;
7. φούρνος / οδός Πυθαγόρα;
8. ταβέρνα / οδός Πυθαγόρα;

| ταβέρνα | καθαριστήριο | | φαρμακείο | πιτσαρία |

ΟΔΟΣ ΠΥΘΑΓΟΡΑ   ΟΔΟΣ ΠΥΘΑΓΟΡΑ

| φαρμακείο | ανθοπωλείο | ηλεκτρολόγος | ταβέρνα |

| τράπεζα | ΟΔΟΣ ΝΑΞΟΥ | φούρνος | | βενζινάδικο |

ΠΛΑΤΕΙΑ

ΟΔΟΣ ΕΛΕΥΘΕΡΙΑΣ   ΟΔΟΣ ΕΛΕΥΘΕΡΙΑΣ   ΟΔΟΣ ΕΛΕΥΘΕΡΙΑΣ

ΝΙΚΗΣ

| βενζινάδικο | ζαχαροπλαστείο | | σινεμά |

2 Βάλτε τα ουσιαστικά και τα επίθετα στον σωστό τύπο

1. Ξέρετε _____ *τον καινούργιο καθηγητή* _____ ; (ο καινούργιος καθηγητής)

2. Πού είναι _____ ; (η μεγάλη ομπρέλα)

3. _____ είναι καλός. (ο ολλανδός γιατρός)

4. Θα ήθελα _____ . (ένας ελληνικός μέτριος)

5. Μιλάμε για _____ . (η ιταλίδα δικηγόρος)

6. Πού είναι _____ ; (το καθαρό αυτοκίνητο)

7. Μήπως θέλετε _____ ; (ο ακριβός αναπτήρας)

8. Δουλεύει _____ . (η μικρή ταβέρνα)

9. Ξέρουν _____ . (η καινούργια μαθήτρια)

10. Μένει σ _____ . (το μικρό σπίτι)

3 Βάλτε τα ρήματα στον σωστό τύπο

1. Καλά, εσύ δεν _____ *θυμάσαι* _____ πού είναι το σπίτι μου; (θυμάμαι)

2. Ο Κώστας τι ώρα _____ από τη δουλειά; (έρχομαι)

3. Γιατί ο Γιάννης και η Άννα δεν _____ το βράδυ; (τρώω)

4. Εγώ _____ πολύ την κλασική μουσική. (αγαπάω)

5. Τι _____ Πέτρο; Όλα καλά; (γίνομαι)

6. Εσείς τι ώρα _____ το βράδυ; (κοιμάμαι)

7. Η τράπεζα _____ στις οχτώ το πρωί. (ανοίγω)

8. Καλά, δεν _____ καθόλου τη μητέρα σου ; (σκέφτομαι)

9. Τα παιδιά τους δεν _____ ποτέ μουσική. (ακούω)

10. Τη Δευτέρα το πρωί εμείς _____ από το σπίτι μας στις εφτά. (φεύγω)

11. Η οικογένειά μου _____ στην Πολωνία. (ζω)

12. Η γυναίκα μου κι εγώ _____ συχνά στο σινεμά. (πάω)

13. Εσείς δεν _____ ποτέ το βράδυ; (οδηγώ)

4 Βρείτε το λάθος και γράψτε τις προτάσεις σωστά ✎

1. "Υπάρχει κανένα καινούργιο εστιατόριο εδώ κοντά;" "Ναι, υπάρχει κανένα."

_____

2. "Πόσω χρονών είσαι;" "Είμαι είκοσι τέσσερα χρονών."

_____

3. Θέλω τον ακριβό υπολογιστής.

_____

4. Στην Τρίτη και στην Πέμπτη δεν πάω στο σχολείο.

_____

5. "Ποιος είναι αυτός;" "Είναι η Ελένη."

_____

5 "Όχι" ή "δεν"

1. Ο Γιώργος _**δεν**_ είναι εδώ τώρα.
2. "Η Ελένη πάει στο σπίτι;" " _____ , πάει στη δουλειά."
3. "Πάμε στο σινεμά;" " _____ τώρα."
4. "Μήπως υπάρχει καμιά πιτσαρία εδώ κοντά;" " _____ , _____ υπάρχει."
5. "Ο Πάνος _____ είναι ο καθηγητής σας;" " _____ ο Πάνος. Ο Δημήτρης."
6. "Θέλεις καφέ;" " _____ θέλω καφέ τώρα, ευχαριστώ."

6 Διαβάστε τον διάλογο με έναν συμμαθητή σας. Μετά αλλάξτε τις λέξεις και παίξτε τον πελάτη και την πωλήτρια

Πελάτης	Καλημέρα.
Πωλήτρια	Καλημέρα σας. Παρακαλώ.
Πελάτης	Θα ήθελα *μια ομπρέλα.*
Πωλήτρια	Βεβαίως. *Αυτή* σας αρέσει;
Πελάτης	Ναι, αρκετά. Πόσο έχει;
Πωλήτρια	Έχει *δεκαέξι και εβδομήντα.*
Πελάτης	Είναι λίγο *ακριβή.*
Πωλήτρια	*Αυτή* εδώ έχει *δώδεκα και ενενήντα.*
Πελάτης	Είναι *καλή;*
Πωλήτρια	Πολύ *καλή.*
Πελάτης	Εντάξει.

1. ένας αναπτήρας — € 23,40 / € 17,80
2. ένα ρολόι — € 132,20 / € 106,90
3. μια τηλεόραση — € 278,80 / € 210,10
4. ένα πορτοφόλι — € 44,40 / € 31,70

7 Γράψτε τη σωστή λέξη ή φράση

> κύριε - πόσο κάνει - αυτή η - παρακαλώ - την Κυριακή - σ' αρέσει - είκοσι τριών - ποια είναι - έναν καλό αναπτήρα - δύο και μισή - Ισπανίδα - δεν ξέρω - υπάρχει

1. Η καινούργια γιατρός είναι ___*Ισπανίδα*___ .

2. Ο Χανς δεν πάει στο γραφείο του _____ .

3. Καλημέρα σας _____ Γεωργίου. Τι κάνετε;

4. _____ ομπρέλα είναι ακριβή;

5. Συγνώμη, _____ κανένας υδραυλικός εδώ κοντά;

6. Η αδελφή μου είναι _____ ετών.

7. " _____ αυτός ο υπολογιστής;" "Δεν είναι ακριβός."

8. " _____ το αυτοκίνητό της;" "Ναι, πολύ."

9. " _____ αυτή η κυρία;" "Είναι η μητέρα μου."

10. Το κατάστημα κλείνει στις _____ .

11. "Πού είναι ο Στέφανος;" " _____ ."

12. "Σας ευχαριστώ πολύ." " _____ ."

13. "Παρακαλώ κυρία μου." "Θα ήθελα _____ ."

8 Ρωτήστε και απαντήστε

Παράδειγμα

(α) A: Υπάρχει καμιά Αλβανίδα στην τάξη μας;
    B: Υπάρχουν δύο. Η... και η...

(β) A: Υπάρχει κανένας Φιλανδός στην τάξη μας;
    B: Όχι, δεν υπάρχει κανένας.

Μάθημα 12

9 Μιλήστε μεταξύ σας και γράψτε τα χιλιόμετρα.
Ο Α διαβάζει τον πάνω πίνακα και σκεπάζει τον κάτω.
Ο Β διαβάζει τον κάτω πίνακα και σκεπάζει τον πάνω.

Παράδειγμα

A: Πόσο απέχει η Ζυρίχη απ' την Αθήνα;

B: Απέχει δύο χιλιάδες εφτακόσια σαράντα χιλιόμετρα.

Αποστάσεις σε χιλιόμετρα από την Αθήνα

Πόλη	Χιλιόμετρα	Πόλη	Χιλιόμετρα
Αμβούργο	2.853	Λωζάνη	2.661
Βαρσοβία		Μιλάνο	
Βελιγράδι	1.216	Μόναχο	2.254
Βενετία	2.093	Μπορντό	3.473
Βιέννη		Παρίσι	
Βουδαπέστη	1.583	Πράγα	2.194
Βρυξέλλες (οι)	3.034	Ρώμη	
Ζυρίχη		Σκόπια (τα)	753
Κολωνία	2.833	Τορίνο	2.501
Κωνσταντινούπολη	1.343	Φλορεντία	2.386

Πόλη	Χιλιόμετρα	Πόλη	Χιλιόμετρα
Αμβούργο	2.853	Λωζάνη	2.661
Βαρσοβία	2.437	Μιλάνο	2.353
Βελιγράδι		Μόναχο	
Βενετία	2.093	Μπορντό	3.473
Βιέννη	1.854	Παρίσι	3.172
Βουδαπέστη		Πράγα	
Βρυξέλλες (οι)	3.034	Ρώμη	2.702
Ζυρίχη	2.740	Σκόπια (τα)	
Κολωνία		Τορίνο	2.501
Κωνσταντινούπολη	1.343	Φλορεντία	2.386

10 Ρωτήστε έναν συμμαθητή σας πόσο απέχει η πόλη του από την Αθήνα ή από τη Θεσσαλονίκη ή από...

A: Ξέρεις πόσο απέχει (το Όσλο) απ' την Αθήνα;

B: Περίπου... χιλιόμετρα

11 Βάλτε τις λέξεις στο σωστό κουτί

Κινέζα - καρέκλα - φαρμακείο - χυμός - υπολογιστής - μπίρα - Ελληνίδα - ομπρέλα
πιτσαρία - τσάι - Ισπανός - καφές - σουβλατζίδικο - πάρκινγκ - τηλεόραση - Ουγγαρέζα

Κινέζα	*καρέκλα*	*φαρμακείο*	*χυμός*

12 Γράψτε το σωστό και βρείτε την κρυφή λέξη

1.   Εκεί πάμε για βιβλία.
2.   Εκεί υπάρχει βενζίνη.
3.   Εκεί πάμε για καλό βραδινό.
4.   Εκεί πάμε για ψωμί.
5.   Εκεί πάμε για έναν καφέ.
6.   Εκεί πάμε για ασπιρίνη.
7.   Εκεί υπάρχουν αυτοκίνητα.
8.   Εκεί τρώμε σουβλάκι.

Μάθημα 12

13 Μιλήστε μεταξύ σας

Αθήνα

Νέα Υόρκη

Λονδίνο

Ρώμη

Μόσχα

Τόκιο

Μελβούρνη

Παράδειγμα

A: Τι ώρα είναι στο Τόκιο όταν στην Αθήνα είναι πέντε το απόγευμα;

B: Είναι μεσάνυχτα.

14 Ρωτήστε και απαντήστε

A: Πώς λένε το 1 στα ελληνικά;

B: Το λένε (υπολογιστή).

1

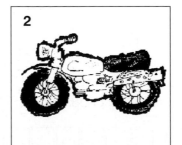
2

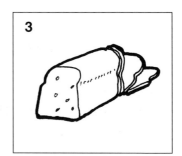
3

4

5

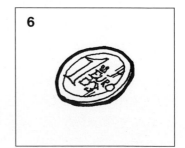
6

Η οικογένεια Σαρρηγιάννη

Ο Απόστολος και η Σοφία Σαρρηγιάννη είναι παντρεμένοι είκοσι εννιά χρόνια κι έχουν δύο παιδιά. Τον Αλέξανδρο και τη Λίζα. Ο Αλέξανδρος είναι είκοσι οχτώ χρονών. Είναι μαθηματικός, είναι παντρεμένος και δουλεύει στον ΟΤΕ. Η Λίζα είναι είκοσι τεσσάρων και πάει στο Πανεπιστήμιο στην Πάτρα. Σπουδάζει ιατρική.

Ζούνε στα Γιάννενα. Μένουν στο κέντρο, στην οδό Δωδώνης 37, κοντά στο Ρολόι. Ο Απόστολος δουλεύει στην Εθνική Τράπεζα και η Σοφία, στο ΙΚΑ. Τα Γιάννενα είναι μια μεγάλη, όμορφη πόλη στην Ήπειρο, δίπλα σε μια πολύ ωραία λίμνη. Απέχουν 445 χιλιόμετρα απ' την Αθήνα και 364 απ' τη Θεσσαλονίκη.

Απ' τη Δευτέρα ώς την Παρασκευή, η Σοφία και ο Απόστολος δουλεύουν απ' το πρωί ώς αργά το μεσημέρι. Κοιμούνται λίγο το απόγευμα και το βράδυ συχνά βγαίνουν έξω. Το σαββατοκύριακο πολλές φορές πηγαίνουν με το αυτοκίνητό τους στο Ζαγόρι, στο Δίλοφο, όπου έχουν ένα σπίτι. Μερικές φορές πάνε για φαγητό στο Μπουραζάνι, ένα μικρό χωριό κοντά στην Κόνιτσα, στα 55 χιλιόμετρα περίπου απ' τα Γιάννενα, όπου υπάρχει ένα καλό εστιατόριο .

Συχνά πάνε στην Πάτρα. Στην Αθήνα πάνε πολύ σπάνια.

15 Ρωτήστε και απαντήστε

1. Πόσα χρόνια είναι παντρεμένοι η Σοφία και ο Απόστολος;
2. Πόσα παιδιά έχουν;
3. Πόσω χρονών είναι τα παιδιά τους;
4. Τι κάνουν ο Αλέξανδρος και η Λίζα;.
5. Πού ζούνε;
6. Πού μένουν;
7. Πού δουλεύουν ο Απόστολος και η γυναίκα του;
8. Πού είναι τα Γιάννενα;
9. Τι υπάρχει δίπλα στην πόλη;
10. Πόσο απέχουν τα Γιάννενα από την Αθήνα;
11. Τι κάνουν το απόγευμα;
12. Τι κανουν το σαββατοκύριακο;
13. Τι είναι το Μπουραζάνι;
14. Τι υπάρχει εκεί;

16 Γράψτε τη σωστή λέξη 🖉

1. Ο Απόστολος και η Σοφία είναι παντρεμένοι είκοσι εννιά ___*χρόνια*___ .

2. Ο Αλέξανδρος είναι είκοσι οχτώ _____ .

3. Η Λίζα _____ ιατρική.

4. Ο Απόστολος, η Σοφία κι ο Αλέξανδρος _____ στα Γιάννενα.

5. Τα Γιάννενα είναι μια μεγάλη, όμορφη _____ στην Ήπειρο.

6. Η πόλη είναι δίπλα σε μια πολύ ωραία _____ .

7. Η πόλη _____ από την Αθήνα 445 χιλιόμετρα.

8. Η Σοφία και ο άντρας της δουλεύουν από το πρωί μέχρι _____ το μεσημέρι.

9. _____ συχνά πηγαίνουν στο Ζαγόρι.

10. Καμιά φορά πάνε για _____ στο Μπουραζάνι.

11. Το Μπουραζάνι απέχει περίπου 55 _____ από τα Γιάννενα.

12. Το Μπουραζάνι είναι ένα _____ κοντά στην Κόνιτσα.

17 Βάλτε τη σωστή λέξη

σπουδάζει - φαγητό - χωριό - χρονών - σαββατοκύριακο
ζούμε - αργά - απέχει - πόλη - λίμνη - χρόνια

1. "Καλό ___*σαββατοκύριακο*___ ." "Ευχαριστώ, επίσης."

2. Σ' αυτό το εστιατόριο το _____ είναι πολύ καλό.

3. Το Άμστερνταμ είναι πολύ ωραία _____ .

4. "Πόσο _____ η Πάτρα απ' τη Σπάρτη;" "Δεν ξέρω ακριβώς."

5. Η Κασπία Θάλασσα στη Ρωσία είναι μια πολύ μεγάλη _____ .

6. Σάββατο και Κυριακή συνήθως ξυπνάμε _____ .

7. "Ο Νίκος _____ ιατρική στη Γερμανία."

8. Ο Όμηρος κι εγώ _____ μαζί τέσσερα _____ τώρα.

9. "Πόσω _____ είναι ο πατέρας σου;" "Εξήντα δύο."

10. Εμείς μένουμε στη Θεσσαλονίκη αλλά η μητέρα μου μένει στο _____ .

18 Ακούστε την ερώτηση και βρείτε τη σωστή απάντηση

1.	(α)	Δώδεκα.
	(β)	Δώδεκα παρά τέταρτο.
	(γ)	Στις δώδεκα ακριβώς.
2.	(α)	Όχι, δεν ξυπνάει αργά.
	(β)	Ναι, ξυπνάει στις έξι το πρωί.
	(γ)	Δεν ξυπνάει ποτέ.
3.	(α)	Στο σχολείο.
	(β)	Δε νομίζω.
	(γ)	Μιλάω καλά.
4.	(α)	Όχι, δεν είναι εδώ.
	(β)	Ναι, πιο πάνω, στον τρίτο δρόμο δεξιά.
	(γ)	Ναι, υπάρχει ένα μακριά.

19 Γράψτε για μια οικογένεια που ξέρετε

Οι φράουλες είναι ακριβές

Η Ιωάννα είναι στη λαϊκή και ψωνίζει.

Ιωάννα	Καλημέρα Γιάννη.
Μανάβης	Καλώς την κυρία.
Ιωάννα	Ωραία πορτοκάλια αυτά εδώ.
Μανάβης	Μέρλιν. Εξαιρετικά.
Ιωάννα	Πόσο;
Μανάβης	Σαράντα λεπτά το κιλό.
Ιωάννα	Λοιπόν, θέλω δύο κιλά. Α, βλέπω και φράουλες. Καλές;
Μανάβης	Πολύ ωραίες.
Ιωάννα	Πόσο πάνε;
Μανάβης	Τέσσερα και σαράντα το κιλό.
Ιωάννα	Καλέ, πολύ ακριβές είναι.
Μανάβης	Ε όχι κι ακριβές. Πρώτη μέρα σήμερα.
Ιωάννα	Θέλω λίγες. Για τα παιδιά, δηλαδή.
Μανάβης	Πόσες θέλετε; Μισό κιλό είναι εντάξει;
Ιωάννα	Ναι, ναι, εντάξει. Θα ήθελα και... δύο κιλά μήλα. Από εκείνα εκεί.
Μανάβης	Και δύο κιλά μήλα για την καλή μας κυρία. Τίποτ' άλλο;
Ιωάννα	Όχι. Αυτά. Πόσο κάνουν όλα μαζί;
Μανάβης	Λοιπόν. Τα πορτοκάλια ογδόντα λεπτά, οι φράουλες δύο και είκοσι και τα μήλα ένα και δέκα. Όλα μαζί, τέσσερα και δέκα.
Ιωάννα	Έχω είκοσι.
Μανάβης	Δεν πειράζει. Τα ρέστα σας. Δεκαπέντε ευρώ και ενενήντα λεπτά.
Ιωάννα	Ευχαριστώ. Αντίο.
Μανάβης	Στο καλό.

1 Ρωτήστε και απαντήστε

1. Η Ιωάννα θέλει μόνο πορτοκάλια;
2. Πόσο κάνουν τα πορτοκάλια;
3. Οι φράουλες πόσο έχουν;
4. Είναι ακριβές; Γιατί;
5. Πόσες φράουλες παίρνει η Ιωάννα ;
6. Πόσο κάνουν τα μήλα;
7. Πόσο είναι όλα μαζί;
8. Πόσα είναι τα ρέστα;

Εδώ τα ωραία από την Κρήτη.

Ουσιαστικά

Αρσενικά

	Ενικός	Πληθυντικός
Ονομ.	**ο** υπολογιστ**ής** αναπτήρ**ας** φούρν**ος**	**οι** υπολογιστ**ές** αναπτήρ**ες** φούρν**οι**
Αιτ.	**τον** υπολογιστ**ή** αναπτήρ**α** φούρν**ο**	**τους** υπολογιστ**ές** αναπτήρ**ες** φούρν**ους**

Αρσενικά

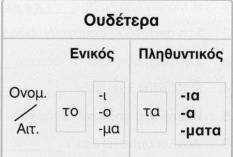

	Ενικός		Πληθυντικός	
Ονομ.	ο <	-ης / -ας	οι	
Αιτ.	τον <	-η / -α	τους	**-ες**
Ονομ.	ο	-ος	οι	-οι
Αιτ.	τον	-ο	τους	-ους

Θηλυκά

	Ενικός	Πληθυντικός
Ονομ.	**η**	**οι**
	κλινικ**ή** ταβέρν**α**	κλινικ**ές** ταβέρν**ες**
Αιτ.	**την**	**τις**

Θηλυκά

	Ενικός		Πληθυντικός
Ονομ.	η	-η	οι
Αιτ.	την	-α	**-ες**

Ουδέτερα

	Ενικός	Πληθυντικός
Ονομ.	**το**	**τα**
Αιτ.		τραπέζ**ι** μήλ**ο** μάθη**μα**	τραπέζ**ια** μήλ**α** μαθή**ματα**

Ουδέτερα

	Ενικός		Πληθυντικός	
Ονομ.	το	-ι / -ο / -μα	τα	-ια / -α / -ματα
Αιτ.				

♂ αρσενικό	♀ θηλυκό	⊕ ουδέτερο

Μάθημα **13**

αρσενικό	θηλυκό	ουδέτερο
ένας	μία	ένα
τρεις	τρεις	τρία
τέσσερις	τέσσερις	τέσσερα

2 Μιλήστε μεταξύ σας... γρήγορα!

Παράδειγμα

παιδί; / 4

A: Ένα παιδί;
B: Όχι, τέσσερα παιδιά.

1. παιδί; / 4
2. μπίρα; / 3
3. καθηγητής; / 2
4. πορτοκάλι; / 5
5. κλινική; / 4

6. όνομα; / 4
7. φάκελος; / 7
8. καρέκλα; / 6
9. περίπτερο; / 3
10. άντρας; / 3

11. μαθητής; / 8
12. αυτοκίνητο; / 4
13. μηχανή; / 7
14. γιος; / 4
15. τασάκι; / 5

3 Βάλτε τα ουσιαστικά στον πληθυντικό

1. Η Μαίρη έχει τρεις ___**κόρες**___ και δύο _____ . (κόρη) (γιος)

2. Στο σπίτι τους υπάρχουν δύο χιλιάδες _____ βιβλία. (βιβλίο)

3. Σην τάξη μας έχει τέσσερις _____ . (Αγγλίδα)

4. Ο Κώστας έχει δύο _____ και δύο _____ . (αδελφός) (αδελφή)

5. Κοντά στο σπίτι μας υπάρχουν δύο _____ . (φούρνος)

6. Δουλεύουμε με εφτά _____ από την Αυστρία. (καθηγητής)

7. Στην κλινική υπάρχουν έντεκα _____ . (γιατρός)

8. Στο σπίτι μας υπάρχουν τρεις _____ . (υπολογιστής)

9. Θέλω δύο _____ _____ . (κιλό) (πορτοκάλι)

10. Αυτό το βιβλίο έχει 24 _____ . (μάθημα)

Επίθετα

-ος, -η, -ο

	αρσενικό	θηλυκό	ουδέτερο
		Ενικός	
Ονομ.	ακριβ**ός**	ακριβ ή	ακριβ ό
Αιτ.	ακριβ**ό**	ακριβ	ακριβ
		Πληθυντικός	
Ονομ.	ακριβ**οί**	ακριβ ές	ακριβ ά
Αιτ.	ακριβ**ούς**	ακριβ	ακριβ

-ος, -α, -ο

	αρσενικό	θηλυκό	ουδέτερο
		Ενικός	
Ονομ.	παλι**ός**	παλι ά	παλι ό
Αιτ.	παλι**ό**	παλι	παλι
		Πληθυντικός	
Ονομ.	παλι**οί**	παλι ές	παλι ά
Αιτ.	παλι**ούς**	παλι	παλι

4 Μιλήστε μεταξύ σας... γρήγορα!

(α) αυτά / ποτήρια / καθαρά; // ναι

A : Αυτά τα ποτήρια είναι καθαρά;
B : Ναι, είναι καθαρά. Πολύ καθαρά.

1. αυτά / ποτήρια / καθαρά; // ναι
2. εκείνες / καρέκλες / παλιές; // όχι
3. υπολογιστές / ακριβοί; // ναι
4. φράουλες / φτηνές; // όχι
5. μήλα / καλά; // ναι

(β) εκείνες / καρέκλες / παλιές; // όχι

A : Εκείνες οι καρέκλες είναι παλιές;
B : Όχι, είναι καινούργιες. Πολύ καινούργιες.

6. μηχανές / μεγάλες; // ναι
7. φάκελοι / μικροί; // όχι
8. κέρματα / καινούρια; // ναι
8. αναπτήρες / ακριβοί // όχι
9. σουβλάκια / καλά; // ναι

5 Γράψτε τις προτάσεις στον πληθυντικό

1. Αυτό το αυτοκίνητο είναι ακριβό.
   Αυτά τα αυτοκίνητα είναι ακριβά.

2. Βλέπεις εκείνη τη μηχανή;
   _____

3. Αυτή η ομπρέλα είναι παλιά.
   _____

4. Εκείνος ο γιατρός είναι καλός.
   _____

5. Αυτό το κουτάλι είναι μικρό.
   _____

6. Θέλεις εκείνο τον φτηνό αναπτήρα;
   _____

6 Είστε στη λαϊκή. Παίξτε τον μανάβη και την πελάτισσα

πορτοκάλια
0,60 €

μπανάνες
1,50 €

λεμόνια
0.55 €

αχλάδια
0.75 €

μήλα
0.85 €

φράουλες
2.60 €

κεράσια
5 €

σταφύλια
1.15 €

καρπούζι
0.30 €

μελιτζάνες
0.90 €

αγγούρια
0,40 €

καρότα
0,65 €

ντομάτες
0.50 €

πατάτες
0,65 €

κολοκυθάκια
2 €

Κοιτάξτε! ☺ ☺

			Ονομαστική
Λέμε:	Κοντά στο σπίτι μου	υπάρχει	ένας υδραυλικός.
		υπάρχουν	δύο υδραυλικοί.
			Αιτιατική
Επίσης λέμε:	Κοντά στο σπίτι μου	έχει	έναν υδραυλικό.
			δύο υδραυλικούς.

7 Γράψτε τις προτάσεις με το "έχει"

1. Στην τάξη μας δεν υπάρχουν Σουηδοί. *Στην τάξη μας δεν έχει Σουηδούς.*
2. Στο περίπτερο υπάρχουν εφημερίδες και περιοδικά. _____
3. Στο τραπέζι υπάρχει ένας υπολογιστής. _____
4. Στο γραφείο του υπάρχουν μόνο δύο καρέκλες. _____
5. Στο σπίτι δεν υπάρχουν καθόλου βιβλία. _____
6. Στο σχολείο υπάρχει ένας ξένος καθηγητής. _____

8 Μιλήστε μεταξύ σας

A: Τι υπάρχει στην εικόνα 1;
B: Υπάρχουν βιβλία.
A: Πόσα ακριβώς;
B: ...

   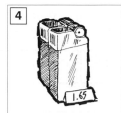 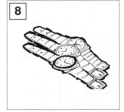

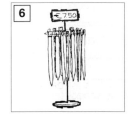    

	Αρσενικό	Θηλυκό	Ουδέτερο
Ονομ. Αιτ.	Πόσ**οι** ; Πόσ**ους**;	Πόσ**ες**;	Πόσ**α**;
Ονομ. Αιτ.	Πολλ**οί** Πολλ**ούς**	Πολλ**ές**	Πολλ**ά**
Ονομ. Αιτ.	Λίγ**οι** Λίγ**ους**	Λίγ**ες**	Λίγ**α**

9 Μιλήστε μεταξύ σας

(α) A : Πόσες ταβέρνες **υπάρχουν** στο 1;
      B : Υπάρχουν πολλές.
      A : Και πόσα βιβλιοπωλεία υπάρχουν;
      B : Υπάρχουν λίγα μόνο.

(β) A : Πόσες ταβέρνες **έχει** στο 1;
      B : Έχει πολλές.
      A : Και πόσες...

1

φούρνος	ταβέρνα	φούρνος
ταβέρνα	φούρνος	βιβλιοπωλείο
βιβλιοπωλείο	ταβέρνα	φούρνος

φούρνος	ταβέρνα	φούρνος
ταβέρνα	φούρνος	ταβέρνα
φούρνος	ταβέρνα	φούρνος

2

φαρμακείο	γιατρός	φαρμακείο
πιτσαρία	γιατρός	φαρμακείο
φαρμακείο	γιατρός	γιατρός

πιτσαρία	γιατρός	φαρμακείο
γιατρός	γιατρός	φαρμακείο
φαρμακείο	γιατρός	φαρμακείο

3

κινηματογράφος	τράπεζα	κινηματογράφος
τράπεζα	τράπεζα	σουβλατζίδικο
κινηματογράφος	τράπεζα	κινηματογράφος

κινηματογράφος	τράπεζα	κινηματογράφος
τράπεζα	τράπεζα	σουβλατζίδικο
κινηματογράφος	τράπεζα	κινηματογράφος

10 Γράψτε τι υπάρχει και τι δεν υπάρχει κοντά στο σπίτι σας

11 Κοιτάξτε την εικόνα και μιλήστε μεταξύ σας
(α) πόσοι/πόσες/πόσα...
(β) τι υπάρχει...
(γ) τι τρώει/τρώνε...
(δ) τι πίνει/πίνουν... κτλ.

Παραδείγματα

Πόσα τραπέζια υπάρχουν στην εικόνα; Τι πίνουν οι τρεις άντρες;

Μάθημα 13

 ## Στο σουπερμάρκετ

Υπάλληλος	Ποιος έχει σειρά παρακαλώ;
Φανή	Εγώ. Θα ήθελα φέτα Δωδώνης.
Υπάλληλος	Πόσο περίπου;
Φανή	Τρία τέταρτα.
Υπάλληλος	Τρία τέταρτα φέτα. Τι άλλο;
Φανή	Και μισό κιλό γραβιέρα Κρήτης.
Υπάλληλος	Ορίστε και η γραβιέρα σας. Τίποτε άλλο;
Φανή	Κι ένα τέταρτο γιαούρτι.
Υπάλληλος	Βεβαίως. Είστε έτοιμη. Άλλο;
Φανή	Τίποτα, ευχαριστώ.

12 Σωστό ή λάθος;

1. Η Φανή θέλει φέτα Δωδώνης.
2. Θέλει μισό κιλό φέτα.
3. Θέλει γραβιέρα Μυτιλήνης.
4. Θέλει ένα κιλό γραβιέρα.
5. Θέλει γιαούρτι.
6. Θέλει διακόσια πενήντα γραμμάρια γιαούρτι.

Κοιτάξτε! ☺ ☺

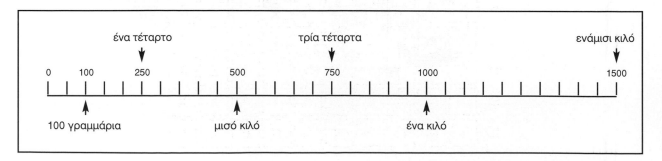

13 Είστε στο σουπερμάρκετ. Παίξτε ένα ρόλο και αγοράστε τυριά, αλλαντικά, κρέατα, ψάρια

Τυριά   **Κρέατα**

κασέρι — 1 ½ κιλό   μοσχάρι — 1 κιλό
μανούρι — 300 γραμμάρια   χοιρινές μπριζόλες — 3/4
γραβιέρα Νάξου — 3/4   παϊδάκια — 1 ½ κιλό
                κιμάς — 1/2 κιλό

Αλλαντικά   **Ψάρια**

ζαμπόν — 1/2 κιλό   γόπες — 2 κιλά
σαλάμι Ιταλίας — 600 γραμμάρια   μπαρμπούνια — 1 κιλό
λουκάνικα χωριάτικα — 1/4 σαρδέλες — 3/4

14 Γράψτε έναν διάλογο στο σουπερμάρκετ

15 Εδώ υπάρχουν φρούτα και λαχανικά. Πόσα βλέπετε;

	1	2	3	4	5	6	7	8	9	10
1	Λ	Η	Β	Ε	Ρ	Ι	Κ	Ο	Κ	Α
2	Φ	Κ	Ρ	Ο	Δ	Α	Κ	Ι	Ν	Α
3	Ρ	Α	Π	Α	Ν	Α	Ε	Π	Τ	Χ
4	Α	Ρ	Α	Κ	Α	Σ	Ρ	Ε	Ο	Λ
5	Ο	Ο	Δ	Χ	Ζ	Κ	Α	Π	Μ	Α
6	Υ	Τ	Μ	Η	Λ	Α	Σ	Ο	Α	Δ
7	Λ	Α	Ω	Σ	Β	Σ	Ι	Ν	Τ	Ι
8	Ε	Λ	Α	Γ	Α	Ν	Α	Ι	Ε	Α
9	Σ	Τ	Α	Φ	Υ	Λ	Ι	Α	Σ	Χ
10	Ψ	Μ	Π	Α	Ν	Α	Ν	Ε	Σ	Γ

Είναι ακριβά γιατί είναι ιταλικά

Πωλήτρια	Ορίστε, παρακαλώ.
Πελάτισσα	Ναι... Θα ήθελα εκείνα εκεί τα παπούτσια που είναι αριστερά στη βιτρίνα.
Πωλήτρια	Εκείνα που είναι δίπλα στην τσάντα;
Πελάτισσα	Ε... ναι.
Πωλήτρια	Μάλιστα. Τι νούμερο φοράτε;
Πελάτισσα	Τριάντα οχτώ.
Πωλήτρια	Στο καφέ;
Πελάτισσα	Δεν έχει μαύρο;
Πωλήτρια	Ναι, έχει μαύρο, καφέ, μπλε και μπορντό.
Πελάτισσα	Μαύρο.
Πωλήτρια	Τριάντα οχτώ στο μαύρο. Σ' ένα λεπτό είμαι μαζί σας...
Πωλήτρια	Πώς είναι;
Πελάτισσα	Καλό είναι.
Πωλήτρια	Είναι πολύ ωραίο στο πόδι σας. Θέλετε και το αριστερό;
Πελάτισσα	Ναι. Μ' αρέσουν. Μ' αρέσουν πολύ. Πόσο έχουν;
Πωλήτρια	Εκατόν δεκαεννιά και ενενήντα.
Πελάτισσα	Ακριβά ε;
Πωλήτρια	Είναι ιταλικά.
Πελάτισσα	Μμ... εντάξει. Πού πληρώνω;
Πωλήτρια	Το ταμείο είναι εκεί απέναντι. Με γεια σας.
Πελάτισσα	Ευχαριστώ.

Από πού αγοράζετε φούστες;

1 Σωστό ή λάθος;

1. Η πελάτισσα θέλει παπούτσια.
2. Τα παπούτσια που θέλει είναι δίπλα στην τσάντα.
3. Η πελάτισσα φοράει νούμερο τριάντα έξι.
4. Θέλει καφέ παπούτσια.
5. Τα παπούτσια κάνουν εκατό δεκαεννιά και ενενήντα.
6. Είναι ισπανικά.

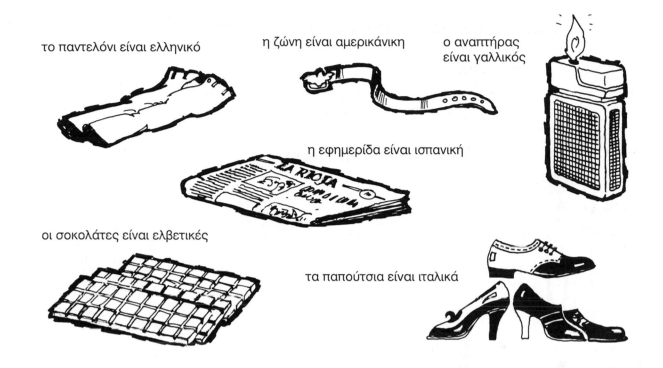

το παντελόνι είναι ελληνικό

η ζώνη είναι αμερικάνικη

ο αναπτήρας είναι γαλλικός

η εφημερίδα είναι ισπανική

οι σοκολάτες είναι ελβετικές

τα παπούτσια είναι ιταλικά

Επίθετα που φανερώνουν εθνικότητα

Αρσενικό	Θηλυκό	Ουδέτερο
ελλην**ικός**	ελλην**ική**	ελλην**ικό**
ιταλ**ικός**	ιταλ**ική**	ιταλ**ικό**

Λέμε:

αμερικανικός και αμερικ**ά**νικος, ρωσικός και ρ**ώ**σικος, βουλγαρικός και βουλγ**ά**ρικος κ. ά.

σουηδικός και σουηδέζικος, ολλανδικός και ολλανδέζικος, ιαπωνικός και γιαπωνέζικος, αγγλικός και εγγλέζικος κ. ά.

αυστριακός/ή/ό, ινδικός/ή/ό, αιγυπτιακός/ή/ό κ. ά.

Κοιτάξτε! ☉ ☉

Η Νίνα δεν είναι Ελληνίδα αλλά μιλάει ελληνικά και πίνει μόνο ελληνικό καφέ.

Ο Αντόνιο είναι Ισπανός, η γυναίκα του είναι Ισπανίδα και η μηχανή του είναι ισπανική.

Η Φρανσουαζ δεν είναι Ολλανδέζα, μένει στην Ολλανδία, μιλάει ολλανδέζικα και φοράει συνήθως ολλανδέζικα ρούχα.

2 Ταιριάξτε τις λέξεις με τις εικόνες

κάλτσες	σακάκι	γραβάτα	πουκάμισο	φούστα
παπούτσια	παντελόνι	πουλόβερ	φόρεμα	μπλούζα
μπλουζάκι	καλ(τ)σόν	φανελάκι	κοστούμι	καπέλο
πέδιλα				

Ρούχα και...

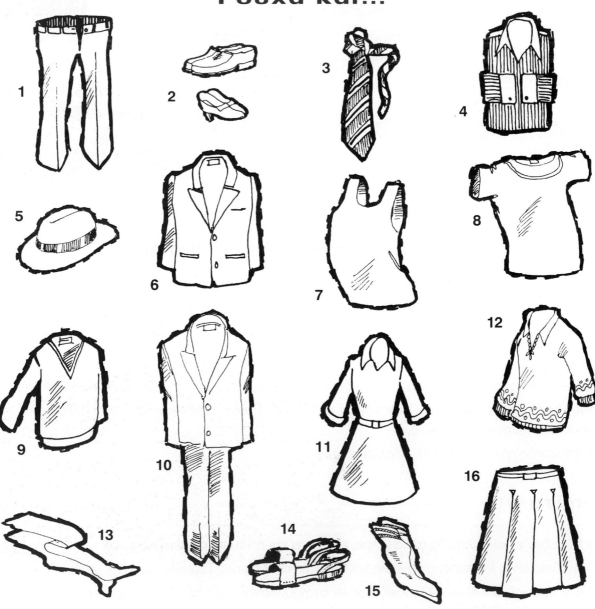

3 Μιλήστε μεταξύ σας

Παράδειγμα

το σακάκι; / το Μιλάνο / ιταλ...

A: Από πού είναι αυτό το σακάκι;
B: Είναι από το Μιλάνο.
A: Είναι ιταλικό, δηλαδή.
B: Ακριβώς.

1. το σακάκι; / (το) Μιλάνο / ιταλ...
2. η φούστα; / (η) Βαρκελώνη / ισπαν...
3. το καπέλο; / (το) Μόναχο / γερμαν...
4. τα παπούτσια; / (η) Θεσσαλονίκη / ελλην...
5. ο φακός; / (το) Χονγκ Κονγκ / κιν...

6. το κοστούμι / (η) Καλιφόρνια / αμερικάν...
7. οι κάλτσες; / (η) Άγκυρα / τούρκ...
8. η μπλούζα; / (το) Όσλο / νορβηγ...
9. το φόρεμα; / (η) Λευκωσία / κυπρ...

4 Μιλήστε μεταξύ σας

π.χ. A: Από πού είναι (το πουλόβερ), (τα παπούτσια), (το κοστούμι) σου; κ.τ.λ.

B: Από τη Γαλλία.
A: Είναι γαλλικό, δηλαδή.

5 Γράψτε τις προτάσεις

1. Το πουκάμισό μου είναι από την Ιταλία. *Το πουκάμισό μου είναι ιταλικό.*
2. Οι κάλτσες μου είναι από την Ελλάδα. _____
3. Το καπέλο της είναι από την Ελβετία. _____
4. Η φούστα της είναι από την Αγγλία. _____
5. Τα παπούτσια του είναι από την Ισπανία. _____
6. Το κοστούμι του είναι από την Αμερική. _____
7. Οι γραβάτες του είναι από τη Γαλλία. _____
8. Ο υπολογιστής της είναι από τη Γερμανία. _____
9. Η τηλεόρασή μας είναι από την Ιαπωνία. _____

6 Γράψτε τη σωστή λέξη ✎

Οριζόντια

1. Ο φάκελος είναι από τη Θεσσαλονίκη.
   Είναι _ελληνικές_ .
2. Οι κάλτσες είναι από την Καλκούτα.
   Είναι _____ .
3. Οι καθρέφτες είναι από τη Βιέννη.
   Είναι _____ .

Κάθετα

1. Η φούστα είναι από τη Μόσχα.
   Είναι _____ .
2. Το πουκάμισο είναι από το
   Άμστερνταμ. Είναι _____ .
3. Τα παπούτσια είναι από το Λονδίνο.
   Είναι _____ .

Χρώματα

κόκκινο

κίτρινο

πράσινο

τα φανάρια

κίτρινο

καφέ

άσπρο

πορτοκαλί

μπλε

μαύρο

ροζ

κόκκινο

Χρωματίστε τα μπαλόνια

πράσινο

Επίθετα που φανερώνουν χρώμα

	Αρσενικό	Θηλυκό	Ουδέτερο
	άσπρ**ος**	άσπρ**η**	άσπρ**ο**

Το ίδιο και τα: *μαύρος/η/ο, κόκκινος/η/ο, πράσινος/η/ο, κίτρινος/η/ο, λευκός/ή/ό* .

	γκρίζ**ος**	γκρίζ**α**	γκρίζ**ο**

Το ίδιο και το *γαλάζιος/α/ο.*

πορτοκαλής / ιά / ί

	Αρσενικό	Θηλυκό	Ουδέτερο
		Ενικός	
Ονομ.	πορτοκαλ**ής**	πορτοκαλ**ιά**	πορτοκαλ**ί**
Αιτ.	πορτοκαλ**ή**		
		Πληθυντικός	
Ονομ.	πορτοκαλ**ιοί**	πορτοκαλ**ιές**	πορτοκαλ**ιά**
Αιτ.	πορτοκαλ**ιούς**		

Το ίδιο και τα: *βυσσινής/ιά/ί, καφετής/ιά/ί, σταχτής/ιά/ί.*

Δεν αλλάζουν τα: *ροζ, καφέ, μπλε, μπεζ, μοβ, γκρι, κρεμ.*

7 **Ταιριάξτε τα ρούχα με τα χρώματα και γράψτε προτάσεις**

π.χ. Το πουκάμισο είναι άσπρο.

πουκάμισο	κόκκινη
κάλτσες	μαύρα
πέδιλα	γκρίζα
γραβάτα	πράσινες
καπέλα	άσπρο
φανελάκι	καφέ

Μάθημα 14

8   Μιλήστε μεταξύ σας για τα ρούχα σας

Παραδείγματα

(α)   A : Τι χρώμα ακριβώς είναι οι κάλτσες σου;
      B : Είναι μαύρες.
      A : Είναι ελληνικές;
      B : Όχι, είναι αγγλικές.

(β)   A : Έχεις κανένα μαύρο σακάκι;
      B : Όχι αλλά έχω ένα γκρίζο και ένα μπλε.

9   Βάλτε τα επίθετα στον σωστό τύπο

1.   Τα παπούτσια μου είναι ___*μαύρα*___ . (μαύρος)

2.   Θέλετε τον _____ φάκελο; (καφέ)

3.   Η _____ ομπρέλα είναι λίγο παλιά. (πορτοκαλής)

4.   Αυτό το _____ τσάι είναι κινέζικο. (πράσινος)

5.   Και οι δύο καινούργιες φούστες της είναι _____ . (γκρίζος)

6.   Οι υπολογιστές σ' αυτό το γραφείο είναι _____ . (μπεζ)

7.   Μήπως βλέπεις το _____ τασάκι; (κίτρινος)

8.   Θέλεις τις _____ ή τις _____ ; (βυσσινής) (κόκκινος)

9.   Εσύ έχεις τις _____ καρέκλες; (μπλε)

10   Παίξτε ένα ρόλο!
Είστε σ'ένα κατάστημα και αγοράζετε παπούτσια ή ρούχα

11   Είστε σ'ένα κατάστημα και αγοράζετε παπούτσια ή ρούχα.
Γράψτε έναν διάλογο

Η αναφορική αντωνυμία "που"

Η φούστα κάνει 92 ευρώ. Η φούστα είναι στη βιτρίνα.
*Η φούστα **που** είναι στη βιτρίνα κάνει 92 ευρώ.*

Τα κορίτσια είναι κόρες μου. Μιλάνε στον καθηγητή.
*Τα κορίτσια **που** μιλάνε στον καθηγητή είναι κόρες μου.*

Την αναφορική αντωνυμία **που** χρησιμοποιούμε:

- για ενικό και πληθυντικό
- για ονομαστική και αιτιατική
- για αρσενικά, θηλυκά και ουδέτερα

12 Κάντε τις δύο προτάσεις μία με το "που"

1. Μ' αρέσει εκείνο το αυτοκίνητο. Το αυτοκίνητο είναι στο πάρκινγκ.
   Το αυτοκίνητο που μ' αρέσει είναι στο πάρκινγκ

2. Ο υπολογιστής είναι ακριβός. Είναι στο γραφείο του.
   _____

3. Τα φορέματα είναι στη βιτρίνα. Είναι από την Ινδία.
   _____

4. Ξέρεις τον διπλωμάτη; Ο διπλωμάτης μένει δίπλα στο σπίτι μας.
   _____

5. Οι κυρίες είναι Λιβανέζες. Δουλεύουν σ' αυτό το κατάστημα.
   _____

6. Το σουβλάκι είναι για τον αδελφό σου. Είναι στο τραπέζι.
   _____

7. Βλέπεις τη μηχανή; Η μηχανή είναι απέναντι.

13 Γράψτε τρεις προτάσεις με το "που"

Ενικός

Ονομαστική ▼	Ονομαστική ▼
(α) Α : Σ(ου) αρέσει **ο καφές**;	(β) Α : Σ(ου) αρέσει **το τσάι**;
Β : Ναι, μ(ου) αρέσει πολύ.	Β : Όχι πολύ. Προτιμώ **τον καφέ**. ▲ Αιτιατική

Πληθυντικός

Ονομαστική ▼	Ονομαστική ▼
(α) Α : Σ(ου)/σας αρέσουν **τα μπαρμπούνια**;	(β) Α : Σ(ου) αρέσουν **τα μπαρμπούνια**;
Β : Ναι, μ' αρέσουν.	Β : Ναι αλλά προτιμώ **τις σαρδέλες**. ▲ Αιτιατική

14　Ρωτήστε και απαντήστε　

Παραδείγματα

(α)　ο Μπαχ; / ο Βιβάλντι

　　Α : Σ' αρεσει ο Μπαχ;
　　Β : Ναι, αλλά προτιμώ τον Βιβάλντι.

　　　　(β)　τα αχλάδια; / τα μήλα

　　　　　　Α : Σ' αρέσουν τα αχλάδια;
　　　　　　Β : Όχι. Προτιμώ τα μήλα.

1.　ο Μπαχ; / ο Βιβάλντι
2.　τα αχλάδια; / τα μήλα
3.　το Λονδίνο; / το Παρίσι
4.　τα ιταλικά παπούτσια; / τα ελληνικά
5.　η κλασική μουσική; / η ροκ
6.　τα κεράσια; / οι φράουλες
7.　ο ελληνικός καφές; / ο γαλλικός
8.　τα παϊδάκια; / οι χοιρινές μπριζόλες
9.　κρασί; / μπίρα
10.　μπαρμπούνια; / σαρδέλες
11.　η Αίγινα; / η Ύδρα
12.　ελβετικές σοκολάτες; / ελληνικές

Μ' αρέσουν
οι μπανάνες.

15 Γράψτε προτάσεις για πέντε πράγματα που σας αρέσουν και πέντε που δεν σας αρέσουν

16 Ακούστε την ερώτηση και βρείτε τη σωστή απάντηση

1.	(α)	Δεν θέλω πολλές.
	(β)	Είναι πολλές.
	(γ)	Όχι, είναι ακριβές.
2.	(α)	Όχι, ευχαριστώ.
	(β)	Ναι. Θα ήθελα μισό κιλό.
	(γ)	Δίπλα στη γραβιέρα Κρήτης.
3.	(α)	Είναι 2310 546798.
	(β)	Ακριβώς.
	(γ)	Τριάντα έξι.
4.	(α)	Όχι, είναι Ελβετός.
	(β)	Όχι, δεν είναι.
	(γ)	Όχι πολύ.
5.	(α)	Ναι, πάρα πολύ.
	(β)	Όχι, μ' αρέσουν.
	(γ)	Ναι, προτιμώ.

Θα πάω στην τράπεζα για λεφτά

Ο Κώστας είναι φοιτητής. Μένει με τη μητέρα του. Σήμερα είναι Δευτέρα και δεν έχει μάθημα. Όταν ξυπνάει στις δέκα, η μαμά του δεν είναι στο σπίτι. Ο Κώστας βγαίνει για δουλειές και έναν καφέ. Αφήνει ένα σημείωμα στη μητέρα του γι' αυτά που θα κάνει.

> Μάνα
>
> Είναι η ώρα 10.30. Βγαίνω για δουλειές. Θα πάω στην τράπεζα για λεφτά. Θα πληρώσω στη ΔΕΗ τον λογαριασμό. Θα αγοράσω από το "Πλαίσιο" κάποια πράγματα που θέλω για τον κομπιούτερ μου και θα πάω με τα παιδιά για καφέ. Μετά θα ψωνίσω στο σουπερμάρκετ αυτά που χρειαζόμαστε. Θα γυρίσω σπίτι κατά τις τρεις.
>
> Εσύ θα μαγειρέψεις κάτι καλό για το μεσημέρι,,,,!!!
>
> Φιλάρες
> Κ.

1 Ρωτήστε και απαντήστε

1. Με ποιον μένει ο Κώστας;
2. Τι ώρα φεύγει από το σπίτι;
3. Τι θα πληρώσει στη ΔΕΗ;
4. Τι θα αγοράσει από το "Πλαίσιο";
5. Με ποιους θα πάει για καφέ;
6. Τι θα ψωνίσει στο σουπερμάρκετ;
7. Τι ώρα λέει ότι θα γυρίσει;

 | μητέρα = μάνα = μαμά

| κατά τις τρεις = περίπου στις τρεις

2 Ταιριάξτε τον ενεστώτα με τον μέλλοντα

Ενεστώτας	Μέλλοντας
1. πάω	α. θα ψωνίσεις
2. αγοράζει	β. θα πάω
3. ψωνίζεις	γ. θα μαγειρέψουμε
4. γυρίζετε	δ. θα πληρώσουν
5. μαγειρεύουμε	ε. θα γυρίσετε
6. πληρώνουν	ζ. θα αγοράσει

Απλός Μέλλοντας
Ρήματα - Τύπος Α

	Μέλλοντας		Μέλλοντας
γυρίζ ω	θα γυρί **σ** ω	ψωνίζω	θα ψωνί**σ**ω
	θα γυρί **σ** εις	αρχίζω	θα αρχί**σ**ω
	θα γυρί **σ** ει	καπνίζω	θα καπνί**σ**ω
	θα γυρί **σ** ουμε	αγοράζω	θα αγορά**σ**ω
	θα γυρί **σ** ετε	διαβάζω	θα διαβά**σ**ω
	θα γυρί **σ** ουν(ε)	πληρώνω	θα πληρώ**σ**ω
		τελειώνω	θα τελειώ**σ**ω
		κλείνω	θα κλεί**σ**ω
		φτάνω	θα φτά**σ**ω

	Μέλλοντας		Μέλλοντας
μαγειρεύ ω	θα μαγειρέ **ψ** ω	δουλεύω	θα δουλέ**ψ**ω
	θα μαγειρέ **ψ** εις	γυρεύω	θα γυρέ**ψ**ω
	θα μαγειρέ **ψ** ει	χορεύω	θα χορέ**ψ**ω
	θα μαγειρέ **ψ** ουμε	γράφω	θα γρά**ψ**ω
	θα μαγειρέ **ψ** ετε		
	θα μαγειρέ **ψ** ουν(ε)		

	Μέλλοντας		Μέλλοντας
κοιτάζ ω	θα κοιτά **ξ** ω	παίζω	θα παί**ξ**ω
	θα κοιτά **ξ** εις	προσέχω	θα προσέ**ξ**ω
	θα κοιτά **ξ** ει	φτιάχνω	θα φτιά**ξ**ω
	θα κοιτά **ξ** ουμε	ανοίγω	θα ανοί**ξ**ω
	θα κοιτά **ξ** ετε		
	θα κοιτά **ξ** ουν (ε)		

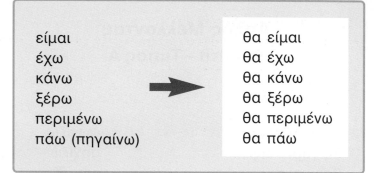

είμαι	θα είμαι
έχω	θα έχω
κάνω	θα κάνω
ξέρω	θα ξέρω
περιμένω	θα περιμένω
πάω (πηγαίνω)	θα πάω

3 Βάλτε τα ρήματα στον μέλλοντα

1. Ο άντρας μου θα φτάσει στον Βόλο στις έξι. Εσείς τι ώρα __*θα φτάσετε*__ ;

2. Ο Μιχάλης θα γυρίσει αύριο. Εσείς _____ μαζί του;

3. Εγώ θα είμαι στο σχολείο νωρίς. _____ εκεί η καθηγήτρια;

4. Οι φίλοι μας θα παίξουν τένις. Εσύ δεν _____ ;

5. Η Ματίνα θα έχει πάλι μάθημα αύριο. Εμείς _____ την Παρασκευή.

6. Εγώ δεν θα καπνίσω. Η μητέρα μου όμως _____ .

7. Η γυναίκα μου θα ψωνίσει το πρωί. Εγώ _____ το απόγευμα.

8. Εμείς θα κλείσουμε στις εφτά σήμερα. Εσύ τι ώρα _____ ;

9. Η Ελένη θα ξέρει αύριο. Εμείς όμως δεν _____ .

10. Η κόρη σας θα αγοράσει καινούργιο κομπιούτερ. Εσείς δεν _____ ;

11. Θα περιμένω ώς τις οχτώ. Εσύ _____ μαζί μου;

12. Εμείς θα χορέψουμε τώρα. Ο Ηλίας δεν _____ μαζί μας;

Λέξεις / φράσεις που χρησιμοποιούμε με τον μέλλοντα

απόψε αύριο μεθαύριο (ε)φέτος του χρόνου	τη(ν) Δευτέρα/Τρίτη αυτή την εβδομάδα αυτό(ν) το(ν) μήνα	σε λίγες μέρες σε δύο/τρεις κτλ. εβδομάδες σε λίγες εβδομάδες σε δύο/τρεις κτλ. μήνες σε λίγους μήνες σε δύο/τρία κτλ. χρόνια σε λίγα χρόνια
	την άλλη Δευτέρα/Τρίτη την άλλη εβδομάδα τον άλλο μήνα	

4 Τι θα κάνει η Μαρία την άλλη εβδομάδα;
Χρησιμοποιήστε αυτά τα ρήματα στον μέλλοντα και μιλήστε μεταξύ σας.

έχω   πάω   παίζω   γράφω   ψωνίζω   πληρώνω   αγοράζω   δουλεύω   μαγειρεύω

π.χ.   A : Τι θα κάνει η Μαρία την Τετάρτη το πρωί;
      B : Θα πάει στο μάθημα.

ΔΕΥΤΕΡΑ *9 π.μ. μάθημα*
     10 μ.μ. ταβέρνα / παιδιά

ΤΡΙΤΗ *10 π.μ. λογαριασμός / ΔΕΗ*
     1 μ.μ. σουπερμάρκετ

ΤΕΤΑΡΤΗ *9 π.μ. μάθημα*
     9 μ.μ. εγώ με τον υπολογιστή!

ΠΕΜΠΤΗ *10 π.μ. CD για κομπιούτερ από "Computerland"*
     8 μ.μ. μπάσκετ / Αλέξανδρος. Ελένη, Πέτρος

ΠΑΡΑΣΚΕΥΗ *9 π.μ. μάθημα*
     7 μ.μ. φαγητό / σαββατοκύριακο

ΣΑΒΒΑΤΟ *9.30 π.μ. τένις / Αλέξανδρος*
     11 μ.μ. μπαρ / Ορέστης!

ΚΥΡΙΑΚΗ *10 π.μ. Μοναστηράκι / Ειρήνη*
     5 μ.μ. γράμμα / μητέρα

Πάτε στο κλαμπ;
Καλή διασκέδαση.

Ευχαριστούμε.

5 **Ρωτήστε έναν συμμαθητή σας**

- τι θα κάνει μετά το μάθημα;
- τι ώρα θα γυρίσει σπίτι του;
- τι θα κάνει σήμερα το βράδυ;
- τι θα ψωνίσει από το σουπερμάρκετ αύριο
- τι θα μαγειρέψει για το σαββατοκύριακο
- πού θα πάει την Κυριακή;
- αν θα δουλέψει αύριο;
- αν θα διαβάσει κανένα βιβλίο απόψε;

Τι θα κάνεις μετά το μάθημα;

Θα πάω στο σινεμά μαζί σου!

6 **Βάλτε τα ρήματα στον μέλλοντα**

1. Τι ώρα ___*θα γυρίσουν*___ τα παιδιά το μεσημέρι; (γυρίζω)

2. Ο Μιχάλης _____ μια ωραία ομελέτα. (φτιάχνω)

3. Σε τρεις μέρες ο Βασίλης _____ καινούργιο αυτοκίνητο. (έχω)

4. Δανάη, εσύ _____ στο πάρτι απόψε; (χορεύω)

5. Εμείς _____ στο θέατρο την άλλη Παρασκευή. (πάω)

6. Κύριε Δημήτρη, εσείς _____ το μαγαζί αύριο; (ανοίγω)

7. Τι _____ στην Ερμού, Ηρώ; (ψωνίζω)

8. Εμείς _____ τον λογαριασμό. (πληρώνω)

9. Όχι, ο άντρας μου δεν _____ ! (καπνίζω)

7 **Γράψτε προτάσεις με αυτά τα ρήματα στον μέλλοντα.**
Χρησιμοποιήστε λέξεις/φράσεις από τη σελίδα 154

ψωνίζω - πάω - παίζω - πληρώνω - γυρίζω - περιμένω - είμαι - διαβάζω - δουλεύω

Στο τουριστικό γραφείο

Αλέξης	Καλημέρα. Θα ήθελα δύο εισιτήρια για Μυτιλήνη.
Υπάλληλος	Με το αεροπλάνο ή με το πλοίο;
Αλέξης	Με το πλοίο. Έχει πλοίο τη Δευτέρα;
Υπάλληλος	Ένα λεπτάκι. Δευτέρα για Μυτιλήνη. Ναι, στις 7 το βράδυ φεύγει το "Μυτιλήνη" και στις εννιά το "Μιλένα".
Αλέξης	Στις 7 με το "Μυτιλήνη". Πρώτη θέση με καμπίνα.
Υπάλληλος	Απλά ή με επιστροφή;
Αλέξης	Απλά. Δεν ξέρουμε πότε θα γυρίσουμε ακόμα.
Υπάλληλος	Εντάξει. Έχετε αυτοκίνητο;
Αλέξης	Όχι.
Υπάλληλος	Τι όνομα;
Αλέξης	Καραδήμος Αλέξης. Μήπως ξέρετε τι ώρα φτάνουμε στη Μυτιλήνη;
Υπάλληλος	Στις πέντε το πρωί. Θα πληρώσετε μετρητά ή με κάρτα;
Αλέξης	Με κάρτα. Ορίστε.
Υπάλληλος	Λοιπόν. Είναι εκατόν δύο ευρώ. Θα υπογράψετε εδώ παρακαλώ;
Αλέξης	Βεβαίως.
Υπάλληλος	Είστε έτοιμος. Τα εισιτήριά σας και η κάρτα σας. Καλό ταξίδι.
Αλέξης	Ευχαριστώ. Ε... μήπως έχετε και χάρτες;
Υπάλληλος	Δυστυχώς όχι. Αλλά έχει χάρτες το βιβλιοπωλείο δίπλα.

8 Σωστό ή λάθος;

1. Ο Αλέξης θέλει δύο εισιτήρια για Μύκονο.
2. Θέλει εισιτήρια για τη Δευτέρα.
3. Τη Δευτέρα έχει δύο πλοία για Μυτιλήνη.
4. Ο Αλέξης θέλει εισιτήρια με επιστροφή.
5. Το "Μυτιλήνη" φεύγει το πρωί.
6. Φτάνει στη Μυτιλήνη στις πέντε το πρωί.
7. Ο Αλέξης θα πληρώσει μετρητά.
8. Το τουριστικό γραφείο δεν έχει χάρτες.

Κοιτάξτε! ☉ ☉

πάω **με**	το	λεωφορείο τρόλεϊ τραμ μετρό αυτοκίνητο ταξί πούλμαν τρένο πλοίο αεροπλάνο
πάω με	τα	πόδια

9 Κοιτάξτε τις εικόνες και μιλήστε μεταξύ σας

A : Πώς θα πας στο Λονδίνο / στη Μύκονο; Με το αεροπλάνο;
B : Όχι, θα πάω με το τρένο / το πλοίο.

10 Ρωτήστε έναν συμμαθητή σας

- πώς έρχεται στο σχολείο
- πώς πάει στη δουλειά του
κτλ.

11 Παίξτε έναν ρόλο.

Μιλήστε με τον υπάλληλο στο τουριστικό γραφείο και στην Ολυμπιακή

1. Θα πάτε στη Μύκονο για λίγες μέρες και θα έχετε μαζί και το αυτοκίνητό σας.
   Πηγαίνετε στο τουριστικό γραφείο. Θέλετε ένα εισιτήριο για το Σάββατο, οικονομική θέση,
   γύρω στις 8 το πρωί. Στις 8 φεύγει το High Speed 2 και στις 8.20 το Super Ferry 2,
   από τον Πειραιά. Εσείς διαλέγετε το Super Ferry 2. Φτάνει στη Μύκονο στις 2 το μεσημέρι.
   Θέλετε και επιστροφή για την άλλη Τρίτη. Το εισιτήριο με επιστροφή κάνει 52 ευρώ.
   Το αυτοκίνητο κάνε 70 ευρώ. Πληρώνετε με κάρτα.

2. Θα πάτε από την Αθήνα στη Θεσσαλονίκη με το INTER CITY.
   Πηγαίνετε στα γραφεία του ΟΣΕ. Αγοράζετε ένα εισιτήριο απλό για αύριο.
   Το εισιτήριο κάνει 24 ευρώ. Φεύγει από τον σταθμό Λαρίσσης στις 10.15 π.μ.
   και φτάνει στη Θεσσαλονίκη στις 5.00 μ.μ. Πληρώνετε μετρητά.

3. Θα πάτε στα Χανιά, στην Κρήτη. Πηγαίνετε στην Ολυμπιακή Αεροπορία.
   Θέλετε δύο εισιτήρια για την Παρασκευή με επιστροφή την Τρίτη το βράδυ.
   Η πτήση την Παρασκευή είναι στις 11.30 π.μ. από το αεροδρόμιο Ελευθέριος Βενιζέλος.
   Το αεροπλάνο φτάνει στα Χανιά στις 5.10 μ.μ. Η επιστροφή από τα Χανιά είναι στις 9.20
   μ.μ. Το ένα εισιτήριο κάνει 117 ευρώ. Πληρώνετε με κάρτα.

Δεν θα πάτε
διακοπές εφέτος;

Τι θα φάμε;

Χοσέ	Τι θα πάρουμε;
Λίζα	Για την αρχή, μία μελιτζονασαλάτα, μία χταπόδι...
Χοσέ	Και μία τυροπιτάκια. Και για μετά;
Λίζα	Εγώ θα ήθελα μοσχάρι ψητό με πατάτες. Εσύ;
Χοσέ	Εγώ θα φάω... μία καλαμαράκια τηγανιτά.
Σερβιτόρος	Είστε έτοιμοι;
Χοσέ	Ναι. Λοιπόν, για την αρχή μια μελιτζανοσαλάτα, μια χταπόδι και μια τυροπιτάκια. Και για μετά, μια μοσχάρι ψητό με πατάτες, μια καλαμαράκια τηγανιτά και μια χωριάτικη.
Σερβιτόρος	Τι θα πιείτε;
Χοσέ	Τι θα πιούμε Λίζα;
Λίζα	Κρασάκι;
Χοσέ	Εντάξει. Ένα μπουκάλι άσπρο κρασί.
Λίζα	Λοιπόν, τελικά, δε θα φύγεις αύριο.
Χοσέ	Όχι. Θα μείνω δυο βδομάδες ακόμα.
Λίζα	Ωραία. Τότε, θα βγούμε το Σάββατο το βράδυ με τον Κώστα και την Κατερίνα.
Χοσέ	Σύμφωνοι.

. . . .

Χοσέ	Τον λογαριασμό παρακαλώ.
Σερβιτόρος	Αμέσως.

> Μοσχάρι ψητό, τέλος.
> Μόνο αρνάκι.

1 Ρωτήστε και απαντήστε

1. Πού είναι η Λίζα και ο Χοσέ;
2. Τι θα φάνε για την αρχή;
3. Για μετά τι θα φάνε;
4. Τι θα πιούνε ;
5. Θα πιούνε άσπρο ή κόκκινο κρασί;
6. Πόσες εβδομάδες θα μείνει ακόμα ο Χοσέ;
7. Με ποιον θα βγούνε το Σάββατο το βράδυ;

2 Ταιριάξτε τον ενεστώτα με τον μέλλοντα

Ενεστώτας   1. πίνουμε   2. φεύγει   3. τρώνε   4. μένεις   5. παίρνετε   6. βγαίνω

Μέλλοντας   α. θα μείνεις   β. θα πάρετε   γ. θα πιούμε   δ. θα φάνε   ε. θα βγω   ζ. θα φύγει

3 Βάλτε στις εικόνες τη σωστή λέξη

αλάτι   λάδι   χαρτοπετσέτα

μαχαίρι   κουτάλι

πιπέρι - πιάτο - ποτήρι
ξύδι - πιρούνι

Μέλλοντας
Ρήματα - Τύπος Α και ανώμαλα

μένω	**Μέλλοντας**		**Μέλλοντας**	
	θα μ **είνω**	πλένω	θα **πλύνω**	
	θα μ **είνεις**	στέλνω	θα **στείλω**	
	θα μ **είνει**	φεύγω	θα **φύγω**	
	θα μ **είνουμε**	παίρνω	θα **πάρω**	
	θα μ **είνετε**	φέρνω	θα **φέρω**	
	θα μ **είνουν(ε)**	δίνω	θα **δώσω**	

τρώω	**Μέλλοντας**
	θα φά **ω**
	θα φα **ς**
	θα φά **ει**
	θα φά **με**
	θα φά **τε**
	θα φά **νε**

βγαίνω	**Μέλλοντας**		**Μέλλοντας**	
	θα βγ **ω**	μπαίνω	θα **μπω**	
	θα βγ **εις**	πίνω	θα **πιω**	
	θα βγ **ει**	βλέπω	θα **δω**	
	θα βγ **ούμε**	λέω	θα **πω**	
	θα βγ **είτε**	βρίσκω	θα **βρω**	
	θα βγ **ουν(ε)**			

Μάθημα 16

4 *Βάλτε τα ρήματα στον μέλλοντα*

1. Ο Χοσέ _**θα φύγει**_ από την Ελλάδα σε δύο εβδομάδες. (φεύγω)

2. Την Παρασκευή το βράδυ ο Βασίλης κι εγώ _____ έξω. (βγαίνω)

3. Ο γιος μου απόψε _____ μια ταινία στην τηλεόραση. (βλέπω)

4. Παιδιά, τι _____ ; (πίνω)

5. Ποιος _____ τα πιάτα σήμερα; (πλένω)

6. Το μεσημέρι η Καίτη και η Γιάννα _____ στο εστιατόριο. (τρώω)

7. Φέτος δεν θα πάμε διακοπές. _____ στη Θεσσαλονίκη. (μένω)

8. Μαρία, σε παρακαλώ, _____ αυτά τα λεφτά στον Μανώλη; (δίνω)

9. _____ , σε παρακαλώ, στην αδελφή σου ότι είμαι εδώ; (λέω)

10. Ποιος _____ τα γράμματα; Εσύ ή εγώ; (στέλνω)

11. Η κόρη μας _____ στο πανεπιστήμιο φέτος. (μπαίνω)

12. Έλλη, _____ δύο πιάτα ακόμα στο τραπέζι; (φέρνω)

13. Μήπως ξέρεις πού _____ τα παιδιά ιταλικά βιβλία; (βρίσκω)

14. _____ εσείς τηλέφωνο τον καθηγητή, κυρία Σταθάκη; (παίρνω)

Θα κάνουμε...
Θα δώσουμε...
Δεν θα φύγουμε ποτέ!

5 Ο κύριος Σφακιανάκης δουλεύει στο Ηράκλειο, στην Κρήτη.
Τη Δευτέρα θα πάει στην Αθήνα για δουλειές.
Διαβάστε την ατζέντα του και μιλήστε μεταξύ σας.
Χρησιμοποιήστε αυτά τα ρήματα:

| στέλνω | παίρνω | βλέπω | φεύγω | βγαίνω | πίνω | μένω |

π.χ. Α : Τι θα κάνει ο κύριος Σφακιανάκης την Δευτέρα στις 11 το πρωί;
      Β : Θα στείλει τις φωτογραφίες στο Ηράκλειο.

ΔΕΥΤΕΡΑ	6.30 π.μ.	από σπίτι για αεροδρόμιο
	11 π.μ.	φωτογραφίες στο Ηράκλειο
	9 μ.μ.	έξω με Ιωσήφ Ναχμία
ΤΡΙΤΗ	10 π.μ.	τηλέφωνο / Γιαννόπουλος
	11 π.μ.	Αναστασιάδης / Κολωνάκι
	Βράδυ / ξενοδοχείο	
ΤΕΤΑΡΤΗ	12.30 μ.μ.	ουζάκι / Παπάδης
	3 μ.μ.	από ξενοδοχείο για αεροδρόμιο

! παίρνω τηλέφωνο τον / την = τηλεφωνώ στον / στην

6 Γράψτε τι θα κάνει ο κύριος Σφακιανάκης από τη Δευτέρα το πρωί
ώς την Τετάρτη το απόγευμα

7 Ρωτήστε έναν συμμαθητή σας αν:

— θα βγει απόψε
— θα πιει τίποτε το βράδυ
— θα πάρει τηλέφωνο κανένα φίλο σήμερα
— θα μείνει στο σπίτι το σαββατοκύριακο
— θα δει καμιά ταινία στην τηλεόραση αυτή την εβδομάδα
— θα φύγει από το σπίτι του πριν από τις εφτά αύριο το πρωί

Ταβέρνα "Ο Ζήσης"
Κατάλογος

Ορεκτικά	ΕΥΡΩ	Της ώρας	ΕΥΡΩ
Τζατζίκι	2,20	Σουβλάκι	7,20
Ταραμοσαλάτα	2,50	Μπριζόλα μοσχαρίσια	7,50
Μελιτζανοσαλάτα	3,00	Μπριζόλα χοιρινή	6,00
Τυροπιτάκια	3,00	Μπιφτέκι	5,50
Κεφτεδάκια	4,20	Παϊδάκια (το κιλό)	18,00
Κολοκυθάκια τηγανιτά	3,00		
Γίγαντες φούρνου	3,20	**Ψάρια και Θαλασσινά**	
Φάβα	3,20	Καλαμαράκια	4,80
Σαγανάκι	3,00	Χταποδάκι στα κάρβουνα	5,80
Φέτα		Γαρίδες γιουβετσάκι	7,20
		Γαλέος σκορδαλιά	5,80
Λαδερά		Γαύρος	5,00
Γεμιστά	4,50	Ξιφίας σουβλάκι	7,50
Φασολάκια	4,20	Τσιπούρα (το κιλό)	35,00
Αρακάς	4,20	Μπαρμπούνια (το κιλό)	35,00
Μπριάμ	4,20		
Μπάμιες	4,20	**Σαλάτες**	
		Αγγουροντομάτα	3,50
Ζυμαρικά		Χωριάτικη	5,20
Μακαρόνια με κιμά	4,20	Μαρούλι	3,00
Μακαρόνια με σάλτσα	3,00	Χόρτα	3,00
Παστίτσιο	5,50		
		Φρούτα	
Μαγειρευτά		Καρπούζι	2,20
Μουσακάς	5,50	Πεπόνι	3,00
Παπουτσάκια	5,50		
Σουτζουκάκια	5,50	**Ποτά**	
Γιουβέτσι μοσχάρι	6,50	Μπίρα ΜΥΘΟΣ, AMSTEL	2,10
Γιουβέτσι αρνάκι	6,50	Κρασί χύμα (το κιλό)	4,35
Μοσχάρι κοκκινιστό	6,50	Αγιορείτικο λευκό	7,30
Αρνάκι κοκκινιστό	6,50	Αγιορίτικο κόκκινο	7,80
Κοτόπουλο φούρνου	5,20		
		Αναψυκτικά	
Ψητά		Κόκα κόλα	2,10
Αρνί ψητό (το κιλό)	15,00	Πορτοκαλάδα	2,10
Κοτόπουλο ψητό (το κιλό)	7,00		
Κοντοσούβλι (μερίδα)	6,00	**Γλυκά**	
Γουρουνόπουλο (το κιλό)	9,00	Χαλβάς	3,00

8 Είστε σε μια ταβέρνα μ' ένα φίλο σας ή μια φίλη σας.
Κοιτάξτε τον κατάλογο και παίξτε τους δύο πελάτες και
τον σερβιτόρο / τη σερβιτόρα

9 Είστε σε μια ταβέρνα το βράδυ.
Γράψτε τι λέτε εσείς και τι λέει
ο σερβιτόρος / η σερβιτόρα

10 Βρείτε τι τρώμε και τι πίνουμε
στην ταβέρνα

	1	2	3	4	5	6	7	8	9	10
1	Χ	Τ	Α	Π	Ο	Δ	Ι	Λ	Χ	Γ
2	Δ	Ζ	Φ	Α	Η	Θ	Υ	Κ	Η	Ε
3	Σ	Α	Λ	Α	Τ	Α	Ψ	Ρ	Ω	Μ
4	Λ	Τ	Ν	Ε	Ρ	Ο	Α	Α	Γ	Ι
5	Μ	Ζ	Θ	Υ	Δ	Χ	Ρ	Σ	Α	Σ
6	Π	Ι	Λ	Α	Φ	Ι	Ι	Ι	Ρ	Τ
7	Ρ	Κ	Ο	Λ	Ο	Κ	Υ	Θ	Ι	Α
8	Ι	Ι	Μ	Α	Μ	Λ	Δ	Χ	Δ	Ω
9	Α	Μ	Π	Α	Μ	Ι	Ε	Σ	Ε	Ξ
10	Μ	Ο	Σ	Χ	Α	Ρ	Ι	Ι	Σ	Ψ

Στην υγειά σου!

Και καλή όρεξη!

Στην υγειά μας!

Ευχαριστώ, επίσης.

Ακόμα δύο
μπουκάλια κρασί.

Μάθημα **16**

  Ένα σαββατοκύριακο στο Ναύπλιο

Ο κύριος και η κυρία Ντόνερ θα έρθουν στην Ελλάδα από την Αυστρία με το αυτοκίνητό τους. Ο κύριος Ντόνερ είναι αρχαιολόγος και θα μιλήσει σ' ένα συμπόσιο που θα γίνει στο Ναύπλιο. Το Ναύπλιο είναι μια μικρή αλλά πολύ όμορφη πόλη στον Αργολικό κόλπο, στην Πελοπόννησο. Έχει τρία βενετσιάνικα φρούρια, ένα αρχαιολογικό μουσείο, πολλές εκκλησίες, δύο παλιά τούρκικα τζαμιά, μια ωραία πλατεία στην παλιά πόλη.

Στο δρόμο απ' την Αθήνα θα σταματήσουν στις Μυκήνες, όπου θα δουν τα αρχαία. Στο Ναύπλιο θα μείνουν στο ξενοδοχείο Αμαλία. Το συμπόσιο είναι το Σάββατο κι έτσι την Κυριακή θα πάνε βόλτα με το αυτοκίνητο και θα περπατήσουν στην πόλη.

11 Ρωτήστε και απαντήστε

1. Πώς θα έρθουν στην Ελλάδα ο κύριος και η κυρία Ντόνερ;
2. Τι δουλειά κάνει ο κύριος Ντόνερ;
3. Τι θα κάνει στο συμπόσιο;
4. Τι είναι το Ναύπλιο;
5. Πού είναι;
6. Τι υπάρχει στο Ναύπλιο;
7. Πού θα σταματήσουν;
8. Ξέρετε τι είναι οι Μυκήνες;
9. Πού θα μείνουν στο Ναύπλιο;
10. Πότε είναι το συμπόσιο;
11. Τι θα κάνουν την Κυριακή;
12. Τι νομίζετε πως θα δουν στο Ναύπλιο;

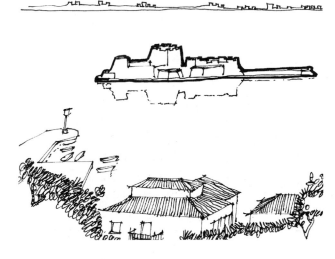

Μπούρτζι

12 Ταιριάξτε τον ενεστώτα με τον μέλλοντα

Ενεστώτας		Μέλλοντας
1. έρχονται	α.	θα γίνει
2. μιλάει	β.	θα σταματήσω
3. γίνεται	γ.	θα δείτε
4. νοικιάζεις	δ.	θα περπατήσουμε
5. σταματάω	ε.	θα έρθουν
6. βλέπετε	ζ.	θα νοικιάσεις
7. περπατάμε	η.	θα μιλήσει

Μέλλοντας

Ρήματα - Τύποι Β1 και Β2

	Μέλλοντας		**Μέλλοντας**
μιλάω (-ώ)	θα μιλ **ήσω**	ρωτάω (-ώ)	θα ρωτ**ήσω**
	θα μιλ **ήσεις**	απαντάω (-ώ)	θα απαντ**ήσω**
	θα μιλ **ήσει**	ξυπνάω (ώ)	θα ξυπν**ήσω**
	θα μιλ **ήσουμε**	τηλεφωνώ	θα τηλεφων**ήσω**
	θα μιλ **ήσετε**	οδηγώ	θα οδηγ**ήσω**
	θα μιλ **ήσουν(ε)**	προσπαθώ	θα προσπαθ**ήσω**

	Μέλλοντας		**Μέλλοντας**
πεινάω (-ώ)	θα πειν **άσω**	διψάω (-ώ)	θα διψ**άσω**
	θα πειν **άσεις**	γελάω (-ώ)	θα γελ**άσω**
	θα πειν **άσει**	ξεχνάω (-ώ)	θα ξεχ**άσω**
	θα πειν **άσουμε**	περνάω (-ώ)	θα περ**άσω**
	θα πειν **άσετε**	κερνάω (-ώ)	θα κερ**άσω**
	θα πειν **άσουν(ε)**		

	Μέλλοντας		**Μέλλοντας**
μπορώ	θα μπορ **έσω**	πονάω (-ώ)	θα πον**έσω**
	θα μπορ **έσεις**	παρακαλώ	θα παρακαλ**έσω**
	θα μπορ **έσει**		
	θα μπορ **έσουμε**		
	θα μπορ **έσετε**		
	θα μπορ **έσουν(ε)**		

Μέλλοντας

Ρήματα - Τύποι Γ1 και Γ2

	Μέλλοντας		Μέλλοντας
έρχομαι	θα έρ**θω**	κοιμάμαι	θα κοιμ**ηθώ**
	θα έρ**θεις**		θα κοιμ**ηθείς**
	θα έρ**θει**		θα κοιμ**ηθεί**
	θα έρ**θουμε**		θα κοιμ**ηθούμε**
	θα έρ**θετε**		θα κοιμ**ηθείτε**
	θα έρ**θουν(ε)**		θα κοιμ**ηθούν(ε)**

γίνομαι   θα γίν**ω**

Λέμε: *θα έρθω, θα έρθεις* κτλ.   και   *θα έλθω, θα έλθεις* κτλ.
Επίσης λέμε: *θά 'ρθω, θά 'ρθεις* κτλ.   και   *θα 'ρθώ, θα 'ρθείς* κτλ.

13 Βάλτε τα ρήματα στον μέλλοντα

1. Κώστα, ___*θα έρθεις*___ μαζί μας στο σινεμά; (έρχομαι)

2. Εγώ _____ στον γιατρό. (τηλεφωνώ)

3. Εσείς τι ώρα _____ αύριο το πρωί; (ξυπνάω)

4. Η Άννα _____ με τον αδελφό της στο τηλέφωνο το Σάββατο. (μιλάω)

5. Πέτρο, _____ στο περίπτερο για μια εφημερίδα; (σταματάω)

6. Τα παιδιά _____ μέχρι το μετρό. (περπατάω)

7. Οι τουρίστες _____ αν περιμένουν ώς το βράδυ. (πεινάω)

8. "Θα έρθετε μαζί μας;" "Λυπάμαι, δεν _____ ." (μπορώ)

9. _____ εσείς κυρία Κόννερι ή εγώ; (οδηγώ)

10. Τι _____ ; Θα πάμε στην Επίδαυρο το σαββατοκύριακο; (γίνομαι)

14 **Μιλήστε μεταξύ σας**

Παράδειγμα

(α)   (ξυπνάω) νωρίς; // ναι / 6.30 π.μ.

Α : Θα ξυπνήσεις νωρίς;

Β : Ναι, θα ξυπνήσω στις εξίμισι το πρωί.

1.   (ξυπνάω) νωρίς; // ναι / 6.30 π.μ.

2.   (οδηγώ) απόψε; // όχι / η Μαρία

3.   (τηλεφωνώ) στο Λονδίνο; // ναι / αύριο το πρωί

4.   (έρχομαι) στο πάρτι; // ναι

5.   (κοιμάμαι) αργά; // όχι / νωρίς

6.   (ρωτάω) τη φίλη σου; // όχι / καθηγήτρια

7.   (μπορώ) αύριο; // ναι

8.   (μιλάω) για τις Μυκήνες; // όχι / για το Ναύπλιο

15 **Ρωτήστε έναν συμμαθητή σας αν:**

— θα ξυπνήσει πριν από τις οχτώ αύριο το πρωί

— θα έρθει στο σχολείο μεθαύριο

— θα μιλήσει καθόλου ελληνικά σήμερα

— θα τηλεφωνήσει σε κάποιο φίλο απόψε

— θα κοιμηθεί νωρίς απόψε

16 **Γράψτε προτάσεις με αυτά τα ρήματα στον μέλλοντα**

μιλάω	έρχομαι	τηλεφωνώ	οδηγώ	ξυπνάω	περπατάω

Ένα διαμέρισμα κοντά στο κέντρο

Ο Πέτρος ψάχνει για ένα διαμέρισμα κοντά στο κέντρο. Θέλει ένα επιπλωμένο δυάρι. Σήμερα στην εφημερίδα "Χρυσή Ευκαιρία" υπάρχουν δύο διαμερίσματα που ίσως είναι κατάλληλα.

Το ένα είναι στην Πλάκα, κοντά στην Ακρόπολη, και είναι στον πρώτο όροφο. Έχει ένα λίβινγκ ρουμ με τζάκι, ένα υπνοδωμάτιο, μια μικρή κουζίνα κι ένα μπάνιο. Δυστυχώς δεν έχει μπαλκόνι και το ενοίκιο είναι πολύ ακριβό.

Το άλλο διαμέρισμα βρίσκεται στα Εξάρχεια, σ' έναν ήσυχο δρόμο. Είναι στον τρίτο όροφο κι έχει μια κουζινοτραπεζαρία, ένα υπνοδωμάτιο με μικρό μπαλκόνι κι ένα μεγάλο μπάνιο. Το ενοίκιο είναι λογικό αλλά η πολυκατοικία είναι παλιά και δεν έχει ασανσέρ.

1 Σωστό ή λάθος;

1. Ο Πέτρος θέλει ένα διαμέρισμα κοντά στο κέντρο.
2. Ψάχνει για ένα δυάρι επιπλωμένο.
3. Στην εφημερίδα δεν υπάρχουν κατάλληλα δυάρια.
4. Το διαμέρισμα στην Πλάκα είναι λίγο μακριά από την Ακρόπολη.
5. Είναι στον τρίτο όροφο.
6. Το ενοίκιο είναι ακριβό.
7. Το διαμέρισμα στα Εξάρχεια είναι στον τρίτο όροφο.
8. Κουζίνα και τραπεζαρία είναι μαζί.
9. Το ενοίκιο δεν είναι ακριβό.
10. Η πολυκατοικία είναι καινούργια.

Κοιτάξτε! ☺ ☺

Μία **γκαρσονιέρα** έχει	:	ένα δωμάτιο, κουζίνα και μπάνιο
Ένα **δυάρι** έχει	:	δύο δωμάτια, κουζίνα και μπάνιο
Ένα **τριάρι** έχει	:	τρία δωμάτια, κουζίνα και μπάνιο
Ένα **τεσσάρι** έχει	:	τέσσερα δωμάτια, κουζίνα, μπάνιο και W.C.

Λέμε : *το υπνοδωμάτιο ή η κρεβατοκάμαρα*
το λίβινγκ ρουμ ή το καθιστικό ή το σαλόνι
το μπάνιο ή το λουτρό

Γράφουμε : W.C.
Λέμε : *βεσέ*

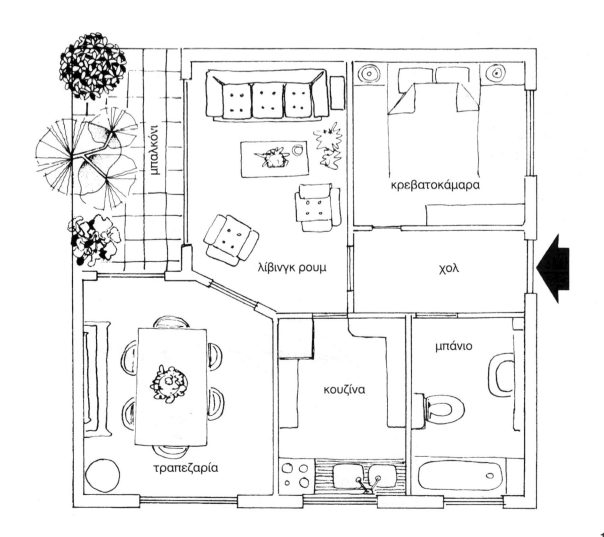

Μάθημα 17

2 Κοιτάξτε τα τρία διαμερίσματα και μιλήστε μεταξύ σας

π.χ. (α) δύο κρεβατοκάμαρες;

    Α : Ποιο διαμέρισμα έχει δύο κρεβατοκάμαρες;

    Β : Το πρώτο διαμέρισμα.

(β) όχι W.C.;

    Ά : Ποιο διαμέρισμα δεν έχει W.C.;

    Β : Το πρώτο και το δεύτερο.

1. δύο κρεβατοκάμαρες;
2. όχι W.C.;
3. δύο μπαλκόνια;
4. τραπεζαρία;
5. όχι τρεις κρεβατοκάμαρες;

6. δύο μπάνια;
7. μπάνιο και W.C.;
8. όχι τραπεζαρία;
9. τρία υπνοδωμάτια;

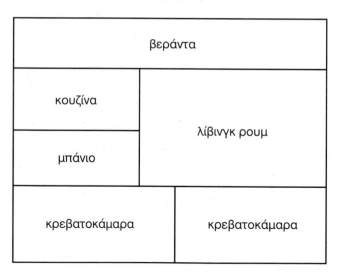

πρώτο διαμέρισμα

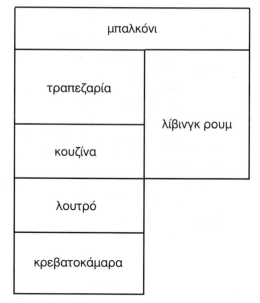

δεύτερο διαμέρισμα

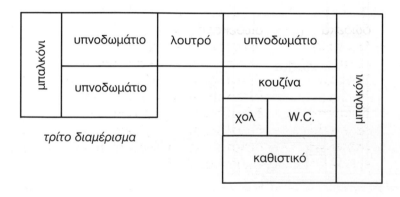

τρίτο διαμέρισμα

! βεράντα = μεγάλο μπαλκόνι

μία μονοκατοικία

μία πολυκατοικία

Στο κτήριο όπου δουλεύω:

Στο **υπόγειο** έχει ένα γκαράζ.
Στο **ισόγειο** έχει ένα μίνι μάρκετ.
Στον **ημιώροφο** έχει ένα καφέ μπαρ.
Στον **πρώτο όροφο** έχει δύο διαμερίσματα με γραφεία.
Στον **δεύτερο όροφο** έχει ένα μεγάλο διαμέρισμα
όπου είναι τα γραφεία μας.
Στον **τρίτο όροφο** έχει δύο διαμερίσματα άδεια.
Στον **τέταρτο όροφο** έχει ένα οροφοδιαμέρισμα όπου
υπάρχει ένα γυμναστήριο.
Στον **πέμπτο όροφο** έχει ένα μεγάλο **ρετιρέ** όπου
υπάρχει ένα κομμωτήριο.

ΠΡΟΣΟΧΗ!
ΕΩΣ 4 ΑΤΟΜΑ

◯ 5ΟΣ ΟΡΟΦΟΣ
◯ 4ΟΣ ΟΡΟΦΟΣ
◯ 3ΟΣ ΟΡΟΦΟΣ
◯ 2ΟΣ ΟΡΟΦΟΣ
◯ 1ΟΣ ΟΡΟΦΟΣ
◯ ΗΜΙΩΡΟΦΟΣ
◯ ΙΣΟΓΕΙΟ

Ανελκυστήρες SCHINDLER
Αντιπρόσωπος : Δ. Δοντάς & Σία
Μητροπόλεως 14, Θ/νίκη

Αριθμητικά επίθετα (1 - 20)

ένα	πρώτος, -η, -ο	έντεκα	ενδέκατος, -η, -ο
δύο	δεύτερος, -η, -ο	δώδεκα	δωδέκατος, -η, -ο
τρία	τρίτος, -η, -ο	δεκατρία	δέκατος, -η, -ο τρίτος, -η, -ο
τέσσερα	τέταρτος, -η, -ο	δεκατέσσερα	δέκατος, -η, -ο τέταρτος, -η, -ο
πέντε	πέμπτος, -η, -ο	δεκαπέντε	δέκατος, -η, -ο πέμπτος, -η, -ο
έξι	έκτος, -η, -ο	δεκαέξι	δέκατος, -η, -ο έκτος, -η, -ο
εφτά	έβδομος, -η, -ο	δεκαεφτά	δέκατος, -η, -ο έβδομος, -η, -ο
οχτώ	όγδοος, -η, -ο	δεκαοχτώ	δέκατος, -η, -ο όγδοος, -η, -ο
εννιά	ένατος, -η, -ο	δεκαεννιά	δέκατος, -η, -ο ένατος, -η, -ο
δέκα	δέκατος, -η, -ο	είκοσι	εικοστός, -ή, -ό

Ενοικιάσεις

 ΝΕΟΣ ΚΟΣΜΟΣ

ΝΕΟΣ ΚΟΣΜΟΣ γκαρσονιέρα, 30 τ.μ., ημιυπόγεια, φωτεινή, με αυλή, 150 μ. από σταθμό μετρό,195 ευρώ
τηλ. 210/2143201

ΝΕΟΣ ΚΟΣΜΟΣ Σφιγγός, γκαρσονιέρα, 40 τ.μ., ισόγεια, λουξ, φωτεινή, πόρτες-παράθυρα αλουμινίου, ενοίκιο 235 ευρώ
τηλ. 210/3805725, 20.00-22.00

ΝΕΟΣ ΚΟΣΜΟΣ πλησίον μετρό, δυάρι 48 τ.μ., 3ος όροφος, σε καλή κατάσταση, λίγα κοινόχρηστα, 278 ευρώ
τηλ. 210/9126100

ΝΕΟΣ ΚΟΣΜΟΣ Βρεσθένης, 51 τ.μ., δυάρι, 2ος όροφος, φρεσκοβαμμένο, ενοίκιο 250 ευρώ, τηλ. 26710/27830

ΝΕΟΣ ΚΟΣΜΟΣ διαμέρισμα 55 τ.μ., ημιυπόγειο, κεντρική θέρμανση,
τηλ. 210/9126100

ΝΕΟΣ ΚΟΣΜΟΣ πλησίον μετρό, διαμέρισμα 60 τ.μ., δυάρι, ρετιρέ, μεγάλη βεράντα, θέα Ακρόπολη, ηλιακός θερμοσίφωνας, air condition, 320 ευρώ
τηλ. 210/9521612

ΝΕΟΣ ΚΟΣΜΟΣ ΦΙΞ, διαμέρισμα 70 τ.μ., 1ος όροφος, τριάρι σε μονοκατοικία, 280 ευρώ, τηλ. 210/5868324

ΝΕΟΣ ΚΟΣΜΟΣ Μπακνανά και Ντελακρουά, διαμέρισμα 90 τ.μ., 3ος όροφος, 2 υ/δ, τραπεζαρία, χολ, κουζίνα, μπάνιο, 12 μ. μπαλκόνι, φρεσκοβαμμένο, πολύ λογικό ενοίκιο, τηλ. 210/9225341

τ.μ.	=	τετραγωνικά (μέτρα)
μ.	=	μέτρα
υ/δ	=	υπνοδωμάτιο

3 Ο Νέος Κόσμος είναι μια περιοχή στην Αθήνα κοντά στο κέντρο.
Διαβάστε τις μικρές αγγελίες από τη "Χρυσή Ευκαιρία".
Ρωτήστε και απαντήστε

1. Πόσα τ.μ. είναι η ημιυπόγεια γκαρσονιέρα;
2. Πόσο απέχει από τον σταθμό του μετρό;
3. Το διαμέρισμα στην οδό Σφιγγός είναι δυάρι;
4. Πόσο είναι το ενοίκιο;
5. Τι τηλέφωνο θα πάρουμε για πληροφορίες;
6. Σε ποιον όροφο είναι το δυάρι στη Βρεσθένης;
7. Τι ενοίκιο έχει;
8. Το άλλο δυάρι που είναι 48 τ.μ. σε ποιον όροφο είναι;
9. Έχει πολλά κοινόχρηστα;
10. Το δυάρι που είναι 60 τ.μ. σε ποιον όροφο είναι;
11. Γιατί το ενοίκιο είναι ακριβό;
12. Το διαμέρισμα που είναι κοντά στο ΦΙΞ είναι σε πολυκατοικία;
13. Το διαμέρισμα με τα δύο υ/δ πόσα τ.μ. είναι;
14. Πόσα μέτρα είναι το μπαλκόνι;
15. Πόσο είναι το ενοίκιο;
16. Ποιο τηλέφωνο θα πάρουμε για πληροφορίες;

> Α : **Σε ποιον** όροφο είναι/μένεις;
> Β : Είναι/Μένω στον δεύτερο.

!

> Όταν μένουμε σε πολυκατοικία πληρώνουμε **κοινόχρηστα**.

4 Ρωτήστε έναν συμμαθητή σας αν μένει σε μονοκατοικία ή σε πολυκατοικία, πόσα δωμάτια έχει το σπίτι του, αν είναι δικό του, τι ενοίκιο πληρώνει κτλ. Μετά συμπληρώστε τον πίνακα και πείτε στην τάξη για το σπίτι που μένει ο συμμαθητής σας.

Κοιτάξτε! ☺ ☺

> A : Το διαμέρισμα / το σπίτι είναι **δικό σου**;
> B : Ναι, είναι **δικό μου**. / Όχι, δεν είναι **δικό μου**.

Μονοκατοικία	
Διαμέρισμα	
Όροφος	
Χολ	
Σαλόνι / Λίβινγκ ρουμ	
Τραπεζαρία	
Υπνοδωμάτια	
Μπάνιο	
Κουζίνα	
Δεύτερη τουαλέτα	
Ενοίκιο	

Στο ξενοδοχείο

Φρανσουά Καλησπέρα σας.
Υπάλληλος Καλησπέρα.
Φρανσουά Θα ήθελα ένα δωμάτιο για δύο μέρες.
Υπάλληλος Μονόκλινο ή δίκλινο;
Φρανσουά Μονόκλινο.
Υπάλληλος Ένα λεπτό. Έχουμε ένα στον τρίτο όροφο με θέα στη θάλασσα
κι ένα στο ισόγειο δίπλα στην πισίνα.
Φρανσουά Πόσο έχουν;
Υπάλληλος Το πρώτο έχει 55 ευρώ τη βραδιά και το δεύτερο 48.
Φρανσουά Η τιμή είναι με πρωινό;
Υπάλληλος Μάλιστα.
Φρανσουά Προτιμώ αυτό που είναι στον τρίτο όροφο.
Υπάλληλος Ωραία. Την ταυτότητά σας παρακαλώ;
Φρανσουά Δεν έχω ταυτότητα, έχω διαβατήριο. Ορίστε.
Υπάλληλος Ευχαριστώ. Αυτά είναι τα πράγματά σας;
Φρανσουά Ναι.
Υπάλληλος Είστε στο 312. Ορίστε το κλειδί σας. Για πρωινό στην τραπεζαρία,
στον ημιώροφο, από τις 8 μέχρι τις 10... Αλέκο, έλα σε παρακαλώ.
Έχει δύο βαλίτσες για το 312.

5 Σωστό ή λάθος;

1. Ο Φρανσουά πάει στο ξενοδοχείο
το βράδυ.
2. Θέλει ένα δωμάτιο για τρεις μέρες.
3. Θέλει ένα μονόκλινο.
4. Το δωμάτιο στον τρίτο όροφο
έχει θέα στην πισίνα.
5. Το πρώτο δωμάτιο έχει 60 ευρώ
και το δεύτερο 50.
6. Η τιμή είναι με πρωινό.
7. Ο Φρανσουά προτιμάει το δωμάτιο
που είναι στο ισόγειο.
8. Ο Φρανσουά δεν έχει ταυτότητα.
9. Το δωμάτιο έχει αριθμό 312.
10. Το πρωινό είναι από τις 8 μέχρι τις 10.
11. Ο Φρανσουά έχει μία βαλίτσα.

6 Είστε στο ξενοδοχείο.
Παίξτε τον υπάλληλο και τον πελάτη

1. Θέλετε ένα δίκλινο για τέσσερις μέρες. Υπάρχουν τρία δωμάτια.
    Το ένα έχει θέα στην Ακρόπολη. Η τιμή του είναι 100 ευρώ. Τα άλλα δύο έχουν 80.
    Η τιμή είναι με πρωινό. Προτιμάτε το δωμάτιο με θέα στην Ακρόπολη.

2. Θέλετε ένα τρίκλινο για το σαββατοκύριακο.Το ξενοδοχείο έχει μόνο ένα,
    στον πέμπτο όροφο. Η τιμή του είναι 60 ευρώ, χωρίς πρωινό. Το πρωινό κάνει 8 ευρώ.
    Το δωμάτιο έχει αριθμό 508.

3. Θέλετε δύο δίκλινα για μια εβδομάδα. Υπάρχουν δύο στον δεύτερο όροφο,
    το 212 και το 214, το ένα δίπλα στο άλλο. Η τιμή είναι 47 ευρώ και είναι με πρωινό.
    Το πρωινό είναι από τις 7.30 έως τις 10.00, στην τραπεζαρία, στο ισόγειο.

με πρωινό   χωρίς πρωινό

7 Ακούστε την ερώτηση και βρείτε τη σωστή απάντηση

1.	(α)	Δεν μπορώ.
	(β)	Δεν υπάρχει σινεμά..
	(γ)	Εντάξει, θα έρθω αύριο.
2.	(α)	Θα ξυπνήσουμε σε λίγες μέρες.
	(β)	Νωρίς.
	(γ)	Συνήθως.
3.	(α)	Τέταρτο.
	(β)	Τετάρτη.
	(γ)	Τέσσερα.
4.	(α)	Ακριβώς.
	(β)	Είναι στον δεύτερο όροφο.
	(γ)	350 ευρώ.
5.	(α)	Είναι πολύ ωραία βραδιά.
	(β)	Μάλιστα, με πρωινό.
	(γ)	Ένα λεπτό παρακαλώ...

Επανάληψη Μαθημάτων 13-17

1 Βρείτε τη λέξη που είναι διαφορετική

1.	βραδινό	ψωμί	πρωινό	μεσημεριανό
2.	ισόγειο	ημιώροφος	καθιστικό	ρετιρέ
3.	ξενοδοχείο	λεωφορείο	μετρό	αεροπλάνο
4.	ελληνικός	Σουηδός	ελβετικός	αυστραλέζικος
5.	σινεμά	φούρνος	νοσοκομείο	γιατρός
6.	σακάκι	κάλτσες	φούστα	ρολόι
7.	πρώτο	τέταρτο	δύο	έκτο
8.	διαμέρισμα	σαλόνι	τραπεζαρία	υπνοδωμάτιο
9.	μαχαίρι	πιρούνι	αλάτι	κουτάλι
10.	μονοκατοικία	μπαλκόνι	διαμέρισμα	σπίτι
11.	ψιλά	ρέστα	λεφτά	κιλά
12.	καρότα	βερίκοκα	μήλα	σταφύλια

2 Βάλτε τα άρθρα και τα ουσιαστικά στον πληθυντικό

1. Τι ώρα ανοίγουν _____*τα καταστήματα*_____ ; (το κατάστημα)

2. Στην τάξη μας έχουμε δύο _____ . (Κινέζος)

3. Τι ώρα ξυπνάνε _____ ; (το παιδί)

4. Κοντά στο σπίτι μου έχει τρεις _____ . (ταβέρνα)

5. Ο πατέρας έχει πολλά _____ . (διαμέρισμα)

6. Η Μαίρη μιλάει με _____ _____ . (γερμανός τουρίστας)

7. Μήπως βλέπεις _____ μου; (η κάλτσα)

8. Έχουμε δύο _____ . (αυτοκίνητο)

9. _____ ανοίγουν πολύ νωρίς. (ο φούρνος)

10. Στο σχολείο μας έχουμε εφτά _____ . (καθηγητής)

11. _____ που βλέπεις είναι ισπανικές . (η καρέκλα)

3 Βάλτε τα επίθετα στον πληθυντικό

1. Αυτές οι ντομάτες είναι _____*πράσινες*_____ . (πράσινος)

2. Ξέρετε _____ χορούς; (ελληνικός)

3. Στο σπίτι έχουμε δύο _____ υπολογιστές. (παλιός)

4. Μήπως βλέπεις τα _____ μου πέδιλα; (καινούργιος)

5. Αυτοί οι δύο δικηγόροι είναι πολύ _____ . (καλός)

6. Τα διαμερίσματα στην καινούργια πολυκατοικία είναι _____ . (μεγάλος)

7. Τα κεράσια σήμερα είναι _____ . (ακριβός)

8. Έχω τρία _____ κοστούμια. (ιταλικός)

9. Απόψε στο τραπέζι θα βάλω τα _____ πιάτα. (μπλε)

4 Βάλτε τα ουσιαστικά και τα επίθετα στον πληθυντικό

1. Θα ήθελα έξι ___*φτηνές*___ ___*καρέκλες*___ . (φτηνή καρέκλα)
2. Θα αγοράσω _____ _____ . (καινούργιο παπούτσι)
3. Αυτές οι _____ είναι _____ . (μηχανή, γιαπωνέζικη)
4. Δεν υπάρχουν _____ _____ στο σουπερμάρκετ. (γαλλικό κρασί)
5. Σήμερα τα _____ δεν είναι _____ . (αχλάδι, καλό)
6. Έχω τέσσερις _____ _____ . (καθαρή φούστα).
7. Την Κυριακή θα διαβάσω _____ _____ . (αγγλική εφημερίδα)

5 Βρείτε τι υπάρχει στην ντουλάπα

ΤΡΙΑ ΚΑΠΟΥΣΑΜΙ
τρία   πουκάμισα
_____

ΕΝΑ ΤΟΥΣΜΙΚΟ
_____

ΠΕΝΤΕ ΒΑΣΤΕΓΡΑ
_____

ΤΕΣΣΕΡΑ ΜΑΦΟΤΑΡΕ
_____

ΕΦΤΑ ΡΕΒΛΟΠΟΥ
_____

ΔΥΟ ΚΙΑΣΑΚΑ
_____

ΕΝΑΣ ΘΕΡΦΤΗΚΑΣ
_____

ΔΥΟ ΝΤΕΝΙΑΠΑΛΟ
_____

6 Βάλτε τα ρήματα στον μέλλοντα

1. Εγώ νομίζω ότι _____*θα πιω*_____ ένα ποτήρι κρασί ακόμα. (πίνω)
2. Ο κύριος Λεοντής _____ τηλέφωνο τη γυναίκα του στις έξι. (παίρνω)
3. Η Αγγελική κι ο Λεωνίδας _____ έξω απόψε. (τρώω)
4. Εσύ _____ τα λεφτά ή εγώ; (δίνω)
5. Εμείς _____ στο σχολείο μια ώρα ακόμα. (μένω)
6. Κώστα, _____ μπάσκετ μαζί μας αύριο; (παίζω)
7. Εγώ απόψε δεν _____ . _____ τηλεόραση. (δουλεύω, βλέπω)
8. Κι εμείς _____ κομπιούτερ τον άλλο μήνα. (αγοράζω)
9. Τα αγόρια _____ κι εμείς _____ τα πιάτα. (μαγειρεύω, πλένω)

7 Γράψτε προτάσεις με τα ρήματα και τις εκφράσεις στον μέλλοντα

πάω / ξυπνάω / κοιμάμαι / έρχομαι / φεύγω / τρώω / μαγειρεύω / δουλεύω / μένω
ποιος; / τι ώρα; / γιατί; / από πού; / τί; / πού; / πότε; / πώς;

8 Γράψτε τις ερωτήσεις

1. A : *Σ'αρέσουν τα βερίκοκα* _____
   B : Όχι πολύ. Προτιμώ τα κεράσια.
2. A : _____
   B : Θα πάω στο μάθημα και μετά θα ψωνίσω κάποια πράγματα από το σουπερμάρκετ.
3. A : _____
   B : Με κάρτα.
4. A : _____
   B : Μία τυροπιτάκια και μία χωριάτικη.
5. A : _____
   B : Όχι, είναι τριάρι.
6. A : _____
   B : Όχι, είναι χωρίς πρωινό.

Μάθημα 18

9 Βάλτε πόσοι/πόσους/πόσες/πόσα, πολλοί/πολλούς/πολλές/πολλά, λίγοι/λίγους/λίγες/λίγα

1. ___*Πόσα*___ λεφτά έχεις στην τράπεζα; Δεν έχω ___*πολλά*___ .

2. Έχω _____ φίλους αλλά _____ φίλες.

3. _____ μπριζόλες θα αγοράσεις; Θα αγοράσω μόνο _____ .

4. _____ ορόφους έχει η πολυκατοικία σας; Δεν έχει _____ .

5. Η Μαίρη έχει _____ βιβλία αλλά _____ CD.

6. Δεν τρώμε _____ μπανάνες. Τρώμε μόνο _____ .

7. _____ εφημερίδες διαβάζεις την Κυριακή; _____ .

10 Βάλτε το σωστό αριθμητικό

1. Μένουμε στον ___*πέμπτο*___ όροφο. (5)

2. Σ' αυτό το βιβλίο ο Μέλλοντας είναι στο _____ και στο
   _____ Μάθημα. (15, 16)

3. Θα αγοράσουν ένα _____ αυτοκίνητο για την κόρη τους. (2)

4. Έχουμε δύο υπολογιστές αλλά χρειαζόμαστε κι έναν _____ . (3)

11 Βάλτε τη σωστή λέξη

1. Ο Μενέλαος μιλάει πολύ καλά ___*β*___ .
   α. Ιταλός   β. ιταλικά   γ. Ιταλία

2. Μ' αρέσει πολύ το _____ φαγητό.
   α. ινδικό   β. Ινδός   γ. Ινδία

3. Η _____ είναι στην Ευρώπη.
   α. Ρωσίδα   β. ρωσικά   γ. Ρωσία

4. Ο Παύλος είναι παντρεμένος με μία _____ .
   α. Σουηδία   β. Σουηδέζα   γ. σουηδική

5. Ο _____ καθηγητής Φρανσουά Ματέ θα μιλήσει αύριο στο συνέδριο.
   α. γάλλος   β. γαλλικός   γ. Γαλλία

Η Πλάκα

Η Πλάκα είναι μια παλιά και γραφική συνοικία στην Αθήνα, κοντά στην Ακρόπολη. Οι δρόμοι της είναι στενοί και τα σπίτια της είναι μικρά, με ένα ή δύο ορόφους. Εδώ δεν υπάρχουν πολυκατοικίες. Πολλά από τα σπίτια έχουν αυλή κι άλλα έχουν μπαλκόνια με πολλά λουλούδια. Πολλοί δρόμοι είναι πεζόδρομοι, όπου δεν κυκλοφορούν αυτοκίνητα.

Στην Πλάκα υπάρχουν ταβέρνες, εστιατόρια και σουβλατζίδικα. Επίσης υπάρχουν καφέ και μπαρ. Πολλά απ' αυτά είναι σε μια μικρή πλατεία που λέγεται πλατεία Κυδαθηναίων.

Η Πλάκα έχει πολλά μαγαζιά που πουλάνε ωραία κοσμήματα, κεραμικά, ρούχα, παπούτσια, είδη λαϊκής τέχνης και άλλα. Εδώ υπάρχουν μουσεία — το Μουσείο Λαϊκής Τέχνης, το Μουσείο Φρυσίρα, το Μουσείο Λαϊκών Οργάνων, το Παιδικό Μουσείο — θέατρα κι ένα θερινό σινεμά.

Πολλοί Αθηναίοι πηγαίνουν στην Πλάκα για βόλτα, για φαγητό ή για ψώνια. Η Πλάκα είναι σχεδόν πάντα γεμάτη από τουρίστες.

12 Ρωτήστε και απαντήστε

1. Τι είναι η Πλάκα;
2. Πώς είναι τα σπίτια εκεί;
3. Τι υπάρχει στην Πλάκα;
4. Πού υπάρχουν πολλά καφέ και μπαρ;
5. Τι πουλάνε τα μαγαζιά;
6. Ποια μουσεία υπάρχουν;
7. Γιατί πηγαίνουν οι Αθηναίοι στην Πλάκα;
8. Πότε έχει τουρίστες η Πλάκα;

13 Διαβάστε και βρείτε ποιο είναι σωστό

1. "Γραφική" σημαίνει
   α. οι εφημερίδες γράφουν γι' αυτήν
   β. ωραία
   γ. άσχημη

2. "δεν κυκλοφορούν" σημαίνει
   α. δεν έρχονται
   β. δεν πάνε
   γ. δεν έρχονται και δεν πάνε

3. "μαγαζιά" σημαίνει
   α. καταστήματα
   β. σχολεία
   γ. δρόμοι

4. "είναι γεμάτη από τουρίστες" σημαίνει
   α. έχει πολλούς τουρίστες
   β. δεν υπάρχουν τουρίστες
   γ. εδώ μένουν μόνο τουρίστες

5. "πεζόδρομος" σημαίνει
   α. δρόμος μόνο για αυτοκίνητα
   β. δρόμος μόνο για ανθρώπους
   γ. δρόμος μόνο για καταστήματα

14 Βάλτε τη σωστή λέξη

Η Πλάκα είναι μια _____*παλιά*_____ και _____ συνοικία στην, Αθήνα κοντά στην Ακρόπολη. Οι δρόμοι της είναι _____ και τα σπίτια της είναι μικρά με ένα ή δύο _____ . Εδώ δεν υπάρχουν _____ . Πολλά από τα σπίτια έχουν _____ και άλλα έχουν μπαλκόνια με πολλά _____ . Πολλοί δρόμοι είναι _____ , όπου δεν _____ αυτοκίνητα.

Στην Πλάκα _____ ταβέρνες, εστιατόρια και σουβλατζίδικα. Υπάρχουν επίσης καφέ και μπαρ. Πολλά από αυτά είναι σε μια μικρή πλατεία που _____ πλατεία Κυδαθηναίων.

Η Πλάκα έχει πολλά μαγαζιά που _____ ωραία _____ ,κεραμικά, ρούχα, παπούτσια, είδη λαϊκής τέχνης και άλλα. Εδώ υπάρχουν μουσεία — το Μουσείο Λαϊκής Τέχνης, το Μουσείο Φρυσίρα, το Μουσείο Λαϊκών Οργάνων, το Παιδικό Μουσείο — θέατρα κι ένα _____ σινεμά.

Πολλοί Αθηναίοι πηγαίνουν στην Πλάκα για _____ , για φαγητό ή για _____ . Η Πλάκα είναι σχεδόν πάντα γεμάτη από τουρίστες.

15 Βάλτε τη σωστή λέξη

λουλούδια - όροφο - κυκλοφορούν - στενούς - θα πουλήσουμε - κεραμικά - φαγητό - ψώνια

1. Στη Θεσσαλονίκη *κυκλοφορούν* πολλά αυτοκίνητα.
2. Στη Σίφνο φτιάχνουν ωραία _____ .
3. Η κόρη μου έχει στο μπαλκόνι της πολλά και όμορφα _____ .
4. Η ταβέρνα κοντά στο σπίτι μας έχει πάντα καλό _____ .
5. _____ το παλιό μας αυτοκίνητο και θα αγοράσουμε καινούργιο.
6. Το παλιό Ναύπλιο έχει _____ δρόμους.
7. Το διαμέρισμά τους είναι στον έκτο _____ .
8. Πηγαίνεις συχνά για _____ στο κέντρο;

16 Υπάρχει καμιά γραφική συνοικία στην πόλη σας; Αν ναι, γράψτε γι' αυτήν

17 Βρείτε τυριά, λαχανικά και κρεατικά

	1	2	3	4	5	6	7	8	9	10
1	Κ	Ω	Β	Ε	Ρ	Ι	Κ	Ο	Κ	Α
2	Ι	Μ	Α	Ν	Ο	Υ	Ρ	Ι	Ο	Γ
3	Μ	Η	Υ	Κ	Δ	Π	Ε	Γ	Τ	Ρ
4	Α	Λ	Δ	Ν	Α	Ψ	Α	Δ	Ο	Α
5	Σ	Α	Θ	Ι	Κ	Ο	Σ	Ε	Π	Β
6	Β	Μ	Υ	Ζ	Ι	Θ	Ρ	Α	Ο	Ι
7	Γ	Κ	Ο	Υ	Ν	Τ	Α	Δ	Υ	Ε
8	Φ	Α	Χ	Λ	Α	Δ	Ι	Α	Λ	Ρ
9	Λ	Σ	Α	Λ	Α	Μ	Ι	Η	Ο	Α
10	Τ	Ξ	Π	Ζ	Α	Μ	Π	Ο	Ν	Ε

 # Πρέπει να ξεκινήσουν νωρίς

Ο Αλέκος κι η Έλλη θα περάσουν το Πάσχα στην Καλαμπάκα, μια μικρή πόλη στη Θεσσαλία, με τη φίλη τους την Ηρώ, που έχει σπίτι εκεί. Έτσι, θα δουν και τα Μετέωρα, η Έλλη για πρώτη φορά και ο Αλέκος για δεύτερη.

Τα Μετέωρα είναι κάτι ψηλοί βράχοι πολύ κοντά στην Καλαμπάκα. Πάνω σ' αυτούς τους βράχους υπάρχουν μοναστήρια απ' τα παλιά χρόνια.

Θα φύγουν απ' την Αθήνα τη Μεγάλη Πέμπτη. Πρέπει να ξεκινήσουν νωρίς, γιατί θέλουνε να φτάσουν πριν απ' το μεσημέρι. Θα γυρίσουν την Τρίτη μετά το Πάσχα.

Τη Μεγάλη Πέμπτη το απόγευμα θα βάψουν αβγά και θα ψήσουν τσουρέκια. Το βράδυ μπορεί να κάνουνε μια βόλτα στην πόλη. Τη Μεγάλη Παρασκευή το βράδυ θα πάνε στην εκκλησία για τον Επιτάφιο. Το Μεγάλο Σάββατο το πρωί λένε να πάνε στα Μετέωρα, να δούνε τα μοναστήρια και να γυρίσουνε νωρίς το απόγευμα. Στις εντεκάμισι το βράδυ θα πάνε με την Ηρώ και άλλους φίλους στην εκκλησία να γιορτάσουν την Ανάσταση. Μετά θα πάνε στο σπίτι να φάνε μαγειρίτσα και να τσουγκρίσουν αβγά. Την Κυριακή πρέπει να ξυπνήσουν πολύ νωρίς για να ψήσουν το αρνί στη σούβλα και το μεσημέρι θα φάνε, θα πιούνε και θα χορέψουν όλοι μαζί.

Την Τρίτη σκέφτονται να ξεκινήσουν στις πέντε ή πεντέμισι το πρωί, γιατί ο Αλέκος πρέπει να είναι στη δουλειά του στις δέκα.

1 Ρωτήστε και απαντήστε

1. Πού θα περάσουν το Πάσχα ο Αλέκος κι η Έλλη;
2. Πού είναι η Καλαμπάκα;
3. Ποιος έχει σπίτι εκεί;
4. Τι είναι τα Μετέωρα;
5. Τι υπάρχει πάνω στους βράχους;
6. Πότε θα φύγουν από την Αθήνα;
7. Τι ώρα πρέπει να ξεκινήσουν;
8. Γιατί;
9. Τι θα κάνουν τη Μεγάλη Πέμπτη;
10. Τι μπορεί να κάνουν το βράδυ;
11. Πού θα πάνε τη Μεγάλη Παρασκευή;
12. Το Μεγάλο Σάββατο το πρωί πού λένε να πάνε;
13. Το βράδυ τι ώρα θα πάνε στην εκκλησία γαι την Ανάσταση;
14. Μετά τι θα κάνουν;
15. Τι ώρα πρέπει να ξυπνήσουν την Κυριακή;
16. Το μεσημέρι τι θα κάνουν;
17. Τι ώρα σκέφτονται να ξεκινήσουν την Τρίτη το πρωί;

Υποτακτική

Ενεστώτας	Μέλλοντας
μιλάω	θα (μιλήσω)

Υποτακτική

μπορώ		μιλήσω			μιλήσω
μπορείς		μιλήσεις			μιλήσεις
μπορεί		μιλήσει	πρέπει		μιλήσει
μπορούμε	**να**	μιλήσουμε	μπορεί	**να**	μιλήσουμε
μπορείτε		μιλήσετε	χρειάζεται		μιλήσετε
μπορούν(ε)		μιλήσουν(ε)			μιλήσουν(ε)

Ρήματα που παίρνουν υποτακτική:

θέλω / μπορώ / έχω / λέω / πάω / προσπαθώ / σκέφτομαι / προτιμώ
πρέπει / μπορεί / χρειάζεται

Παραδείγματα : Θέλω να αγοράσω καινούργια παπούτσια.
Η Ούρσουλα δεν μπορεί να μιλήσει καλά ελληνικά ακόμα.
Έχει να στείλει τα γράμματα και τις φωτογραφίες.
Λέμε να φάμε έξω απόψε.
Πάω να δω τι γίνεται.
Τα παιδιά προσπαθούν να περάσουν απέναντι.
Οι γονείς μου σκέφτονται να πουλήσουν το αυτοκίνητό τους.
Πρέπει να ξυπνήσουμε νωρίς αύριο.
Η Άννι και ο Πολ μπορεί να γυρίσουν στην Ελλάδα του χρόνου.
Δεν χρειάζεται να πας εσύ. Θα πάω εγώ.

Καλό Πάσχα!

Επίσης!

2 Βάλτε τα ρήματα στην υποτακτική

1. Θέλει ___*να αγοράσει*___ μια γερμανική μηχανή. (αγοράζω)

2. Μπορείτε _____ αύριο στις πέντε το απόγευμα; (έρχομαι)

3. Εμείς μπορεί _____ στο σπίτι απόψε. (μένω)

4. Τα παιδιά δεν χρειάζεται _____ τώρα. (διαβάζω)

5. Κι εγώ πρέπει _____ νωρίς την Κυριακή. (ξυπνάω)

6. Θα ήθελες _____ ένα ποτηράκι κρασί; (πίνω)

7. Αύριο το πρωί η Δήμητρα έχει _____ στο τουριστικό γραφείο. (πάω)

8. Λέμε _____ μπάσκετ απόψε μετά τη δουλειά. (παίζω)

9. Πάω _____ έξω. Δεν υπάρχει τίποτα στο σπίτι. (τρώω)

10. Οι γονείς μου μπορεί _____ στις δέκα ή στις έντεκα. (φτάνω)

11. Θέλω _____ τον πατέρα σου. (βλέπω)

12. Προσπαθούμε _____ μαζί του αλλά δεν μπορούμε. (μιλάω)

3 Βάλτε τα ρήματα στον ενεστώτα

1. θα περάσουμε _____περνάμε_____
2. θα δω _____
3. θα φύγει _____
4. θα γυρίσουν _____
5. θα μείνεις _____
6. θα χορέψουν _____
7. θα μαγειρέψετε _____

8. να φτάσουμε _____
9. να ξεκινήσω _____
10. να πάει _____
11. να γιορτάσουν _____
12. να κάνεις _____
13. να φάνε _____
14. να στείλουμε _____

4 Διαβάστε πάλι το κείμενο και βάλτε τη σωστή λέξη

Ανάσταση - θα βάψουν - θα ξεκινήσουν - μοναστήρια - θα περάσουνε - σούβλα - θα ψήσουν - βόλτα

1. Ο Αλέκος κι η Ελένη _____θα περάσουνε_____ το Πάσχα στην Καλαμπάκα.
2. Πάνω στους βράχους υπάρχουν _____ .
3. Τη Μεγάλη Πέμπτη _____ αβγά και _____ τσουρέκια.
4. Το βράδυ θα κάνουν μια _____ .
5. Το Μεγάλο Σάββατο το βράδυ θα πάνε στην εκκλησία για την _____ .
6. Την Κυριακή θα ψήσουν το αρνί στη _____ .
7. _____ για την Αθήνα την Τρίτη το πρωί.

5 Γράψτε προτάσεις με:

ψήνω   βόλτα   για πρώτη φορά   μοναστήρι   χορεύω   βάφω   ξεκινάω   εκκλησία

6

Ρωτήστε έναν συμμαθητή σας πού μπορείτε να αγοράσετε:

ασπιρίνες / γραμματόσημα
ένα κλιματιστικό / ένα χάρτη της Ελλάδας
μία ζώνη / ένα CD
ένα κουτί σοκολάτες / βίδες και ένα κατσαβίδι
μία εφημερίδα / ένα βιβλίο για την Ελλάδα
ένα λαμπτήρα 75 Βατ / ένα πακέτο τσιγάρα και ένα φτηνό αναπτήρα

Ο συμμαθητής σας πρέπει να διαλέξει το σωστό μέρος

ένα περίπτερο / ένα φαρμακείο / ένα βιβλιοπωλείο / το ταχυδρομείο
ένα χρωματοπωλείο / ένα ζαχαροπλαστείο / ένα κατάστημα με ηλεκτρικά είδη
ένα δισκοπωλείο / ένα κατάστημα ρούχων

7

Γράψτε 8 προτάσεις (4 καταφατικές και 4 αρνητικές) με "θέλω να", "μπορώ να",
"πρέπει να", και "χρειάζεται να"

π.χ.   *Δεν χρειάζεται να ξυπνήσουμε νωρίς αύριο.*

8

Αυτό είναι ένα σημείωμα από τη Σαπφώ για τη Μαργαρίτα.
Γράψτε κι εσείς ένα

> Μαργαρίτα,
> Πρέπει να αγοράσεις φρούτα, χαρτί
> τουαλέτας, ένα μικρό κουτί DIXAN
> για το πλυντήριο και σακούλες για
> τα σκουπίδια.
> Μπορείς να πας στο μίνι μάρκετ
> απέναντι αν δεν έχεις καιρό να
> πας στο σουπερμάρκετ.
> Θέλεις να έρθεις από το γραφείο
> κατά τις έξι; Μπορούμε να πάμε
> για καφέ ή να κάνουμε κάτι άλλο.
> Πάρε τηλέφωνο.
> Φιλάκια Σ.

Εμπρός;

Φωνή	Εμπρός;
Πέτρος	Τον κύριο Γαλάνη παρακαλώ.
Φωνή	Δεν υπάρχει κανένας κύριος Γαλάνης εδώ.
Πέτρος	Τι αριθμό έχετε;
Φωνή	Εσείς τι αριθμό θέλετε;
Πέτρος	Το 2310 642283
Φωνή	Πήρατε λάθος κύριε.
Πέτρος	Με συγχωρείτε.
Φωνή	Δεν πειράζει.

 Όταν απαντάμε στο τηλέφωνο, λέμε:

Παρακαλώ. / Εμπρός; / Ναι; / Λέγετε(;) / Ορίστε.

κύριος Γαλάνης	Παρακαλώ.
Πέτρος	Τον κύριο Γαλάνη παρακαλώ.
κύριος Γαλάνης	Ο ίδιος.
Πέτρος	Καλημέρα κύριε Γαλάνη. Είμαι ο Πέτρος απ' το συνεργείο.
κύριος Γαλάνης	Ναι Πέτρο.
Πέτρος	Το αυτοκίνητό σας είναι έτοιμο.
κύριος Γαλάνης	Κανένα πρόβλημα;
Πέτρος	Όχι, όλα εντάξει. Εμείς θα είμαστε εδώ μέχρι τις τέσσερις.
κύριος Γαλάνης	Εντάξει Πέτρο. Θα είμαι εκεί κατά τις τρεις. Ευχαριστώ.

9   Ρωτήστε και απαντήστε

αρσενικό	θηλυκό	ουδέτερο
ο ίδιος	η ίδια	το ίδιο

1. Ποιον θέλει ο Πέτρος;
2. Τι αριθμό έχει ο κύριος Γαλάνης;
3. Από πού τηλεφωνεί ο Πέτρος;
4. Τι λέει στον κύριο Γαλάνη για το αυτοκίνητό του;
5. Τι ρωτάει ο κύριος Γαλάνης;
6. Ώς τι ώρα είναι ανοιχτό το συνεργείο;
7. Τι ώρα θα είναι ο κύριος Γαλάνης στο συνεργείο;σ

10   Παίξτε ένα ρόλο!
Αλλάξτε τα ονόματα και τα νούμερα στον διάλογο και μιλήστε στο τηλέφωνο

Κοιτάξτε! ☺ ☺

> **Θέλω** να **μιλήσεις** στη Μαρία.
> **Θα ήθελα** να **μείνουν** στο σπίτι σας τα παιδιά.
> **Θέλετε** να **πάμε** έξω απόψε;
> **Θα θέλαμε** να **έρθουν** στο σχολείο.
> **Θα ήθελες** να **είναι** εδώ τώρα ο Κώστας;
> **Θέλουνε** να **φύγω** από το σχολείο.
> **Θα θέλατε** να **πιούμε** λίγο κρασί;
> **Θέλεις** να **πάω** εγώ;

θα ήθελα
θα ήθελες
θα ήθελε
θα θέλαμε
θα θέλατε
θα ήθελαν (θα θέλανε)

11   Βάλτε τα ρήματα στο σωστό πρόσωπο

1. Θέλω _____*να μείνουμε*_____ στο σπίτι. (μένω)(εμείς)

2. Θα θέλαμε _____ στο γραφείο. (έρχομαι)(ο Γιώργος)

3. Γιατί θέλεις _____ απ' τη δουλειά; (φεύγω)(εγώ)

4. Θα θέλατε _____ στην ταβέρνα; (τρώω)(εμείς)

5. Μήπως θέλουν _____ πρώτη; (ξεκινάω)(η Ελένη)

6. Θα ήθελα _____ τα λεφτά στον Πέτρο. (δίνω)(εσύ)

7. Θα ήθελαν _____ τις μπίρες νωρίς. (φέρνω)(εγώ)

8. Θέλουμε _____ στην καθηγητριά μας. (μιλάω)(εσείς)

9. Η μητέρα μου θα ήθελε _____ αύριο. (μαγειρεύω)(ο πατέρας μου)

12   Ακούστε την ερώτηση και βρείτε τη σωστή απάντηση

1.	(α)	Ο κύριος Λαμπίρης είναι εδώ.
	(β)	Ο ίδιος.
	(γ)	Τι αριθμό έχετε;
2.	(α)	Μεθαύριο.
	(β)	Δεν μπορούμε να φύγουμε.
	(γ)	Στις εφτά.
3.	(α)	Πολύ καλά.
	(β)	Συγνώμη.
	(γ)	Εσείς πήρατε λάθος.
4.	(α)	Δεν μπορώ.
	(β)	Δεν μπορείς να έρθεις.
	(γ)	Δεν έχω κινητό.
5.	(α)	Δεν ξέρω.
	(β)	Γιατί έχω δουλειά.
	(γ)	Όχι, δεν θέλει να πάει.

Την Τρίτη πήγαμε στην Κνωσό

Η Αντιγόνη Δουκάκη είναι Ελληνοαμερικανίδα απ' το Σικάγο. Αυτές τις μέρες βρίσκεται στην Κρήτη και γράφει στη μητέρα της πώς περνάει στο νησί.

Παρασκευή, 22 Μαΐου 20 . .

Αγαπημένη μου μαμά

Είμαι στην Κρήτη, στα Χανιά. Πρώτα πήγα στο Ηράκλειο. Στο λιμάνι με περίμεναν η Τούλα με τον Γρηγόρη. Την Τρίτη πήγαμε στην Κνωσό και είδαμε το ανάκτορο του Μίνωα. Ήταν κατα-πληκτικό. Μετά πήγαμε στον Άγιο Νικόλαο και κάναμε μπάνιο. Ωραίο το Ηράκλειο αλλά πάρα πολλά αυτοκίνητα. Προχτές το βράδυ η Τούλα ετοίμασε κρητικούς μεζέδες και μαγείρεψε αρνί με γιαούρτι. Φάγαμε, ήπιαμε ρακή και χορέψαμε μέχρι αργά. Μετά πήγα στο Ρέθυμνο, όπου έμεινα δύο μέρες. Η παλιά πόλη ήταν ωραία. Στα Χανιά έφτασα χτες το πρωί. Σήμερα πήγα στην αγορά και ψώνισα τα πράγματα που ήθελες.
Φιλιά

Αντιγόνη

... Ms. Angela Doukakis ......

32 N Tower Road ......

Chicago, Ill. 60614 ......

U.S.A. ......

---

1 Ρωτήστε και απαντήστε

1. Η Αντιγόνη είναι Ελληνίδα;
2. Πού είναι αυτές τις μέρες;
3. Πού πήγε πρώτα;
4. Ποιος περίμενε στο λιμάνι;
5. Πού πήγαν την Τρίτη;
6. Πού κάνανε μπάνιο;
7. Τι ετοίμασε η Τούλα προχτές; Τι μαγείρεψε;
8. Τι ήπιανε;
9. Μετά τι έκαναν;
10. Μετά πού πήγε η Αντιγόνη;
11. Πώς ήταν η παλιά πόλη;
12. Πότε έφτασε στα Χανιά;
13. Πού πήγε σήμερα;
14. Τι έκανε στην αγορά;

Αόριστος

είμαι	ήμουν(α)
	ήσουν(α)
	ήταν(ε)
	ήμαστε ή ήμασταν
	ήσαστε ή ήσασταν
	ήταν(ε)

	Αόριστος		**Αόριστος**
γυρίζω	γύρισ**α**	αγοράζω	αγόρασα
	γύρισ**ες**	ψωνίζω	ψώνισα
	γύρισ**ε**	ετοιμάζω	ετοίμασα
	γυρίσ**αμε**	μαγειρεύω	μαγείρεψα
	γυρίσ**ατε**	περιμένω	περίμενα
	γύρισ**αν**		
	(γυρίσ**ανε**)		

	Αόριστος		**Αόριστος**
κάνω	έκαν**α**	μένω	έμεινα
	έκαν**ες**	φτάνω	έφτασα
	έκαν**ε**	φεύγω	έφυγα
	κάν**αμε**	τρώω	έφαγα
	κάν**ατε**		
	έκαν**αν**		
	(κάν**ανε**)		

	Αόριστος
πάω	πήγα
βλέπω	είδα
πίνω	ήπια
έρχομαι	ήρθα

Μάθημα 20

Κοιτάξτε! ☉ ☉

Λέξεις / φράσεις που χρησιμοποιούμε με τον αόριστο

	τη(ν) Δευτέρα/Τρίτη αυτή τη(ν) (ε)βδομάδα αυτό το(ν) μήνα	πριν από λίγες μέρες πριν από δύο/τρεις (ε)βδομάδες πριν από λίγες (ε)βδομάδες
χθες / χτες προχθές / προχτές (ε)φέτος πέρσι πρόπερσι	την περασμένη Δευτέρα/Τρίτη την περασμένη (ε)βδομάδα τον περασμένο μήνα	πριν από δύο/τρεις μήνες πριν από λίγους μήνες πριν από δύο/τρία χρόνια πριν από λίγα χρόνια

2 Βάλτε τα ρήματα στον αόριστο

1. Εμείς **_ετοιμάσαμε_** τις βαλίτσες μας χθες. (ετοιμάζω)

2. Ο Άκης με τον Τέλη _____ στο σινεμά. (πάω)

3. Πέρσι τα παιδιά _____ τρεις μήνες με την αδελφή μου. (μένω)

4. Το περασμένο Σάββατο η Μαριλένα _____ κινέζικο φαγητό. (μαγειρεύω)

5. Πού _____ την Πέμπτη βρε Κώστα; (είμαι)

6. Εγώ πριν από λίγες μέρες _____ μία καταπληκτική γαλλική ταινία. (βλέπω)

7. Ο αδελφός μου _____ στην Ελλάδα πριν από δύο εβδομάδες. (φτάνω)

8. Εμείς ξέρεις ποιον _____ σήμερα το πρωί; Τον Μάρκο. (βλέπω)

9. Εσείς τι _____ την Παρασκευή; (κάνω)

10. Το Σάββατο η γυναίκα μου _____ τρία ζευγάρια παπούτσια. (ψωνίζω)

11. Εμείς χθες _____ τη Μαίρη αλλά δεν _____ . (περιμένω)(έρχομαι)

12. Προχθές το βράδυ εγώ _____ δύο μπουκάλια κρασί! (πίνω)

3 **Ρωτήστε έναν συμμαθητή σας**

Γιατί δεν ήρθες
στο σχολείο;

— πού ήταν χθες το πρωί
— τι έκανε το σαββατοκύριακο
— τι έφαγε χθες το βράδυ / σήμερα το πρωί
— τι ώρα ήρθε στο σχολείο σήμερα
— αν ήταν/πήγε στην Ελλάδα πέρσι/πρόπερσι
— αν είδε καθόλου τηλεόραση χθες ή προχθές
— αν μαγείρεψε τίποτε για σήμερα ή για αύριο
— αν πήγε στο σινεμά αυτή ή την περασμένη εβδομάδα
— αν έμεινε στο σπίτι χθες το βράδυ

4 **Τι έκανε η Ελένη την περασμένη εβδομάδα;**
Χρησιμοποιήστε αυτά τα ρήματα στον αόριστο και μιλήστε μεταξύ σας

πάω	ψωνίζω	ετοιμάζω	βλέπω	τρώω	μαγειρεύω	μένω

π.χ.   A : Τι έκανε η Ελένη την Τρίτη;
        B : Πήγε στο σινεμά με τον Πέτρο.

ΔΕΥΤΕΡΑ
στο εστιατόριο ΠΛΑΖΑ με την Άννα

ΤΡΙΤΗ
στο σινεμά με τον Πέτρο

ΤΕΤΑΡΤΗ
τηλεόραση με τον Πέτρο στο σπίτι του

ΠΕΜΠΤΗ
στο σπίτι

ΠΑΡΑΣΚΕΥΗ
φαγητό για το σαββατοκύριακο

ΣΑΒΒΑΤΟ
ρούχα από το κέντρο

ΚΥΡΙΑΚΗ
τη βαλίτσα μου για το ταξίδι

5 Γράψτε τον ενεστώτα

	Ενεστώτας	Αόριστος
1.	**φτάνουμε**	φτάσαμε
2.	_____	μαγείρεψα
3.	_____	έμεινες
4.	_____	ετοιμάσατε
5.	_____	ήπιαν
6.	_____	ήρθε

Κοιτάξτε! ⊙ ⊙

Όταν γράφουμε ένα γράμμα ή μια κάρτα στον πατέρα μας, στον αδελφό μας κτλ.
ή σ' ένα φίλο μας, συνήθως αρχίζουμε έτσι:

Αγαπημένε μου πατέρα/Γιώργο κτλ. ή **Αγαπητέ μου πατέρα/Γιώργο** κτλ.

Όταν γράφουμε ένα γράμμα ή μια κάρτα στη μητέρα μας, στην αδελφή μας κτλ.
ή σε μια φίλη μας, συνήθως αρχίζουμε έτσι:

Αγαπημένη μου μητέρα/Ελένη κτλ. ή **Αγαπητή μου μητέρα/Ελένη** κτλ.

Και συνήθως τελειώνουμε έτσι:

Σε φιλώ / Με αγάπη / Πολλά φιλιά / Φιλάκια

6 Γράψτε μια κάρτα σ' έναν φίλο ή μια φίλη με αυτά τα ρήματα στον αόριστο

πάω	είμαι	κάνω	βλέπω	τρώω	μαγειρεύω	μένω

Θέλεις να τους δούμε;

Ορέστης	Δεν ξέρεις ποιον είδα χτες.
Μάρκος	Ποιον;
Ορέστης	Τον Ραμόν. Τον θυμάσαι;
Μάρκος	Πώς. Μα αυτός είναι στη Βαρκελώνη.
Ορέστης	Ναι, εκεί μένει, αλλά είναι στη Θεσσαλονίκη για λίγες μέρες. Ήρθε για την Έκθεση. Και ξέρεις με ποιαν ήταν;
Μάρκος	Όχι, πού να ξέρω.
Ορέστης	Την Ελένη τη Μανουσάκη που γνωρίσαμε πέρσι στο πλοίο για την Κέρκυρα.
Μάρκος	Άκου να δεις. Μικρός που είν' ο κόσμος!
Ορέστης	Θέλεις να τους δούμε;
Μάρκος	Γιατί όχι; Μ' αρέσει ο Ραμόν. Είν' ωραίος τύπος.
Ορέστης	Σκέφτομαι να τους καλέσω στο σπίτι μου ένα βράδυ.
Μάρκος	Ωραία. Για πότε λες;
Ορέστης	Μάλλον για Τετάρτη. Εσύ μπορείς;
Μάρκος	Ναι. Δεν έχω να κάνω τίποτα την Τετάρτη το βράδυ.
Ορέστης	Θα τον πάρω, τότε, απόψε τηλέφωνο να κανονίσουμε και θα σε πάρω αύριο.
Μάρκος	Έγινε.

7 Ρωτήστε και απαντήστε

1. Ποιον είδε χθες ο Ορέστης;
2. Ο Μάρκος τον θυμάται;
3. Πού νομίζει ότι είναι;
4. Γιατί ήρθε ο Ραμόν στη Θεσσαλονίκη;
5. Με ποια ήταν;
6. Ο Μάρκος κι ο Ορέστης ξέρουν την Ελένη;
7. Πού τη γνώρισαν;
8. Θέλει να τους δει ο Μάρκος;
9. Πού σκέφτεται να τους καλέσει ο Ορέστης;
10. Πότε;
11. Τι έχει να κάνει ο Μάρκος την Τετάρτη το βράδυ;
12. Ποιον θα πάρει τηλέφωνο απόψε ο Ορέστης;
13. Πότε θα πάρει τον Μάρκο;

Προσωπικές αντωνυμίες (αδύνατος τύπος)

Ενικός	με	**Με** λένε Κώστα.
	σε	**Σε** βλέπει συχνά η Καίτη;
	τον	**Τον** ξέρω από το σχολείο.
	την	Πώς **την** λένε;
	το	**Το** μαγείρεψα σήμερα το πρωί.
Πληθυντικός	μας	**Μας** περίμενε στο σπίτι του.
	σας	**Σας** αγαπάει πολύ.
	τους	**Τους** είδα την περαμένη Τρίτη.
	τις	**Τις** βλέπω σπάνια.
	τα	**Τα** έφαγα χθες.

Μέλλοντας   Θα **το** ετοιμάσω σήμερα.

Υποτακτική   Πρέπει να **τους** δω απόψε.

8   Βάλτε τη σωστή προσωπική αντωνυμία

1. Α : Πώς ___*σε*___ λένε;
   Β : Με λένε Φώτη.

2. Α : Κάθε πότε βλέπεις τον Πέτρο;
   Β : _____ βλέπω συχνά.

3. Α : Θα πλύνεις εσύ τα πιάτα;
   Β : Ναι, θα _____ πλύνω εγώ.

4. Α : Μαγείρεψες το κοτόπουλο;
   Β : Όχι, δεν _____ μαγείρεψα ακόμα.

5. Α : Εσύ έφαγες τις μπανάνες;
   Β : Ναι, εγώ _____ έφαγα.

6. Α : Πού θα περιμένεις τη Μαρία;
   Β : Θα _____ περιμένω στην πλατεία.

7. Α : Σας ξέρει καλά;
   Β : Ναι, _____ ξέρει πολύ καλά.

8. Α : Πότε θα δεις τον Αλέξη και τη Γεωργία;
   Β : Θα _____ δω αύριο το βράδυ.

Ερωτηματική αντωνυμία "ποιος, -α, -ο"
Ονομαστική - Αιτιατική

Αρσενικό   Θηλυκό   Ουδέτερο

Ενικός

	Αρσενικό	Θηλυκό	Ουδέτερο
Ονομ.	ποιος	ποια	ποιο
Αιτ.	ποιον	ποια	ποιο

Πληθυντικός

	Αρσενικό	Θηλυκό	Ουδέτερο
Ονομ.	ποιοι	ποιες	ποια
Αιτ.	ποιους	ποιες	ποια

9   Γράψτε την αντωνυμία *ποιος, ποια, ποιο* στον σωστό τύπο ✎

1.   Α : Αύριο θα βγω με το Βαγγέλη και το Σπύρο;
     Β : Με _**ποιους**_ θα βγεις;
     Α : Με το Βαγγέλη και το Σπύρο.

2.   Α : Αυτά τα λουλούδια τα έστειλε η Ελισάβετ.
     Β : _____ τα έστειλε;
     Α : Η Ελισάβετ.

3.   Α : Μένουμε στον τρίτο όροφο.
     Β : Σε _____ είπες;
     Α : Στον τρίτο.

4.   Α : Τα βιβλία είναι για τις καινούργιες μαθήτριες.
     Β : Για _____ είναι;
     Α : Για τις καινούργιες μαθήτριες.

5.   Α : Χθες είδα τη Δήμητρα.
     Β : _____ είδες;
     Α : Τη Δήμητρα..

6.   Α : Το σημείωμα ήταν από τον πατέρα σου.
     Β : Από _____ ήταν;
     Α : Από τον πατέρα σου.

> **!**   Πάντα:
> *από, σε, με, για* + **αιτιατική**

Η Αττική έχει ωραίο κλίμα

Η Αττική έχει γενικά πολύ ωραίο κλίμα. Τον χειμώνα δεν κάνει πολύ κρύο και το καλοκαίρι κάνει ζέστη. Την άνοιξη συνήθως έχει δροσιά και το φθινόπωρο είναι ένα μικρό καλοκαίρι: έχει ήλιο, οι θερμοκρασίες είναι ακόμα υψηλές, κάπου κάπου έχει συννεφιά και βρέχει μόνο λίγες φορές.
Ο χειμώνας αρχίζει τον Δεκέμβριο και κρατάει μέχρι τον Μάρτιο. Μετά έρχεται η άνοιξη που κρατάει μέχρι τον Μάϊο. Κανονικά, το καλοκαίρι αρχίζει τον Ιούνιο και συνεχίζει Ιούλιο, Αύγουστο και όλο τον Σεπτέμβριο. Το φθινόπωρο αρχίζει σιγά-σιγά τον Οκτώβριο και πάει μέχρι τον Νοέμβριο.
Βέβαια, ο καιρός δεν είναι κάθε χρόνο ο ίδιος. Για παράδειγμα, πολλές φορές τον χειμώνα δε χιονίζει καθόλου ή καμιά φορά τον Ιούνιο μπορεί να κάνει πάρα πολλή ζέστη.
Το καλοκαίρι οι άνθρωποι πάνε για μπάνιο, επειδή υπάρχουν πολλές ωραίες παραλίες και το βράδυ βγαίνουν και πάνε κάπου κοντά στη θάλασσα, όπου συνήθως έχει δροσιά.
Τον Ιούλιο και τον Αύγουστο πολλοί φεύγουν για διακοπές είτε στα νησιά είτε κοντά σε διάφορες παραλίες μακριά από την Αττική. Τότε, αυτοί που μένουν στην Αθήνα και τον Πειραιά περνάνε καλά γιατί δεν έχει πολύ κόσμο και τα αυτοκίνητα είναι λίγα, που σημαίνει ότι βρίσκεις εύκολα να παρκάρεις και δεν έχει πολύ θόρυβο.

1 Ρωτήστε και απαντήστε

1. Πώς είναι το κλίμα στην Αττική;
2. Πώς είναι ο καιρός τον χειμώνα;
3. Το καλοκαίρι;
4. Την άνοιξη;
5. Πώς είναι το φθινόπωρο;
6. Πότε αρχίζει ο χειμώνας;
7. Ώς πότε κρατάει;
8. Μέχρι πότε κρατάει η άνοιξη;
9. Πότε αρχίζει και πότε τελειώνει το καλοκαίρι;
10. Και το φθινόπωρο;
11. Τον χειμώνα χιονίζει;
12. Πού πάνε οι άνθρωποι το καλοκαίρι;
13. Τι γίνεται τον Ιούλιο και τον Αύγουστο;
14. Γιατί περνάνε καλά αυτοί που μένουν στην Αθήνα και στον Πειραιά;

Η Αττική

Μαραθώνας
Κηφισιά
ΑΘΗΝΑ
Σπάτα   Ραφήνα
ΠΕΙΡΑΙΑΣ
Λούτσα
Κορωπί
Γλυφάδα
Βάρκιζα
Σούνιο

Κοιτάξτε! ☉ ☉

Οι τέσσερις εποχές			
άνοιξη	καλοκαίρι	φθινόπωρο	χειμώνας

| κάνει ή έχει | **ζέστη** **κρύο** **ψύχρα** | έχει | **δροσιά** **αέρα** **ήλιο** **λιακάδα** **συννεφιά** **παγωνιά** **ωραίο καιρό** **άσχημο καιρό** | **βρέχει** **ψιχαλίζει** **χιονίζει** **φυσάει** |

φυσάει = έχει αέρα

κάνει κρύο

κάνει ζέστη

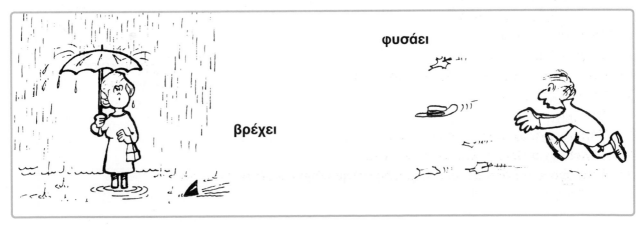

φυσάει

βρέχει

2 Μιλήστε μεταξύ σας και γράψτε τη θερμοκρασία:
Ο Α διαβάζει τον πάνω πίνακα και σκεπάζει τον κάτω.
Ο Β διαβάζει τον κάτω πίνακα και σκεπάζει τον πάνω.

π.χ. Α : Τι θερμοκρασία έχει στην Αλεξάνδρεια σήμερα;
Β : Τριάντα πέντε βαθμούς.
Α : Κάνει ζέστη εκεί. Έχει συννεφιά;
Β : Όχι, έχει ήλιο.

Ο καιρός στον κόσμο					
Αλεξάνδρεια	35 A	Μόντρεαλ	11 Σ		
Άμστερνταμ		Μαϊάμι	32 A		
Αθήνα	28 A	Μόσχα	9 Β		
Βαρκελώνη	23 A	Νέα Υόρκη			
Βερολίνο	17 Σ	Όσλο	14 Β	A : Αίθριος καιρός	
Δουβλίνο	18 Σ	Παρίσι	15 A	Σ : Συννεφιά	
Εδιμβούργο	14 A	Πράγα	16 Σ	Β : Βροχή	
Ελσίνκι		Ρέικιαβικ			
Ζυρίχη	14 Σ	Ρώμη	22 A		
Καζαμπλάνκα	24 A	Στοκχόλμη	10 Β		
Κοπεγχάγη	16 Σ	Τορόντο			
Λονδίνο	15 Σ	Φραγκφούρτη	17 A		
Μαδρίτη					

Αλεξάνδρεια	35 A	Μόντρεαλ			
Άμστερνταμ	14 Σ	Μαϊάμι	32 A		
Αθήνα	28 A	Μόσχα	9 Β		
Βαρκελώνη		Νέα Υόρκη			
Βερολίνο	17 Σ	Όσλο	14 Β	A : Αίθριος καιρός	
Δουβλίνο	18 Σ	Παρίσι	15 A	Σ : Συννεφιά	
Εδιμβούργο		Πράγα	16 Σ	Β : Βροχή	
Ελσίνκι	10 Β	Ρέικιαβικ	6 A		
Ζυρίχη	14 Σ	Ρώμη			
Καζαμπλάνκα	24 A	Στοκχόλμη	10 Β		
Κοπεγχάγη		Τορόντο	8 Σ		
Λονδίνο	15 Σ	Φραγκφούρτη	17 A		
Μαδρίτη	30 A				

Οι μήνες του χρόνου

Ιανουάριος
Φεβρουάριος
Μάρτιος
Απρίλιος
Μάϊος
Ιούνιος
Ιούλιος
Αύγουστος
Σεπτέμβριος
Οκτώβριος
Νοέμβριος
Δεκέμβριος

ΜΑΡΤΙΟΣ

ΔΕΥ	ΤΡΙ	ΤΕΤ	ΠΕΜ	ΠΑΡ	ΣΑΒ	ΚΥΡ
	1	2	3	4	5	6
7	8	9	10	11	12	13
14	15	16	17	18	19	20
21	22	23	24	25	26	27
28	29	30	31			

ένα ημερολόγιο

Κοιτάξτε! ◉ ◉

Τον Ιανουάριο κάνει πολύ κρύο.
Τον Ιούλιο πάντα κάνει ζέστη.

Τα γενέθλιά μου είναι **τον** Νοέμβριο.

Καλό
μήνα!

Ευχαριστώ,
επίσης!

Καλό
καλοκαίρι!

Ευχαριστώ,
επίσης!

Καλό
χειμώνα!

Ευχαριστώ,
επίσης!

3 Μιλήστε μεταξύ σας

Ποιο μήνα είναι τα γενέθλιά σου;

Ποιο μήνα είναι τα Χριστούγεννα;

Ποιος είναι ο πρώτος / ο τρίτος κτλ. μήνας;

Ποιος μήνας έχει συνήθως 28 μέρες;

Ποιος μήνας είναι αμέσως πριν/μετά από τον Ιούλιο / τον Σεπτέμβριο κτλ. ;

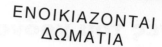

ΕΝΟΙΚΙΑΖΟΝΤΑΙ
ΔΩΜΑΤΙΑ

Η ΩΡΑΙΑ ΕΛΕΝΗ

ΠΟΛΥΤΕΛΗ ΔΩΜΑΤΙΑ ΜΕ ΜΠΑΝΙΟ
ΠΑΡΑΔΟΣΙΑΚΟ ΣΤΥΛ
ΣΧΕΔΟΝ ΠΑΝΩ ΣΤΗ ΘΑΛΑΣΣΑ
ΤΑΒΕΡΝΑ ΔΙΠΛΑ

1η Μαΐου μέχρι 30 Σεπτεμβρίου
Νάουσα - Πάρος

Πληροφορίες : Στην μπουτίκ απέναντι

ΠΑΝΣΙΟΝ
Ο ΠΑΡΝΑΣΣΟΣ

- ΔΩΜΑΤΙΑ ΜΕ ΜΠΑΝΙΟ
- ΕΣΤΙΑΤΟΡΙΟ ΠΑΝΩ ΣΤΗΝ ΠΙΣΤΑ
- ΕΚΔΡΟΜΕΣ ΣΤΟ ΒΟΥΝΟ
- ΚΑΘΗΓΗΤΕΣ ΣΚΙ

ΛΕΙΤΟΥΡΓΕΙ
ΑΠΟ 15 ΝΟΕΜΒΡΙΟΥ ΕΩΣ 15 ΑΠΡΙΛΙΟΥ
ΤΗΛ: 2230 86721-2

ΣΧΟΛΗ
ΘΑΛΑΣΣΙΩΝ ΣΠΟΡ

ΘΑΛΑΣΣΙΟ ΣΚΙ • ΣΕΡΦΙΝΓΚ • ΚΑΤΑΔΥΣΗ
ΕΜΠΕΙΡΟΙ ΚΑΘΗΓΗΤΕΣ
ΛΕΙΤΟΥΡΓΕΙ ΑΠΟ ΜΑΡΤΙΟ ΕΩΣ ΟΚΤΩΒΡΙΟ
ΤΗΛ: 26610 56223

4 Κοιτάξτε τις επιγραφές και μιλήστε μεταξύ σας

Α : Πότε λειτουργεί / είναι ανοιχτή η πανσιόν;

Β : Από τον... ώς τον...

Α : Πού βρίσκεται;

Β : Βρίσκεται...

Α : Τι τηλέφωνο έχει;

Β : . . .

5 Ρωτήστε έναν συμμαθητή σας αν στην πόλη του: βρέχει συχνά, κάνει κρύο τον χειμώνα, κάνει ζέστη το καλοκαίρι κτλ. Ρωτήστε ακόμα πότε έχουνε χειμώνα, αν κάνει ζέστη τον Αύγουστο κτλ.

6 Γράψτε για τον καιρό στην πόλη σας και τη χώρα σας

7 **Ρωτήστε και απαντήστε**

Παράδειγμα

έχεις / Αθήνα; // 3 μήνες

A : Πόσον καιρό έχεις στην Αθήνα;
B : Έχω τρεις μήνες.

1. έχεις / Αθήνα; // 3 μήνες
2. δουλεύεις / Τόκιο; // 2 χρόνια
3. μαθαίνει ελληνικά / Τερέζα; // Μάρτιο
4. είναι / Διονύσης / Μελβούρνη; // 7 χρόνια
5. περιμένεις απάντηση από / Πανεπιστήμιο; // 5 βδομάδες
6. φτιάχνουνε / αυτοκίνητό τους; // Δευτέρα
7. είναι παντρεμένος / Λάμπρος με / Μαριλένα; // 11 μήνες

! Λέμε : δύο/τρία/τέσσερα κτλ. χρόνια
αλλά
ένα χρόνο

Πόσον καιρό έχεις...; = Πόσον καιρό είσαι...;

8 **Ρωτήστε έναν συμμαθητή σας:**

πόσον καιρό | έχει/ είναι στην Ελλάδα κτλ.
μαθαίνει ελληνικά
είναι παντρεμένος/χωρισμένος
μένει στον... / στην... / στο...
σπουδάζει

Μάθημα 21

 ## Άλλα τρία ουζάκια, σε παρακαλώ

Η Κατερίνα έχει τα γενέθλιά της σήμερα. Με την παρέα της τρώνε και πίνουν σ' ένα ουζερί. Κερνάει η Κατερίνα.

Θανάσης	Έλα Κατερίνα. Χρόνια πολλά.
Θωμάς	Να τα κατοστίσεις. Στην υγειά σου.
Πόπη	Να ζήσεις.
Κατερίνα	Ευχαριστώ παιδιά. Νά 'στε καλά. Στην υγειά σας.
	Παρακαλώ, κύριε! Θα θέλαμε μία χταποδάκι, μία τυροπιτάκια,
	μία κεφτεδάκια, μία μελιτζανοσαλάτα κι ένα τζατζίκι.
Πόπη	Τι λέτε και για καμιά γαριδούλα;
Κατερίνα	Ναι. Και μία γαρίδες σαγανάκι. Είμαστε εντάξει;
Θωμάς	Ναι, ναι. Και πολλά είναι.
Κατερίνα	Ε... και άλλα τρία ουζάκια. Εσύ Πόπη, μια μπιρίτσα ακόμα;
Πόπη	Γιατί όχι;
Κατερίνα	Μια μπιρίτσα για την κυρία και λίγα παγάκια ε;

9 Ρωτήστε και απαντήστε

1. Τι έχει η Κατερίνα σήμερα;
2. Πού είναι τώρα με την παρέα της;
3. Τι κάνουν;
4. Ποιος κερνάει; Γιατί;
5. Τι λέει ο Θανάσης στην Κατερίνα για τα γενέθλιά της;
6. Ο Θωμάς;
7. Η Πόπη τι λέει;
8. Τι παραγγέλνει η Κατερίνα στον σερβιτόρο;
9. Τι άλλο λέει η Πόπη να φάνε;
10. Η Πόπη θα πιει ουζάκι ή μια μπιρίτσα;
11. Τι άλλο χρειάζονται για τα ουζάκια τους;

Υποκοριστικά

αρσενικά	σε	**-άκης**	Γιωργάκης, Κωστάκης
	σε	**-άκος**	Ιασωνάκος, δρομάκος
θηλυκά	σε	**-ίτσα**	Ελενίτσα, ταβερνίτσα
	σε	**-ούλα**	κορούλα, ταβερνούλα
αρσενικά			δρομάκι, καφεδάκι
θηλυκά	σε	**-άκι**	Ελενάκι, ταβερνάκι
ουδέτερα			παιδάκι, τραπεζάκι

10 Κοιτάξτε τα υποκοριστικά και γράψτε τα ουσιαστικά

1. η ταβερνούλα   *η ταβέρνα*
2. η Αννούλα _____
3. το δρομάκι _____
4. το πιρουνάκι _____
5. ο Γιαννάκης _____

6. η καρεκλίτσα _____
7. η μανούλα _____
8. ο Νικολάκης _____
9. το κρασάκι _____
10. η μπιρίτσα _____

11 Γράψτε τα υποκοριστικά

1. Αγαπάω πολύ το _____*αγοράκι*_____ μου. (αγόρι)
2. Ο _____ μας είναι πολύ καλός μαθητής. (Δημήτρης)
3. Το _____ της είναι δίπλα στο ταχυδρομείο. (μαγαζί)
4. Στο δωμάτιό μου έχει δύο _____ . (τραπέζι)
5. Πάμε στο σπίτι, _____ μου; (κούκλα)
6. Εκείνο το _____ είναι η κόρη τους. (κορίτσι)
7. Μπορώ να έχω λίγο _____ σας παρακαλώ; (ψωμί)
8. Μήπως είσαι κουρασμένη _____ μου; (Ελένη)
9. _____ , πού είναι το βιβλίο σου; (Γιάννης)

Ο πρώτος είναι πιο ψηλός από τον δεύτερο

Δευτέρα πρωί στο γραφείο...

Τούλα   Καλημέρα, Καίτη. Καλή βδομάδα.

Καίτη   Καλή βδομάδα Τούλα μου.

Τούλα   Τελικά, δεν ήρθες χθες το βράδυ στο σινεμά.

Καίτη   Ναι, ήμουν κουρασμένη. Έμεινα στο σπίτι και είδα μια παλιά ελληνική κωμωδία στην τηλεόραση.

Τούλα   Ήταν καλή;

Καίτη   Καλή. Είχε πλάκα. Είναι τρία αδέλφια. Ο Άρης, ο Αλέκος κι ο Ευάγγελος και αγαπάνε την ίδια γυναίκα, τη Βάσω. Αυτή είναι τριάντα πέντε χρονών, έξυπνη, όχι πολύ ωραία και, βεβαίως, είναι ακόμα ελεύθερη. Μεγάλο πρόβλημα, όπως καταλαβαίνεις, για την εποχή εκείνη! Ο πρώτος, ο Άρης, είναι ψηλός, λεπτός και ωραίος. Δουλεύει σε μια τράπεζα αλλά δυστυχώς δε βγάζει πολλά λεφτά. Ο δεύτερος, ο Αλέκος, είναι πιο κοντός και πιο χοντρός απ' τον Άρη. Είναι πιο μεγάλος αλλά έχει και πιο μεγάλο μισθό. Ο τρίτος, ο Ευάγγελος, είναι ο πιο μεγάλος απ' τους τρεις. Είναι αρκετά χοντρός, κοντός, φαλακρός... Είναι ο πιο κοντός και ο λιγότερο ωραίος. Είναι όμως πολύ πιο καλός και πιο συμπαθητικός απ'τους άλλους δύο και είναι και... πλούσιος. Όπως καταλαβαίνεις, αυτή δεν ξέρει ποιον θέλει, έχει κι αυτή δύο αδελφές που είναι ερωτευμένες μαζί τους και γίνεται ένα μπέρδεμα. Είχε πολύ γέλιο.

Τούλα   Καλά, κάποιες απ' αυτές τις παλιές ταινίες έχουν αλήθεια πολύ γέλιο.

1 Σωστό ή λάθος;

1. Η Καίτη δεν πήγε χθες στο σινεμά.
2. Είδε μια παλιά γαλλική κωμωδία στην τηλεόραση.
3. Στην κωμωδία υπάρχουν τρεις αδελφοί.
4. Και οι τρεις αγαπάνε τη Βάσω.
5. Η Βάσω είναι σαράντα πέντε χρονών.
6. Ο Άρης είναι πιο λεπτός από τον Αλέκο.
7. Ο Αλέκος είναι λιγότερο ψηλός από τον Άρη.
8. Ο Ευάγγελος είναι ο λιγότερο νέος από τους τρεις.
9. Ο Αλέκος είναι ο πιο πλούσιος από τους τρεις.
10. Η Βάσω έχει δύο αδελφές.

Συγκριτικός και Υπερθετικός - Επίθετα
Συγκριτικός
Ο Άρης είναι **πιο** ψηλός **από** τον Αλέκο. Η Βάσω είναι **λίγο πιο** μικρή **από** τον Άρη. Ο Ευάγγελος είναι **πολύ πιο** μεγάλος **από** τη Βάσω. Ο Αλέκος είναι **λιγότερο** ψηλός **από** τον Άρη. Ο Αλέκος δεν είναι **τόσο** λεπτός **όσο** ο Άρης. Η Βάσω δεν είναι **τόσο** ψηλή **όσο** ο Αλέκος.
Υπερθετικός
Ο Άρης είναι **ο πιο** ψηλός **από** τους τρεις. Η Βάσω είναι **η πιο** μικρή **απ'** όλους. Ο Ευάγγελος είναι **ο λιγότερο** ωραίος **από** τους τρεις.

2 Ρωτήστε και απαντήστε για τον Αλέκο, τον Άρη και τον Ευάγγελο

π.χ.   Ο Αλέκος είναι πιο ψηλός από τον Άρη;
         Ποιος είναι ο πιο λεπτός από τους τρεις; κτλ.

3 Γράψτε τη σωστή πρόταση 🖋

1. Άρης / ψηλός / Αλέκος (πιο)
   Ο Άρης είναι πιο ψηλός από τον Αλέκο.

2. Αλέκος / κοντός / Άρης (πιο)
   _____

3. Άρης / νέος / Αλέκος (πιο)
   _____

4. Ευάγγελος / μεγάλος / τρεις (πιο)
   _____

5. Άρης και Αλέκος / πλούσιοι / Ευάγγελος (λιγότερο)
   _____

6. Αλέκος / δεν / συμπαθητικός / Ευάγγελος (τόσο... όσο...)
   _____

7. Ευάγγελος / πλούσιος / άλλους δύο (πιο)
   _____

8. Αλέκος και Ευάγγελος / ψηλοί / Άρης (λιγότερο)
   _____

9. Αλέκος / δεν / λεπτός / Άρης (τόσο... όσο...)

4 Γράψτε τη σωστή λέξη και βρείτε για ποιον από τους τρεις αδελφούς μιλάμε 🖋

1. Ο _**Ευάγγελος**_ είναι πιο συμπαθητικός απ' αυτόν.

2. Αυτός είναι _____ νέος απ' τον Άρη.

3. Αυτός _____ πιο πολλά λεφτά απ' τον Άρη.

4. Αυτός είναι λιγότερο _____ απ' τον Ευάγγελο.

5. Ο Άρης είναι πιο _____ απ' αυτόν.

6. Ο _____ είναι πιο νέος απ' αυτόν.

5 Μιλήστε μεταξύ σας (α) για την οικογένειά σας,
(β) για την καθηγήτριά σας και (γ) για τους συμμαθητές σας

Παράδειγμα

Ποιος είναι πιο μεγάλος; Ο αδελφός σου ή η αδελφή σου;
Ποια είναι πιο ψηλή; Η καθηγήτριά σου ή εσύ; κτλ.

6 Διαλέξτε το σωστό

1. Η Έλλη είναι _____*πιο*_____ ψηλή από τη μητέρα της.
   α. όσο   β. πιο   γ. από

2. Η Αθήνα δεν είναι _____ ωραία όσο η Θεσσαλονίκη.
   α. όσο   β. πιο   γ. τόσο

3. Ο γιος μας είναι πιο όμορφος από _____ τους.
   α. τον γιο   β. ο γιος   γ. γιο

4. Η Μάριον είναι _____ πιο λεπτή από τις τέσσερις.
   α. η   β. λιγότερο   γ. όσο

5. Ο Αχιλλέας είναι τόσο χοντρός όσο _____ του.
   α. τον πατέρα   β. ο πατέρας   γ. πατέρας

6. Αυτές οι μηχανές είναι _____ ακριβές από εκείνες.
   α. πολύ   β. όσο   γ. λιγότερο

7. Το Ηράκλειο είναι πιο μεγάλο _____ τα Ιωάννινα.
   α. πιο   β. τόσο   γ. από

8. Αυτοί οι υπολογιστές είναι _____ πιο φτηνοί από εκείνους.
   α. λίγο   β. λιγότερο   γ. από

9. Ο κύριος Καραμάνος είναι _____ πλούσιος από τους πέντε.
   α. όσο   β. λιγότερο   γ. ο πιο

Κοιτάξτε! ☉ ☉   Κάποιος μπορεί να είναι

> ψηλός ή κοντός.
> χοντρός ή λεπτός / αδύνατος

Μπορεί να έχει

> μαύρα
> καστανά
> κόκκινα
> ξανθά
> γκρίζα
> άσπρα

μαλλιά. Τα μαλλιά του μπορεί να είναι

> ίσια
> κατσαρά / σγουρά
> μακριά ή κοντά

Μπορεί να έχει

> καστανά
> πράσινα
> γκρίζα
> γαλανά

μάτια.

7   **Περιγράψτε στην τάξη τον Πάνο, την Αριάδνη, τον Μιχάλη και την Ιωάννα.**
Μαντέψτε τι χρώμα έχουν τα μαλλιά τους και τα μάτια τους

Ιωάννα   Μιχάλης   Αριάδνη   Πάνος

8 Συγκρίνετε τον Κώστα, τη Χρυσάνθη, τον Μάρκο και την Ελένη

Κώστας   Χρυσάνθη   Μάρκος   Ελένη

9 Περιγράψτε στην τάξη δύο ή τρεις συμμαθητές σας.
Οι άλλοι πρέπει να μαντέψουν για ποιον μιλάτε

π.χ. Είναι ψηλός και λεπτός. Έχει μαύρα κατσαρά μαλλιά και φοράει γυαλιά. Ποιος είναι;

10 Γράψτε για την οικογένειά σας ή ένα φίλο σας ή μια φίλη σας

Μάθημα 22

 ## Στο ταχυδρομείο

Θανάσης	Καλημέρα. Αυτό το γράμμα εξπρές για Ιρλανδία.
	Κι αυτά τα τρία για Βέλγιο.
Υπάλληλος	Κι αυτά πάνε εξπρές;
Θανάσης	Όχι, απλά.
Υπάλληλος	Λοιπόν. Αυτά τα γραμματόσημα είναι για το εξπρές και αυτά για τα άλλα τρία.
	Πέντε και εβδομήντα όλα μαζί.
Θανάσης	Έχω κι αυτό το δέμα για Αυστραλία.
Υπάλληλος	Είναι πάνω από δύο κιλά;
Θανάσης	Ναι, πρέπει να είναι γύρω στα τρία.
Υπάλληλος	Ε τότε θα πάτε στη θυρίδα που γράφει "Δέματα". Εκεί απέναντι.
Θανάσης	Εντάξει, ευχαριστώ.
Ένας κύριος	Ε... αυτό για την Πάτρα. Συστημένο.

11 Ρωτήστε και απαντήστε

1. Τι θέλει να στείλει ο Θανάσης στην Ιρλανδία;
2. Πώς θέλει να το στείλει;
3. Πού πάνε τα άλλα τρία γράμματα;
4. Αυτά θα τα στείλει εξπρές ή απλά;
5. Πόσο κάνουν τα γραμματόσημα;
6. Γιατί δεν μπορεί να στείλει το δέμα απ' αυτή τη θυρίδα;
7. Πού πρέπει να πάει για το δέμα;
8. Ο κύριος μετά απ' τον Θανάση πώς θέλει να στείλει το γράμμα;

12 Παίξτε ένα ρόλο

1. Θέλετε να στείλετε δύο γράμματα σ' έναν φίλο σας στο Παρίσι.
Ένα απλό κι ένα συστημένο. Τα γραμματόσημα κάνουν τρία και ογδόντα.

2. Έχετε να στείλετε τρεις κάρτες στο Αμβούργο. Τα γραμματόσημα κάνουν
δύο κι εβδομήντα. Επίσης λέτε στην υπάλληλο ότι έχετε ένα δέμα για τη Βουδαπέστη.
Σας ρωτάει αν το δέμα είναι πάνω από δύο κιλά. Εσείς λέτε στην υπάλληλο ότι σίγουρα
είναι πάνω από δύο κιλά. Σας λέει ότι πρέπει να πάτε στη θυρίδα 4 που λέει "Δέματα".

13 Γράψτε έναν από τους διαλόγους που είπατε ✍

14 Ακούστε την ερώτηση και βρείτε τη σωστή απάντηση

1.	(α)	Έχει καλό καιρό.
	(β)	Δύο μήνες.
	(γ)	Θα είμαι εδώ σε δύο μήνες.
2.	(α)	Στο σινεμά.
	(β)	Δεν πήγα.
	(γ)	Θα πάω το Σάββατο.
3.	(α)	Ναι, σε είδε.
	(β)	Όχι, δε σε είδε.
	(γ)	Ναι, με είδε.
4.	(α)	Με την Τατιάνα.
	(β)	Με τον Τάκη.
	(γ)	Με τον Γιώργο και την Ελένη.
5.	(α)	Όχι, δεν έχω.
	(β)	Ναι, έχει παγωνιά.
	(γ)	Όχι, κάνει πολύ κρύο.

Αν φύγεις πριν από τις 11, θα τον βρεις εκεί

Ο Σπύρος έχει ένα μικρό τυπογραφείο. Θα λείψει για δύο ώρες, γιατί έχει ραντεβού μ' έναν καινούργιο πελάτη. Αφήνει ένα σημείωμα στον Σταμάτη, τον υπάλληλο που κάνει κάθε μέρα τις εξωτερικές δουλειές.

Σταμάτη,

Υπάρχουν δυο δουλειές για σήμερα.
Πρέπει να γίνουν και οι δύο, οπωσδήποτε.
Θα πάρεις λεφτά απ' το Δημόπουλο και θα δώσεις έναν φάκελο
στον Κωνσταντίνου. Ο φάκελος είναι στο γραφείο μου.
Πήγαινε πρώτα στο Δημόπουλο. Αν φύγεις πριν από τις 11,
θα τον βρεις εκεί. Αν όχι, θα πάρεις τα λεφτά από τη Μαρίνα.
Μετά πήγαινε στον Κωνσταντίνου. Θα δώσεις τον φάκελο
ή στον ίδιο ή στον άλλο κύριο που είναι στο απέναντι γραφείο.
Ύστερα έλα στο τυπογραφείο. Εγώ θα έρθω κατά τις 12.

Σπύρος

---

1 Ρωτήστε και απαντήστε

1. Τι δουλειά κάνει ο Σπύρος;
2. Τι δουλειά κάνει ο Σταμάτης;
3. Τι δουλειές έχει να κάνει ο Σταμάτης σήμερα;
4. Πού πρέπει να πάει πρώτα;
5. Τι θα γίνει αν φύγει πριν από τις 11;
6. Αν δεν είναι εκεί ο Δημόπουλος, από ποιον θα πάρει τα λεφτά;
7. Μετά πού θα πάει;
8. Σε ποιον θα δώσει τον φάκελο;
9. Πού θα πάει μετά;
10. Τι ώρα θα γυρίσει ο Σπύρος στη δουλειά;

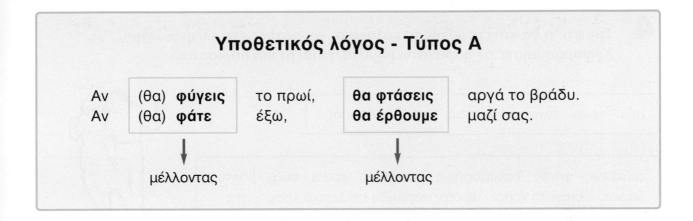

Υποθετικός λόγος - Τύπος Α

Αν	(θα) **φύγεις**	το πρωί,	**θα φτάσεις**	αργά το βράδυ.
Αν	(θα) **φάτε**	έξω,	**θα έρθουμε**	μαζί σας.
	↓		↓	
	μέλλοντας		μέλλοντας	

2 Ρωτήστε έναν συμμαθητή σας τι θα κάνει...

1. αν πάει στη Ρώμη / στη Μόσχα / στο Ρίο ντε Ζανέιρο / στην Αθήνα
2. αν μείνει στο σπίτι απόψε
3. αν ο καιρός είναι καλός την Κυριακή
4. αν έρθει ένας φίλος / μια φίλη απόψε στο σπίτι του
5. αν δεν πάει στη δουλειά αύριο το πρωί
6. αν δει έναν... κροκόδειλο στο μπάνιο του
7. αν βρει ένα πορτοφόλι με πολλά λεφτά στον δρόμο

3 Βάλτε τα ρήματα στον σωστό τύπο

1. Αν _φτάσεις_ νωρίς το απόγευμα, θα τον ___δεις___ . (εσύ, φτάνω, βλέπω)

2. Αν _____ μηχανή, δεν θα _____ κι αυτοκίνητο. (εγώ, αγοράζω, παίρνω)

3. Αν ο καιρός _____ καλός, θα _____ στην παραλία. (είμαι, εμείς, πηγαίνω)

4. Αν _____ τα παιδιά σας, θα _____ με την Καιτούλα. (έρχομαι, παίζω)

5. Αν _____ στις 7, θα _____ στο αεροδρόμιο στις 9. (αυτές, ξυπνάω, είμαι)

6. Αν _____ στο σπίτι, θα _____ μουσική. (εμείς, μένω, ακούω)

7. Αν _____ στο σπίτι, θα _____ κάτι κινέζικο. (εσείς, έρχομαι, εγώ, μαγειρεύω)

4 Γράψτε τι θα κάνετε φέτος το καλοκαίρι, αν πάτε σ' ένα ελληνικό νησί. ✎
Χρησιμοποιήστε τα παρακάτω ρήματα, επίθετα και ουσιαστικά

πάω - τρώω - πίνω - κολυμπάω - χορεύω - αγοράζω

ταβέρνες - ψάρια - καλαμαράκια - μουσακάς - κρασί - ούζο - βόλτες
βάρκα - ελληνικοί χοροί - ωραίες παραλίες - ελληνικά κοσμήματα

Προστακτική

	Ενικός	Πληθυντικός
έρχομαι	έλα	ελάτε
πηγαίνω (πάω)	πήγαινε	πηγαίνετε
φεύγω	φύγε	φύγετε
περιμένω	περίμενε	περιμένετε
κάθομαι	κάθισε ή κάτσε	καθίστε

5 Βάλτε τα ρήματα στην προστακτική

1. Νατάσα, ___**πήγαινε**___ στο γραφείο τώρα. Σε θέλει η καθηγήτρια. (πηγαίνω)

2. Παιδί μου, _____ ακόμα λίγο. Το φαγητό δεν είναι έτοιμο. (περιμένω)

3. _____ κύριε Κοσμά. Ο κύριος Νικολάου θα σας δει σε πέντε λεπτά. (κάθομαι)

4. _____ Κώστα. Ο Θωμάς είμαι. Πώς πάει; (έρχομαι)

5. _____ στη σειρά σας κύριε. Η κυρία είναι πριν από σάς. (περιμένω)

6. _____ Ελένη μου. Εγώ πάω να φτιάξω καφέ. (κάθομαι)

7. _____ σε παρακαλώ. Δεν έχουμε να πούμε τίποτε. (φεύγω)

και οι δύο, και τα δύο

Α : Θα έρθει ο Γιώργος ή ο Δημήτρης;
Β : Θα έρθουν **και οι δύο**.

Α : Ποιον είδες; Τον Σταύρο ή την Έφη;
Β : Είδα **και τους δύο**.

Α : Ποια τσάντα θα πάρετε από τις δύο;
Β : Θα πάρω **και τις δύο**.

Α : Το μαύρο ή το καφέ;
Β : **Και τα δύο**.

κάθε

Κάνω μπάνιο **κάθε μέρα**.
Κάθε Σάββατο παίζω μπάσκετ.
Πάμε **κάθε χρόνο** διακοπές στην Κέρκυρα.
Κάθε πότε πας στο σινεμά;
Κάθε μεγάλη πόλη έχει και νοσοκομείο.

άλλος, -η, -ο

Δεν θέλω αυτό το φόρεμα θέλω το **άλλο**.
Ο **άλλος** υπολογιστής είναι πιο φτηνός.
Δεν θα πάρω αυτές, θα πάρω τις **άλλες** δύο.
Δεν θα έρθουνε μαζί μας, θα πάνε με τους **άλλους**.

6 Γράψτε το σωστό ✎

1. "Ποιος ήρθε τελικά; Ο Πέτρος ή ο Άλκης;" "Ήρθαν __γ__ ."
   α. και τα δύο   β. και τους δύο   γ. και οι δύο

2. "Αυτές οι καρέκλες σ' αρέσουν;" "Όχι πολύ. Προτιμώ _____ ."
   α. τις άλλες   β. οι άλλες   γ. άλλες

3. "Κάθε πότε πας στο γυμναστήριο;" " _____ Τρίτη και Παρασκευή."
   α. Άλλη   β. Κάθε   γ. Την

4. "Σας αρέσει το ούζο ή το κρασί;" "Μ' αρέσουν _____ ."
   α. και τα δύο   β. και οι δύο   γ. και τις δύο

5. "Πας συχνά στο σινεμά;" "Ναι, πάω _____ βδομάδα."
   α. τη   β. την άλλη   γ. κάθε

6. "Θα φύγεις αυτή την Πέμπτη;" "Όχι, θα φύγω _____ Πέμπτη."
   α. κάθε   β. την άλλη   γ. την

Θέλω να κάνω μια κατάθεση

Ελένη   Καλημέρα. Θέλω να κάνω μία κατάθεση στο λογαριασμό 131-002104-13098.

Ταμίας   Παπανικολάου Ιωάννα;

Ελένη   Ναι, ακριβώς.

Ταμίας   Πόσα θα βάλετε;

Ελένη   Τριακόσια πενήντα δύο ευρώ. Είναι για το ενοίκιο.

Ταμίας   Το όνομά σας;

Ελένη   Ελένη Δημητριάδη.

Ταμίας   Μια υπογραφή εδώ παρακαλώ.

Ελένη   Θα ήθελα να κάνω και μία ανάληψη πεντακόσια ευρώ.

Ταμίας   Το βιβλιάριο και την ταυτότητά σας.

Ελένη   Α, συγνώμη. Ορίστε.

Ταμίας   Πόσα είπατε ότι θέλετε να πάρετε; Πεντακόσια;

Ελένη   Μάλιστα. Εε... ξέρετε, θα ήθελα να βγάλω και μία πιστωτική κάρτα.

Ταμίας   Για πιστωτικές θα πάτε στην κυρία Δήμου, δεύτερο γραφείο αριστερά.

Ελένη   Νά 'στε καλά. Ευχαριστώ.

7   Σωστό ή λάθος;

1. Η Ελένη είναι στην τράπεζα.
2. Θέλει να κάνει μια κατάθεση στον λογαριασμό 131 - 002104 - 12498.
3. Θέλει να βάλει στον λογαριασμό τριακόσια πενήντα δύο ευρώ.
4. Τα λεφτά είναι για το ενοίκιο.
5. Θέλει να κάνει και μία ανάληψη πενήντα ευρώ.
6. Η Ελένη δεν έχει βιβλιάριο.
7. Δεν μπορεί να βγάλει πιστωτική κάρτα στο ίδιο ταμείο.

Κοιτάξτε! ☉ ☉

Αν δεν θέλουμε να έχουμε λεφτά στο σπίτι, τα βάζουμε στην τράπεζα, σ' έναν **λογαριασμό**. Όταν δεν έχουμε λογαριασμό, **ανοίγουμε** έναν.

Όταν βάζουμε λεφτά σ' έναν λογαριασμό, κάνουμε μία **κατάθεση**.

Όταν παίρνουμε λεφτά από έναν λογαριασμό, κάνουμε μία **ανάληψη**.

Για να βάλουμε ή να πάρουμε χρήματα από τον λογαριασμό μας, δίνουμε το **βιβλιάριό** μας.

Αν θέλουμε, μπορούμε να κάνουμε μια κατάθεση ή μια ανάληψη στην **Αυτόματη Ταμειακή Μηχανή (ΑΤΜ)**.

Σ' ένα κατάστημα μπορούμε να πληρώσουμε και με **πιστωτική κάρτα**.

Στην τράπεζα επίσης μπορούμε να **χαλάσουμε** π.χ. δολάρια, γιεν κτλ. και να πάρουμε ευρώ.

8 Είστε στην τράπεζα. Παίξτε ένα ρόλο

1. Θέλετε να κάνετε μια κατάθεση στον λογαριασμό 044-5678931-13459.
   Θέλετε να βάλετε € 410. Τα λεφτά είναι για ενοίκιο. Αυτός που έχει τον λογαριασμό λέγεται Δημήτρης Καραμάνογλου. Θέλετε να κάνετε και μια ανάληψη € 150 από τον λογαριασμό σας. Δεν έχετε ταυτότητα, έχετε διαβατήριο.

2. Θέλετε ν' ανοίξετε έναν λογαριασμό. Ο υπάλληλος ζητάει το όνομά σας, τη διεύθυνσή σας και το τηλέφονό σας. Στον λογαριασμό αυτό θα κάνετε μία κατάθεση € 1500.
   Θέλετε επίσης να βγάλετε μια πιστωτική κάρτα που είναι και cashcard.
   Για την κάρτα θα πάτε στον κύριο Γρηγοριάδη, στο υπόγειο.

Ούτε κι εμένα

Πέτρος	Τι λες να κάνουμε απόψε;
Άννα	Δεν ξέρω. Έχεις εσύ καμιά καλή ιδέα;
Πέτρος	Θέλεις να πάμε σινεμά; Στο "Άστυ" παίζει μια καλή κινέζικη ταινία. Θα πάνε κι ο Γιώργος με την Έλλη.
Άννα	Δε μ' αρέσουν οι κινέζικες ταινίες.
Πέτρος	Εμένα μ' αρέσουν αλλά δεν πειράζει. Μήπως θέλεις να πάμε στο θέατρο; Βέβαια εμένα το θέατρο δε μ' αρέσει και πολύ.
Άννα	Ούτε κι εμένα. Το ξέρεις.
Πέτρος	Τότε μήπως προτιμάς να πάμε σ' ένα μπαράκι και μετά...
Άννα	Όχι, όχι. Θέλω κάτι άλλο.
Πέτρος	Καλά, δεν θέλεις ούτε σινεμά ούτε θέατρο ούτε μπαράκι. Τι θέλεις ρε κορίτσι μου;
Άννα	Δεν ξέρω. Θέλω περιπέτεια, θέλω κάτι εξωτικό...

9 Σωστό ή λάθος;

1. Η Άννα ξέρει τι θέλει να κάνει απόψε.
2. Στο "Άστυ" παίζει μια κινέζικη ταινία.
3. Στο σινεμά θα είναι κι ο Πέτρος με την Άννα.
4. Η Άννα δεν θέλει να δει κινέζικη ταινία.
5. Τελικά θα πάνε στο θέατρο.
6. Η Άννα θέλει να πάει στο μπαρ.
7. Η Άννα θέλει περιπέτεια.

Α : Θα πάω διακοπές στη Σίφνο.
Β : **Κι εγώ**. / **Εγώ όχι**.

Α : Αγοράσαμε καινούργιο αυτοκίνητο.
Β : **Κι εμείς**. / **Εμείς όχι**.

Α : Μπορώ να πάρω την εφημερίδα σου;
Β : Ναι αλλά τη θέλει **και η Ελένη**.

Α : Ποια μιλάει αραβικά; Η Μαίρη ή η Λέλα;
Β : **Ούτε** η Μαίρη **ούτε** η Λέλα.

Α : Ποιον θα δεις απόψε;
Τον Παύλο ή τον Αλέξη;
Β : **Ούτε** τον ένα **ούτε** τον άλλο.

Α : Τώρα ή μετά;
Β : **Ούτε** τώρα **ούτε** μετά.

Α : Δεν θα πάω στο σινεμά.
Β : **Ούτε (κι)** εγώ.

Α : Δεν έφαγα τίποτα.
Β : **Ούτε (κι)** η γυναίκα σου.

Α : Σ' / Σας αρέσει το ούζο;
Β : Ναι, μ' αρέσει. **Εσένα / Εσάς**;
Α : **Κι εμένα** μ' αρέσει. / Όχι, δε μ' αρέσει.

Α : Μ' αρέσει η κλασική μουσική.
Β : **Κι εμένα**.

Α : Δε μ' αρέσουν οι γαρίδες.
Β : **Ούτε κι εμένα**.

10 Διαλέξτε το σωστό

1. "Χθες το βράδυ έμεινα στο σπίτι." " <u>Κι εγώ.</u> / Κι εμένα. / Ούτε κι εγώ. "
2. "Η Βάσω ή η Ρένα θα πάει στο Ναύπλιο;" " Ούτε κι εγώ. / Κι εμείς. / Ούτε η μία ούτε η άλλη. "
3. "Δε μ' αρέσει ο μουσακάς." " Κι εμένα μ' αρέσει. / Εμένα μ' αρέσει. / Ούτ' εγώ. "
4. "Είμαι πολύ κουρασμένος σήμερα." " Εγώ, όχι. / Ούτε κι εγώ. / Κι εμένα. "
5. "Μ' αρέσουν τα παιδιά." " Κι εμένα. / Εγώ όχι. / Ούτε κι εμείς. "
6. "Μόνο εσύ θα είσαι;" " Όχι, ούτε η Μαρία. / Όχι, θα είναι κι η Μαρία. / Ναι, θα είμαι κι εγώ. "
7. "Σπαγγέτι ή μπριζόλα;" " Ούτε το ένα ούτε το άλλο. / Ούτε κι εγώ. / Κι εμένα. "
8. "Δε μαγείρεψα τίποτε για σήμερα." " Εγώ, όχι. / Ούτε κι εμένα. / Ούτε κι εγώ. "

11 Ακούστε την ερώτηση και διαλέξτε τη σωστή απάντηση

1.	(α)	Χθες.
	(β)	Ο Ιανουάριος.
	(γ)	Τον Ιανουάριο.
2.	(α)	Ναι, είναι πιο λεπτός.
	(β)	Ναι, είναι λιγότερο λεπτός.
	(γ)	Ναι, είναι πιο χοντρός.
3.	(α)	Κι εγώ.
	(β)	Κι εμένα.
	(γ)	Ούτε κι εμένα.
4.	(α)	Ούτε εμείς.
	(β)	Κι εμείς.
	(γ)	Κι εγώ δεν έχω.

Δε μ' αρέσει πολύ το πουκάμισό σου.

Ούτε κι εμένα.

Επανάληψη Μαθημάτων 19-23

1 Βρείτε τη λέξη που είναι διαφορετική

1.	κάνω μπάνιο	παραλία	θάλασσα	δρόμος
2.	ακούσω	φάμε	μείνουνε	ξυπνάτε
3.	κοντή	συμπαθητική	χοντρή	ψηλή
4.	πάμε	ερχόμαστε	ήμασταν	μπορούμε
5.	τηλεόραση	ταχυδρομείο	γράμμα	γραμματόσημο
6.	είδανε	περιμένανε	ήπιανε	διαβάζουνε
7.	με	μας	τον	εγώ
8.	ουζάκι	μπιρίτσα	χταπόδι	Δημητράκης
9.	καλοκαίρι	ζέστη	άνοιξη	χειμώνας
10.	αύριο	χθες	πέρσι	προχτές
11.	κατσαρά	γαλανά	ίσια	κοντά
12.	Πώς;	Παρακαλώ;	Εμπρός;	Λέγετε;

2 Βάλτε τα ρήματα στον μέλλοντα ή στην υποτακτική

1. Λέμε _**να γυρίσουμε**_ κατά τις εφτά. (γυρίζω)

2. Τα παιδιά _____ στο σπίτι απόψε και _____ τηλεόραση. (μένω) (βλέπω)

3. Ο Κώστας κι εγώ _____ χαρτιά. Εσείς τι _____ ; (παίζω) (κάνω)

4. Τι ώρα θέλετε _____ στην Αθήνα; (φτάνω)

5. Εγώ δεν μπορώ _____ στο σχολείο σήμερα. (έρχομαι)

6. Εμείς _____ νωρίς γιατί θέλουμε _____ εκεί στις οχτώ. (ξεκινάω) (είμαι)

7. Εσείς δεν _____ τίποτε ώς το μεσημέρι; _____ σίγουρα. (τρώω) (πεινάω)

8. Σοφία, γιατί θέλεις _____ το αυτοκίνητό μου; (παίρνω)

9. Ελένη, τι ώρα πρέπει _____ το πρωί; (ξυπνάω)

10. Ο Γιωργάκης δεν θέλει _____ το γάλα του. (πίνω)

11. Σήμερα έχω _____ γιατί περιμένω δυο φίλους μου. (μαγειρεύω)

12. Η Έφη κι η Γεωργία _____ λεφτά για τους "Γιατρούς Χωρίς Σύνορα". (δίνω)

3 Μιλήστε μεταξύ σας. Χρησιμοποιήστε τα επίθετα "μεγάλο", "μικρό", "ακριβό", "φτηνό", "ωραίο", "γρήγορο"

Παράδειγμα

A : Ποιο αυτοκίνητο είναι πιο ακριβό; Το πρώτο ή το δεύτερο;

B : Μάλλον το δεύτερο είναι πιο ακριβό.

A : Και ποιο είναι το πιο ακριβό από τα τρία;

B : Νομίζω το τρίτο.

1

2

3

4 Διαλέξτε το σωστό

1. Πού *ήσουν* / θα είσαι την περασμένη Τετάρτη;
2. Πόσον καιρό έχετε *από την* / *στην* Αμερική;
3. Αύριο τα παιδιά πρέπει να *τηλεφωνούν* / *τηλεφωνήσουν* στη μαμά τους.
4. "Δε μ 'αρέσει το ουΐσκι." "Ούτε κι *εμένα* / *εγώ* ."
5. Με *ποιος* / *ποιον* πήγες στην Ύδρα το καλοκαίρι;
6. Μεθαύριο μπορεί να *βγαίνουμε* / *βγούμε* με την καθηγήτριά μας.
7. Ο Πήτερ προσπαθεί να *να* / *θα* μιλήσει ελληνικά.
8. "Εμπρός;" " *Ο κύριος Ζερβός* / *Τον κύριο Ζερβό* , παρακαλώ."
9. Η Τατιάνα είναι *όσο* / *τόσο* ωραία όσο και η αδελφή της.
10. Αν *φάμε* / *τρώμε* νωρίς, θα πάμε στο σινεμά.
11. Θα έρθω στη Θεσσαλονίκη *τον Ιούνιο* / *ο Ιούνιος* .
12. Αυτοί οι υπολογιστές είναι πιο *ακριβούς* / *ακριβοί* από τους άλλους.

5 Βάλτε τη σωστή λέξη

> χορέψουμε - λιμάνι - καταπληκτικό - καλέσω - πλοία - κλίμα - χειμώνα - νησιά - παραλία - συννεφιά - μισθός - έξυπνος

1. Η ταβέρνα δίπλα στο σπίτι μας έχει ___*καταπληκτικό*___ φαγητό.
2. Τον _____ στον Καναδά κάνει πολύ κρύο.
3. Στην Αθήνα δεν έχει συχνά _____ .
4. Αύριο το βράδυ θα πάμε να _____ ελληνικούς χορούς.
5. Ο Μάρκος είναι πιο _____ από τον αδελφό του.
6. Έχει μια πολύ ωραία _____ με πολύ καθαρά νερά λίγο πιο κάτω.
7. Απ' αυτό το _____ φεύγουν τρία _____ κάθε μέρα.
8. Το Αιγαίο Πέλαγος έχει πιο πολλά _____ από το Ιόνιο.
9. Προτιμώ να δουλέψω εκεί γιατί ο _____ είναι πιο υψηλός.
10. Σκέφτομαι να τους _____ στο σπίτι μου την άλλη εβδομάδα.
11. Η νότια Γαλλία έχει πιο ωραίο _____ από τη βόρεια.

6 Τελειώστε κάθε πρόταση, όπως εσείς νομίζετε

1. Αν έρθεις απόψε, _____ .
2. Θα αγοράσω καινούργιο υπολογιστή αν _____ .
3. Αν ο καιρός είναι καλός το σαββατοκύριακο, _____ .
4. Θα φύγω αργά απ' το γραφείο αν _____ .
5. Αν πάω στην Καλαμπάκα, _____ .
6. Θα μείνουμε στο σπίτι αν _____ .
7. Θα περάσουμε πολύ ωραία αν _____ .

7 Βάλτε τα ρήματα στον αόριστο

Την περασμένη Δευτέρα ____*πήγα(με)*____ (πάω) με την αδελφή μου στην Τσιμισκή για ψώνια.

_____ (έρχομαι) μαζί μας κι η Ελένη. Η Ελένη πάντα αργεί κι έτσι την _____

(περιμένω) περίπου μισή ώρα. _____ (αγοράζω) ρούχα, παπούτσια και βιβλία.

Στο δρόμο _____ (βλέπω) τον Τάκη. _____ (είμαι) με την καινούργια φίλη

του, την Αλεξάνδρα. _____ (πάω) όλοι μαζί και _____ (τρώω) σ' ένα ωραίο

εστιατόριο, στα Λαδάδικα. _____ (είμαι), βέβαια, λίγο ακριβό.

Ο Τάκης με την Αλεξάνδρα _____ (φεύγω) κατά τις τρεις. Εμείς _____

(μένω) λίγο ακόμα και _____ (πίνω) ένα καφεδάκι. Όταν _____ (γυρίζω)

στο σπίτι κατά τις πέντε, _____ (είμαι) λίγο κουρασμένες.

8 Βρείτε ρήματα στον αόριστο, στην υποτακτική (χωρίς το "να"), και μία γνωστή προστακτική. Ψάξτε οριζόντια, κάθετα και διαγώνια

Π	Δ	Κ	Α	Π	Ν	Ι	Σ	Ω	Α
Α	Κ	Α	Ν	Ε	Ι	Λ	Ξ	Χ	Γ
Ρ	Τ	Υ	Μ	Δ	Ψ	Ι	Π	Γ	Ο
Ω	Ο	Υ	Ε	Φ	Α	Ω	Α	Υ	Ρ
Δ	Ο	Ε	Ι	Π	Α	Μ	Ε	Ρ	Α
Δ	Ψ	Χ	Ν	Λ	Τ	Ν	Ι	Ι	Σ
Ε	Ρ	Θ	Ε	Ι	Α	Χ	Τ	Σ	Ε
Ι	Λ	Δ	Ι	Φ	Α	Ε	Ι	Ω	Σ
Σ	Τ	Α	Κ	Ο	Υ	Σ	Α	Ι	Γ

Η Ελλάδα σήμερα

Η Ελλάδα βρίσκεται στην νοτιοανατολική Ευρώπη. Είναι μια σχετικά μικρή χώρα. Η έκτασή της είναι 132.000 τετραγωνικά χιλιόμετρα και έχει περίπου 11.000.000 κατοίκους. Βόρεια συνορεύει με την Αλβανία, την Πρώην Γιουγκοσλαβική Δημοκρατία της Μακεδονίας (ΠΓΔΜ) και τη Βουλγαρία και βορειοανατολικά με την Τουρκία. Πρωτεύουσά της είναι η Αθήνα και μεγάλες πόλεις είναι η Θεσσαλονίκη, η Πάτρα, το Ηράκλειο, τα Ιωάννινα, ο Βόλος και η Λάρισα.

Είναι χώρα ορεινή. Έχει πολλά βουνά και το πιο ψηλό απ' αυτά είναι ο Όλυμπος.

Έχει πάνω από 2.000 νησιά αλλά μόνο 200 απ' αυτά περίπου έχουν κατοίκους. Το πιο μεγάλο νησί είναι η Κρήτη. Άλλα γνωστά νησιά είναι η Ρόδος, η Μύκονος και η Σαντορίνη στο Αιγαίο Πέλαγος, η Κέρκυρα και η Κεφαλονιά στο Ιόνιο Πέλαγος.

Η Ελλάδα έχει γενικά ωραίο κλίμα. Το καλοκαίρι κάνει ζέστη παντού και το χειμώνα κάνει κρύο στη βόρεια Ελλάδα ενώ στην υπόλοιπη χώρα δεν έχει πολύ κρύο.

Υπάρχουν πολλά αρχαία μνημεία, όπως ναοί, θέατρα, αγάλματα, τάφοι κ.ά. Αυτά μαζί με το ωραίο της κλίμα, τις φυσικές της ομορφιές, τις καταπληκτικές παραλίες, τα καθαρά νερά, τα όμορφα νησιά και την ωραία της κουζίνα, κάνουν εκατομμύρια τουρίστες να έρχονται κάθε χρόνο στην Ελλάδα.

9 Ρωτήστε και απαντήστε

1. Πού βρίσκεται η Ελλάδα;
2. Είναι σχετικά μικρή ή μεγάλη χώρα;
3. Τι έκταση έχει;
4. Πόσους κατοίκους έχει σήμερα;
5. Με ποιες χώρες συνορεύει βόρεια;
6. Και βορειοανατολικά με ποια χώρα συνορεύει;
7. Ποια είναι η πρωτεύουσά της;
8. Η Θεσσαλονίκη και η Πάτρα είναι μικρές πόλεις;
9. Ποιο είναι το πιο ψηλό βουνό στην Ελλάδα;
10. Έχει πολλα νησιά; Πόσα περίπου;
11. Ποιο είναι το πιο μεγάλο νησί της;
12. Ποια άλλα νησιά είναι γνωστά στο Αιγαίο Πέλαγος;
13. Και στο Ιόνιο Πέλαγος;
14. Πώς είναι το κλίμα στην Ελλάδα;
15. Γιατί εκατομμύρια τουρίστες έρχονται στην Ελλάδα κάε χρόνο;

βορράς

δύση   ανατολή

νότος

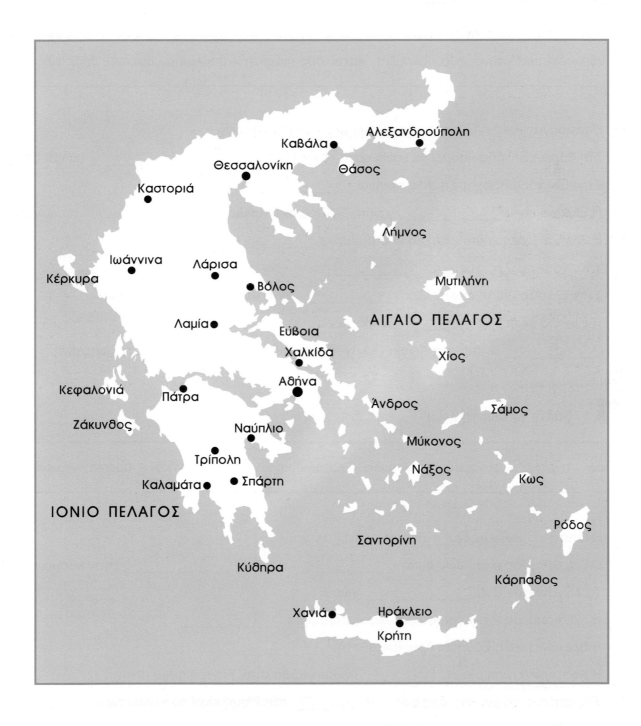

Μάθημα 24

10 Βάλτε τη σωστή λέξη

ναοί - σχετικά - συνορεύει - μνημεία - κατοίκους - γνωστά - υπόλοιπη - ορεινή - ομορφιές

1. Βορειοανατολικά η Ελλάδα _**συνορεύει**_ με την Τουρκία.

2. Στη βόρεια Ελλάδα μπορεί να κάνει κρύο τον χειμώνα ενώ στην _____ χώρα όχι.

3. Στην Ελλάδα υπάρχουν πολλά αρχαία _____ .

4. Η Ελλάδα είναι _____ χώρα, δηλαδή έχει πολλά βουνά.

5. Η Ελλάδα έχει περίπου έντεκα εκατομμύρια _____ .

6. Υπάρχουν πολλές φυσικές _____ .

7. Στην Ελλάδα υπάρχουν πολλοί _____ από τα αρχαία χρόνια.

8. Η Ελλάδα είναι _____ μικρή χώρα.

9. _____ νησιά στο Αιγαίο Πέλαγος είναι η Ρόδος, η Μύκονος και η Σαντορίνη.

11 Βάλτε τη σωστή λέξη

ναός - σχετικά - συνορεύει - μνημεία - κατοίκους - γνωστός - νησί - ορεινή - Ευρώπη

1. Η Ισπανία _**συνορεύει**_ βόρεια με τη Γαλλία.

2. Ο Παρθενώνας είναι ίσως ο πιο _____ αρχαίος _____ στον κόσμο.

3. Το Αφγανιστάν είναι _____ χώρα.

4. Η Ινδία σήμερα έχει περίπου ένα δισεκατομμύριο _____ .

5. Η Βρετανία και η Σουηδία βρίσκονται στην _____ .

6. Η Κοσταρίκα είναι μια _____ μικρή χώρα στην Κεντρική Αμερική.

7. Ένα από τα πιο γνωστά αρχαία _____ στη Ρώμη είναι το Κολοσσαίο.

8. Και η Αυστραλία είναι ένα μεγάλο _____ .

12 Γράψτε για τη χώρα σας ✎

13 Γράψτε τη σωσή λέξη και βρείτε για ποια χώρα μιλάμε ✎

1. Σ' αυτή τη χώρα το καλοκαίρι κάνει __*ζέστη*__ .

2. Ο Παρθενώνας βρίσκεται στην _____ .

3. Ο _____ είναι το πιο ψηλό βουνό της.

4. Έχει πολλές και ωραίες _____ .

5. Ένα από τα πιο γωστά νησιά της είναι η _____ .

6. Στη χώρα αυτή υπάρχουν πολλά αρχαία _____ .

Πίνακες Γραμματικής

Πίνακες Γραμματικής

Κλίση Οριστικού και Αόριστου Άρθρου

Οριστικό

	Αρσενικό	Θηλυκό	Ουδέτερο
Ενικός			
Ονομαστική	ο	η	το
Γενική	του	της	του
Αιτιατική	τον	τη(ν)	το
Πληθυντικός			
Ονομαστική	οι	οι	τα
Γενική	των	των	των
Αιτιατική	τους	τις	τα

Αόριστο

	Αρσενικό	Θηλυκό	Ουδέτερο
Ενικός			
Ονομαστική	ένας	μία	ένα
Γενική	ενός	μιας	ενός
Αιτιατική	έναν	μια(ν)	ένα
Πληθυντικός			
Ονομαστική	-	-	-
Γενική	-	-	-
Αιτιατική	-	-	-

Κλίση Ουσιαστικών

Αρσενικά

-ος, -οι

Ενικός				
Ονομαστική	ο γιατρ-**ός**	θεί-**ος**	κύρι-**ος**	πονοκέφαλ-**ος**
Γενική	του γιατρ-**ού**	θεί-**ου**	κυρί-**ου**	πονοκέφαλ-**ου**
Αιτιατική	τον γιατρ-**ό**	θεί-**ο**	κύρι-**ο**	πονοκέφαλ-**ο**
Πληθυντικός				
Ονομαστική	οι γιατρ-**οί**	θεί-**οι**	κύρι-**οι**	πονοκέφαλ-**οι**
Γενική	των γιατρ-**ών**	θεί-**ων**	κυρί-**ων**	πονοκέφαλ-**ων**
Αιτιατική	τους γιατρ-**ούς**	θεί-**ους**	κυρί-**ους**	πονοκέφαλ-**ους**

-ας, -ες

Ενικός				
Ονομαστική	ο ταμί-**ας**	άντρ-**ας**	αγών-**ας**	πίνακ-**ας**
Γενική	του ταμί-**α**	άντρ-**α**	αγών-**α**	πίνακ-**α**
Αιτιατική	τον ταμί-**α**	άντρ-**α**	αγών-**α**	πίνακ-**α**
Πληθυντικός				
Ονομαστική	οι ταμί-**ες**	άντρ-**ες**	αγών-**ες**	πίνακ-**ες**
Γενική	των ταμι-**ών**	αντρ-**ών**	αγών-**ων**	πινάκ-**ων**
Αιτιατική	τους ταμί-**ες**	άντρ-**ες**	αγών-**ες**	πίνακ-**ες**

-ης, -ες

Ενικός

Ονομαστική	ο	πωλητ-**ής**	πελάτ-**ης**
Γενική	του	πωλητ-**ή**	πελάτ-**η**
Αιτιατική	τον	πωλητ-**ή**	πελάτ-**η**

Πληθυντικός

Ονομαστική	οι	πωλητ-**ές**	πελάτ-**ες**
Γενική	των	πωλητ-**ών**	πελατ-**ών**
Αιτιατική	τους	πωλητ-**ές**	πελάτ-**ες**

Θηλυκά

-α, -ες

Ενικός

Ονομαστική	η	δουλ-**ειά**	κυρί-**α**	θάλασσ-**α**	ταυτότητ-**α**
Γενική	της	δουλ-**ειάς**	κυρί-**ας**	θάλασσ-**ας**	ταυτότητ-**ας**
Αιτιατική	τη(ν)	δουλ-**ειά**	κυρί-**α**	θάλασσ-**α**	ταυτότητ-**α**

Πληθυντικός

Ονομαστική	οι	δουλ-**ειές**	κυρί-**ες**	θάλασσ-**ες**	ταυτότητ-**ες**
Γενική	των	δουλ-**ειών**	κυρι-**ών** (*)	θαλασσ-**ών**	ταυτοτήτ-**ων**
Αιτιατική	τις	δουλ-**ειές**	κυρί-**ες**	θάλασσ-**ες**	ταυτότητ-**ες**

(*) Εξαιρέσεις: (α) η μητέρα (των μητέρων), η δασκάλα (των δασκάλων), η εικόνα (των εικόνων)
(β) όλα τα θηλυκά που τελειώνουν σε -ίδα (των σελίδων) και -άδα (των χιλιάδων)

-η, -ες

Ενικός

Ονομαστική	η	αδελφ-**ή**	κόρ-**η**	ζάχαρ-**η**
Γενική	της	αδελφ-**ής**	κόρ-**ης**	ζάχαρ-**ης**
Αιτιατική	τη(ν)	αδελφ-**ή**	κόρ-**η**	ζάχαρ-**η**

Πληθυντικός

Ονομαστική	οι	αδελφ-**ές**	κόρ-**ες**	-
Γενική	των	αδελφ-**ών**	κορ-**ών**	-
Αιτιατική	τις	αδελφ-**ές**	κόρ-**ες**	-

Πίνακες Γραμματικής

Ουδέτερα

-ο, -α

Ενικός				
Ονομαστική	το	φαγητ-**ό**	ταμεί-**ο**	άτομ-**ο**
Γενική	του	φαγητ-**ού**	ταμεί-**ου**	ατόμ-**ου**
Αιτιατική	το	φαγητ-**ό**	ταμεί-**ο**	άτομ-**ο**

Πληθυντικός				
Ονομαστική	τα	φαγητ-**ά**	ταμεί-**α**	άτομ-**α**
Γενική	των	φαγητ-**ών**	ταμεί-**ων**	ατόμ-**ων**
Αιτιατική	τα	φαγητ-**ά**	ταμεί-**α**	άτομ-**α**

-ι, -ια

Ενικός				
Ονομαστική	το	παιδ-**ί**	σπίτ-**ι**	ρολό-**ι**
Γενική	του	παιδ-**ιού**	σπιτ-**ιού**	ρολογ-**ιού**
Αιτιατική	το	παιδ-**ί**	σπίτ-**ι**	ρολό-**ι**

Πληθυντικός				
Ονομαστική	τα	παιδ-**ιά**	σπίτ-**ια**	ρολόγ-**ια**
Γενική	των	παιδ-**ιών**	σπιτ-**ιών**	ρολογ-**ιών**
Αιτιατική	τα	παιδ-**ιά**	σπίτ-**ια**	ρολόγ-**ια**

-μα, -ματα

Ενικός			
Ονομαστική	το	τμή-**μα**	μάθη-**μα**
Γενική	του	τμή-**ματος**	μαθή-**ματος**
Αιτιατική	το	τμή-**μα**	μάθη-**μα**

Πληθυντικός			
Ονομαστική	τα	τμή-**ματα**	μαθή-**ματα**
Γενική	των	τμη-**μάτων**	μαθη-**μάτων**
Αιτιατική	τα	τμή-**ματα**	μαθή-**ματα**

Κλίση Επιθέτων

-ος, -η, -ο / -οι, -ες, -α

	Αρσενικό		Θηλυκό		Ουδέτερο	
Ενικός						
Ονομαστική	ο	ψηλ-**ός**	η	ψηλ-**ή**	το	ψηλ-**ό**
Γενική	του	ψηλ-**ού**	της	ψηλ-**ής**	του	ψηλ-**ού**
Αιτιατική	τον	ψηλ-**ό**	τη(ν)	ψηλ-**ή**	το	ψηλ-**ό**
Πληθυντικός						
Ονομαστική	οι	ψηλ-**οί**	οι	ψηλ-**ές**	τα	ψηλ-**ά**
Γενική	των	ψηλ-**ών**	των	ψηλ-**ών**	των	ψηλ-**ών**
Αιτιατική	τους	ψηλ-**ούς**	τις	ψηλ-**ές**	τα	ψηλ-**ά**

	Αρσενικό		Θηλυκό		Ουδέτερο	
Ενικός						
Ονομαστική	ο	ξέν-**ος**	η	ξέν-**η**	το	ξέν-**ο**
Γενική	του	ξέν-**ου**	της	ξέν-**ης**	του	ξέν-**ου**
Αιτιατική	τον	ξέν-**ο**	τη(ν)	ξέν-**η**	το	ξέν-**ο**
Πληθυντικός						
Ονομαστική	οι	ξέν-**οι**	οι	ξέν-**ες**	τα	ξέν-**α**
Γενική	των	ξέν-**ων**	των	ξέν-**ων**	των	ξέν-**ων**
Αιτιατική	τους	ξέν-**ους**	τις	ξέν-**ες**	τα	ξέν-**α**

	Αρσενικό		Θηλυκό		Ουδέτερο	
Ενικός						
Ονομαστική	ο	όμορφ-**ος**	η	όμορφ-**η**	το	όμορφ-**ο**
Γενική	του	όμορφ-**ου**	της	όμορφ-**ης**	του	όμορφ-**ου**
Αιτιατική	τον	όμορφ-**ο**	τη(ν)	όμορφ-**η**	το	όμορφ-**ο**
Πληθυντικός						
Ονομαστική	οι	όμορφ-**οι**	οι	όμορφ-**ες**	τα	όμορφ-**α**
Γενική	των	όμορφ-**ων**	των	όμορφ-**ων**	των	όμορφ-**ων**
Αιτιατική	τους	όμορφ-**ους**	τις	όμορφ-**ες**	τα	όμορφ-**α**

Πίνακες Γραμματικής

-ος, -α, -ο / -οι, -ες, -α

	Αρσενικό		Θηλυκό		Ουδέτερο	
Ενικός						
Ονομαστική	ο	ωραί-**ος**	η	ωραί-**α**	το	ωραί-**ο**
Γενική	του	ωραί-**ου**	της	ωραί-**ας**	του	ωραί-**ου**
Αιτιατική	τον	ωραί-**ο**	τη(ν)	ωραί-**α**	το	ωραί-**ο**
Πληθυντικός						
Ονομαστική	οι	ωραί-**οι**	οι	ωραί-**ες**	τα	ωραί-**α**
Γενική	των	ωραί-**ων**	των	ωραί-**ων**	των	ωραί-**ων**
Αιτιατική	τους	ωραί-**ους**	τις	ωραί-**ες**	τα	ωραί-**α**

	Αρσενικό		Θηλυκό		Ουδέτερο	
Ενικός						
Ονομαστική	ο	πλούσι-**ος**	η	πλούσι-**α**	το	πλούσι-**ο**
Γενική	του	πλούσι-**ου**	της	πλούσι-**ας**	του	πλούσι-**ου**
Αιτιατική	τον	πλούσι-**ο**	τη(ν)	πλούσι-**α**	το	πλούσι-**ο**
Πληθυντικός						
Ονομαστική	οι	πλούσι-**οι**	οι	πλούσι-**ες**	τα	πλούσι-**α**
Γενική	των	πλούσι-**ων**	των	πλούσι-**ων**	των	πλούσι-**ων**
Αιτιατική	τους	πλούσι-**ους**	τις	πλούσι-**ες**	τα	πλούσι-**α**

-ος, -ια (-η) -ο / -οι, -ες, -α

	Αρσενικό		Θηλυκό		Ουδέτερο	
Ενικός						
Ονομαστική	ο	φτωχ-**ός**	η	φτωχ-**ή/ιά**	το	φτωχ-**ό**
Γενική	του	φτωχ-**ού**	της	φτωχ-**ής/ιάς**	του	φτωχ-**ού**
Αιτιατική	τον	φτωχ-**ό**	τη(ν)	φτωχ-**ή/ιά**	το	φτωχ-**ό**
Πληθυντικός						
Ονομαστική	οι	φτωχ-**οί**	οι	φτωχ-**ές**	τα	φτωχ-**ά**
Γενική	των	φτωχ-**ών**	των	φτωχ-**ών**	των	φτωχ-**ών**
Αιτιατική	τους	φτωχ-**ούς**	τις	φτωχ-**ές**	τα	φτωχ-**ά**

	Αρσενικό		Θηλυκό		Ουδέτερο	
Ενικός						
Ονομαστική	ο	φρέσκ-**ος**	η	φρέσκ-**ια**	το	φρέσκ-**ο**
Γενική	του	φρέσκ-**ου**	της	φρέσκ-**ιας**	του	φρέσκ-**ου**
Αιτιατική	τον	φρέσκ-**ο**	τη(ν)	φρέσκ-**ια**	το	φρέσκ-**ο**
Πληθυντικός						
Ονομαστική	οι	φρέσκ-**οι**	οι	φρέσκ-**ες**	τα	φρέσκ-**α**
Γενική	των	φρέσκ-**ων**	των	φρέσκ-**ων**	των	φρέσκ-**ων**
Αιτιατική	τους	φρέσκ-**ους**	τις	φρέσκ-**ες**	τα	φρέσκ-**α**

-ής, -ιά, -ί / -ιοί, -ιές, -ιά

Αρσενικό		Θηλυκό		Ουδέτερο	
Ενικός					
Ονομαστική	ο	σταχτ-**ής**	η	σταχτ-**ιά**	το	σταχτ-**ί**
Γενική	του	σταχτ-**ιού** (-ή)	της	σταχτ-**ιάς**	του	σταχτ-**ιού**
Αιτιατική	τον	σταχτ-**ή**	την	σταχτ-**ιά**	το	σταχτ-**ί**
Πληθυντικός					
Ονομαστική	οι	σταχτ-**ιοί**	οι	σταχτ-**ιές**	τα	σταχτ-**ιά**
Γενική	των	σταχτ-**ιών**	των	σταχτ-**ιών**	των	σταχτ-**ιών**
Αιτιατική	τους	σταχτ-**ιούς**	τις	σταχτ-**ιές**	τα	σταχτ-**ιά**

Κτητικό

μου
σου
του/της/του
μας
σας
τους

Προσωπικές αντωνυμίες

Ενικός			
Ονομαστική	εγώ	εσύ	αυτός/αυτή/αυτό
Αιτιατική	εμένα	εσένα	αυτόν/αυτή(ν)/αυτό
Πληθυντικός			
Ονομαστική	εμείς	εσείς	αυτοί/αυτές/αυτά
Αιτιατική	εμάς	εσάς	αυτούς/αυτές/αυτά

Δεικτικές αντωνυμίες "αυτός, αυτή, αυτό" και "εκείνος, εκείνη, εκείνο"

Ενικός			
Ονομαστική	αυτός / εκείνος	αυτή / εκείνη	αυτό / εκείνο
Γενική	αυτού / εκείνου	αυτής / εκείνης	αυτού / εκείνου
Αιτιατική	αυτόν / εκείνον	αυτή / εκείνη	αυτό / εκείνο
Πληθυντικός			
Ονομαστική	αυτοί / εκείνοι	αυτές / εκείνες	αυτά / εκείνα
Γενική	αυτών / εκείνων	αυτών / εκείνων	αυτών / εκείνων
Αιτιατική	αυτούς / εκείνους	αυτές / εκείνες	αυτά / εκείνα

Ερωτηματική αντωνυμία "ποιος, ποια, ποιο"

Ενικός			
Ονομαστική	ποιος	ποια	ποιο
Γενική	ποιανού	ποιανής	ποιανού
Αιτιατική	ποιον	ποια(ν)	ποιο
Πληθυντικός			
Ονομαστική	ποιοι	ποιες	ποια
Γενική	ποιανών	ποιανών	ποιανών
Αιτιατική	ποιους	ποιες	ποια

Πίνακες Γραμματικής

Χώρα	Πολίτης	Επίθετο	Γλώσσα
Αγγλία, η	Άγγλος / Αγγλίδα (†)	αγγλικ-ός, -ή, -ό (*)	αγγλικά (εγγλέζικα)
Αίγυπτος, η	Αιγύπτιος / Αιγυπτία	αιγυπτιακ-ός, -ή, -ό	αραβικά
Αιθιοπία, η	Αιθίοπας / -	αιθιοπικ-ός, -ή, -ό	αιθιοπικά
Αλβανία, η	Αλβανός / Αλβανή	αλβανικ-ός, -ή, -ό	αλβανικά
Αργεντινή, η	Αργεντινός / Αργεντινή	αργεντίνικ-ος, -η, -ο	ισπανικά (σπανιόλικα)
Αυστραλία, η	Αυστραλός / Αυστραλέζα	αυστραλέζικ-ος, -η, -ο	αγγλικά (εγγλέζικα)
Αυστρία, η	Αυστριακός / Αυστριακή	αυστριακ-ός, -ή, -ό	γερμανικά
Βέλγιο, το	Βέλγος / Βελγίδα	βελγικ-ός, -ή, -ό	γαλλικά, φλαμανδικά
Βουλγαρία, η	Βούλγαρος / Βουλγάρα	βουλγάρικ-ος, -η, -ο	βουλγάρικα
Βραζιλία, η	Βραζιλιάνος / Βραζιλιάνα	βραζιλιάνικ-ος, -η, -ο	πορτογαλικά (πορτογαλέζικα)
Βρετανία, η	Βρετανός / Βρετανή	βρετανικ-ός, -ή, -ό	αγγλικά (εγγλέζικα)
Γαλλία, η	Γάλλος / Γαλλίδα	γαλλικ-ός, -ή, -ό	γαλλικά
Γερμανία, η	Γερμανός / Γερμανίδα	γερμανικ-ός, -ή, -ό	γερμανικά
Δανία, η	Δανός / Δανέζα	δανέζικ-ος, -η, -ο (*)	δανέζικα
Ελβετία, η	Ελβετός / Ελβετίδα	ελβετικ-ός, -ή, -ό	γαλλικά, γερμανικά κ.ά.
Ελλάδα, η	Έλληνας / Ελληνίδα	ελληνικ-ός, -ή, -ό	ελληνικά
Ηνωμένες Πολιτείες, οι	Αμερικανός (†) / Αμερικανίδα	αμερικανικ-ός, -ή, -ό (*)	αγγλικά
Ιαπωνία, η	Γιαπωνέζος (†) / Γιαπωνέζα	γιαπωνέζικ-ος, -η, -ο (*)	γιαπωνέζικα
Ινδία, η	Ινδός / Ινδή	ινδικ-ός, -ή, -ό	(διάφορες)
Ιράν, το	Ιρανός / Ιρανή	ιρανικ-ός, -ή, -ό	περσικά
Ιρλανδία, η	Ιρλανδός / Ιρλανδέζα	ιρλανδέζικ-ος, -η, -ο (*)	αγγλικά (εγγλέζικα)
Ισλανδία, η	Ισλανδός / Ισλανδή	ισλανδικ-ός, -ή, -ό (*)	ισλανδικά (ισλανδέζικα)
Ισπανία, η	Ισπανός / Ισπανίδα (†)	ισπανικ-ός, -ή, -ό	ισπανικά
Ισραήλ, το	Ισραηλινός / Ισραηλινή	ισραηλιν-ός, -ή, -ό	εβραϊκά
Ιταλία, η	Ιταλός / Ιταλίδα	ιταλικ-ός, -ή, -ό	ιταλικά
Καναδάς, ο	Καναδός / Καναδέζα	καναδέζικ-ος, -η, -ο (*)	αγγλικά, γαλλικά
Κίνα, η	Κινέζος / Κινέζα	κινέζικ-ος, -η, -ο (*)	κινέζικα
Κολομβία, η	Κολομβιανός / Κολομβιανή	κολομβιάνικ-ος, -η, -ο	ισπανικά
Κορέα, η	Κορεάτης / Κορεάτισσα	κορεάτικ-ος, -η, -ο (*)	κορεάτικα
Κροατία, η	Κροάτης / Κροάτισσα	κροατικ-ός, -ή, -ό (*)	κροάτικα
Κύπρος, η	Κύπριος / Κύπρια	κυπριακ-ός, -ή, -ό (*)	ελληνικά, τούρκικα
Λίβανος, ο	Λιβανέζος / Λιβανέζα	λιβανέζικ-ος, -η, -ο	αραβικά
Λιβύη, η	Λίβυος / Λίβυα	λιβυκ-ός, -ή, -ό	αραβικά
Μαρόκο, το	Μαροκινός / Μαροκινή	μαροκιν-ός, -ή, ό	αραβικά
Μεξικό, το	Μεξικάνος / Μεξικάνα	μεξικάνικ-ος, -η, -ο	ισπανικά
Νέα Ζηλανδία, η	Νεοζηλανδός / Νεοζηλανδέζα	νεοζηλανδέζικ-ος, -η, -ο (*)	αγγλικά (εγγλέζικα)
Νορβηγία, η	Νορβηγός / Νορβηγέζα	νορβηγέζικ-ος, -η, -ο (*)	νορβηγικά (νορβηγέζικα)
Ολλανδία, η	Ολλανδός / Ολλανδέζα	ολλανδέζικ-ος, -η, -ο (*)	ολλανδικά (ολλανδέζικα)
Ουγγαρία, η	Ούγγρος (†) / Ουγγαρέζα	ουγγαρέζικ-ος, -η, -ο (*)	ουγγρικά (ουγγαρέζικα)
Πακιστάν, το	Πακιστανός / Πακιστανή	πακιστανικ-ός, -ή, -ό	πακιστάνικα
Πολωνία, η	Πολωνός / Πολωνέζα	πολωνέζικ-ος, -η, -ο (*)	πολωνικά (πολωνέζικα)
Πορτογαλία, η	Πορτογάλος / Πορτογαλέζα	πορτογαλικ-ός, -ή, -ό (*)	πορτογαλικά (πορτογαλέζικα)
Ρουμανία, η	Ρουμάνος / Ρουμάνα	ρουμάνικ-ος, -η, -ο (*)	ρουμανικά (ρουμάνικα)
Ρωσία, η	Ρώσος / Ρωσίδα	ρωσικ-ός, -ή, -ό (*)	ρωσικά (ρώσικα)

Σερβία, η	Σέρβος / Σέρβα	σερβικ-ός, -ή, -ό (*)	σερβικά (σέρβικα)
Σουηδία, η	Σουηδός / Σουηδέζα	σουηδέζικ-ος, -η, -ο (*)	σουηδικά (σουηδέζικα)
Ταϋλάνδη, η	Ταϋλανδός / Ταϋλανδή (†)	ταϋλανδέζικ-ος, -η, -ο (*)	ταϋλανδικά (ταϋλανδέζικα)
Τουρκία, η	Τούρκος / Τουρκάλα	τούρκικ-ος, -η, -ο (*)	τούρκικα
Φιλιππίνες, οι	Φιλιππινέζος / Φιλιππινέζα	φιλιππινέζικ-ος, -η, -ο	φιλιππινέζικα
Φινλανδία, η	Φινλανδός / Φινλανδέζα	φινλανδέζικ-ος, -η, -ο (*)	φινλανδικά (φινλανδέζικα)
Χιλή, η	Χιλιανός / Χιλιανή	χιλιάνικ-ος, -η, -ο	ισπανικά

(†) Λέμε επίσης : Αμερικάνος ◆ Εγγλέζος / Εγγλέζα ◆ Ιάπωνας ◆ Ουγγαρέζος ◆ Σπανιόλα ◆ Ταϋλανδέζα

(*) Λέμε επίσης : αμερικάνικ-ος, -η, -ο ◆ δανικ-ός, -ή, -ό ◆ εγγλέζικ-ος, -η, -ο ◆ ιαπωνικ-ός, -ή, -ό ◆ ιρλανδικ-ός, -ή, -ό ◆ ισλανδέζικ-ος, -η, -ο ◆ καναδικός, -ή, -ό ◆ κινεζικ-ός, -ή, -ό ◆ κορεατικ-ός, -ή, -ό ◆ κροάτικος, -η, -ο ◆ κυπρέϊκ-ος, -η, -ο ◆ νεοζηλανδικός, -ή, -ό ◆ νορβηγικ-ός, -ή, -ό ◆ ολλανδικ-ός, -ή, -ό ◆ ουγγρικ-ός, -ή, -ό ◆ πολωνικ-ός, -ή, -ό ◆ πορτογαλέζικος, -η, -ο ◆ ρουμανικ-ός, -ή, -ό ◆ ρώσικ-ος, -η, -ο ◆ σέρβικ-ος, -η, -ο ◆ σουηδικ-ός, -ή, -ό ◆ ταϋλανδικ-ός, -ή, -ό ◆ τουρκικ-ός, -ή, -ό ◆ φινλανδικ-ός, -ή, -ό

Σημείωση   Αν δεν υπάρχει στα ελληνικά επίθετο που φανερώνει εθνικότητα, χρησιμοποιούμε το όνομα της χώρας. Έτσι, λέμε: *από την Παραγουάη, από το Εκουαντόρ, από το Τζιμπουτί* κτλ.

Αριθμητικά

Απόλυτο αριθμητικό	Αριθμητικό επίθετο
ένα	πρώτος/η/ο
δύο	δεύτερος/η/ο
τρία	τρίτος/η/ο
τέσσερα	τέταρτος/η/ο
πέντε	πέμπτος/η/ο
έξι	έκτος/η/ο
εφτά (επτά)	έβδομος/η/ο
οχτώ (οκτώ)	όγδοος/η/ο
εννιά (εννέα)	ένατος/η/ο
δέκα	δέκατος/η/ο
έντεκα	ενδέκατος/η/ο
δώδεκα	δωδέκατος/η/ο
δεκατρία	δέκατος/η/ο τρίτος/η/ο
κτλ.	κτλ.
είκοσι	εικοστός/ή/ό
είκοσι ένα	εικοστός/ή/ό πρώτος/η/ο
κτλ.	κτλ.
τριάντα	τριακοστός/ή/ό
τριάντα ένα	τριακοστός/ή/ό πρώτος/η/ο
κτλ.	κτλ.
σαράντα	τεσσαρακοστός/ή/ό
πενήντα	πεντηκοστός/ή/ό
εξήντα	εξηκοστός/ή/ό
εβδομήντα	εβδομηκοστός/ή/ό
ογδόντα	ογδοηκοστός/ή/ό
ενενήντα	ενενηκοστός/ή/ό
εκατό	εκατοστός/ή/ό

Πίνακες Γραμματικής

Ρήματα

Ενεργητική Φωνή

Τύπος Α

Ενεστώτας	Απλός Μέλλοντας	Αόριστος
αγοράζω	θα αγοράσω	αγόρασα
αγοράζεις	θα αγοράσεις	αγόρασες
αγοράζει	θα αγοράσεις	αγόρασε
αγοράζουμε	θα αγοράσουμε	αγοράσαμε
αγοράζετε	θα αγοράσετε	αγοράσατε
αγοράζουν(ε)	θα αγοράσουν(ε)	αγοράσανε (αγόρασαν)

Ενεστώτας	Απλός Μέλλοντας	Αόριστος
γράφω	θα γράψω	έγραψα
γράφεις	θα γράψεις	έγραψες
γράφει	θα γράψεις	έγραψε
γράφουμε	θα γράψουμε	γράψαμε
γράφετε	θα γράψετε	γράψατε
γράφουν(ε)	θα γράψουν(ε)	γράψανε (έγραψαν)

Τύπος Β1

Ενεστώτας	Απλός Μέλλοντας	Αόριστος
μιλάω (μιλώ)	θα μιλήσω	μίλησα
μιλάς	θα μιλήσεις	μίλησες
μιλάει (μιλά)	θα μιλήσει	μίλησε
μιλάμε (μιλούμε)	θα μιλήσουμε	μιλήσαμε
μιλάτε	θα μιλήσετε	μιλήσατε
μιλάνε (μιλούν))	θα μιλήσουν(ε)	μιλήσανε (μίλησαν)

Τύπος Β2

Ενεστώτας	Απλός Μέλλοντας	Αόριστος
οδηγώ	θα οδηγήσω	οδήγησα
οδηγείς	θα οδηγήσεις	οδήγησες
οδηγεί	θα οδηγήσει	οδήγησε
οδηγούμε	θα οδηγήσουμε	οδηγήσαμε
οδηγείτε	θα οδηγήσετε	οδηγήσατε
οδηγούν(ε)	θα οδηγήσουν(ε)	οδηγήσανε (οδήγησαν)

Παθητική Φωνή

Τύπος Γ1

Ενεστώτας	Απλός Μέλλοντας	Αόριστος
έρχομαι	θα έρθω	ήρθα
έρχεσαι	θα έρθεις	ήρθες
έρχεται	θα έρθει	ήρθε
ερχόμαστε	θα έρθουμε	ήρθαμε
έρχεστε	θα έρθετε	ήρθατε
έρχονται	θα έρθουν(ε)	ήρθαν(ε)

Τύπος Γ2

Ενεστώτας	Απλός Μέλλοντας	Αόριστος
κοιμάμαι	θα κοιμηθώ	κοιμήθηκα
κοιμάσαι	θα κοιμηθείς	κοιμήθηκες
κοιμάται	θα κοιμηθεί	κοιμήθηκε
κοιμόμαστε	θα κοιμηθούμε	κοιμιθήκαμε
κοιμάστε	θα κοιμηθείτε	κοιμηθήκατε
κοιμούνται	θα κοιμηθούν(ε)	κοιμηθήκανε (κοιμήθηκαν)

Ανώμαλα Ρήματα

Ενεστώτας	Απλός Μέλλοντας	Αόριστος
βλέπω	θα δω	είδα
βρίσκω	θα βρω	βρήκα
λέω	θα πω	είπα
πίνω	θα πιω	ήπια
τρώω	θα φάω	έφαγα
πάω	θα πάω	πήγα
ακούω	θα ακούσω	άκουσα
ανεβαίνω	θα ανέβω (ανεβώ)	ανέβηκα
κατεβαίνω	θα κατέβω (κατεβώ)	κατέβηκα
μπαίνω	θα μπω	μπήκα
βγαίνω	θα βγω	βγήκα

Λεξιλόγια

Vocabulary

Α α

αβγό (αυγό), το   egg
άγαλμα, το   statue
αγαπάω (-ώ)   to love
αγάπη, η   love
αγαπητός (-ή -ό)   dear
αγγελία, η   classified as
Αγγλία, η   England
αγγλικά, τα   English (lang.)
αγγλικός (-ή -ό)   English
Άγγλος (-ίδα)   English (persons)
αγγούρι, το   cucumber
αγία, η   saint (female)
άγιος, ο   saint (male)
Άγκυρα, η   Ankara
άγνωστη, η   stranger (female)
άγνωστος, ο   stranger (male)
άγνωστος (-η -ο)   unknown
αγορά, η   market
αγοράζω   to buy, to purchase
αγόρι, το   boy
άδειος (-α -ο)   empty
αδελφή, η   sister
αδελφός, ο   brother
αδύνατος (-η -ο)   thin // weak
αέρας, ο   air // wind
αεροδρόμιο, το   airport, airfield
αεροπλάνο, το   airplane
αεροπορικός (-ή -ό)   air(line) (adj.)
Αθήνα, η   Athens
Αιγαίο (πέλαγος), το   the Aegean (Sea)
αιγυπτιακός (-ή -ό)   Egyptian
Αιγύπτιος (-ια)   Egyptian (persons)
Αίγυπτος, η   Egypt
αίθριος (-α -ο)   good, clear (weather)
αιτιατική, η   accusative (gr.)
αιτιολογικός (-ή -ό)   with relation to cause
ακολουθώ   to follow
ακόμα   still, yet // more
ακούω   to hear, to listen
ακριβός (-ή -ό)   expensive
ακριβώς   exactly, precisely
Ακρόπολη, η   the Acropolis
αλάτι, το   salt
Αλβανία, η   Albania
Αλεξάνδρεια, η   Alexandria
αλήθεια   really // by the way
Αληθώς Ανέστη!   (He) has truly risen!
   (older Greek)
αλλά   but
αλλάζω   to change
αλλαντικά, τα   cooked pork meats
άλλος (-η -ο)   other, else // another, more
άλλοτε   sometimes // in the past
αλλού   elsewhere
αλουμίνιο, το   alumin(i)um
αλφάβητο, το   alphabet
Αμβούργο, το   Hamburg
αμερικανικός (-ή -ό)   American
Αμερικανός (-ίδα)   American (persons)
Αμερική, η   America
άμεσος (-η -ο)   direct, immediate
αμέσως   at once, immediately
Άμστερνταμ, το   Amsterdam

αν   if
ανακατεύω   to stir, to mix
ανάκτορο, το   palace
ανάληψη, η   withdrawal
ανάλογα   accordingly
ανάμεσα   between, among
αναπτήρας, ο   lighter
Ανάσταση, η   Resurrection
ανατολή, η   east
ανατολικά   to the east (adv.)
αναφέρω   to mention // to report
αναχώρηση, η   departure
αναψυκτικό, το   refreshment
ανελκυστήρ, ο   lift, elevator (older Greek)
άνθρωπος, ο   man, human being
ανοίγω   to open
άνοιξη, η   spring
ανοιχτός (-ή -ό)   open
αντιγράφω   to copy
αντίθετα   on the contrary
αντίθετος (-η -ο)   opposite (adj.)
αντικαθιστώ   to replace, to substitute
αντικείμενο, το   object
αντίο   goodbye
αντιπρόσωπος, ο/η   representative, agent
αντιστοιχώ   to correspond
άντρας, ο   man // husband
αντωνυμία, η   pronoun (gr.)
ανυπόφορος (-η -ο)   unbearable
ανώμαλος (-η -ο)   irregular, abnormal
αόριστος, ο   simple past tense (gr.)
απαντάω (-ώ)   to answer, to reply
απάντηση, η   answer, reply
απαρέμφατο, το   infinitive (gr.)
απέναντι   opposite, across
απέχω   to be away, to be distant
απλή διαδρομή   one-way (ticket)
απλός (-ή -ό)   simple
απλώς   merely, simply
από   from // than
απόγευμα, το   late afternoon
απογευματινός (-ή -ό)   afternoon (adj.)
απόδειξη, η   receipt
αποθετικό ρήμα, το   deponent verb (gr.)
απόλυτος (-η -ο)   absolute
απολύτως   absolutely
απορρυπαντικό, το   detergent
απόψε   this evening, tonight
Απρίλιος, ο   April
αραβικά, τα   Arabic (lang.)
αρακάς, ο   peas
αργά   late // slowly
αργότερα   later
αργώ   to be late
αρέσω   to be liked
άρθρο, το   article
αριθμητικό, το   numeral (gr.)
αριθμός, ο   number
αριστερά   left
αρκετά   quite // enough, sufficiently
αρνητικός (-ή -ό)   negative
αρνί, το   lamb, sheep
άρρωστος (-η -ο)   sick, ill
αρσενικός (-ή -ό)   masculine, male
αρχαιολογικός (-ή -ό)   archeological

αρχαιολόγος, ο/η   archeologist
αρχαίος (-α -ο)   ancient
αρχή, η   beginning, start
αρχίζω   to begin, to start
αρχιτέκτονας, ο   architect
άρωμα, το   perfume, aroma
ασανσέρ, το   lift, elevator
Ασία, η   Asia
άσπρος (-η -ο)   white
αστυνομία, η   police
άσχετος (-η -ο)   irrelevant, unrelated
άσχημος (-η -ο)   ugly // bad
ασχολούμαι (με)   to engage in, to occupy
   oneself with
ατζέντα, η   diary, agenda
ατομικός (-ή -ό)   personal, individual (adj.)
άτομο, το   person, individual
Αύγουστος, ο   August
αυλή, η   courtyard
αύριο   tomorow
αυστραλέζικος (-η -ο)   Australian
Αυστραλία, η   Australia
Αυστραλός (-έζα)   Australian (persons)
Αυστρία, η   Austria
αυστριακός (-ή -ό)   Austrian
Αυστριακός (-ή)   Austrian (persons)
αυτοκίνητο, το   motorcar
Αυτόματη Ταμειακή Μηχανή, η   ATM
αυτόματος (-η -ο)   automatic
αυτός (-ή -ό)   he, she, it (nom.) // this
άφιξη, η   arrival
Αφρική, η   Africa
αχλάδι, το   pear

Β β

βάζο, το   vase
βάζω   to put, to place
βαθμός, ο   degree, grade
βαμμένος (-η -ο)   painted
βανίλια, η   vanilla
βαρετός (-ή -ό)   boring
Βαρκελώνη, η   Barcelona
Βαρσοβία, η   Warsaw
βάση, η   base, basis
βάφω   to paint, to dye
βγάζω   to take out/off // to make (money)
βγαίνω   to go/come out
βέβαια (βεβαίως)   of course
Βέλγιο, το   Belgium
Βελιγράδι, το   Belgrade
Βενεζουέλα, η   Venezuela
Βενετία, η   Venice
βενετσιάνικος (-η, -ο)   Venetian
βενζίνη, η   petrol, gasoline
βεράντα, η   large balcony, verandah, porch
βερίκοκο, το   apricot
Βερολίνο, το   Berlin
βήμα, το   step
βιβλιάριο, το   book(let) (bank)
βιβλίο, το   book
βιβλιοθήκη, η   bookcase // library
βιβλιοπωλείο, το   bookshop
Βιέννη, η   Vienna
βιετναμέζικος (-η -ο)   Vietnamese (objects)

βίντεο, το   video
βιτρίνα, η   shop woindow
βλέπω   to see, to watch
βοηθάω (-ώ)   to help
βοήθεια, η   help
βόλτα, η   stroll, walk // drive
Βόννη, η   Bonn
βόρεια   to the north
βορειοανατολικά   north east (adv.)
βόρειος (-α -ο)   north(ern)
βορράς, ο   north
Βουδαπέστη, η   Budapest
Βουκουρέστι, το   Bucharest
Βουλγαρία, η   Bulgaria
βουλγάρικος (-η -ο)   Bulgarian (objects)
Βούλγαρος (-άρα)   Bulgarian (persons)
βουνό, το   mountain
βούτυρο, το   butter
βραδιά, η   night, evening
βραδινό, το   dinner
βραδινός (-ή -ό)   evening (adj.)
βράδυ, το   evening
βραστός (-ή -ό)   boiled
βράχος, ο   rock
Βρετανία, η   Britain
βρέχει   it rains, it is raining
βρίσκεται   it is, it lies, it is located
βρίσκω   to find
Βρυξέλλες, οι   Brussels
βρώμικος (-η -ο)   dirty
βυσσινής (-ιά -ί)   crimson, maroon

Γ γ

γάλα, το   milk
γαλάζιος (-α -ο)   blue, azure
γαλανός (-ή -ό)   blue, azure
γαλέος, ο   smooth hound (fish)
Γαλλία, η   France
γαλλικά, τα   French (lang.)
γαλλικός (-ή -ό)   French
Γάλλος (-ίδα)   French (persons)
γαλοπούλα, η   turkey
γαρίδα, η   shrimp
γάτα, η   cat
γαύρος, ο   anchovy
γεια   hi // bye-bye
γεια σου/σας   hello // good-bye, cheers
γειτονιά, η   neighbourhood
γελάω (-ώ)   to laugh
γέλιο, το   laugh, laughter
(έχει) γέλιο   it's funny, it's a laugh
γεμάτος (-η -ο)   full
γεμιστά, τα   stuffed tomatoes and peppers
γενέθλια, τα   birthday
Γενεύη, η   Geneva
γένια, τα   beard
γενικά   generally
γενικότερα   more generally
Γερμανία, η   Germany
γερμανικά, τα   German (lang.)
γερμανικός (-ή -ό)   German
Γερμανός (-ίδα)   German (persons)
γεύση, η   taste
γεωργικός (-ή -ό)   agricultural

για   for // about
γιαούρτι, το   yogurt
γιαπωνέζικα, τα   Japanese (lang.)
γιαπωνέζικος (-η -ο)   Japanese
Γιαπονέζος (-έζα)   Japanese (persons)
για την ακρίβεια   to be exact
γιατί   why // because
γιατρός, ο   doctor, physician
γίγαντες, οι   giant beans, Lima beans
γιεν, το   yen
γίνομαι   to become // to take place
γιορτάζω   to celebrate, to have one's
   nameday
γιος, ο   son
γιουβέτσι, το   roast lamb with pasta cooked
   in a clay pot
γκαράζ, το   garage, sheltered car park
γκαρσονιέρα, η   bedsitter, bachelor's flat
γκούντα, η   Gouda cheese
γκρίζος (-α -ο)   grey
γλώσσα, η   language, tongue
γνωστή, η   acquaintance (fem.)
γνωστός, ο   acquaintance (masc.)
γνωστός (-ή -ό)   (well) known
γονείς, οι   parents
γόπα, η   bogue, boce (fish)
γουρουνόπουλο, το   piglet, young pig
γούστο, το   taste
γραβάτα, η   tie
γραβιέρα, η   gruyere cheese
γράμμα, το   letter
γραμμάριο, το   gram(me)
γραμματέας, ο   secretary
γραμματική, η   grammar
γραμματόσημο, το   stamp
γραφείο, το   office // desk
γραφικός (-ή -ό)   scenic, picturesque
γράφω   to write
γρήγορα   quickly
γρήγορος (-η -ο)   quick, fast
γυαλιά, τα   glasses, spectacles
γυμνάσιο, το   junior high school
γυμναστήριο, το   gym(nasium)
γυναίκα, η   woman // wife
γυρεύω   to search, to look for
γυρίζω   to turn // to return
γύρω   around
γωνία, η   corner // angle

Δ δ

Δανία, η   Denmark
δασκάλα, η   teacher
δάσκαλος, ο   teacher
δεικτικός (-ή -ό)   demonstrative (gr.)
δείχνω   to show // to look, to appear
δέκα   ten
δεκαέξι   sixteen
δεκαεννιά (δεκαεννέα)   nineteen
δεκαεφτά (δεκαεπτά)   seventeen
δεκαοχτώ (δεκαοκτώ)   eighteen
δεκαπέντε   fifteen
δεκατέσσερις (-ις -α)   fourteen
δέκατος (-η -ο)   tenth
δεκατρείς (-είς -ία)   thirteen

Δεκέμβριος, ο   December
δέμα, το   parcel
δεν   not
δεν πειράζει   it doesn't matter
δεξιά   on the right
δεσποινίς, η   miss, young lady
Δευτέρα, η   Monday
δευτερόλεπτο, το   second (time)
δεύτερος (-η -ο)   second
δέχομαι   to accept
δηλαδή   that is to say, in other words
δημοκρατία, η   democracy // republic
δημοσιογράφος, ο/η   journalist
δημοτικό, το   primary school
δημοτικός (-ή -ό)   municipal
διαβάζω   to read // to study
διαβατήριο, το   passport
διαγωνισμός, ο   contest, competition
διακοπές, οι   holidays, vacation
διακόσιοι (-ες -α)   two hundred
διαλέγω   to choose
διάλειμμα, το   break, intermission
διάλεξη, η   lecture
διάλογος, ο   dialogue
διαμέρισμα, το   flat, apartment
διάφοροι (-ες -α)   various
διδάσκω   to teach
διεθνής (-ής -ές)   international
διερμηνέας, ο   interpreter
διεύθυνση, η   address // management
διευθυντής, ο   manager, director (male)
διευθύντρια, η   manager, director (female)
δικηγόρος, ο   lawyer
δίκλινος (-η -ο)   twin-bedded
δικός (-ή -ό) μου   mine, my own
δίνω   to give, to hand
δίπλα   next (to)
διπλανός (-ή -ό)   near-by, neighbour
διπλωμάτης, ο   diplomat
δισκάδικο, το   record shop
δίσκος, ο   record // tray
διψάω (-ώ)   to be thirsty
δοκιμάζω   to try // to taste
δολ(λ)άριο, το   dollar
δόξα, η   glory
δουλειά, η   work, job
δουλειές, οι   things to do, chores, affairs
δουλεύω   to work
δραχμή, η   drachma
δρόμος, ο   street, road // way
δροσιά, η   cool, coolness
δυάρι, το   two-room apartment
δυνατά   strongly // aloud
δυνατός (-ή -ό)   strong, powerful
δύο   two
δύση, η   west
δύσκολος (-η -ο)   difficult
δυστυχώς   unfortunately
δυτικά   to the west
δώδεκα   twelve
δωδέκατος (-η -ο)   twelvth
δωμάτιο, το   room
δώρο, το   gift, present

Vocabulary

Ε ε

εβδομάδα, η   week
εβδομήντα   seventy
έβδομος (-η -ο)   seventh
έγινε!   done! okey!
εγώ   I, myself *(nom.)*
εδώ   here
εθνικός (-ή -ό)   national
εθνικότητα, η   nationality
είδος, το   kind, type // appliance
εικόνα, η   picture // ikon
είκοσι   twenty
εικοσ(ι)τετράωρο, το   around the clock
εικοστός (-ή -ό)   twentieth
είμαι   to be
εισιτήριο, το   ticket
είσοδος, η   entrance, entry
εκατό   one hundred
εκατομμύριο, το   million
(ε)κατοστίζω   to live to be a hundred
εκδρομή, η   trip, excursion
εκεί   there
εκείνος (-η -ο)   that
έκθεση, η   exhibition, fair
εκκλησία, η   church
εκπτώσεις, οι   sales
έκταση, η   area
έκτος (-η -ο)   sixth
έκφραση, η   expression
Ελβετία, η   Switzerland
ελβετικός (-ή -ό)   Swiss
Ελβετός (-ίδα)   Swiss *(persons)*
ελευθερία, η   freedom, liberty
ελεύθερος (-η -ο)   free // single
ελιά, η   olive
Ελλάδα, η   Greece
Έλληνας (-ίδα)   Greek *(persons)*
ελληνικά, τα   Greek *(lang.)*
ελληνικός (-ή -ό)   Greek
εμείς   we, ourselves
έμπειρος (-η -ο)   experienced
εμπορικός (-ή -ό)   commercial, trade
εμπρός   hello *(tel.)*
ένα   *indef. article (neut. nom.)* // one
ένας   *indef. article (masc. nom.)* // one
ένατος (-η -ο)   ninth
ενδέκατος (-η -ο)   eleventh
ενδιαφέρομαι   to be interested
ενδιαφέρων (-ουσα -ον)   interesting
ενενήντα   ninety
ενεργητική (φωνή), η   active voice *(gr.)*
ενεστώτας, ο   present tense *(gr.)*
ενικός, ο   singular *(gr.)*
εννιά (εννέα)   nine
εννιακόσιοι (-ες -α)   nine hundred
ενοικιάζεται   to let, for hire
ενοίκιο, το   rent
εντάξει   all right, okey, in order
έντεκα   eleven
εντράδα, η   stew, ragout
έντυπο, το   printed form
ενώ   while // whereas
ένωση, η   unity, union

(ε)ξαδέλφη, η   cousin *(fem.)*
(ε)ξάδελφος, ο   cousin *(masc.)*
εξαιρετικός (-ή -ό)   excellent, exceptional
εξακολουθητικός (-ή -ό)   continuous, sustained
εξακόσιοι (-ες -α)   six hundred
εξήντα   sixty
εξής, το/τα   the following
έξι   six
εξπρές   express (mail)
εξυπηρετικός (-ή -ό)   convenient // helpful
εξυπηρετώ   to serve, to be of service
έξυπνος (-η -ο)   clever, smart
έξω   out, outside
εξωτερικός (-ή -ό)   external, outside *(adj.)*
εξωτικός (-ή -ό)   exotic
επανάληψη, η   revision, review // repetition
επί   multiplied by, times *(arithm.)*
επιγραφή, η   sign
επίθετο, το   adjective *(gr.)* // surname
επικοινωνώ   to communicate
έπιπλο, το   piece of furniture
επιπλωμένος (-η -ο)   furnished
επίσης   also, in addition // to you too
επισκέπτομαι   to visit
επιστροφή, η   return
επιτάφιος, ο   special Good Friday service
επιτυχία, η   success
επόμενος (-η -ο)   following, next
επομένως   therefore, consequently
εποχή, η   season // times, days, age
επώνυμο, το   surname
εργασία, η   work // homework, project
εργατικός (-ή -ό)   hardworking, diligent
έργο, το   play // film, movie
έρχομαι   to come
ερχόμενος (-η -ο)   coming, next
ερωτευμένος (-η -ο)   in love
ερωτηματικός (-ή -ό)   interrogative *(gr.)*
ερώτηση, η   question
εσείς   you, yourselves/yourself
   (pl. or formal)
εσπρέσο, το   espresso (coffee)
εστιατόριο, το   restaurant
εσύ   you *(sing.)*, yourself
εταιρεία, η   company
ετοιμάζω   to prepare
έτοιμος (-η -ο)   ready
έτος, το   year
έτσι   so, thus, in this manner
ευγενικός (-ή -ό)   polite
ευκαιρία, η   opportunity, chance
εύκολος (-η -ο)   easy
ευρώ, το   euro
ευρωπαϊκός (-ή -ό)   European *(objects)*
Ευρώπη, η   Europe
ευτυχώς   fortunately
ευχαριστημένος (-η -ο)   pleased, happy
ευχάριστος (-η -ο)   pleasant
ευχαριστώ   thank you // to please, to thank
(ε)φέτος   this year
εφημερίδα, η   newspaper
εφτά (επτά)   seven
εφτακόσιοι (-ες -α)   seven hundred

έχει γέλιο   it's funny, it's a laugh
έχει πλάκα   it's funny, it's fun
(ε)χθές ((ε)χτές)   yesterday
έχω   to have
έως   until, up to

Ζ ζ

ζαμπόν, το   ham
ζάχαρη, η   sugar
ζαχαροπλαστείο, το   pastry shop
ζέστη, η   heat
ζεστός (-ή -ό)   hot
ζευγάρι, το   pair // couple
ζητάω (-ώ)   to ask for // to look for
ζυγίζω   to weigh
ζυμαρικά, τα   pasta
Ζυρίχη, η   Zurich
ζω   to live, to be alive
ζώο, το   animal
ζωή, η   life
ζώνη, η   belt // zone

Η η

η   def. article *(fem. sing. nom.)*
ή   or
ηθοποιός, ο   actor/actress
ηλεκτρικός (-ή -ό)   electric, electrical
ηλεκτρολόγος, ο   electrician
ηλιακός θερμοσίφωνας, ο   solar heater
ηλικία, η   age
ήλιος, ο   sun
(η)μέρα, η   day
ημερολόγιο, το   diary // calendar
ημιυπόγειος (-α -ο)   lower-ground-floor
ημιώροφος, ο   mezzanine
Η.Π.Α., οι   the U.S.A.
ησυχία, η   quiet
ήσυχος (-η -ο)   quiet *(adj.)*

Θ θ

θα   *particle used to form the future tense*
θάλασσα, η   sea
θαλασσινά, τα   seafood
θαλάσσιος (-α -ο)   sea *(adj.)*
θέα, η   view
θέατρο, το   theatre
θεία, η   aunt
θείος, ο   uncle
θέλω   to want
Θεός, ο   God
θερινός (-ή -ό)   summer *(adj.)*
θέρμανση, η   heating
θερμοκρασία, η   temperature
θερμοσίφωνο, το   water heater
θέση, η   seat // place, position
Θεσσαλία, η   Thessaly
Θεσσαλονίκη, η   Thessaloniki/Salonica
θηλυκός (-ιά -ό)   feminine, female
θόρυβος, ο   noise
θυμάμαι   to remember, to recall
θυρίδα, η   counter, desk

Ι ι

Ιανουάριος, ο January
Ιαπωνία, η Japan
ιαπωνικός (-ή -ό) Japanese (adj.)
ιατρικός (-ή -ό) medical
ιδιοκτήτης, ο landlord, owner (male)
ιδιοκτήτρια, η landlady, owner (female)
ίδιος (-α -ο) same
ιδιωτικός (-ή -ό) private
Ι.Κ.Α. Social Security Fund
Ινδία, η India
ινδικός (-ή -ό) Indian
Ινδός (-ή) Indian (persons)
Ιόνιο (πέλαγος), το the Ionian sea
Ιούλιος, ο July
Ιούνιος, ο June
Ιρλανδία, η Ireland
Ιρλανδός (-έζα) Irish (persons)
ίσιος (-α -ο) straight
ισόγειο, το ground floor
Ισπανία, η Spain
ισπανικά, τα Spanish (lang.)
ισπανικός (-ή -ό) Spanish
Ισπανός (-ίδα) Spanish (persons)
Ισραήλ, το Israel
ισχύω to apply, to be valid
ίσως perhaps
Ιταλία, η Italy
ιταλικά, τα Italian (lang.)
ιταλικός (-ή -ό) Italian
Ιταλός (-ίδα) Italian (persons)

Κ κ

κ.ά. etc.
καθαριστήριο, το (dry) cleaner's
καθαρός (-ή -ό) clean
κάθε every, each
καθένας (καθεμιά/καθένα) each one
κάθετα vertically
καθηγητής, ο teacher, professor (male)
καθηγήτρια, η teacher, professor (female)
καθημερινά on a daily basis
καθόλου at all
κάθομαι to sit, to be seated // to stay/live
καθρέφτης, ο mirror
καθώς και as well as
και and
καινούργιος (-α -ο) new
Κάιρο, το Cairo
καιρός, ο weather // time
κακό, το snag, bad thing
καλά well
καλαμαράκι, το (baby) squid
καλημέρα good morning/day
καλησπέρα good evening
Καλιφόρνια, η California
Καλκούτα, η Calcutta
καλοκαίρι, το summer
καλοριφέρ, το central heating
καλός (-ή -ό) good // kind
κάλτσα, η sock, stocking
καλ(τ)σόν, το tights, panty-hose
καλύτερα better

καλώ to call // to invite
καμιά φορά sometimes
Καμπέρα, η Camberra
καμπίνα, η cabin
Καναδάς, ο Canada
καναδέζικος (-η -ο) Canadian
Καναδός (-έζα) Canadian (persons)
κανένας (καμιά/κανένα) any, anyone // none
κάνει it costs // it makes
κανονίζω to arrange
κανονικά normally, regularly
κάνω to do, to make
καπέλο, το hat
καπνίζω to smoke
κάποιος (-α -ο) someone
καπουτσίνο, το cappuccino (coffee)
κάπως somewhat // somehow
καράφα, η decanter
καραφάκι, το small measure (wine or ouzo)
καρδιολόγος, ο heart specialist
καρέκλα, η chair
καρμπονάρα, η spaghetti carbonara
καρότο, το carrot
καρπούζι, το water melon
κάρτα, η card, postcard
(πιστωτική) κάρτα, η credit card
καρυδόπιτα, η ground-nut-cake
κασέτα, η cassette tape
κασετόφωνο, το cassette player
καστανός (-ή -ό) chestnut, brown
κατά about
κατάδυση, η diving
κατάθεση, η deposit
καταλαβαίνω to understand
κατάλληλος (-η -ο) suitable, appropriate
κατάλογος, ο list, menu
καταπληκτικός (-ή -ό) fantastic, fabulous
κατάσταση, η situation
κατάστημα, το store
καταφατικός (-ή -ό) affirmative
κατεπείγων (-ουσα -ον) express, very urgent
κάτι something // some
κάτοικος, ο inhabitant
(ε)κατοστίζω to live to be a hundred
κατσαβίδι, το screw-driver
κατσαρός (-ή -ό) curly
κάτω down, downstairs, below
καφέ brown
καφέ, το café
καφές, ο coffee
καφετής (-ιά -ί) brown
κείμενο, το text
κενό, το blank, gap
κεντρικός (-ή -ό) central
κέντρο, το centre
κεραμικό, το ceramic
κεράσι, το cherry
κερδίζω to win // to earn (income)
Κέρκυρα, η Corfu
κέρμα, το coin
κερνάω to treat, to offer
κεφαλαίο (γράμμα), το capital letter
κέφι, το (good) mood, high spirits

κήπος, ο garden
κι and (contr. form)
κιλό, το kilo
κιμάς, ο mince, hashed meat
Κίνα, η China
κινέζικα, τα Chinese (lang.)
κινέζικος (-η -ο) Chinese
Κινέζος (-έζα) Chinese (persons)
κινηματογράφος, ο cinema
κινητό, το mobile phone
κίτρινος (-η -ο) yellow
κλασικός (-ή -ό) classical, classic
κλειδί, το key
κλείνω to close, to shut // to book
κλειστός (-ή -ό) closed
κλίμα, το climate
κλινική, η clinic, nursing home
κλίνω to decline, to conjugate (gr.)
κοιμάμαι to sleep
κοινότητα, η community
κοινόχρηστα, τα shared maintenance expenses
κοιτάζω to watch, to look
κοκκινιστό, το meat/chicken cooked in red sauce
κόκκινος (-η -ο) red
κολλάω (-ώ) to stick, to glue
κολοκύθι, το marrow, zucchini
κόλπος, ο gulf, bay
κολυμβητήριο, το swimming pool
κολυμπάω (-ώ) to swim
κομμάτι, το piece
κομπιούτερ, ο/το computer
κομψός (-ή -ό) stylish, elegant, smart
κοντά near
κοντός (-ή -ό) short
κοπέλα, η young woman, girl
κόρη, η daughter
κορίτσι, το (young) girl
κορόνα, η crown
κόσμημα, το jewel
κοσμικός (-ή -ό) high society // worldly
κόσμος, ο people // world
κοστίζω to cost
κοστούμι, το suit, costume
κοτόπουλο, το chicken
κουζίνα, η kitchen // cuisine
κουκέτα, η berth, cot
κούκλα, η doll
κουταλάκι, το coffee spoon
κουτάλι, το spoon
κουτί, το box
κρασί, το wine
κρατάω (-ώ) to hold // to last
κρατικός (-ή -ό) state, public
κρέας, το meat
κρεατικά, τα meats
κρεβάτι, το bed
κρεβατοκάμαρα, η bedroom
κρέμα, η cream
Κρήτη, η Crete
κρίμα! pity!
κροκόδειλος, ο crocodile
κρουασάν, το croissant, bun
κρύο, το cold

Vocabulary

κρύος (-α -ο) cold (adj.)
κρυφός (-ή -ό) secret, concealed
κτήριο, το building
κτητικός (-ή -ό) possessive (gr.)
κτλ. etc.
Κυκλάδες, οι Cyclades
κυκλοφορώ to circulate
κυρία, η Mrs., Ms., lady
Κυριακή, η Sunday
κύριος, ο Mr., gentleman
κύριος (-α -ο) main
κώδικας, ο code
Κωνσταντινούπολη, η Constantinople, Istanbul

Λ λ

λαδερό, το vegetables cooked in oil
λάδι, το oil
λάθος, το mistake, fault
(είναι) λάθος (it's) wrong
λαϊκός (-ή -ό) people's, folk
λάμπα, η lamp, bulb
λαχανικά, τα vegetables
λεβ, το lev (currency)
λέγομαι to be called, to be named
λειτουργία, η service, mass (relig.) // function
λειτουργώ to operate, to function
λεμόνι, το lemon
λέξη, η word
λεξικό, το dictionary
λεπτό, το minute
λεπτός (-ή -ό) slim, slender
λέσχη, η club
λευκός (-ή -ό) white
Λευκωσία, η Nicosia
λεφτά, τα money
λέω to tell, to say
λεωφορείο, το bus
λεωφόρος, η avenue
λιακάδα, η sunshine
Λίβανος, ο Lebanon
λίβι(ν)γκ ρουμ living room
λίγο a little, some
λίγοι (-ες -α) (a) few
λίγος (-η -ο) a little, some
λιγότερο less
λιμάνι, το port, harbour
λίμνη, η lake
λίρα, η pound (currency)
λίστα, η list
λογαριασμός, ο check, bill // account
λόγια, τα words
λογικός (-ή -ό) reasonable // logical
λογιστής, ο accountant (male)
λογιστήριο, το accounts department
λογίστρια, η accountant (female)
λόγος, ο reason
λοιπόν so, now then, then, well
Λονδίνο, το London
λουκάνικο, το sausage
λουλούδι, το flower
λουξ de luxe
Λουξεμβούργο, το Luxemburg

λουτρό, το bathroom, bath
λύκειο, το senior high school
λυπάμαι to be sorry, to regret
λυπημένος (-η -ο) sad
Λωζάνη, η Lausanne

Μ μ

μα but
μαγαζί, το shop
μαγειρεύω to cook
μαγειρίτσα, η tripe and herb soup
Μαδρίτη, η Madrid
μαζί together
μαθαίνω to learn // to hear, to be informed
μάθημα, το lesson
μαθηματικός, ο/η mathematician
μαθητής, ο pupil, school student (male)
μαθήτρια, η pupil, school student (female)
Μάιος, ο May
μακαρόνια, τα macaroni, spaghetti
μακριά far
μακρύς (-ιά -ύ) long
μαλακός (-ιά -ό) soft
μάλιστα yes (formal) // in fact
μαλλί, το wool
μαλλιά, τα hair
μάλλον rather // probably
μάνα, η mother
μανάβης, ο greengrocer
μανάβικο, το greengrocer's (shop)
μανιτάρι, το mushroom
μανούρι, το type of cream cheese
μανταρίνι, το tangerine, mandarin
μαντεύω to guess
μ' αρέσει I like
μαρίδα, η whitebait, picarel
μαρκαδόρος, ο felt-tipped pen, marker
μαρούλι, το lettuce
Μάρτιος, ο March
μας our
Μασσαλία, η Marseilles
μάτι, το eye
μαύρος (-η -ο) black
με with // me
Μεγάλη Πέμπτη, η Maundy Thursday
μεγάλος (-η -ο) big, large // old (persons)
μεζές, ο titbit, snack
μεθαύριο the day after tomorrow
Μελβούρνη, η Melbourne
μέλι, το honey
μελιτζάνα, η eggplant, aubergine
μελιτζανοσαλάτα, η aubergine purée salad
μέλλον, το future
μέλλοντας, ο future tense (gr.)
μέλος, το member
μένω to live (reside), to stay
μεξικάνικος (-η -ο) Mexican
Μεξικανός (-ή) Mexican (persons)
Μεξικό, το Mexico
μέρα, η day
μερικοί (-ές -ά) some
μέρος, το place // part
μέσα in, inside
μεσάνυχτα, τα midnight

μεσημέρι, το midday
μεσημεριανό, το lunch
μεσογειακός (-ή -ό) Mediterranean (adj.)
Μεσόγειος, η the Mediterranean (sea)
με συγχωρείτε excuse me, I'm sorry
μετά after, afterwards
μεταβατικό ρήμα, το transitive verb
μετανάστης, ο immigrant, emigrant
μεταξύ between, among
μετοχή, η participle (gr.)
μετρητά, τα cash
μέτριος (-α -ο) medium (sweet)
μέτρο, το metre // measure
μετρό, το underground, tube, subway
μέχρι until, up to
μηδέν zero
μήλο, το apple
μηλόπιτα, η apple pie
μήνας, ο month
μήπως perhaps (questions only)
μητέρα, η mother
μηχανή, η machine // engine // motorcycle // camera
μηχανικός, ο engineer
μια indef. article (fem. nom.) // one
μια χαρά fine, very well
μιάμιση one and a half, half past one
μικρός (-ή -ό) small, little // young (persons)
Μιλάνο, το Milan
μιλάω to speak, to talk
μ.μ. p.m.
μίνι μάρκετ, το mini-market
μισθός, ο salary
μισός (-ή -ό) half
μνημείο, το monument
μοκέτα, η wall-to-wall carpet
μολύβι, το pencil
μοναστήρι, το monastery, convent
Μόναχο, το Munich
μόνο only
μονοκατοικία, η single residence
μονόκλινος (-η -ο) single-bed
μοντέρνος (-α -ο) modern
μορφωμένος (-η -ο) educated, cultured
Μόσχα, η Moscow
μοσχάρι, το veal
μου my
μουσείο, το museum
μουσική, η music
μουστάκι, το moustache
μπαίνω to go/come in
μπακάλικο, το grocery store
μπακλαβάς, ο baklava (filo-layered pastry with walnuts and syrup)
μπαλκόνι, το balcony
μπαλόνι, το balloon
μπάμιες, οι okra, ladies' fingers (veg.)
μπανάνα, η banana
μπάνιο, το bathroom // bath
μπαρ, το bar, coffee bar
μπαρμπούνι, το red mullet
μπάσκετ, το basket ball
μπαχαρικά, τα spices
μπεζ beige

μπέρδεμα, το   entaglement, mix-up, mess-up
μπερδεύω   to confuse
μπίρα, η   beer
μπιφτέκι, το   hamburger, meat ball
μπλε   blue
μπλούζα, η   blouse
μπλουζάκι, το   tee shirt
μπορεί   maybe (impers.)
μπορντό   burgundy (colour)
μπορώ   I can
μπουζούκι, το   bouzouki, traditional musical instrument
μπουκάλι, το   bottle
μπουτίκ, η   boutique
μπράβο!   well done!
μπριάμ, το   baked mixed vegetables
μπριζόλα, η   (rlb) steak, chop
μπρίκι, το   brass coffee-pot
μπροστά   in front, forward
μύλος, ο   mill
μοβ   violet, mauve

Ν ν

να   particle used to form the infinitive
ναι   yes
ναός, ο   temple
Νέα Υόρκη, η   New York
νέος (-α -ο)   young, new
νερό, το   water
νησί, το   island
Νοέμβριος, ο   November
νομίζω   to think, to guess
Νορβηγία, η   Norway
νορβηγικός (-ή -ό)   Norwegian
νοσοκόμα, η   nurse (female)
νοσοκόμος, ο   nurse (male)
νοσοκομείο, το   hospital
νόστιμος (-η -ο)   tasty // cute (persons)
νότια   to the south
νοτιοανατολικά   south east (adj.)
νότος, ο   south
νούμερο, το   number
ντίσκο, η   disco
ντολμαδάκια, τα   stuffed vine leaves
ντομάτα, η   tomato
ντουλάπα, η   wardrobe, closet
νυστάζω   to be sleepy
νωρίς   early

Ξ ξ

(ε)ξαδέλφη, η   cousin (female)
(ε)ξάδελφος, ο   cousin (male)
ξανά   again
ξανθός (-ή -ό)   blond, fair
ξεκινάω (-ώ)   to set off
ξένη, η   foreigner, stranger (female)
ξένος, ο   foreigner, stranger (male)
ξενοδοχείο, το   hotel
ξένος (-η -ο)   foreign
ξέρω   to know
ξεχνάω (-ώ)   to forget
ξεχωριστός (-ή -ό)   separate, independent
ξιφίας, ο   sword fish

ξύδι (ξίδι), το   vinegar
ξυπνάω (-ώ)   to wake up

Ο ο

ο   def. article (masc. sing. nom.)
ογδόντα   eighty
όγδοος (-η -ο)   eighth
οδηγώ   to drive
οδός, η   street, road
οικογένεια, η   family
οικονομία, η   economy // saving
οικονομικός (-ή -ό)   economical // economic, financial
Οκτώβριος, ο   October
Ολλανδία, η   Holland
ολλανδικά, τα   Dutch (lang.)
Ολλανδός (-έζα)   Dutch (persons)
όλοι (-ες -α)   all
όλος (-η -ο)   entire, whole, all
ομάδα, η   group, team
ομιλία, η   speech, talk
ομορφιά, η   beauty
ομπρέλα, η   umbrella
όμως   however
όνομα, το   name
ονομασία, η   naming
ονομαστική, η   nominative (gr.)
όποιος (-α -ο)   whoever, whatever
όπου   where, wherever (statements only)
όπως   as, like
οπωσδήποτε   for sure, without fail
όργανο, το   musical instrument // organ
ορεινός (-ή -ό)   mountain(ous)
ορεκτικό, το   appetizer, starter
όρεξη, η   appetite // mood
οριζόντια   horizontally
ορισμένος (-η -ο)   certain
ορίστε   here you are // yes, please
οριστικός (-ή -ό)   definite // definitive
οροφοδιαμέρισμα, το   apartment occupying whole floor
όροφος, ο   floor, storey
όσο   as much as, as long as
όταν   when
ΟΤΕ, ο   Greek Telecommunications Organization
ό,τι   what, whatever
ότι   that (conj.)
Ουγγαρέζος (-έζα)   Hungarian (persons)
Ουγγαρία, η   Hungary
ουδέτερος (-η -ο)   neuter (gr.) // neutral
ούζο, το   ouzo (annis drink)
ουρά, η   queue, line
ουσιαστικό, το   noun (gr.)
ούτε   neither, nor // not even
όχι   no, not
οχτακόσιοι (-ες -α)   eight hundred
οχτώ (οκτώ)   eight

Π π

παγάκι, το   ice cube
πάγος, ο   ice
(κάνει) παγωνιά   it's freezing

παθητική (φωνή), η   passive voice (gr.)
παθητικός (-ή -ό)   passive
παϊδάκι, το   lamb chop
παιδί, το   child
παιδικός (-ή -ό)   children's, childish
παίζω   to play // to act
παίρνω   to get, to take
πακέτο, το   packet, pack
πάλι   again
παλιός (-ά -ό)   old (objects / persons when not referring to age)
πανσιόν, η   boarding house
πάντα   always
πάντα, τα   everything, the lot
παντελόνι, το   trousers, slacks
παντζούρι, το   shutter
παντρεμένος (-η -ο)   married
παντού   everywhere
πάνω   up, upstairs, above
παπουτσάκια, τα   stuffed aubergine with mince and tomato sauce baked in the oven
παπούτσι, το   shoe
παρά   less, before (hour)
παραγγέλνω   to order
παράγραφος, η   paragraph
παράγω   to produce
παράδειγμα, το   example
παραθετικά, τα   degrees of comparison (gr.)
παράθυρο, το   window
παρακαλώ   please // to beg
παρακάτω   below, further down
παραλία, η   sea side, beach
παράλληλα   at the same time // in parallel
παράξενος (-η -ο)   strange
παραπάνω   above, further up // more
Παρασκευή, η   Friday
παράσταση, η   performance, show
παρέα, η   company, party
παρένθεση, η   parenthesis
Παρίσι, το   Paris
παρκαρισμένος (-η -ο)   parked
παρκάρω   to park
πάρκι(ν)γκ, το   car park
πάρκο, το   park
πάρτι, το   party, informal reception
πάστα, η   piece/slice of cake, pastry
παστίτσιο, το   pasticcio (makaroni with mince au gratin)
Πάσχα, το   Easter
πατάτα, η   potato
πατέρας, ο   father
Πάτρα, η   Patras
πατρίδα, η   fatherland, native town
πάω (πηγαίνω)   to go
πέδιλο, το   sandal, light shoe
πεζόδρομος, ο   pedestrian street or area
πεινάω (-ώ)   to be hungry
πειράζει   it matters
Πειραιάς, ο   Piraeus
Πεκίνο, το   Peking / Beijing
πέλαγος, το   sea
πελάτης, ο   customer, client (male)
πελάτισσα, η   customer, client (female)
Πελοπόννησος, η   Peloponnese
Πέμπτη, η   Thursday

Vocabulary

πέμπτος (-η -ο) fifth
πενήντα fifty
πεντακόσιοι (-ες -α) five hundred
πεντάρι, το five-room apartment
πέντε five
πεπόνι, το melon
περασμένος (-η -ο) past // last
περιβάλλον, το environment
περιγράφω to describe
περιλαμβάνω to include
περιμένω to wait (for), to expect
περιοχή, η area, district
περιπέτεια, η adventure
περίπου about, approximately
περίπτερο, το kiosk
περισσότεροι (-ες -α) more
περνάω (-ώ) to pass, to pass by //
  to spend (time)
περπατάω (-ώ) to walk
πέρ(υ)σι last year
πέτρα, η stone
πέφτω to fall
πηγαίνω (πάω) to go
πιάνει it stops (ship)
πιάτο, το plate, dish
πιλάφι, το pilaff, cooked rice
πίνακας, ο painting // board // table
πίνω to drink
πιο more
πιπέρι, το pepper (spice)
πιπεριά, η pepper (veg.)
πισίνα, η swimming pool
πίστα, η ski slope
πιστωτική κάρτα, η credit card
πιτσαρία, η pizza shop
πλάγια (γράμματα), τα italics
πλαίσιο, το frame, framework
(έχει) πλάκα it's funny, it's fun
πλανήτης, ο planet
πλαστικός (-ή -ό) plastic
πλατεία, η square, roundabout
πλένω to wash
πληθυντικός, ο plural (gr.)
πλην minus
πληροφορίες, οι information, inquiries
πληρώνω to pay
πλησίον near (older Greek)
πλοίο, το ship
πλυντήριο, το washing machine
π.μ. a.m.
ποιος (-α -ο) who, which (questions only)
πόλη, η town, city
πολίτης, ο/η citizen
πολιτικός (-ή -ό) political // civil
πολλοί (-ές -ά) many
πολύ very
πολυθρόνα, η armchair
πολυκατοικία, η block of flats
πολύς (πολλή/ πολύ) much, a lot (of)
πολυτελής (-ής -ές) luxurious
πολωνέζικα, τα Polish (lang.)
Πολωνία, η Poland
Πολωνός (-έζα) Polish (persons)
πονάω (-ώ) to hurt, to ache
ποντίκι, το mouse

πόρτα, η door
Πορτογαλία, η Portugal
πορτογαλικά, τα Portuguese (lang.)
Πορτογάλος (-έζα) Portuguese (persons)
πορτοκαλάδα, η orange drink
πορτοκαλής (-ιά -ί) orange (adj.)
πορτοκάλι, το orange
πορτοφόλι, το wallet, purse
πόσοι (-ες -α) how many
πόσος (-η -ο) how much
πότε when (questions only)
ποτέ ever // never
ποτήρι, το glass, tumbler
ποτό, το drink
που who, which, that
πού where (questions only)
πουθενά anywhere // nowhere
πουκάμισο, το shirt
πουλάω (-ώ) to sell
πούλμαν, το tourist bus, coach
πουλόβερ, το pullover, jumper
πούρο, το cigar
Πράγα, η Prague
πράγμα, το thing
πραγματικά really, indeed
πράξη, η action, act
πράσινος (-η -ο) green
πρέπει must, it is necessary
πρεσβεία, η embassy
πρέσβης, ο ambassador
πριν before
προάστιο, το suburb
πρόβλημα, το problem
προέλευση, η origin
προηγούμαι to precede
προηγούμενος (-η -ο) previous, last
πρόθεση, η preposition (gr.)
προϊόν, το product
προκαταβολή, η deposit, down payment
πρόκειται (για) it is about, it concerns
προλαβαίνω to be in the nip of time //
  to have enough time
προορισμός, ο destination
πρόπερσι the year before last
προσδιορίζω to determine
προσδιοριστικός (-ή -ό) determining
προσεκτικά carefully
προσέχω to be careful, to pay attention
προσθέτω to add
προσοχή, η attention
προσπαθώ to try, to make an effort
προστακτική, η imperative (gr.)
προσωπικός (-ή -ό) personal
προσωπικότητα, η personality
πρόσωπο, το person // face
πρόταση, η sentence (gr.)
προτιμάω (-ώ) to prefer
προτίμηση, η preference
προχθές (προχτές) the day before
  yesterday
πρωί, το morning
πρωί-πρωί early in the morning
πρωινό, το breakfast
πρώτα first(ly)
πρωτεύουσα, η capital (city)

πρώτος (-η -ο) first
πτήση, η flight
π.χ. e.g.
πωλείται for sale
πωλητής, ο salesman, shop assistant
  (male)
πωλήτρια, η saleswoman, shop assistant
  (female)
πως that
πώς how // of course

Ρ ρ

ραγού ragout, meat cooked with vegetables
ρακή, η raki (type of alcoholic spirit)
ραντεβού, το appointment, date
ραπανάκι, το radish
ρεπό, το day off
ρέστα, τα change (balance)
ρετιρέ, το penthouse
ρήμα, το verb (gr.)
ροδάκινο, το peach
Ρόδος, η Rhodes
ροζ pink
ροκ, η rock music
ρολόι, το watch, clock
ρόλος, ο role
ρούβλι, το ruble
ρούχα, τα clothes
ρόφημα, το (hot) beverage or drink
Ρώμη, η Rome
ρωσικά, τα Russian (lang.)
ρωσικός (-ή -ό) Russian
Ρώσος (-ίδα) Russian (persons)
ρωτάω (-ώ) to ask

Σ σ

Σάββατο, το Saturday
σαββατοκύριακο, το weekend
σαγανάκι, το fried cheese
σακάκι, το jacket
σακούλα, η bag
σαλάτα, η salad
σαλάμι, το salami
σαλόνι, το sitting room
σάλτσα, η sauce
σαμπουάν, το shampoo
σαν like, as
σαπούνι, το soap
σαράντα forty
σαρδέλα, η sardine
σας your (formal or pl.)
σγουρός (-ή -ό) curly
σε in, at, to, on // you (sing. accus.)
σειρά, η turn // row
σελίδα, η page
Σεπτέμβριος, ο September
σερβιτόρα, η waitress
σερβιτόρος, ο waiter
σέρφι(ν)γκ, το wind surfing
σημαίνει it means
σημείο, το point
σημείωμα, το note
σημειώνω to note

σημείωση, η note
σήμερα today
σιγά slowly
σιγά-σιγά slowly slowly, little by little
σίγουρα surely
σιδηροδρομικός (-ή -ό) railway (adj.)
Σικελία, η Sicily
σινεμά, το cinema
σιτάρι, το wheat
σκάκι, το chess
σκεπάζω to cover
σκέτος (-η -ο) neat, straight, unmixe //
  without sugar
σκέφτομαι (σκέπτομαι) to think, to reflect
σκι, το ski
σκορδαλιά, η garlic sauce
σκουπίδια, τα rubbish, garbage
σκυλί, το dog
σοβαρά seriously
σοκολάτα, η chocolate
σου your (sing.)
σούβλα, η spit, skewer
σουβλάκι, το "souvlaki", skewered meat
σουβλατζίδικο, το souvlaki shop
Σουηδία, η Sweden
σουηδικά, τα Swedish
σουηδικός (-ή -ό) Swedish (objects)
Σουηδός (-έζα) Swedish (persons)
σούπα, η soup
σουπερμάρκετ, το supermarket
σουτζουκάκια, τα stewed meatballs
Σόφια, η Sofia
σπάνια rarely, seldom
σπέσιαλ special
σπίρτο, το match
σπίτι, το house, home
σπουδάζω to study (at a school or univ.)
σπουδαστής, ο student (masc.)
σπουδάστρια, η student (fem.)
σταθμός, ο station
σταματάω (-ώ) to stop
στάση, η stop (bus)
στατιστική, η statistics
σταυρόλεξο, το crossword puzzle
σταφύλι, το grape
σταχτής (-ιά -ί) ash-coloured, grey
στέλνω to send
στενός (-ή -ό) narrow, tight
στήλη, η column
στιγμή, η moment
στοιχεία, τα type(face) (typogr.) // data
Στοκχόλμη, η Stockholm
συγγενής, ο relative
συγκρίνω to compare
συγκριτικός, ο comparative (gr.)
συγνώμη! excuse me!, I'm sorry!
συγχωρώ to excuse, to forgive
συμβαίνει it's happening, it happens
συμμαθητής, ο classmate (male)
συμμαθήτρια, η classmate (female)
συμπαθητικός (-ή -ό) nice, likeable
συμπληρώνω to complete, to fill in
συμπόσιο, το symposium
σύμφωνα με according to
σύμφωνο, το consonant (gr.)

συμφωνώ to agree
συναυλία, η concert
συνέδριο, το conference, congress
συνεργείο, το garage (car repair)
συνέχεια (συνεχώς) continuously
συνεχίζω to continue
συνηθισμένος (-η -ο) usual, common
συνήθως usually
συνθέτης, ο composer
συννεφιά, η cloudiness, cloudy sky
συνοικία, η area, district
συνορεύω to border
σύντροφος, ο/η partner
Συρία, η Syria
συστημένος (-η -ο) registered (letter)
συστήνω to introduce // to recommend
συχνά often
σχεδιάγραμμα, το diagram, drawing
σχεδόν almost
σχέση, η connection, relationship
σχετικά relatively // in connection/relation
σχηματίζω to form
σχολείο, το school
σχολή, η school
σωστά correctly
σωστός (-ή -ό) right, correct

T τ

ταβέρνα, η tavern
τάβλι, το backgammon
ταινία, η film, movie
ταιριάζω to match
ταλέντο, το
ταμείο, το cashier's desk
ταμπέλα, η sign
τάξη, η class, classroom
ταξί, το taxi, cab
ταξιδεύω to travel
ταξίδι, το journey, trip
ταξιδιώτης, ο traveller, passenger
ταξιδιωτικός (-ή -ό) traveller's, travelling
ταξινομώ to put in order, to sort out
τα πάντα everything
ταραμοσαλάτα, η fish roe relish
τάρτα, η tart (pastry)
τασάκι, το ashtray
ταυτότητα, η identity // identiy card
τάφος, ο grave
ταχυδρομείο, το post office
ταχυδρομώ to post
Τελ Αβίβ, το Tel Aviv
τελειώνω to finish, to end
τελευταία lately
τελευταίος (-α -ο) last
τελικά finally, in the end
τελικός (-ή -ό) final
τέλος, το end
τεμάχιο, το piece
τεμπέλης (-α -ικο) lazy
τέν(ν)ις, το tennis
τέρας, το monster
τεράστιος (-α -ο) huge, enormous
τεσσάρι, το four-room apartment
τέσσερις (-ις -α) four

τεστ, το test
Τετάρτη, η Wednesday
τέταρτο, το quarter
τέταρτος (-η -ο) fourth
τετραγωνικός (-ή -ό) square (metres etc.)
τετράγωνο, το square // block (of
  buildings)
τετράγωνος (-η -ο) square, quadrangular
τετράδιο, το note book
τετρακόσιοι (-ες -α) four hundred
τέχνη, η art
τζαζ, η jazz
τζάκι, το fireplace
τζαμί, το mosque
τζατζίκι, το cucumber and yoghurt salad
τηγανητός (-ή -ό) fried
τηλεόραση, η television
τηλεφωνικός (-ή -ό) telephone (adj.)
τηλέφωνο, το (tele)phone
τηλεφωνώ to (tele)phone
της her/its (poss.)
τι what
τιμή, η price
τίποτε anything // nothing
τι συμβαίνει; what's happening?, what's
  the matter?
το def. article (neut. sing. nom.)
το αργότερο at the latest
Τόκιο, το Tokio
τόνος, ο signal // stress (gr.)
το πολύ at most
τοστ, το toast
τόσο so, so much
τόσο... όσο as... as
τότε then
του his/its
τουαλέτα, η toilet
τουλάχιστον at least
τουρίστας, ο tourist (male)
τουρίστρια, η tourist (female)
τουριστικός (-ή -ό) tourist (adj.), touring
Τουρκία, η Turkey
τούρκικα, τα Turkish (lang.)
τουρκικός (-ή -ό) Turkish
Τούρκος (-άλα) Turkish (persons)
τους their
του χρόνου next year
τραμ, το tram(car), streetcar
τράπεζα, η bank
τραπεζαρία, η dining room
τραπέζι, το table
τραπεζικός, ο/η bank employee
τρένο, το train
τρεις (τρεις/τρία) three
τριακόσιοι (-ες -α) three hundred
τριάντα thirty
τριάρι, το three-room apartment
Τρίτη, η Tuesday
τρίτος (-η -ο) third
τροπικός (-ή -ό) in relation to manner (gr.)
τρόπος, ο manner
τροχαία, η traffic police
τρώω to eat
τσάι, το tea
τσάντα, η bag, handbag

Vocabulary

τσιγάρο, το cigarette
τσιπούρα, η bream
τσουγκρίζω to crack (Easter eggs)
τσουρέκι, το Easter bun
Τυνησία, η Tunisia
τυπογραφείο, το printing house, printer's
τύπος, ο type // character (pers.)
τυρί, το cheese
τυρόπιτα, η cheese pie
τυροπιτάκι, το mini cheese pie
τυχερός (-ή -ό) lucky
τώρα now

Υ υ

υδραυλικός, ο plumber
υπάλληλος, ο employee. clerk
υπάρχει there is
υπάρχω to exist
υπάρχων (-ουσα -ον) existing
υπερθετικός, ο superlative (gr.)
υπηρεσία, η service // department
υπνοδωμάτιο, το bedroom
ύπνος, ο sleep
υπόγειο, το basement
υπογραφή, η signature
υπογράφω to sign
υποκείμενο, το subject (gr.)
υποκοριστικό, το diminutive
υπολογιστής, ο computer
υπόλοιπος (-η -ο) remaining, rest
υποτακτική, η subjunctive (gr.)
υφαντό, το handwoven material
ύφασμα, το material, fabric

Φ φ

φάβα, η split peas purée
φαγητό, το food
φαίνομαι to look, to appear
φάκελος, ο envelope // file
φακός, ο torch, flashlight
φαλακρός (-ή -ό) bald
φανάρι, το traffic light
φανελάκι, το undershirt, vest
φανερώνω to denote, to show
φαντάζομαι to imagine
φαρμακείο, το pharmacy, chemist's
φαρμακευτικός (-ή -ό) pharmaceutical
φάρμακο, το medicine, drug
φασολάκια, τα fresh beans
Φεβρουάριος, ο February
φέρνω to bring
φέτα, η type of white cheese // slice
(ε)φέτος this year
φεύγω to leave
φθινόπωρο, το autumn, fall
φιλάρες, οι big kisses
φιλάω (-ώ) to kiss
φίλη, η friend (female)
φιλί, το kiss
φιλικός (-ή -ό) friendly
Φιλιππίνες, οι the Philippines
φιλμ, το film, movie
φίλος, ο friend (male)

φιλότιμο, το sense of duty // pride, dignity
Φλωρεντία, η Florence
φοβάμαι to fear, to be afraid
φοιτητής, ο university student (male)
φοιτήτρια, η university student (female)
φορά, η time, occasion
φοράω (-ώ) to wear, to put on
φόρεμα, το dress
φόρος, ο tax
φούρνος, ο bakery // oven
φούστα, η skirt
φρα(ν)τζόλα, η loaf of bread
φράουλα, η strawberry
φραπέ, ο instant coffee, with or without
  milk, served whisked and iced
φρέσκος (-ια -ο) fresh
φροντιστήριο, το tutorial school, tuition
  centre
φρούριο, το fortress, fort
φρούτο, το fruit
φτάνω to arrive
φτηνός (-ή -ό) cheap, inexpensive
φτιάχνω to make, to fix
φυλάω (-ώ) to keep // to guard
φυσική, η Physics
φυσικός (-ή ό) natural
φωνή, η voice
φωνήεν, το vowel (gr.)
φωτεινός (-ή -ό) bright, sunny
φωτογραφικός (-ή -ό) photographic

Χ χ

Χάγη, η the Hague
χαίρετε hello, goodbye
χαιρετίσματα, τα greetings
χαίρομαι to be pleased, to be happy
χαίρω to be pleased, to be happy
  (older Greek)
χαλάω (-ώ) to break down, to spoil //
  to change (money)
χαλβάς, ο halvah // sweet made of
  semolina, butter, sugar, and almonds or
  pine kernels
χαμηλός (-ή -ό) low
χάνω to lose // to waste
χάρτης, ο map
χαρτί, το paper
χαρτιά, τα playing cards
χαρτοπετσέτα, η paper napkin/towel
χαρτοφύλακας, ο briefcase
χειμώνας, ο winter
χήρα, η widow
χήρος, ο widower
χθες ((ε)χτές) yesterday
χίλιοι (-ες -α) one thousand
χιλιάδες thousand(s)
χιλιομετρικός (-ή -ό) kilometric
χιλιόμετρο, το kilometre
χιόνι, το snow
χιονίζει it snows, it is snowing
χοιρινός (-ή -ό) pork (adj.)
χολ, το vestibule, hallway
χοντρός (-ή -ό) fat
χορεύω to dance

χόρτα, τα boiled mountain greens
χρειάζεται it is necessary
χρειάζομαι to need
χρησιμοποιώ to use, to utilize
Χριστός Ανέστη! Christ has risen!
  (older Greek)
χρόνια, τα years
χρονικός (-ή -ό) related to time
χρόνος, ο time // year
χρυσός (-ή -ό) gold(en)
χρυσός, ο gold
χρώμα, το colour
χρωματίζω to paint, to colour
χρωματοπωλείο, το paint store
χρωστάω (-ώ) to owe
χταπόδι, το octopus
χυμός, ο juice
χώρα, η country
χωριάτικος (-η -ο) peasant, country (adj.)
χωρίζω to separate
χωρισμένος (-η -ο) separated, divorced
χωριστός (-ή -ό) separate
χώρος, ο space, room

Ψ ψ

ψάρι, το fish
ψαρόσουπα, η fish soup
ψαροταβέρνα, η fish tavern
ψάχνω to look for, to search
ψηλός (-ή -ό) tall, high
ψήνω to roast, to broil, to cook
ψητός (-ή -ό) roast, broiled, grilled
ψηφίο, το digit // letter
ψιλά, τα small change
ψιχαλίζει it drizzles, it's drizzling
ψυγείο, το refrigerator
ψυχαγωγώ to entertain
ψυχίατρος, ο psychiatrist
ψυχολόγος, ο/η psychologist
(έχει/κάνει) ψύχρα it's chilly/nippy
ψωμί, το bread
ψώνια, τα shopping, shopping items
ψωνίζω to shop, to buy

Ω ω

ώρα, η hour // time
ωραίος (-α -ο) nice, fine, good-looking
ώς until, up to

A α

αβγό (αυγό), το   œuf (le)
άγαλμα, το   statue (la)
αγαπάω (-ώ)   aimer
αγάπη, η   amour (le)
αγαπητός (-ή -ό)   cher
αγγελία, η   annonce (la)
Αγγλία, η   Angleterre (la)
αγγλικά, τα   l'anglais (lang.)
αγγλικός (-ή -ό)   anglais
Άγγλος (-ίδα)   anglais (-e) (pers.)
αγγούρι, το   concombre (le)
αγία, η   sainte (la)
άγιος, ο   saint (le)
Άγκυρα, η   Ankara
άγνωστη, η   inconnue (la)
άγνωστος, ο   inconnu (le)
άγνωστος (-η -ο)   inconnu
αγορά, η   marché (le)
αγοράζω   acheter
αγόρι, το   garçon (le)
άδειος (-α -ο)   vide
αδελφή, η   sœur (la)
αδελφός, ο   frère (le)
αδύνατος (-η -ο)   mince // faible
αέρας, ο   air // vent (le)
αεροδρόμιο, το   aéroport (le)
αεροπλάνο, το   avion (le)
αεροπορικός (-ή, -ό)   aérien, par avion
Αθήνα, η   Athènes
Αιγαίο (πέλαγος), το   Mer Egée (la)
αιγυπτιακός (-ή -ό)   égyptien
Αιγύπτιος (-α)   égyptien (-ne) (pers.)
Αίγυπτος, η   Égypte (la)
αίθριος (-α, -ο)   clair, pure (temps)
αιτιατική, η   accusatif (le) (gr.)
αιτιολογικά   en ce qui concerne la cause
ακολουθώ   suivre
ακόμα   encore, aussi // de plus
ακούω   écouter // entendre
ακριβός (-ή, -ό)   cher, à haut prix
ακριβώς   exactement
Ακρόπολη, η   l'Acropole
αλάτι, το   sel (le)
Αλβανία, η   Albanie (la)
Αλεξάνδρεια, η   Alexandrie
αλήθεια   vraiment, en vérité // à propos
Αληθώς Ανέστη!   Il est vraiment ressuscité!
   (grec ancien)
αλλά   mais
αλλάζω   changer
αλλαντικά, τα   charcuterie (la)
άλλος (-η, -ο)   autre
άλλοτε   quelquefois // autrefois
αλλού   autre part, ailleurs
αλουμίνιο, το   aluminium (le)
αλφάβητο, το   alphabet (le)
Αμβούργο, το   Hambourg
αμερικανικός (-ή -ό)   américain
Αμερικανός (-ίδα)   américain (-e) (pers.)
Αμερική, η   Amérique (la)
άμεσος (-η, -ο)   direct
αμέσως   tout de suite, immédiatement
Άμστερνταμ, το   Amsterdam

αν   si
ανακατεύω   mêler, mélanger
ανάκτορο, το   palais (le)
ανάληψη, η   retrait (le)
ανάλογα   selon, en conséquence
ανάμεσα   entre
αναπτήρας, ο   briquet, allume-cigarette (le)
Ανάσταση, η   Résurrection (la)
ανατολή, η   est (le)
ανατολικά   à l'est
αναφέρομαι   se référer
αναφέρω   mentionner // rapporter
αναχώρηση, η   départ (le)
αναψυκτικό, το   rafraîchissement (le)
ανελκυστήρ, ο   ascenseur (le) (mot savant)
ανθοπωλείο, το   boutique de fleuriste
άνθρωπος, ο   homme (le), personne (la),
   être humain
ανοίγω   ouvrir
άνοιξη, η   printemps (le)
ανοιχτός (-ή -ό)   ouvert
αντίθετα   au contraire
αντίθετος (-η, -ο)   contraire, opposé
αντικαθιστώ   remplacer, substituer
αντικείμενο, το   objet (le)
αντίο   adieu
αντιπρόσωπος, ο/η   représentant (le)
αντίρρηση, η   objection (la)
αντιστοιχώ   correspondre
άντρας, ο   homme (le) // mari (le)
αντωνυμία, η   pronom (le) (gr.)
ανυπόφορος (-η -ο)   insupportable
ανώμαλος (-η -ο)   irrégulier, anormal
αόριστος, ο   passé simple, aoriste (le) (gr.)
απαντάω (-ώ)   répondre
απάντηση, η   réponse (la)
απαρέμφατο, το   infinitif (le) (gr.)
απέναντι   en face
απέχω   être loin/distant de
απλή διαδρομή   (billet d')aller (le)
απλός (-ή -ό)   simple
απλώς   simplement, seulement
από   de // que
απόγευμα, το   après-midi (le)
απογευματινός (-ή -ό)   d'après-midi
απόδειξη, η   reçu (le)
αποθετικό ρήμα, το   verbe déponent (gr.)
αποθήκη, η   dépôt (le)
απόλυτος (-η -ο)   absolu
απολύτως   absolument
απορρυπαντικό, το   détergent (le)
απόψε   ce soir
Απρίλιος, ο   avril (le)
αραβικά, τα   l'arabe (lang.)
αρακάς, ο   petits pois (les)
αργά   tard
αργότερα   plus tard
αργώ   être en retard, tarder
αρέσω   plaire
άρθρο, το   article (le)
αριθμητικό, το   numéral (gr.)
αριθμός, ο   nombre, numéro (le)
αριστερά   à gauche
αρκετά   assez

αρνητικός (-ή -ό)   négatif
αρνί, το   agneau (le)
άρρωστος (-η -ο)   malade
αρσενικός (-ή -ό)   masculin, mâle
αρχαιολογικός (-ή -ό)   archéologique
αρχαιολόγος, ο/η   archéologue (le)
αρχαίος (-α, -ο)   ancien
αρχή, η   commencement, début (le)
αρχίζω   commencer
αρχιτέκτονας, ο   architecte (le)
άρωμα, το   parfum, arome (le)
ασανσέρ, το   ascenseur (le)
Ασία, η   Asie (la)
άσπρος (-η -ο)   blanc
αστυνομία, η   police (la)
άσχετος (-η -ο)   sans rapport, hors de
   propos
άσχημος (-η, -ο)   laid // mauvais
ασχολούμαι   s'occuper de
ατζέντα, η   agenda (le)
ατομικός (-ή, -ό)   personnel, individuel
άτομο, το   personne (la), individu (le)
Αύγουστος, ο   août (le)
αυλή, η   cour (la)
αύριο   demain
αυστραλέζικος (-η -ο)   australien
Αυστραλία, η   Australie (la)
Αυστραλός (άζα)   australien (-ne) (pers.)
Αυστρία, η   Autriche (la)
αυστριακός (-η -ο)   autrichien
Αυστριακός (-ή)   autrichien (-ne) (pers.)
αυτοκίνητο, το   auto, voiture (la)
Αυτόματη Ταμειακή Μηχανή, η   guichet
   automatique, distributeur (le)
αυτός (-ή, -ό)   il, lui (nom.) // ce, celui
άφιξη, η   arrivée (la)
Αφρική, η   Afrique (la)
αχλάδι, το   poire (la)

B β

βάζο, το   vase (la)
βάζω   mettre
βαθμός, ο   degré, grade (le)
βαμμένος (-η -ο)   peint
βανίλια, η   vanille (la)
βαρετός (-ή -ό)   ennuyeux
Βαρκελώνη, η   Barcelone
Βαρσοβία, η   Varsovie
βάση, η   base (la)
βατ, το   watt (le)
βάφω   peindre
βγάζω   faire sortir // gagner (de l'argent)
βγαίνω   sortir
βέβαια (βεβαίως)   bien sûr
Βέλγιο, το   Belgique (la)
Βελιγράδι, το   Belgrade
Βενεζουέλα, η   Venezuela (la)
Βενετία, η   Venise
βενετσιάνικος (-η, -ο)   vénitien
βενζίνη, η   essence (la)
βεράντα, η   véranda (la)
βερίκοκο, το   apricot (le)
Βερολίνο, το   Berlin
βήμα, το   pas (le)

Vocabulaire

βιβλιάριο, το livret (le) *(de banque etc.)*
βιβλίο, το livre (le)
βιβλιοθήκη, η bibliothèque (la)
βιβλιοπωλείο, το librairie (la)
Βιέννη, η Vienne
βιετναμέζικος (-η, -ο) vietnamien
βίντεο, το vidéo (le)
βιτρίνα, η vitrine (la)
βλέπω voir // regarder
βοηθάω (-ώ) aider
βοήθεια, η aide (la)
βόλτα, η promenade (la), tour (le)
Βόννη, η Bonne
βόρεια au nord
βορειοανατολικά nord-est *(adv.)*
βόρειος (-α -ο) nord *(adj.)*
βορράς, ο nord (le)
Βουδαπέστη, η Budapest
Βουκουρέστι, το Bucarest
Βουλγαρία, η Bulgarie (la)
βουλγάρικος (-η, -ο) bulgare
Βούλγαρος (-άρα) bulgare *(pers.)*
βουλευτής, ο député (le)
βουνό, το montagne (la)
βούτυρο, το beurre (le)
βραδιά, η soir (le), nuit (la)
βραδινό, το dîner (le)
βραδινός (-ή, -ό) du soir
βράδυ, το soir (le)
βραστός (-ή, -ό) bouilli
βράχος, ο rocher (le)
Βρετανία, η Grande Bretagne (la)
βρέχει il pleut
βρίσκεται (ça) se trouve
βρίσκω trouver
Βρυξέλλες, οι Bruxelles
βρώμικος (-η, -ο) sale
βυσσινής (-ιά, -ί) cramoisi

Γ γ

γάλα, το lait (le)
γαλάζιος (-α, -ο) bleu, azuré
γαλανός (-ή, -ό) bleu, azuré
γαλέος, ο émissole (la) *(poisson)*
Γαλλία, η France (la)
γαλλικά, τα le français *(lang.)*
γαλλικός (-ή, -ό) français
Γάλλος (-ίδα) français (-e) *(pers.)*
γαρίδα, η crevette (la)
γάτα, η chat (le)
γαύρος, ο anchois (le)
γεια salut
γεια σου/σας salut, au revoir
γειτονιά, η quartier, voisinage (le)
γελάω (-ώ) rire
γέλιο, το rire (le)
(έχει) γέλιο c'est marrant, c'est drôle
γεμάτος (-η, -ο) plein, rempli
γεμιστά, τα des tomates et des poivrons farcis
γενέθλια, τα anniversaire (de naissance)
Γενεύη, η Genève
γένια, τα barbe (la)
γενικά en général

γενικότερα plus généralement
Γερμανία, η Allemagne (la)
γερμανικά, τα l'allemand *(lang.)*
γερμανικός (-ή, -ό) allemand
Γερμανός (-ίδα) allemand (-e) *(pers.)*
γεύση, η goût (le)
γεωργικός (-ή -ό) agricol
για pour
γιαούρτι, το yoghourt (le)
γιαπωνέζικα, τα le japonais *(lang.)*
γιαπωνέζικος (-η -ο) japonais
Γιαπωνέζος (-α) japonais (-e) *(pers.)*
για την ακρίβεια pour être exact(e)
γιατί pourquoi // parce que
γιατρός, ο/η médecin (le/la)
γίγαντες, οι gros haricots blancs
γίνομαι devenir // se passer
γιορτάζω fêter, célébrer, avoir sa fête
γιος, ο fils (le)
γιουβέτσι, το viande rôtie au four avec des pâtes
γκαράζ, το garage (le)
γκαρσονιέρα, η studio (le)
γκούντα, η gouda *(fromage)*
γκρίζος (-α -ο) gris
γλώσσα, η langue (la)
γνωστή, η de connaissance *(fem.)*
γνωστός, ο de connaissance *(masc.)*
γνωστός (-ή -ό) connu
γονείς, οι parents (les)
γόπα, η bogue (la) *(poisson)*
γουρουνόπουλο, το cochonnet (le)
γούστο, το goût (le)
γραβάτα, η cravate (la)
γραβιέρα, η gruyère (la)
γράμμα, το lettre (la)
γραμμάριο, το gramme (le)
γραμματέας, ο/η secrétaire (le/la)
γραμματική, η grammaire (la)
γραμματόσημο, το timbre-poste (le)
γραφείο, το bureau (le), table à écrire (la)
γραφικός (-ή -ό) pittoresque
γράφω écrire
γρήγορα vite, rapidement
γρήγορος (-η -ο) prompt, vite
γυαλιά, τα lunettes (les)
γυμνάσιο, το secondaire (le)
γυμναστήριο, το salle de gymnastique (la), gymnase (le)
γυναίκα, η femme (la)
γυρεύω chercher
γυρίζω tourner // rentrer
γύρω autour
γωνία, η coin (le) // angle (la)

Δ δ

Δανία, η Danemark (le)
δασκάλα, η maîtresse, institutrice (la)
δάσκαλος, ο maître, instituteur (le)
δεικτικός (-ή -ό) démonstratif *(gr.)*
δείχνω montrer // avoir l'air
δέκα dix
δεκαέξι seize
δεκαεννιά (δεκαεννέα) dix-neuf

δεκαεφτά (δεκαεπτά) dix-sept
δεκαοχτώ (δεκαοκτώ) dix-huit
δεκαπέντε quinze
δεκατέσσερις (-ις -α) quatorze
δέκατος (-η -ο) dixième
δεκατρείς (-είς -ία) treize
Δεκέμβριος, ο décembre (le)
δέμα, το paquet, colis (le)
δεν ne... pas *(nég.)*
δεξιά à droite
δεσποινίς, η demoiselle (la), mademoiselle
Δευτέρα, η lundi (le)
δευτερόλεπτο, το seconde (la)
δεύτερος (-η -ο) second
δέχομαι accepter
δηλαδή c'est à dire
δημοκρατία, η démocratie (la) // république (la)
δημοσιογράφος, ο/η journaliste (le/la)
δημοτικό, το école primaire (la)
δημοτικός (-ή -ό) municipal
διαβάζω lire // étudier
διαβατήριο, το passeport (le)
διαγωνισμός, ο concours (le)
διακοπές, οι vacances (les)
διακόσιοι (-ες -α) deux cents
διαλέγω choisir
διάλειμμα, το pause, récréation (la)
διάλεξη, η conférence (la)
διάλογος, ο dialogue (le)
διαμέρισμα, το appartement (le)
διάφοροι (-ες -α) divers
διδάσκω enseigner
διεθνής (-ής -ές) international
διερμηνέας, ο/η interprète (le/la)
διεύθυνση, η adresse (la) // direction (la)
διευθυντής, ο directeur (le)
διευθύντρια, η directrice (la)
δικηγόρος, ο/η avocat (le) / avocate (la)
δίκλινος (-η -ο) (pièce à l'hôtel) à deux lits, double
δικός (-ή -ό) μου mien
δίνω donner
δίπλα à côté de
διπλανός (-ή -ό) voisin, qui est à côté (tout près)
διπλωμάτης, ο diplomate (le)
δισκάδικο, το magasin de disques (le)
δίσκος, ο disque // plateau (le)
διψάω (-ώ) avoir soif
δοκιμάζω essayer // goûter
δολ(λ)άριο, το dollar (le)
δόξα, η gloire (la)
δουλειά, η travail (le), occupation (la), boulot (le)
δουλειές, οι travaux, affaires (les)
δουλεύω travailler
δραχμή, η drachme (la)
δρόμος, ο rue (la) // route (la), chemin (le)
δροσιά, η fraîcheur (la)
δυάρι, το appartement à deux pièces, F2
δυνατά fortement // haut
δυνατός (-ή -ό) fort, puissant
δύο deux
δύση, η ouest (le)

δύσκολος (-η -ο) difficile
δυστυχώς malheureusement
δυτικά à l'ouest
δώδεκα douze
δωδέκατος (-η -ο) douzième
δωμάτιο, το chambre, pièce (la)
δώρο, το cadeau (le)

Ε ε

εβδομάδα, η semaine (la)
εβδομήντα soixante-dix
έβδομος (-η -ο) septième
έγινε! c'est fait! d'accord!
εγώ moi, je
εδώ ici
εθνικός (-ή -ό) national
εθνικότητα, η nationalité (la)
είδος, το espèce (la), genre (le) // article (la)
εικόνα, η image // icône (la)
είκοσι vingt
εικοσι(ι)τετράωρο, το 24 heures, toute la journée
εικοστός (-ή -ό) vingtième
είμαι être
εισιτήριο, το billet, ticket (le)
είσοδος, η entrée (la)
εκατό cent
εκατομμύριο, το million (le)
(ε)κατοστίζω vivre jusqu'à cent ans
εκδρομή, η excursion (la)
εκεί là
εκείνος (-η -ο) celui-là
έκθεση, η exposition // foire (la)
εκκλησία, η église (la)
έκταση, η étendue, extension (la)
έκτος (-η -ο) sixième
εκπτώσεις, οι soldes (les)
έκφραση, η expression (la)
Ελβετία, η Suisse (la)
ελβετικός (-ή -ό) suisse
Ελβετός (-ίδα) suisse (pers.)
ελευθερία, η liberté (la)
ελεύθερος (-η -ο) libre // non marié
ελιά, η olive (la)
Ελλάδα, η Grèce (la)
Έλληνας (-ίδα) grec (-que) (pers.)
ελληνικά, τα le grec (lang.)
ελληνικός (-ή -ό) grec
εμείς nous
έμπειρος (-η -ο) expérimenté
εμπορικός (-ή -ό) commercial
εμπρός allô (tel.)
ένα art. indéf. neutre sing.
ένας art. indéf. masc. sing.
ένατος (-η -ο) neuvième
ενδέκατος (-η -ο) onzième
ενδιαφέρομαι s'interesser
ενδιαφέρων (-ουσα -ον) intéressant
ενενήντα quatre-vingt-dix
ενεργητική (φωνή), η voix active (gr.)
ενεστώτας, ο présent (le) (gr.)
ενικός, ο singulier (le) (gr.)
εννιά (εννέα) neuf

εννιακόσιοι (-ες -α) neuf cents
ενοικιάζεται à louer
ενοίκιο, το loyer (le)
εντάξει d'accord
έντεκα onze
εντράδα, η entrée (la), ragoût (le)
έντυπο, το imprimé (le), formule (la)
ενώ pendant que // tandis que
ένωση, η union (la)
(ε)ξαδέλφη, η cousine (la)
(ε)ξάδελφος, ο cousin (le)
εξαιρετικός (-ή -ό) excellent, exceptionnel
εξακολουθητικός (-ή -ό) continuel
εξακόσιοι (-ες -α) six cents
εξήντα soixante
εξής, το/τα ce qui suit
έξι six
εξπρές (par) exprès (courrier)
εξυπηρετικός (-ή -ό) commode // serviable
εξυπηρετώ servir à
έξυπνος (-η -ο) intelligent
έξω hors, dehors
εξωτερικός (-ή -ό) externe
εξωτικός (-ή -ό) exotique
επανάληψη, η répétition, révision (la)
επί fois, multiplié par (arithm.)
επιγραφή, η inscription, enseigne (la)
επίθετο, το adjectif (gr.) // prénom
επικοινωνώ communiquer
έπιπλο, το meuble (le)
επιπλωμένος (-η -ο) meublé
επίσης aussi, également // pareillement
επισκέπτομαι visiter
επιστροφή, η retour (le)
επιτάφιος, ο office nocturne du vendredi saint // procession du saint-suaire
επιτυχία, η succés (le)
επόμενος (-η -ο) suivant
επομένως par conséquent
εποχή, η saison (la)
επώνυμο, το prénom, nom de famille (le)
εργασία, η travail (la) // devoir (le)
εργατικός (-ή -ό) travailleur
έργο, το pièce (la) // film (le)
έρχομαι venir
ερχόμενος (-η -ο) suivant
ερωτευμένος (-η -ο) amoureux
ερωτηματικός (-ή -ό) interrogatif (gr.)
ερώτηση, η question (la)
εσείς vous
εσπρέσο, το (café) express, espresso (le)
εστιατόριο, το restaurant (le)
εσύ toi, tu
εταιρεία, η compagnie, association (la)
ετοιμάζω préparer
έτοιμος (-η -ο) prêt
έτος, το an (le), année (la)
έτσι ainsi, de cette façon
ευγενικός (-ή -ό) gentil, poli
ευκαιρία, η occasion (la)
εύκολος (-η -ο) facile
ευρώ, το euro (le)
ευρωπαϊκός (-ή -ό) européen
Ευρώπη, η Europe (la)
ευτυχώς heureusement

ευχαριστημένος (-η -ο) content, satisfait
ευχάριστος (-η -ο) agréable
ευχαριστώ merci // remercier, contenter
(ε)φέτος cette année
εφημερίδα, η journal (le)
εφτά (επτά) sept
εφτακόσιοι (-ες -α) sept cents
έχει γέλιο c'est marrant, c'est drôle
έχει δροσιά il fait frais
έχει πλάκα c'est marrant, c'est drôle
(ε)χθές hier
έχω avoir
έως jusqu'à

Ζ ζ

ζαμπόν, το jambon (le)
ζάχαρη, η sucre (le)
ζαχαροπλαστείο, το confiserie, patisserie (la)
ζέστη, η chaleur (la)
ζεστός (-ή -ό) chaud
ζευγάρι, το paire, couple (le)
ζητάω (-ώ) demander // chercher
ζυγίζω peser
ζυμαρικά, τα pâtes alimentaires (les)
Ζυρίχη, η Zurich
ζω vivre, être en vie
ζώο, το animal (le)
ζωή, η vie (la)
ζώνη, η ceinture (la)

Η η

η article déf. fem. sing.
ή ou
ηθοποιός, ο acteur (le)
ηλεκτρικός (-ή -ό) électrique
ηλεκτρολόγος, ο électricien (le)
ηλιακός (-ή -ό) solaire
ηλικία, η âge (le)
ήλιος, ο soleil (le)
(η)μέρα, η jour (le), journée (la)
ημερολόγιο, το calendrier (le)
ημιώροφος, ο entresol, mezzanine (le)
ημιυπόγειος (-α -ο) entre sol (le)
Η.Π.Α., οι Etats Unis (les)
ησυχία, η calme (le), tranquillité (la)
ήσυχος (-η -ο) calme, tranquille

Θ θ

θα particule utilisée pour former le futur
θάλασσα, η mer (la)
θαλασσινά, τα coquillages, fruits de mer (les)
θαλάσσιος (-α -ο) de mer
θέα, η vue (la)
θέατρο, το theâtre (le)
θεία, η tante (la)
θείος, ο oncle (le)
θέλω vouloir
Θεός, ο Dieu
θερινός (-ή -ό) estival
θέρμανση, η chauffage (le)
θερμοκρασία, η température (la)
θερμοσίφωνο, το chauffe-eau (le)

Vocabulaire

θέση, η   place, position (la)
Θεσσαλία, η   Thessalie (la)
Θεσσαλονίκη, η   Salonique
θηλυκός (-ιά -ό)   feminin, femelle
θόρυβος, ο   bruit (le)
θυμάμαι   se souvenir, se rappeler
θυρίδα, η   guichet (le)

Ι ι

Ιανουάριος, ο   janvier (le)
Ιαπωνία, η   Japon (le)
ιαπωνικός (-ή -ό)   japonais
ιατρικός (-ή -ό)   médical
ιδιοκτήτης, ο   propriétaire (le)
ιδιοκτήτρια, η   propriétaire (la)
ίδιος (-α -ο)   même
ιδιωτικός (-ή -ό)   privé
Ι.Κ.Α.   Établissement de Sécurité Sociale
Ινδία, η   Inde (la)
ινδικός (-ή -ό)   indien
Ινδός (-ή)   indien (-ne) (pers.)
Ιόνιο (πέλαγος), το   mer Ionienne (la)
Ιούλιος, ο   juillet (le)
Ιούνιος, ο   juin (le)
Ιρλανδία, η   Irlande (la)
Ιρλανδός (-έζα)   irlandais (-e) (pers.)
ίσιος (-α -ο)   droit
ισόγειο, το   rez-de-chaussée (le)
Ισπανία, η   Espagne (la)
ισπανικά, τα   l'espagnol (lang.)
ισπανικός (-ή -ό)   espagnol
Ισπανός (-ίδα)   espagnol (-e) (pers.)
Ισραήλ, το   Israël (le)
ισχύω   être valable, valoir
ίσως   peut-être
Ιταλία, η   Italie (la)
ιταλικά, τα   l'italien (lang.)
ιταλικός (-ή -ό)   italien
Ιταλός (-ίδα)   italien (-ne) (pers.)

Κ κ

κ.α.   etc.
καθαριστήριο, το   teinturerie (la), atelier de nettoyage (le)
καθαρός (-ή -ό)   propre
κάθε   chaque
καθένας (καθεμιά/καθένα)   chacun
κάθετα   verticalement
καθηγητής, ο   professeur (le)
καθηγήτρια, η   professeur (la)
καθημερινά   quotidiennement
καθόλου   (pas) du tout
κάθομαι   s'asseoir // demeurer
καθρέφτης, ο   miroir (le)
καθώς και   de même que
και   et
καινούργιος (-α -ο)   neuf, nouveau
Κάιρο, το   Caire (le)
καιρός, ο   temps (le)
κακό, το   mal
καλά   bien
καλαμαράκι, το   cal(a)mar (le)
καλημέρα   bonjour
καλησπέρα   bonsoir

Καλιφόρνια, η   Californie (la)
Καλκούτα, η   Calcutta
καλοκαίρι, το   été (le)
καλοριφέρ, το   chauffage central (le), calorifère (le)
καλός (-ή -ό)   bon
κάλτσα, η   chaussette (la), bas (le)
καλ(τ)σόν, το   collant (le)
καλύτερα   mieux
καλώ   appeler // inviter
καμιά φορά   quelquefois
Καμπέρα, η   Cambera
καμπίνα, η   cabine (la)
Καναδάς, ο   Canada (le)
καναδέζικος (-η -ο)   canadien
Καναδός (-έζα)   canadien (-ne) (pers.)
κάνει   ça coûte
κανονικά   normlement, régulièrement
κανονίζω   arranger
κάνω   faire
καπέλο, το   chapeau (le)
καπνίζω   fumer
κάποιος (-α -ο)   quelqu'un
καπουτσίνο, το   capuccino (le)
κάπως   en quelque sorte
καράφα, η   carafe (la)
καραφάκι, το   petite carafe (de vin ou de ouzo)
καρδιολόγος, ο   cardiologue (le)
καρέκλα, η   chaise (la)
καρμπονάρα, η   spaghetti à la carbonara
καρότο, το   carotte (la)
καρπούζι, το   pastèque (la)
κάρτα, η   carte, carte postale (la)
καρυδόπιτα, η   tarte aux noix (la)
κασέτα, η   cassette (la)
κασετόφωνο, το   magneto(phone) (le)
καστανός (-ή -ό)   châtain, brun, marron
κατά   vers
κατάδυση, η   plongée (la)
κατάθεση, η   dépôt (à la banque)
καταλαβαίνω   comprendre
κατάλληλος (-η -ο)   convenable, approprié
κατάλογος, ο   liste, carte (la)
καταπληκτικός (-ή -ό)   formidable, fantastique
κατάσταση, η   situation (la)
κατάστημα, το   magasin (le)
καταφατικός (-ή -ό)   affirmatif
κατεπείγων (-ουσα -ον)   trés urgent
κάτι   quelque chose // quelque
κάτοικος, ο   habitant (le)
(ε)κατοστίζω   vivre jusqu'à cent ans
κατσαβίδι, το   tournevis (le)
κατσαρός (-ή -ό)   frisé, bouclé
κάτω   (en) bas
καφέ   brun
καφέ, το   café (le), cafétéria (la)
καφές, ο   café (le)
καφετής (-ιά -ί)   marron
κείμενο, το   texte (le)
κενό, το   vide (le)
κεντρικός (-ή -ό)   central
κέντρο, το   centre (le)

κεραμικό, το   céramique (la)
κεράσι, το   cerise (la)
κερδίζω   gagner, profiter
Κέρκυρα, η   Corfou
κερνάω (-ώ)   offrir, régaler
κεφαλαίο (γράμμα)   lettre majuscule
κέφι, το   envie (la), bon humeur (le)
κήπος, ο   jardin (le)
κι   et
κιλό, το   kilo (le)
κιμάς, ο   viande hachée (la)
Κίνα, η   Chine (la)
κινέζικα, τα   le chinois (lang.)
κινέζικος (-η, -ο)   chinois
Κινέζος (-α)   chinois (-e) (pers.)
κινηματογράφος, ο   cinéma (le)
κινητό, το   portable, téléphone mobile (le)
κίτρινος (-η, -ο)   jaune
κλασικός (-ή, -ό)   classique
κλειδί, το   clé (la)
κλείνω   fermer // louer, réserver
κλειστός (-ή, -ό)   fermé
κλίμα, το   climat (le)
κλινική, η   clinique (la)
κλίνω   décliner, conjuguer (gr.)
κοιμάμαι   dormir
κοινότητα, η   communauté (la)
κοινόχρηστα, τα   les charges communes d'un immeuble
κοιτάζω   regarder, voir
κοκκινιστό, το   de la viande ou du poulet à la sauce tomate
κόκκινος (-η, -ο)   rouge
κολλάω (-ώ)   coller, attacher
κολοκύθι, το   courgette (la)
κόλπος, ο   golfe (le)
κολυμβητήριο, το   piscine (la)
κολυμπάω (-ώ)   nager
κομμάτι, το   pièce (la)
κομπιούτερ, ο/το   ordinateur (le)
κομψός (-ή, -ό)   élégant, gracieux
κοντά   près
κοντός (-ή, -ό)   court, petit
κοπέλα, η   jeune fille (la)
κόρη, η   fille (la)
κορίτσι, το   jeune fille (le)
κορόνα, η   couronne (la)
κόσμημα, το   bijou (le)
κοσμικός (-ή, -ό)   mondain
κόσμος, ο   monde (le)
κοστίζω   coûter
κοστούμι, το   costume (le)
κοτόπουλο, το   poulet (le)
κουζίνα, η   cuisine (la)
κουκέτα, η   couchette (la)
κούκλα, η   poupée (la)
κουταλάκι, το   petite cuillère (le)
κουτάλι, το   cuillère (la)
κουτί, το   boîte (la)
κρασί, το   vin (le)
κρατάω (ώ)   garder, tenir // durer
κρατικός (-ή, -ό)   d'état
κρέας, το   viande (la)
κρεατικά, τα   rayon boucherie au supermarché

κρεβάτι, το lit (le)
κρεβατοκάμαρα, η chambre à coucher (la)
κρέμα, η crème (la)
Κρήτη, η Crète (la)
κρίμα! dommage!
κροκόδειλος, ο crocodile (le)
κρουασάν, το croissant (le)
κρύο, το froid (le)
κρύος (-α, -ο) froid
κρυφός (-ή, -ό) secret, caché
κτήριο, το bâtiment (le)
κτητικός (-ή, -ό) possessif *(gr.)*
κτλ. etc.
Κυκλάδες, οι Cyclades (les)
κυκλοφορώ circuler
κυρία, η dame (la), madame
Κυριακή, η dimanche (le)
κύριος, ο monsieur (le)
κύριος (-α, -ο) principal, essentiel
κώδικας, ο code (le)
Κωνσταντινούπολη, η Constantinople, Istanbul

Λ λ

λαδερό, το préparé à l'huile
λάδι, το huile (la)
λάθος, το erreur, faute (la)
(είναι) λάθος c'est faux
λαϊκός (-ή, -ό) populaire, du peuple
λάμπα, η lampe (la)
λαχανικά, τα légumes (les)
λεβ, το lev *(monnaie)*
λέγομαι s'appeler, se nommer
λειτουργία, η messe (la) *(relig.)* // fonction, opération (la)
λειτουργώ fonctionner
λεμόνι, το citron (le)
λέξη, η mot (le)
λεξικό, το dictionnaire (le)
λεπτό, το minute (la)
λεπτός (-ή, -ό) mince, fin
λέσχη, η club (le)
λευκός (-ή, -ό) blanc
Λευκωσία, η Nicosie
λεφτά, τα argent (le)
λέω dire, parler
λεωφορείο, το autobus (le)
λεωφόρος, η avenue (la), boulevard (le)
λιακάδα, η clarté du soleil, il fait du soleil
Λίβανος, ο Liban (le)
λίβι(ν)γκ ρουμ salon (le)
λίγο un peu, peu
λίγοι (-ες -α) peu de
λίγος (-η -ο) peu de
λιγότερο moins
λιμάνι, το port (le)
λίμνη, η lac (le)
λίρα, η livre (sterling) (la)
λίστα, η liste (la)
λογαριασμός, ο addition (la) // compte (le)
λόγια, τα paroles (les)
λογικός (-ή, -ό) raisonable // logique
λογιστής, ο comptable (le)
λογιστήριο, το bureau de comptabilité (le)

λόγος, ο raison (la) // parole (la)
λοιπόν alors, donc
Λονδίνο, το Londres
λουκάνικο, το saucisse (la), saucisson (le)
λουλούδι, το fleur (la)
λουξ de luxe
Λουξεμβούργο, το Luxemburg (le)
λουτρό, το salle de bain (la)
λύκειο, το lycée (le)
λυπάμαι regretter
λυπημένος (-η, -ο) triste
Λωζάνη, η Lausanne

Μ μ

μα mais
μαγαζί, το magasin (le)
μαγειρεύω cuisiner, fiare la cuisine
μαγειρίτσα, η soupe aux entrailles et aux légumes
Μαδρίτη, η Madrid
μαζί ensemble
μαθαίνω apprendre // s'informer
μάθημα, το leçon (la), cours (le)
μαθηματικός, ο mathématicien, professeur de math (le)
μαθητής, ο élève (le)
μαθήτρια, η élève (la)
Μάιος, ο mai (le)
μακαρόνια, τα macaronis (les)
μακριά loin
μακρύς (-ιά -ύ) long
μαλακός (-ή -ό) mou
μάλιστα oui, certes
μαλλί, το laine (la)
μαλλιά, τα cheveux (les)
μάλλον plutôt // probablement
μάνα, η mère (la)
μανάβης, ο verdurier, marchand de légumes (le)
μανάβικο, το marché à la verdure
μανιτάρι, το champignon (le)
μανούρι, το espèce de fromage crémeux
μανταρίνι, το mandarine (la)
μαντεύω deviner
(μ') αρέσει (ça) (me) plait
μαρίδα, η fretin, picarel (le) *(poisson)*
μαρκαδόρος, ο feutre (à marquer) (le)
μαρούλι, το laitue (la)
Μάρτιος, ο mars (le)
μας notre, nos
Μασσαλία, η Marseille
μάτι , το œil (le)
μαύρος (-η -ο) noir
με avec // me *(pron. pers.)*
Μεγάλη Πέμπτη, η jeudi saint (le)
μεγάλος (-η -ο) grand // âgé
μεζές, ο friandise (la), petit plat (le)
μεθαύριο après-demain
Μελβούρνη, η Melbourne
μέλι, το miel (le)
μελιτζάνα, η aubergine (la)
μελιτζανοσαλάτα, η purée d'aubergine
μέλλον, το avenir (le)
μέλλοντας, ο futur (le) *(gr.)*

μέλος, το membre (le)
μένω rester // habiter, demeurer
μεξικάνικος (-η -ο) mexicain
Μεξικανός (-ή) mexicain (-e) *(pers.)*
Μεξικό, το Mexique (le)
μέρα, η jour (le), journée (la)
μερικοί (-ές -ά) quelques
μέρος, το endroit (le) // part, partie (la)
μεσάνυχτα, τα minuit (le)
μεσημέρι, το midi (le)
μεσημεριανό, το déjeuner (le)
μεσογειακός (-ή -ό) méditerranéen
Μεσόγειος, η la mer Méditerranée
με συγχωρείτε excusez- moi
μετά après
μεταβατικό ρήμα, το verbe transitif (le)
μετανάστης, ο émigré, émigrant (le)
μεταξύ entre
μετοχή, η participe (le) *(gr.)*
μετρητά, τα argent liquide, argent comptant
μέτρο, το mètre (le) // mesure (la)
μετρό, το métro (le)
μέχρι jusqu' à
μηδέν zéro (le)
μήλο, το pomme (la)
μηλόπιτα, η tarte aux pommes (la)
μήνας, ο mois (le)
μήπως est-ce que
μητέρα, η mère (la)
μηχανή, η machine (la) // moto (la) // appareil (le)
μηχανικός, ο/η ingénieur (le/la)
μια un/une
μιάμιση une heure et demie
μια χαρά (ça va) trés bien
μικρός (-ή -ό) petit // jeune
Μιλάνο, το Milan
μιλάω parler
μ.μ. p.m.
μίνι μάρκετ, το petit marché (le), boutique (la)
μισθός, ο salaire (le)
μισός (-ή -ό) demi
μνημείο, το monument (le)
μοκέτα, η moquette (la)
μολύβι, το crayon (le)
μοναστήρι, το couvent, monastère (le)
Μόναχο, το Munich
μόνο seulement
μονοκατοικία, η maison (la)
μονόκλινος (-η -ο) à un seul lit
μοντέρνος (-α -ο) moderne
μορφωμένος (-η -ο) instruit, cultivé
Μόσχα, η Moscou
μοσχάρι, το veau (le)
μου mon/ma/mes
μουσείο, το musée (le)
μουσική, η musique (la)
μουστάκι, το moustache (la)
μπαίνω entrer
μπακάλικο, το épicerie (la)
μπακλαβάς, ο baklava (pâté feuilleté aux noix et au sirop)
μπαλκόνι, το balcon (le)
μπαλόνι, το ballon (le)
μπάμιες, οι gombo (les), ketmie comestible

Vocabulaire

μπανάνα, η banane (la)
μπάνιο, το salle de bain (la), bain (le)
μπαρ, το bar (le)
μπαρμπούνι, το rouget (le)
μπάσκετ, το basket-ball (le)
μπαχαρικά, τα épices (les)
μπεζ beige
μπακλαβάς, ο baklava (pâté feuilleté aux
    noix et au sirop)
μπέρδεμα, το enchevêtrement,
    empêtrement, embrouille (le)
μπερδεύω confondre
μπίρα, η bière (la)
μπιφτέκι, το steak haché (le)
μπλε bleu
μπλούζα, η blouse (la)
μπλουζάκι, το tee shirt (le)
μπορεί peut-être
μπορντό bordeaux (couleur)
μπορώ pouvoir
μπουζούκι, το bouzouki (le) (instr. mus.
    tradit.)
μπουκάλι, το bouteille (la)
μπουτίκ, η boutique (la)
μπράβο! bravo!
μπριάμ, το plat de légumes assortis
    préparé à la poêle
μπριζόλα, η côtelette, côte (la)
μπρίκι, το ustensile de bronze pour la
    préparation du café grec
μπροστά devant, en avant
μύλος, ο moulin (le)
μοβ violet, mauve

N ν

να que // de
ναι oui
ναός, ο temple (le)
Νέα Υόρκη, η New York
νέος (-α -ο) jeune // nouveau
νερό, το eau (la)
νησί, το île (la)
Νοέμβριος, ο novembre (le)
νομίζω croire, penser
Νορβηγία, η Norvège (la)
νορβηγικός (-ή -ό) norvègien
νοσοκόμα, η infirmière (la)
νοσοκόμος, ο infirmier (le)
νοσοκομείο, το hôpital (le)
νόστιμος (-η -ο) savoureux // gracieux
νότια au sud
νοτιοανατολικά sud-est (adv.)
νότος, ο sud (le)
νούμερο, το nombre, numéro (le)
ντίσκο, η discothèque (la)
ντολμαδάκια, τα feuilles de vigne farcies
ντομάτα, η tomate (la)
ντουλάπα, η armoire (le)
νυστάζω avoir sommeil
νωρίς tôt

Ξ ξ

(ε)ξαδέλφη, η cousine (la)

(ε)ξάδελφος, ο cousin (le)
ξανά de nouveau
ξανθός (-ή -ό) blond
ξεκινάω (-ώ) commencer // démarrer
ξένη, η étrangère (la)
ξένος, ο étranger (le)
ξενοδοχείο, το hôtel (le)
ξένος (-η -ο) étranger
ξέρω savoir, connaître
ξεχνάω (-ώ) oublier
ξεχωριστός (-ή -ό) séparé, particulier
ξιφίας, ο espadon (le)
ξύδι (ξίδι), το vinaigre (le)
ξυπνάω (-ώ) se réveiller

Ο ο

ο art. déf. masc. sing.
ογδόντα quatre-vingts
όγδοος (-η -ο) huitième
οδηγώ conduire
οδός, η rue (la)
οικογένεια, η famille (la)
οικονομία, η économie (la) // épargne (la)
οικονομικός (-ή -ό) économique //
    financier
Οκτώβριος, ο octobre (le)
Ολλανδία, η Pays-Bas (les), Hollande (la)
ολλανδικά, τα l'hollandais (lang.)
Ολλανδός (-έζα) hollandais (-e) (pers.)
όλοι (-ες -α) tous/toutes
όλος (-η -ο) tout/toute
ομάδα, η groupe, ensemble (le)
ομιλία, η discours, propos (le)
ομορφιά, η beauté (la)
ομπρέλα, η parapluie (le)
όμως pourtant, mais
όνομα, το nom (le)
ονομασία, η dénomination (la)
ονομαστική, η nominatif (le) (gr.)
όποιος (-α -ο) quiconque, qui que ce soit
όπου (là) où
όπως comme
οπωσδήποτε sans faute, en tout cas
όργανο, το instrument musical // organe (le)
ορεινός (-ή -ό) montagneux
ορεκτικό, το hors d'œuvre, petit plat (le)
όρεξη, η appétit (le) // envie (la) // goût (le)
οριζόντια horizontalement
ορισμένος (-η -ο) certain
ορίστε voilà, tenez // oui?
οριστικός (-ή -ό) definitif
οροφοδιαμέρισμα, το appartement
    occupant un étage entier (le)
όροφος, ο étage (le)
όσο (au)tant que, aussi longtemps que
όταν quand, lorsque
ΟΤΕ, ο Organisme Grec de
    Télécommunications
ό,τι tout ce qui/que
ότι que
Ουγγαρία, η Hongrie (la)
Ουγγαρέζος (-α) hongrois (-e) (pers.)
ουδέτερος (-η -ο) neutre
ούζο, το ouzo, pastis (le)

ουρά, η queue (la)
ουσιαστικό, το nom (le) (gr.)
ούτε ni // non plus
όχι non, pas
οχτακόσιοι (-ες -α) huit cents
οχτώ (οκτώ) huit

Π π

παγάκι, το glaçon (le)
πάγος, ο glace (la)
(κάνει) παγωνιά il gèle
παθητική (φωνή), η voix passive (la) (gr.)
παθητικός (-ή -ό) passif
παϊδάκι, το côtelette d'agneau
παιδί, το enfant (le)
παιδικός (-ή -ό) enfantin, d'enfants
παίζω jouer
παίρνω prendre
πακέτο, το paquet (le)
πάλι de nouveau, encore
παλιός (-ά -ό) vieux, ancien (objets)
πανσιόν, η pension (la)
πάντα toujours
πάντα, τα tout, toute chose
παντελόνι, το pantalon (le)
παντζούρι, το volet, contre-vent (le)
παντρεμένος (-η -ο) marié
παντού partout
πάνω au dessus, en haut, sur
παπουτσάκια, τα aubergines farcies de
    viande hachée et sauce de tomate
παπούτσι, το soulier (le)
παρά moins (heure)
παραγγέλνω ordonner, commander
παράγραφος, η paragraphe (le)
παράγω produire
παράδειγμα, το exemple (le)
παραθετικό, το comparatif (le) (gr.)
παράθυρο, το fenêtre (la)
παρακαλώ s'il vous plait, je vous en prie
    // prier
παρακάτω plus bas, au dessous
παραλία, η plage (la), bord de la mer (le)
παράλληλα en même temps // parallèlement
παράξενος (-η -ο) étrange
παραπάνω plus haut, au dessus // encore
Παρασκευή, η vendredi (le)
παράσταση, η représentation (la)
παρέα, η compagnie (la) // amis (les)
παρένθεση, η parenthèse (la)
Παρίσι, το Paris
παρκαρισμένος (-η, -ο) garé
παρκάρω garer
πάρκι(ν)γκ, το parking (le)
πάρκο, το parc (le)
πάρτι, το boom (le)
πάστα, η gâteau (individuel) (le)
παστίτσιο, το macaroni au gratin avec de
    la viande hachée
Πάσχα, το Pâques
πατάτα, η pomme de terre (la)
πατέρας, ο père (le)
Πάτρα, η Patras
πατρίδα, η patrie (la)

πάω (πηγαίνω) aller
πέδιλο, το sandale (la)
πεζόδρομος, ο rue piétonnière (la)
πεινάω (-ώ) avoir faim
πειράζω importer // déranger
Πειραιάς, ο le Pirée
Πεκίνο, το Pékin / Beijing
πέλαγος, το mer (la)
πελάτης, ο client (le)
πελάτισσα, η cliente (la)
Πελοπόννησος, η Péloponèse (le)
Πέμπτη, η jeudi (le)
πέμπτος (-η, -ο) cinquième
πενήντα cinquante
πεντακόσιοι (-ες, -α) cinq cents
πεντάρι, το appartement à cinq pièces, F5
πέντε cinq
πεπόνι, το melon (le)
περασμένος (-η -ο) passé // dernier
περί de, sur, concernant (idiome épuré)
περιβάλλον, το environnément, entourage (le)
περιγράφω décrire
περιλαμβάνω inclure
περιμένω attendre, s'attendre à
περιοχή, η région (la), district (le)
περιπέτεια, η aventure (la)
περίπου environ, à peu près
περίπτερο, το kiosque (le)
περισσότεροι (-ες -α) plus nombreux
περνάω (-ώ) passer // traverser
περπατάω (-ώ) marcher
πέρ(υ)σι l'année dernière
πέτρα, η pierre (la)
πέφτω tomber
πηγαίνω (πάω) aller
πιάνει ça s'arrête (bateau)
πιάτο, το plat (le), assiette (la)
πιλάφι, το pilau, pilaf (le)
πίνακας, ο tableau (le)
πίνω boire
πιο plus
πιπέρι, το poivre (le)
πιπεριά, η poivron (le)
πισίνα, η piscine (la)
πίστα, η piste (la)
πιστωτική κάρτα, η carte de crédit (la)
πιτσαρία, η pizzeria (la)
πλάγια (γράμματα), τα italiques (les)
πλαίσιο, το cadre, bord (le)
(έχει) πλάκα c'est marrant, c'est drôle
πλανήτης, ο planète (le)
πλαστικός (-ή -ό) plastique
πλατεία, η place (la)
πλένω laver
πληθυντικός, ο pluriel (le) (gr.)
πλην moins
πληροφορίες, οι renseignements, informations (les)
πληρώνω payer
πλησίον près de (mot savant)
πλοίο, το bateau (le)
πλυντήριο, το machine à laver (la)
π.μ. a.m.
ποιος (-α, -ο) qui (questions)
πόλη, η ville, cité (la)

πολίτης, ο/η citoyen (le)
πολιτικός (-ή -ό) politique // civil
πολλοί (-ές -ά) plusieurs
πολύ trés // beaucoup de
πολυθρόνα, η fauteuil (le)
πολυκατοικία, η immeuble (le)
πολύς (πολλή/ πολύ) beaucoup de
πολωνέζικα, τα le polonais (lang.)
Πολωνία, η Pologne (la)
Πολωνός (-έζα) polonais (-e) (pers.)
πονάω (-ώ) avoir mal
ποντίκι, το souris (la)
πόρτα, η porte (la)
Πορτογαλία, η Portugal (le)
πορτογαλικά, τα le portugais (lang.)
Πορτογάλος (-έζα) portugais (-e) (pers.)
πορτοκαλάδα, η orangeade (la)
πορτοκαλής (-ιά -ί) orangé, (couleur) d'orange
πορτοκάλι, το orange (la)
πορτοφόλι, το porte-feuille (la)
πόσοι (-ες -α) combien de (pl.)
πόσος (-η -ο) combien de (sing.)
πότε quand (questions)
ποτέ jamais
ποτήρι, το verre (le)
ποτό, το boisson (la)
που qui, que
πού où (questions)
πουθενά quelque part // nulle part
πουκάμισο, το chemise (la)
πουλάω (-ώ) vendre
πούλμαν, το autocar (le)
πουλόβερ, το pull over (le)
Πράγα, η Prague
πράγμα, το chose (la)
πραγματικά vraiment
πράξη, η action (la), act (le)
πράσινος (-η -ο) vert
πρέπει il faut
πρεσβεία, η ambassade (la)
πρέσβης, ο ambassadeur (le)
πριν avant
προάστιο, το faubourg, banlieu (le)
πρόβλημα, το problème (le)
προέλευση, η origine, provenance (la)
προηγούμαι précéder
προηγούμενος (-η -ο) précédent, passé
πρόθεση, η préposition (la) (gr.)
προϊόν, το produit (le)
προκαταβολή, η avance (la), acompte
πρόκειται για il s'agit de
προλαβαίνω arriver à temps // avoir du temps
προορισμός, ο destination (la)
πρόπερσι l'avant dernière année, il y a deux ans
προσδιορίζω déterminer, fixer
προσδιοριστικός (-ή -ό) déterminant, déterminatif
προσεκτικά attentivement
προσέχω faire attention à, se guarder de
προσθέτω ajouter
προσοχή, η attention (la)
προσπαθώ essayer, tâcher de
προστακτική, η imperatif (le) (gr.)

προσωπικός (-ή -ό) personnel
προσωπικότητα, η personnalité (la)
πρόσωπο, το personne (la) // visage (le)
πρόταση, η proposition (la) (gr.)
προτιμάω (-ώ) préférer
προτίμηση, η préférence
προχθές (προχτές) avant-hier
πρωί, το matin (le)
πρωί πρωί de grand matin
πρωινό, το petit déjeuner (le)
πρώτα premièrement, d'abord
πρωτεύουσα, η capitale (la)
πρώτος (-η -ο) premier
πτήση, η vol
π.χ. par exemple
πωλείται à vendre
πωλητής, ο vendeur (le)
πωλήτρια, η vendeuse (la)
πως que
πώς comment, comme // bien sûr

Ρ ρ

ραγού ragoût (le)
ρακή, η raki (liqueur alcoolique)
ραντεβού, το rendez-vous (le)
ραπανάκι, το radis (le)
ρεπό, το repos (lo)
ρέστα, τα monnaie (la), reste de l'argent
ρετιρέ, το appartement à terrasse (le)
ρήμα, το verbe (le) (gr.)
ροδάκινο, το pêche (la)
Ρόδος, η Rhodes
ρυζ rose
ροκ, η rock (musique)
ρολόι, το montre, horloge (la)
ρόλος, ο role (le)
ρούβλι, το rouble (le)
ρούχα, τα vêtements (les)
ρόφημα, το boisson (la)
Ρώμη, η Rome
ρωσικά, τα le russe (lang.)
ρωσικός (-ή -ό) russe
Ρώσος (-ίδα) russe (pers.)
ρωτάω (-ώ) demander

Σ σ

Σάββατο, το samedi (le)
σαββατοκύριακο, το fin de semaine, week-end (le)
σαγανάκι, το fromage frit (le)
σακάκι, το veston (le)
σακούλα, η sachet, sac (le)
σαλάτα, η salade (la)
σαλάμι, το salami, saucisson (le)
σαλόνι, το salon (le)
σάλτσα, η sauce (la)
σαμπουάν, το shampooing (le)
σαν comme
σαπούνι, το savon (le)
σαράντα quarante
σαρδέλα, η sardine (la)
σας votre, vos
σγουρός (-ή -ό) frisé, bouclé

Vocabulaire

σε   à, en, dans, sur // te *(accus.)*
σειρά, η   série, suite (la) // rang (le) // tour (le)
σελίδα, η   page (la)
Σεπτέμβριος, ο   septembre (le)
σερβιτόρα, η   serveuse (la) *(rest.)*
σερβιτόρος, ο   serveur (le) *(rest.)*
σέρφι(ν)γκ, το   wind surfing (le), planche à voile (la)
σημαίνει   cela signifie
σημείο, το   point (le)
σημείωμα, το   note (la)
σημειώνω   noter
σημείωση, η   note (la)
σήμερα   aujourd' hui
σιγά   lentement
σιγά-σιγά   petit à petit, pas à pas
σίγουρα   sûrement
σιδηροδρομικός (-ή -ό)   de chemin de fer, ferroviaire
Σικελία, η   Sicile (la)
σινεμά, το   cinema (le)
σιτάρι, το   blé (le)
σκάκι, το   échecs (les)
σκεπάζω   couvrir
σκέτος (-η -ο)   pur, net, sans mélange, non sucré *(café)*
σκέφτομαι (σκέπτομαι)   penser, réfléchir
σκι, το   ski (le)
σκορδαλιά, η   aillade (la), sauce d'ail
σκουπίδια, τα   ordures (les)
σκυλί, το   chien (le)
σοβαρά   sérieusement
σοκολάτα, η   chocolat (le)
σου   ton/ta/tes
σούβλα, η   broche (la)
σουβλάκι, το   souvlaki (le), brochette (la)
σουβλατζίδικο, το   magasin où on prépare et on vend du souvlaki
Σουηδία, η   Suède (la)
σουηδικά, τα   le suédois *(lang.)*
σουηδικός (-ή -ό)   suédois
Σουηδός (-έζα)   suédois (-e) *(pers.)*
σούπα, η   soupe (la), potage (le)
σουπερμάρκετ, το   super-marché (le)
σουτζουκάκια, τα   boules de viande au cumin
Σόφια, η   Sofia
σπάνια   rarement
σπέσιαλ   spécial
σπίρτο, το   allumette (la)
σπίτι, το   maison (la)
σπουδάζω   étudier, faire des études
σπουδαστής, ο   étudiant (le)
σπουδάστρια, η   étudiante (la)
σταθμός, ο   station, gare (la)
σταματάω (-ώ)   (s') arrêter
στάση, η   arrêt (le) *(bus etc.)*
στατιστική, η   statistique (la)
σταφύλι, το   raisin (le)
σταυρόλεξο, το   mots croisés (les)
σταχτής (-ιά -ί)   cendré, gris
στέλνω   envoyer
στενός (-ή -ό)   étroit, restreint
στήλη, η   colonne (la)

στιγμή, η   moment (le)
στοιχεία, τα   élements // données (les)
Στοκχόλμη, η   Stockholm
συγγενής, ο   parent, allié (le)
συγκρίνω   comparer
συγκριτικός, ο   comparatif (le) *(gr.)*
συγνώμη   excuse(z)- moi
συγχωρώ   excuser, pardonner
συμβαίνει   arriver, se passer *(impers.)*
συμμαθητής, ο   camarade de classe (le)
συμμαθήτρια, η   camarade de classe (la)
συμπαθητικός (-ή -ό)   sympathique
συμπληρώνω   compléter, remplir
συμπόσιο, το   symposium (le)
σύμφωνα με   conformément // d'aprés
σύμφωνο, το   consonne (la) *(gr.)*
συμφωνώ   être d'accord, accorder
συναυλία, η   concert (le)
συνέδριο, το   congrés (le), conférence (la)
συνεργείο, το   garage (le)
συνέχεια (συνεχώς)   continuellement
συνεχίζω   continuer
συνηθισμένος (-η -ο)   habituel, commun
συνήθως   habituellement, d'habitude
συνθέτης, ο   compositeur (le)
συννεφιά, η   temps couvert, nuageux
συνοικία, η   quartier (le)
συνορεύω   avoisiner, être limitrophe
σύντροφος, ο/η   compagnon (le), compagne (la), partenaire (le/la)
Συρία, η   Syrie (la)
συστημένος (-η -ο)   recommandé(e) (lettre)
συστήνω   présenter // recommander
συχνά   souvent
σχεδιάγραμμα, το   plan, dessin, tracé (le)
σχεδόν   presque
σχέση, η   relation, liaison (la) // rapport (le)
σχετικά   relativement // par rapport à
σχηματίζω   former
σχολείο, το   école (la)
σχολή, η   école, faculté (la)
σωστά   justement, correctement
σωστός (-ή -ό)   juste, correct

Τ τ

τα   article neut. pl.
ταβέρνα, η   taverne (la)
τάβλι, το   trictrac, jacquet (le)
ταινία, η   film (le)
ταιριάζω   assortir, accorder
ταμείο, το   caisse (la)
ταμπέλα, η   enseigne (la), écriteau (le)
τάξη, η   classe (la)
ταξί, το   taxi (le)
ταξιδεύω   voyager
ταξίδι, το   voyage (le)
ταξιδιώτης, ο   voyageur (le)
ταξιδιωτικός (-ή -ό)   de voyage
ταξινομώ   classifier, classer
τα πάντα   tout, toute chose
ταραμοσαλάτα, η   tarama (le)
τάρτα, η   tarte (la)
τασάκι, το   cendrier (le)
ταυτότητα, η   identité // carte d' identité (la)

τάφος, ο   tombeau (le)
ταχυδρομείο, το   poste (la)
ταχυδρομώ   poster, envoyer par la poste
Τελ Αβίβ, το   Tel Aviv
τελειώνω   finir, terminer
τελευταία   dernièrement, récemment
τελευταίος (-α -ο)   dernier
τελικά   finalement, à la fin
τελικός (-ή -ό)   final
τέλος, το   fin (la)
τεμάχιο, το   morceau (le), piece (la)
τεμπέλης (-α -ικο)   paresseux
τέν(ν)ις, το   tennis (le)
τεράστιος (-α -ο)   énorme
τεσσάρι, το   appartement à quatre pièces, F4
τέσσερις (-ις -α)   quatre
τεστ, το   test (le), épreuve (la)
Τετάρτη, η   mercredi (le)
τέταρτο, το   quart (le)
τέταρτος (-η -ο)   quatrième
τετραγωνικός (-ή -ό)   carré (mètre)
τετράγωνο, το   carré // paté de maisons (le)
τετράγωνος (-η -ο)   carré, quadrangulaire
τετράδιο, το   cahier (le)
τετρακόσιοι (-ες -α)   quatre cents
τέχνη, η   art (le)
τζάκι, το   cheminée (la)
τζαμί, το   mosquée (la)
τζατζίκι, το   salade de concombre et de yogourt
τηγανητός (-ή -ό)   frit
τηλεόραση, η   télévision (la)
τηλεφωνικός (-ή -ό)   téléphonique, du téléphone
τηλέφωνο, το   téléphone (le)
τηλεφωνώ   téléphoner
της   son/sa/ses *(fém.)*
τι   quoi
τιμή, η   prix (le)
τίποτε   quelque chose // rien
το   art. déf. neut. sing.
το αργότερο   le plus tard
Τόκιο, το   Tokio
το πολύ   au plus, tout au plus
τοστ, το   croque monsieur (le)
τόσο   tant, tellement
τόσο... όσο   aussi... que, autant... que
τότε   alors // en ce temps là
του   son/sa/ses *(masc./neut.)*
τουαλέτα, η   toilette (la)
τουλάχιστον   au moins
τουρίστας, ο   touriste (le)
τουρίστρια, η   touriste (la)
τουριστικός (-ή -ό)   touristique, du tourisme
Τουρκία, η   Turquie (la)
τούρκικα, τα   le turc *(lang.)*
τουρκικός (-ή -ό)   turc
Τούρκος (-άλα)   turc (turque) *(pers.)*
τους   leur
του χρόνου   l'année prochaine
τραμ, το   tram(way) (le)
τράπεζα, η   banque (la)
τραπεζαρία, η   salle à manger (la)
τραπέζι, το   table (la)
τραπεζικός, ο/η   employé de banque

τρένο, το train (le)
τρεις/τρεις/τρία trois
τριακόσιοι (-ες -α) trois cents
τριάντα trente
τριάρι, το appartement à trois pièces, F3
Τρίτη, η mardi
τρίτος (-η -ο) troisième
τροπικά en ce qui concerne la manière
τρόπος, ο manière, façon (la)
τροχαία, η police routière (la)
τρώω manger
τσάι, το thé (le)
τσάντα, η sac à main (le), pochette (la)
τσιγάρο, το cigarette (la)
τσιπούρα, η dorade (la)
τσουγκρίζω casser, croquer (des œufs)
τσουρέκι, το brioche de Pâques
Τυνησία, η Tunisie (la)
τυπογραφείο, το imprimerie (la)
τύπος, ο type (le)
τυρί, το fromage (le)
τυρόπιτα, η pâte au fromage (la)
τυροπιτάκι, το galette de fromage (la)
τυχερός (-ή -ό) chanceux, veinard
τώρα maintenant

Υ υ

υδραυλικός, ο plombier (le)
υπάλληλος, ο employé (le)
υπάρχει il y a
υπάρχω exister
υπερθετικός, ο superlatif (le) (gr.)
υπνοδωμάτιο, το chambre à coucher
ύπνος, ο sommeil (le)
υπόγειο, το sous-sol (le)
υπογραφή, η signature (la)
υπογράφω signer
υποκείμενο, το sujet (le) (gr.)
υποκοριστικό, το diminutif (le)
υπολογιστής, ο ordinateur (le)
υπόλοιπος (-η -ο) restant (le)
υποτακτική, η subjonctif (le) (gr.)
υφαντό, το tissage (le)
ύφασμα, το étoffe (la), tissu (le)

Φ φ

φάβα, η purée de fève ou de gesse
φιλί, το baiser (le)
φαγητό, το manger, repas (le)
φαίνομαι paraître, avoir l'air
φάκελος, ο enveloppe (la) // dossier (le)
φακός, ο torche, lampe de poche (la)
φαλακρός (-ή -ό) chauve
φανάρι, το feu rouge (le)
φανελάκι, το flanelle (la), gilet de dessous
φανερώνω dénoter, manifester
φαντάζομαι imaginer
φαρμακείο, το pharmacie (la)
φαρμακευτικός (-ή -ό) pharmaceutique
φάρμακο, το médicament, remède (le)
φασολάκια, τα haricots verts (les)
Φεβρουάριος, ο février (le)
φέρνω (ap)porter, amener

φέτα, η feta (la) (espèce de fromage blanc)
  // tranche (la)
(ε)φέτος cette année
φεύγω partir
φθινόπωρο, το automne (le)
φιλάρες, οι grosses bises (les)
φιλάω (-ώ) embrasser
φίλη, η amie (la)
φιλικός (-ή -ό) amical
Φιλιππίνες, οι Philippines (les)
φιλμ, το film (le)
φίλος, ο ami (le)
φιλότιμο, το sentiment d'honneur (le) //
  dignité (la)
Φλωρεντία, η Florence
φοβάμαι avoir peur, craindre
φοιτητής, ο étudiant (le)
φοιτήτρια, η étudiante (la)
φορά, η fois (la)
φοράω (-ώ) porter, mettre
φόρεμα, το robe (la)
φόρος, ο taxe (la)
φούρνος, ο boulangerie (la) // four (le)
φούστα, η jupe (la)
φρα(ν)τζόλα, η baguette de pain
φράουλα, η fraise (la)
φραπέ, ο café instantané frappé et glacé,
  avec ou sans lait
φρέσκος (-ια -ο) frais
φροντιστήριο, το centre éducatif (le)
φρούριο, το forteresse (la), fort (le)
φρούτο, το fruit (le)
φτάνω arriver
φτηνός (-ή -ό) bon marché
φτιάχνω faire, préparer // réparer
φυλάω (-ώ) garder // protéger
φυσική, η Physique (la)
φυσικός (-ή ό) naturel
φωνή, η voix (la)
φωνήεν, το voyelle (la) (gr.)
φωτεινός (-ή -ό) lumineux, brillant, clair
φωτογραφικός (-ή -ό) photographique

Χ χ

Χάγη, η Hague
χαίρετε (bonjour/bonsoir) // au revoir, adieu
χαιρετίσματα, τα compliments (les)
χαίρομαι se réjouir, avoir du plaisir
χαίρω se réjouir, avoir du plaisir (idiome
  épuré)
χαλάω (-ώ) abîmer, détruire // faire de la
  monnaie
χαλβάς, ο halva (la)
χαμηλός (-ή -ό) bas
χάνω perdre // manquer
χάρτης, ο carte (la)
χαρτί, το papier (le)
χαρτιά, τα cartes à jouer
χαρτοπετσέτα, η serviette de papier (la)
χαρτοφύλακας, ο serviette (la),
  porte-document
χειμώνας, ο hiver (le)
χήρα, η veuve (la)
χήρος, ο veuf (le)

χθες ((ε)χτές) hier
χίλιοι (-ες -α) mille
χιλιάδες mille // milliers
χιλιομετρικός (-ή -ό) kilométrique
χιλιόμετρο, το kilomètre (le)
χιόνι, το neige (la)
χιονίζει il neige
χοιρινός (-ή -ό) de porc
χολ, το hall (le)
χοντρός (-ή -ό) gros
χορεύω danser
χόρτα, τα herbes de montagne (les)
χρειάζεται il est nécessaire
χρειάζομαι avoir besoin
χρησιμοποιώ utiliser
Χριστός Ανέστη! Jésus est ressuscité!
  (grec ancien)
χρόνια, τα ans, années (les)
χρονικός (-ή -ό) temporel
χρόνος, ο temps (le) // an (le)
χρυσός, ο or (le)
χρυσός (-ή -ό) d'or, en or (adj.)
χρώμα, το couleur (la)
χρωματίζω peindre, colorer
χρωματοπωλείο, το boutique de marchand
  de couleurs, droguerie (la)
χρωστάω (-ώ) devoir
χταπόδι, το poulpe (le)
χυμός, ο jus (le)
χώρα, η pays (le)
χωριάτικος (-η -ο) villageois, paysan
χωρίζω séparer
χωρισμένος (-η -ο) séparé, divorcé
χωριστος (-η -ο) separe, a part
χώρος, ο espace (le)

Ψ ψ

ψάρι, το poisson (le)
ψαρόσουπα, η soupe de poisson (la)
ψάχνω chercher
ψηλός (-ή -ό) haut, grand
ψήνω cuir, rôtir, griller
ψητός (-ή -ό) cuit, rôti, grillé
ψηφίο, το chiffre // lettre
ψιλά, τα monnaie (la)
ψιχαλίζει il bruine
ψυγείο, το réfrigérateur, frigo (le)
ψυχίατρος, ο psychiatre (le)
ψυχολόγος, ο psychologue (le)
(έχει/κάνει) ψύχρα il fait froid
ψωμί, το pain (le)
ψώνια, τα achats, emplettes (les)
ψωνίζω faire des achats/courses

Ω ω

ώρα, η heur (la) // temps (le)
ωραίος (-α -ο) beau, bon
ώς jusqu'à

Vokabular

A α

αβγό (αυγό), το Ei
άγαλμα, το Statue
αγαπάω (-ώ) lieben
αγάπη, η liebe
αγαπητός (-ή -ό) lieb
αγγελία, η Anzeige
Αγγλία, η England
αγγλικά, τα Englisch
αγγλικός (-ή -ό) englisch
Άγγλος (-ίδα) Engländer (-erin)
αγγούρι, το Gurke
αγία, η die Heilige
άγιος, ο der Heilige
Άγκυρα, η Ankara
άγνωστη, η die Fremde
άγνωστος, ο der Fremde
άγνωστος (-η -ο) fremd, unbekannt
αγορά, η Markt
αγοράζω kaufen
αγόρι, το Bub
άδειος (-α -ο) leer
αδελφή, η Schwester
αδελφός, ο Bruder
αδύνατος (-η -ο) dünn // schwach
αέρας, ο Luft // Wind
αεροδρόμιο, το Flughafen
αεροπλάνο, το Flugzeug
αεροπορικός (-ή -ό) Flug-
Αθήνα, η Athen
Αιγαίο (πέλαγος), το die Ägäis, Ägäisches Meer
αιγυπτιακός (-ή -ό) ägyptisch
Αιγύπτιος (-ια) Ägypter (-erin)
Αίγυπτος, η Ägypten
αίθριος (-α -ο) gut, klar (Wetter)
αιτιατική, η Akkusativ (Gramm.)
αιτιολογικός (-ή -ό) ätiologisch, begründend
ακολουθώ folgen
ακόμα noch // mehr
ακούω hören, zuhören
ακριβός (-ή -ό) genau
ακριβώς teuer
Ακρόπολη, η die Akropolis
αλάτι, το Salz
Αλβανία, η Albanien
Αλεξάνδρεια, η Alexandrien
αλήθεια Wahrheit // wirklich
Αληθώς Ανέστη! (Christus) ist wahrhaftig Auferstanden! (älteres Griechisch)
αλλά aber
αλλάζω wechseln, ändern
αλλαντικά, τα Wurstsorten
άλλος (-η -ο) ein anderer
άλλοτε früher // mal so... mal so
αλλού anderswo
αλουμίνιο, το das Aluminium
αλφάβητο, το Alphabet
Αμβούργο, το Hamburg
αμερικανικός (-ή -ό) americanisch
Αμερικανός (-ίδα) Americaner (-erin)
Αμερική, η America
άμεσος (-η -ο) direkt, unmittelbar

αμέσως sofort
Άμστερνταμ, το Amsterdam
αν wenn
ανακατεύω rühren
ανακεφαλαίωση, η Rekapitulation
ανάκτορο, το Palast
ανάληψη, η Geld abheben
ανάλογα entsprechend, analog
ανάμεσα zwischen
αναπτήρας, ο Feuerzeug
Ανάσταση, η Auferstehung
ανατολή, η der Osten
ανατολικά östlich
αναφέρομαι sich beziehen auf
αναφέρω erwähnen
αναχώρηση, η Abfahrt
αναψυκτικό, το Erfrischung
ανελκυστήρ, ο Personenaufzug (veraltet)
ανθοπωλείο, το Blumenladen
άνθρωπος, ο der Mensch
ανοίγω öffnen
άνοιξη, η Frühling
ανοιχτός (-ή -ό) offen
αντιγράφω kopieren
αντίθετα im Gegenteil
αντίθετος (-η -ο) entgegengesetzt, widrig, konträr
αντικαθιστώ ersetzen
αντικείμενο, το Gegenstand, Objekt
αντίο Auf Wiedersehen, Tschüs
αντιπρόσωπος, ο/η Vertreter
αντίρρηση, η Einwand, Einspruch
αντιστοιχώ entsprechen
άντρας, ο Mann // Gatte
αντωνυμία, η Pronomen (Gramm.)
ανυπόφορος (-η -ο) unerträglich
ανώμαλος (-η -ο) unregelmäßig, irregulär, uneben
αόριστος, ο der Aorist (Gramm.)
απαντάω (-ώ) antworten
απάντηση, η Antwort
απαρέμφατο, το Infinitiv (Gramm.)
απέναντι gegenüber
απέχω entfernt sein
απλή διαδρομή einfache Fahrt
απλός (-ή -ό) einfach
απλώς nur, einfach
από von // als
απόγευμα, το der späte Nachmittag
απογευματινός (-ή -ό) spät nachmittags-
απόδειξη, η Quittung
αποθετικό ρήμα, το deponent (Verb)
αποθήκη, η Abstellraum
απόλυτος (-η -ο) absolut
απολύτως absolut
απορρυπαντικό, το Reinigungsmittel
απόψε heute abend
Απρίλιος, ο April
αραβικά, τα Arabisch
αρακάς, ο Erbse
αργά spät // langsam
αργότερα später
αργώ spät sein, sich verspäten
αρέσω gefallen
άρθρο, το Artikel

αριθμητικό, το Zahlwort, Zahl-
αριθμός, ο die Zahl
αριστερά links
αρκετά genug // ziemlich
αρνητικός (-ή -ό) negativ
αρνί, το Lamm
άρρωστος (-η -ο) krank
αρσενικός (-ή -ό) maskulin
αρχαιολογικός (-ή -ό) archäologisch
αρχαιολόγος, ο/η Archäologe
αρχαίος (-α -ο) antik
αρχή, η Anfang, Beginn
αρχίζω anfangen, beginnen
αρχιτέκτονας, ο Architekt
άρωμα, το Parfüm, Aroma
ασανσέρ, το Fahrstuhl
Ασία, η Asien
άσπρος (-η -ο) weiß
αστυνομία, η Polizei
άσχετος (-η -ο) irrelevant
άσχημος (-η -ο) häßlich // schlecht
ασχολούμαι sich beschäftigen (mit)
ατζέντα, η Tagebuch
ατομικός (-ή -ό) persönlich, einzeln
άτομο, το Person, Individuum
Αύγουστος, ο August
αυλή, η Hof
αύριο morgen
αυστραλέζικος (-η -ο) australisch
Αυστραλία, η Australien
Αυστραλός (-έζα) Australier (-erin)
Αυστρία, η Österreich
αυστριακός (-ή -ό) österreichisch
Αυστριακός (-ή) Österreicher (-erin)
αυτοκίνητο, το Auto
Αυτόματη Ταμειακή Μηχανή, η Geldautomat
αυτόματος (-η -ο) automatisch
αυτός (-ή -ό) er // dieser
άφιξη, η Ankunft
Αφρική, η Afrika
αχλάδι, το Birne

B β

βάζο, το Vase
βάζω legen, stellen, setzen
βαθμός, ο Note, Grad
βαμμένος (-η -ο) gemalt
βανίλια, η Vanille
βαρελίσιος (-α -ο) vom Faß
βαρετός (-ή -ό) langweilig
Βαρκελώνη, η Barcelona
Βαρσοβία, η Warschau
βάση, η Basis
βατ, το Watt
βάφω färben, anstreichen
βγάζω wegnehmen, herausnehmen // (Geld) verdienen
βγαίνω ausgehen, herauskommen
βέβαια (βεβαίως) sicherlich
Βέλγιο, το Belgien
Βελιγράδι, το Belgrad
Βενεζουέλα, η Venezuela
Βενετία, η Venedig

βενετσιάνικος (-η -ο) venezianisch
βενζίνη, η Benzin
βεράντα, η Veranda
βερίκοκο, το Aprikose
Βερολίνο, το Berlin
βήμα, το Schritt
βιβλιάριο, το Sparbuch
βιβλίο, το Buch
βιβλιοθήκη, η Bücherregal // Bibliothek
βιβλιοπωλείο, το Buchgeschäft
Βιέννη, η Wien
βιετναμέζικος (-η -ο) vietnamesisch
βίντεο, το Video
βιτρίνα, η Schaufenster
βλέπω sehen
βοηθάω (-ώ) helfen
βοήθεια, η Hilfe
βόλτα, η Spaziergang // Spazierfahrt
Βόννη, η Bonn
βόρεια nördlich
βορειοανατολικά nordöstlich
βόρειος (-α -ο) nördlich
βορράς, ο Norden
Βουδαπέστη, η Budapest
Βουκουρέστι, το Bukarest
Βουλγαρία, η Bulgarien
βουλγάρικος (-η -ο) bulgarisch
Βούλγαρος (-α) Bulgare (-in)
βουλευτής, ο Abgeordneter
βουνό, το Berg
βούτυρο, το Butter
βραδιά, η Abend
βραδινό, το Abendessen
βραδινός (-ή -ό) Abend-
βράδυ, το Abend
βραστός (-ή -ό) gekocht
βράχος, ο Fels
Βρετανία, η Britannien
βρέχει es regnet
βρίσκεται es liegt, es ist
βρίσκω finden
Βρυξέλλες, οι Brüssel
βρώμικος (-η -ο) schmutzig
βυσσινής (-ιά -ί) weinrot

Γ γ

γάλα, το Milch
γαλάζιος (-α -ο) hellblau
γαλανός (-ή -ό) hellblau
γαλέος, ο Fischart
Γαλλία, η Frankreich
γαλλικά, τα Französisch
γαλλικός (-ή -ό) französisch
Γάλλος (-ίδα) Französe (-in)
γαρίδα, η Krabbe, Garnele
γάτα, η Katze
γαύρος, ο Anschovis
γεια Tschüs
γεια σου/σας Grüß Dich, Tschüs
γειτονιά, η Nachbarschaft
γελάω (-ώ) lachen
γέλιο, το Lachen
(έχει) γέλιο macht Spaß
γεμάτος (-η -ο) voll

γεμιστά, τα gefüllte Tomaten und Paprika
γενέθλια, τα Geburtstag
Γενεύη, η Genf
γένια, τα Bart
γενικά im allgemeinen
γενικότερα allgemeiner
Γερμανία, η Deutschland
γερμανικά, τα Deutsch
γερμανικός (-ή -ό) deutsch
Γερμανός (-ίδα) Deutsche
γεύση, η der Geschmack
γεωργικός (-ή -ό) landwirtschaftlich, Landwirtschafts-
για für // über
γιαούρτι, το Joghurt
γιαπωνέζικα, τα Japanisch
γιαπωνέζικος (-η -ο) japanisch
Γιαπωνέζος (-έζα) Japaner (-erin)
για την ακρίβεια genauer gesagt
γιατί warum // weil
γιατρός, ο/η Arzt
γίγαντες, οι Riesen bohnen
γίνομαι werden // stattfinden
γιορτάζω feiern
γιος, ο Sohn
γιουβέτσι, το Bratlamm mit Teigware im Tongefäß
γκαράζ, το Garage
γκαρσονιέρα, η Einzimmerwohnung
γκούντα, η Gouda-Käse
γκρίζος (-α -ο) grau
γλώσσα, η Sprache, Zunge
γνωστή, η die Bekannte
γνωστός, ο der Bekannte
γνωστός (-ή -ό) bekannt
γονείς, οι Eltern
γόπα, η Fischart
γουρουνόπουλο, το Schweinchen der Ferkel
γούστο, το Geshmack
γραβάτα, η Krawatte
γραβιέρα, η Gruyere-Käse
γράμμα, το Brief
γραμμάριο, το Gramm
γραμματέας, ο/η Sekretär/Sekretärin
γραμματική, η Grammatik
γραμματόσημο, το Briefmarke
γραφείο, το Büro // Schreibtisch
γραφικός (-ή -ό) malerisch
γράφω schreiben
γρήγορα schnell
γρήγορος (-η -ο) schnell
γυαλιά, τα Brille
γυμνάσιο, το Gymnasium
γυμναστήριο, το Turnhalle
γυναίκα, η Frau
γυρεύω suchen
γυρίζω sich umdrehen // zurückkehren
γύρω um..herum // gegen
γωνία, η Ecke

Δ δ

Δανία, η Dänemark
δασκάλα, η Lehrerin

δάσκαλος, ο Lehrer
δεικτικός (-ή -ό) demonstrativ (Gramm.)
δείχνω zeigen // ausschauen
δέκα zehn
δεκαέξι sechzehn
δεκαεννιά (δεκαεννέα) neunzehn
δεκαεφτά (δεκαεπτά) siebzehn
δεκαοχτώ (δεκαοκτώ) achtzehn
δεκαπέντε fünfzehn
δεκατέσσερις (-ις -α) vierzehn
δέκατος (-η -ο) Zehnte
δεκατρείς (-είς -ία) dreizehn
Δεκέμβριος, ο Dezember
δέμα, το Paket
δεν nicht
δεν πειράζει macht nichts
δεξιά rechts
δεσποινίς, η Fräulein
Δευτέρα, η Montag
δευτερόλεπτο, το Sekunde
δεύτερος (-η -ο) Zweite
δέχομαι akzeptieren
δηλαδή nämlich
δημοκρατία, η Demoktatie // Republik
δημοσιογράφος, ο/η Journalist
δημοτικό, το Volksschule
δημοτικός (-ή -ό) kommunal, Gemeinde-
διαβάζω lesen // lornon
διαβατήριο, το Paß
διαγωνισμός, ο Wettbewerb
διακοπές, οι Ferien
διακόσιοι (-ες -α) zweihundert
διαλέγω aussuchen
διάλειμμα, το Pause
διάλεξη, η Vortrag
διάλογος, ο Dialog
διαμέρισμα, το Wohnung
διάφοροι (-ες -α) verschiedene
διδάσκω lehren
διεθνής (-ής -ές) international
διερμηνέας, ο/η Dolmetscher
διεύθυνση, η Anschrift // Leitung
διευθυντής, ο Leiter
διευθύντρια, η Leiterin
δικηγόρος, ο/η Rechtsanwalt
δίκλινος (-η -ο) Zweibett-
δικός (-ή -ό) μου mein
δίνω geben
δίπλα neben
διπλανός (-ή -ό) Neben- // Nachbar
διπλωμάτης, ο Diplomat
δισκάδικο, το Plattengeschäft
δίσκος, ο Platte
διψάω (-ώ) Durst haben
δοκιμάζω ausprobieren, probieren // versuchen
δολ(λ)άριο, το Dollar
δόξα, η Ruhm
δουλειά, η Arbeit, Job
δουλειά, η Angelegenheiten, Dinge zu tun, Hausarbeit
δουλεύω arbeiten
δραχμή, η Drachme
δρόμος, ο Straße, Weg
δροσιά, η Kühle

Vokabular

δυάρι, το Zweizimmerwohnung
δυνατά laut // kräftig
δυνατός (-ή -ó) stark
δύο zwei
δύση, η der Westen
δύσκολος (-η -ο) schwer
δυστυχώς leider
δυτικά westlich
δώδεκα zwölf
δωδέκατος (-η -ο) Zwölfte
δωμάτιο, το Zimmer
δώρο, το Geschenk

Ε ε

εβδομάδα, η woche
εβδόμηντα siebzig
έβδομος (-η -ο) Siebte
έγινε! erledigt!
εγώ Ich
εδώ hier
εθνικός (-ή -ό) national
εθνικότητα, η Nationalität
είδος, το Art, Typ
εικόνα, η Bild, Ikone
είκοσι zwanzig
εικοσ(ι)τετράωρο, το 24 Stunden
εικοστός (-ή -ό) Zwanzigste
είμαι ich bin
εισιτήριο, το Fahrkarte
είσοδος, η Eingang, Einfahrt
εκατό hundert
εκατομμύριο, το Million
(ε)κατοστίζω hundert Jahre alt werden
εκδρομή, η Ausflug
εκεί dort
εκείνος (-η -ο) jener/jene/jenes
έκθεση, η Ausstellung, Messe
εκκλησία, η Kirche
έκταση, η Fläche
έκτος (-η -ο) Sechste
εκπτώσεις, οι Schlußverkauf
έκφραση, η Ausdruck
Ελβετία, η Schweiz
ελβετικός (-ή -ό) schweizerisch
Ελβετός (-ίδα) Schweizer (-erin)
ελευθερία, η Freiheit
ελεύθερος (-η -ο) frei // ledig
ελιά, η Olive
Ελλάδα, η Griechenland
Έλληνας (-ίδα) Grieche (-in)
ελληνικά, τα Griechisch
ελληνικός (-ή -ό) griechisch
εμείς wir
έμπειρος (-η -ο) erfahren
εμπορικός (-ή -ό) Kommerziell
εμπρός Hallo (am Tel.)
ένα unbest. Art. Netr. Sing.
ένας unbest. Art. Mask. Sing.
ένατος (-η -ο) Neunte
ενδέκατος (-η -ο) elfte
ενδιαφέρομαι interessiert sein
ενδιαφέρων (-ουσα -ον) interessant
ενενήντα neunzig
ενεργητική (φωνή), η Aktiv (Gramm.)

ενεστώτας, ο Präsens (Gramm.)
ενικός, ο Singular (Gramm.)
εννιά (εννέα) neun
εννιακόσιοι (-ες -α) neunhundert
ενοικιάζεται zu vermieten
ενοίκιο, το Miete
εντάξει in Ordnung
έντεκα elf
εντράδα, η Ragout
έντυπο, το Drucksache
ενώ während
ένωση, η Union
(ε)ξαδέλφη, η Kousine
(ε)ξάδελφος, ο Vetter
εξαιρετικός (-ή -ό) exzellent, ausgezeichnet
εξακολουθητικός (-ή -ό) weitergehend
εξακόσιοι (-ες -α) sechshundert
εξήντα sechzig
εξής, το/τα folgendes
έξι sechs
εξπρές Eilbrief
εξυπηρετικός (-ή -ό) hilfsbereit, nützlich
εξυπηρετώ bedienen
έξυπνος (-η -ο) klug
έξω draußen
εξωτερικός (-ή -ό) aüßerer, äußerlich, Außen-
εξωτικός (-ή -ό) exotisch
επανάληψη, η Widerholung
επί mal (Multiplik.)
επιγραφή, η Aufschrift, Überschrift
επίθετο, το Adjektiv (Gramm.) // Familienname
επικοινωνώ kommunizieren
έπιπλο, το Möbelstück
επιπλωμένος (-η -ο) möbliert
επίσης ebenfalls // auch
επισκέπτομαι besuchen
επιστροφή, η Rückkehr
επιτάφιος, ο Karfreitagsmesse
επιτυχία, η Erfolg
επόμενος (-η -ο) nächst-
επομένως also, folglich
εποχή, η Jahreszeit
επώνυμο, το Nachname
εργασία, η Arbeit // Projekt
εργατικός (-ή -ό) fleißig
έργο, το Stück (Theater-, Kino-)
έρχομαι kommen
ερχόμενος (-η -ο) kommend
ερωτευμένος (-η -ο) verliebt
ερωτηματικός (-ή -ό) fragend (Gramm.)
ερώτηση, η Frage
εσείς Sie
εσπρέσο, το Espresso
εστιατόριο, το Restaurant
εσύ du
εταιρεία, η Gesellschaft, Firma
ετοιμάζω vorbereiten
έτοιμος (-η -ο) fertig
έτος, το Jahr
έτσι so, auf diese Weise
ευγενικός (-ή -ό) höflich
ευκαιρία, η Gelegenheit, Chance
εύκολος (-η -ο) leicht

ευρώ, το Euro
ευρωπαϊκός (-ή -ό) europäisch
Ευρώπη, η Europe
ευτυχώς glücklicherweise
ευχαριστημένος (-η -ο) zufrieden
ευχάριστος (-η -ο) angenehm
ευχαριστώ Vielen Dank
(ε)φέτος dieses Jahr
εφημερίδα, η Zeitung
εφτά (επτά) sieben
εφτακόσιοι (-ες -α) siebenhundert
(ε)χθές ((ε)χτές) gestern
έχει γέλιο es ist lustig, es ist spaßig
έχει πλάκα es ist lustig, es ist spaßig
έχω ich habe
έως bis

Ζ ζ

ζαμπόν, το Schinken (gekochter)
ζάχαρη, η Zucker
ζαχαροπλαστείο, το Konditorei
ζέστη, η Hitze
ζεστός (-ή -ό) heiß
ζευγάρι, το das Paar
ζητάω (-ώ) verlangen // bitten
ζυγίζω wiegen
ζυμαρικά, τα Teigwaren
Ζυρίχη, η Zürich
ζω leben
ζώο, το Tier
ζωή, η Leben
ζώνη, η Gürtel

Η η

η best. Art. Fem. Sing. Nom.
ή oder
ηθοποιός, ο/η Schauspieler
ηλεκτρικός (-ή -ό) elektrisch
ηλεκτρολόγος, ο/η Elektriker
ηλιακός (-ή -ό) sonnen-
ηλικία, η Alter
ήλιος, ο Sonne
(η)μέρα, η Tag
ημερολόγιο, το Kalender
ημιυπόγειος (-α -ο) souterrain
ημιώροφος, ο Zwischenetage
Η.Π.Α., οι U.S.A.
ησυχία, η Ruhe
ήσυχος (-η -ο) ruhig

Θ θ

θα (Part. zur Bildung des Futurs)
θάλασσα, η Meer
θαλασσινά, τα Meeresfrüchte
θαλάσσιος (-α -ο) Meeres-
θέα, η Aussicht, Sicht
θέατρο, το Theater
θεία, η Tante
θείος, ο Onkel
θέλω ich will (wollen)
Θεός, ο Gott
θερινός (-ή -ό) sommerlich

θέρμανση, η Heizung
θερμοκρασία, η Temperatur
θερμοσίφωνο, το (θερμοσίφωνας, ο)
  Wasserboiler
θέση, η Platz // Position
Θεσσαλία, η Thessalien
Θεσσαλονίκη, η Thessaloniki
θηλυκός (-ιά -ό) weiblich
θόρυβος, ο Lärm
θυμάμαι sich erinnern
θυρίδα, η Schalter // Fach, Postfach

Ι ι

Ιανουάριος, ο Januar
Ιαπωνία, η Japan
ιαπωνικός (-ή -ό) japanisch
ιατρικός (-ή -ό) medizinisch
ιδιοκτήτης, ο Eigentümer, Besitzer
ιδιοκτήτρια, η Besitzerin
ίδιος (-α -ο) derselbe
ιδιωτικός (-ή -ό) privat
Ι.Κ.Α. Sozialversicherungsanstalt
Ινδία, η Indien
ινδικός (-ή -ό) indisch
Ινδός (-ή) Inder (-erin)
Ιόνιο (πέλαγος), το Ionisches Meer
Ιούλιος, ο Juli
Ιούνιος, ο Juni
Ιρλανδία, η Irland
Ιρλανδός (-έζα) Ire (-in)
ίσιος (-α -ο) gerade
ισόγειο, το Erdgeschoß
Ισπανία, η Spanien
ισπανικά, τα Spanisch
ισπανικός (-ή -ό) spanisch
Ισπανός (-ίδα) Spanier (-erin)
Ισραήλ, το Israel
ισχύω gelten
ίσως vielleicht
Ιταλία, η Italien
ιταλικά, τα Italienisch
ιταλικός (-ή -ό) italienisch
Ιταλός (-ίδα) Italiener (-erin)

Κ κ

κ.α. etc.
καθαριστήριο, το Reinigung
καθαρός (-ή -ό) sauber
κάθε jeder/jede/jedes
καθένας (καθεμιά/καθένα) jeder
κάθετα vertikal
καθηγητής, ο Lehrer, Professor
καθηγήτρια, η Lehrerin, Professorin
καθημερινά jeden Tag, täglich
καθόλου gar nicht
κάθομαι sitzen // wohnen
καθρέφτης, ο Spiegel
καθώς και wie auch
και und
καινούργιος (-α -ο) neu
Κάιρο, το Kairo
καιρός, ο Wetter // Zeit
κακό, το das Schlimme

καλά gut
καλαμαράκι, το (kleiner) Tintenfisch
καλημέρα Guten Morgen
καλησπέρα Gutend Abend
Καλιφόρνια, η Kalifornien
Καλκούτα, η Kalkutta
καλοκαίρι, το Sommer
καλοριφέρ, το Heizkörper (Zentralheizung)
καλός (-ή -ό) gut, nett
κάλτσα, η Socke, Strumpf
καλ(τ)σόν, το Strumpfhose
καλύτερα besser
καλώ anrufen // einladen
καμιά φορά manchmal
Καμπέρα, η Canberra
καμπίνα, η Kabine
Καναδάς, ο Kanada
καναδικός (-ή -ό) kanadisch
Καναδός (-έζα) Kanadier (-erin)
κανένας (καμιά/κανένα) keiner
κάνω machen, tun
κάνει es kostet
κανονίζω arrangieren
κανονικά normalenweise
καπέλο, το Hut
καπνίζω rauchen
κάποιος (-α -ο) jemand
καπουτσίνο, το Capuccino
κάπως irgendwle
καράφα, η Kanne
καραφάκι, το Kännchen
καρδιολόγος, ο Herzspezialist
καρέκλα, η Stuhl
καρμπονάρα, η Spaghetti Carbonara
καρότο, το Karotte
καρπούζι, το Wassermelone
κάρτα, η Karte, Postkarte
(πιστωτική) κάρτα, η Kredit-Karte
καρυδόπιτα, η Nusstorte
κασέτα, η Kassette
κασετόφωνο, το Kassettenrekorder
καστανός (-ή -ό) brünett
κατά gegen (zeitlich)
κατάδυση, η Tauchen
κατάθεση, η Anzahlung
καταλαβαίνω verstehen
κατάλληλος (-η -ο) passend, geeignet
κατάλογος, ο Liste, Menü
καταπληκτικός (-ή -ό) phantastisch
κατάσταση, η Situation
κατάστημα, το Laden
καταφατικός (-ή -ό) affirmativ
κατεπείγων (-ουσα -ον) Eil-, Express
κάτι etwas // einige
κάτοικος, ο Bewohner
(ε)κατοστίζω hundert Jahre alt werden
κατσαβίδι, το Schraubbenzieher
κατσαρός (-ή -ό) lockig
κάτω unten, unterhalb
καφέ braun
καφέ, το das Kaffee
καφές, ο Kaffee
καφετής (-ιά -ί) brown
κείμενο, το Text
κενό, το leer

κεντρικός (-ή -ό) zentral
κέντρο, το Zentrum
κεραμικό, το Keramik
κεράσι, το Kirsche
κερδίζω verdienen // gewinnen
Κέρκυρα, η Korfu
κερνάω (-ώ) einladen
κεφαλαίο (γράμμα), το Großbuchstabe
κέφι, το gute Laune // Lust
κήπος, ο Garten
κι und
κιλό, το Kilo
κιμάς, ο Hackfleisch
Κίνα, η China
κινέζικα, τα Chinesisch
κινέζικος (-η -ο) chinesisch
Κινέζος (-έζα) Chinese (-in)
κινηματογράφος, ο kino
κινητό, το Handy, Mobiltelefon
κίτρινος (-η -ο) gelb
κλασικός (-ή -ό) klasslsch
κλειδί, το Schlüssel
κλείνω schließen // buchen
κλειστός (-ή -ό) geschlossen
κλίμα, το Klima
κλινική, η Klinik
κλίνω deklinieren (Gramm.)
κοιμάμαι schlafen
κοινότητα, η Gemeinde
κοινόχρηστα, τα Umlagen
κοιτάζω schauen
κοκκινιστό, το Fleisch/Huhn gekocht in
  Tomatensauce
κόκκινος (-η -ο) rot
κολλάω (-ώ) kleben
κολοκύθι, το Kürbis, Zucchini
κόλπος, ο Golf
κολυμβητήριο, το Schwimmhalle
κολυμπάω (-ώ) schwimmen
κομμάτι, το Stück
κομπιούτερ, ο/το Computer
κομψός (-ή -ό) elegant, stilvoll
κοντά in der Nähe, nah
κοντός (-ή -ό) kurz
κοπέλα, η Mädchen
κόρη, η Tochter
κορίτσι, το Mädchen
κορόνα, η Krone
κόσμημα, το Juwel, Schmuck
κοσμικός (-ή -ό) mondän
κόσμος, ο Welt // Leute
κοστίζω kosten
κοστούμι, το Kostüm, Anzug
κοτόπουλο, το Hähnchen
κουζίνα, η Küche
κουκέτα, η Liegeplatz (Schiff)
κούκλα, η Puppe
κουταλάκι, το Kaffeelöffel
κουτάλι, το Löffel
κουτί, το Schachtel
κρασί, το Wein
κρατάω (ώ) halten // dauern
κρατικός (-ή -ό) staatlich
κρέας, το Fleisch
κρεατικά, τα Fleischwaren

Vokabular

κρεβάτι, το Bett
κρεβατοκάμαρα, η Schlafzimmer
κρέμα, η Sahne
Κρήτη, η Kreta
κρίμα! Schade!
κροκόδειλος, ο Krokodil
κρουασάν, το Croissant, Hörnchen
κρύο, το Kälte
κρύος (-α -ο) kalt
κρυφός (-ή -ό) geheim
κτήριο, το Gebäude
κτητικός (-ή -ό) possessiv
κτλ. etc.
Κυκλάδες, οι Kykladen
κυκλοφορώ zirkulieren
κυρία, η Frau
Κυριακή, η Sonntag
κύριος, ο Herr
κύριος (-α -ο) Haupt-
κώδικας, ο Kodex
Κωνσταντινούπολη, η Konstantinopel,
    Istanbul

Λ λ

λαδερό, το Gemüse, in öl gekocht
λάδι, το öl
λάθος, το Fehler
(είναι) λάθος es ist falsch
λαϊκός (-ή -ό) volks-
λάμπα, η Lampe
λαχανικά, τα Gemüse
λεβ, το Lev (Währung)
λέγομαι ich heiße
λειτουργία, η Liturgie (Relig.) // Funktion
λειτουργώ funktionieren
λεμόνι, το Zitrone
λέξη, η wort
λεξικό, το Wörterbuch
λεπτό, το Minute
λεπτός (-ή -ό) schlank, dünn
λέσχη, η Club
λευκός (-ή -ό) weiß
Λευκωσία, η Nikosia
λεφτά, τα Geld
λέω sagen
λεωφορείο, το Bus
λεωφόρος, η Allee, Avenue
λιακάδα, η Sonnenschein
Λίβανος, ο Libanon
λίβινγκ ρουμ Wohnzimmer
λίγο etwas, ein bißchen
λίγοι (-ες -α) einige, weinige
λίγος (-η -ο) wenig
λιγότερο weniger
λιμάνι, το Hafen
λίμνη, η See
λίρα, η Pfund (Geld)
λίστα, η Liste
λογαριασμός, ο Rechnung // Konto
λόγια, τα Worte
λογικός (-ή -ό) logisch
λογιστής, ο Buchhalter
λογιστήριο, το Buchhaltung
λογίστρια, η Buchhalterin

λόγος, ο Grund
λοιπόν also
Λονδίνο, το London
λουκάνικο, το Wurst
λουλούδι, το Blume
λουξ luxuriös
Λουξεμβούργο, το Luxemburg
λουτρό, το bad
λύκειο, το di drei höchsten
    Gymnasialklassen
λυπάμαι es tut mir Leid
λυπημένος (-η -ο) traurig
Λωζάνη, η Lausanne

Μ μ

μα aber
μαγαζί, το Laden
μαγειρεύω kochen
μαγειρίτσα, η Innereiensuppe mit Kräutern
Μαδρίτη, η Madrid
μαζί zusammen
μαθαίνω lernen // erfahren
μάθημα, το Lektion, Unterricht
μαθηματικός, ο Mathematiker
μαθητής, ο Schüler
μαθήτρια, η Schülerin
Μάιος, ο Mai
μακαρόνια, τα Makaroni, Spaghetti
μακριά fern, weit
μακρύς (-ιά -ύ) lang
μαλακός (-ιά -ό) weich
μάλιστα ja // in der tat
μαλλί, το Wolle
μαλλιά, τα Haar
μάλλον wahrscheinlich
μάνα, η Mutter
μανάβης, ο Gemüseman, Obstman
μανάβικο, το Gemüseladen, Obstladen
μανιτάρι, το Pilz
μανούρι, το Griechischer Weichkäse
μανταρίνι, το Mandarine
μαντεύω raten
μ' αρέσει es gefällt mir
μαρίδα, η kleine Fische
μαρκαδόρος, ο Markierer
μαρούλι, το Grüner Salat
Μάρτιος, ο März
μας unser
Μασσαλία, η Marseille
μάτι, το Auge
μαύρος (-η -ο) schwarz
με mit // mich
Μεγάλη Πέμπτη, η Gründonnerstag
μεγάλος (-η -ο) groß // alt
μεζές, ο Imbiß
μεθαύριο übermorgen
Μελβούρνη, η Melbourne
μέλι, το Honig
μελιτζάνα, η Aubergine
μελιτζανοσαλάτα, η Auberginensalat
μέλλον, το Zukunft
μέλλοντας, ο Futur (Gramm.)
μέλος, το Glied, Mitglied
μένω wohnen // leben

μεξικάνικος (-η -ο) mexicanisch
Μεξικανός (-ή) Mexicaner (Mexicanerin)
Μεξικό, το Mexico
μέρα, η Tag
μερικοί (-ές -ά) einige
μέρος, το Ort // Platz
μέσα in, innerhalb
μεσάνυχτα, τα Mitternacht
μεσημέρι, το Mittag
μεσημεριανό, το Mittagsessen
μεσιτικός (-ή -ό) maklerisch, Makler-
μεσογειακός (-ή -ό) mittelmeerisch
Μεσόγειος, η Mittelmeer
με συγχωρείτε Verzeihen Sie
μετά dann, danach
μεταβατικό ρήμα, το transitives Verb
μετανάστης, ο Emigrant
μεταξύ zwischen, unter
μετοχή, η Partizip (Gramm.)
μετρητά, τα Bargeld
μέτρο, το Maß // Meter // Maßnahme
μετρό, το U-Bahn
μέχρι bis
μηδέν Null
μήλο, το Apfel
μηλόπιτα, η Apfelkuchen
μήνας, ο Monat
μήπως Vielleicht (nur bei Fragen)
μητέρα, η Mutter
μηχανή, η Maschine // Fotoapparat // Motor
μηχανικός, ο/η Mechaniker
μια eine
μια χαρά sehr gut
μιάμιση anderthalb
μικρός (-ή -ό) klein // auch bei
    Personen
Μιλάνο, το Mailand
μιλάω sprechen
μ.μ. p.m.
μίνι μάρκετ, το Mini-Markt
μισθός, ο Gehalt
μισός (-ή -ό) halb
μνημείο, το Monument
μοκέτα, η Teppichboden
μολύβι, το Bleistift
μοναστήρι, το Kloster
Μόναχο, το München
μόνο nur
μονοκατοικία, η Einfamilienhaus
μονόκλινο (-η -ο) Einbettzimmer
μοντέρνος (-α -ο) modern
μορφωμένος (-η -ο) gebildet
Μόσχα, η Moskau
μοσχάρι, το Rind
μου mein
μουσείο, το Museum
μουσική, η Musik
μουστάκι, το Schnurrbart
μπαίνω eintreten, hineingehen
μπακάλικο, το Krämerladen
μπακλαβάς, ο Baklava (orientalisches
    Feingebäck mit Wallnüsse und Sirup)
μπαλκόνι, το Balkon
μπαλόνι, το Ballon
μπάμιες, οι Okra (Gemüse)

μπανάνα, η Banane
μπάνιο, το Bad
μπαρ, το Bar, Café
μπαρμπούνι, το Meerbarbe
μπάσκετ, το Basketball
μπαχαρικά, τα Gewürze
μπεζ beige
μπέρδεμα, το Durcheinander
μπερδεύω durcheinanderbringen
μπίρα, η Bier
μπιφτέκι, το Hamburger
μπλε blau
μπλούζα, η Bluse
μπλουζάκι, το T-Shirt
μπορεί es kann sein
μπορντό Burgund (Farbe)
μπορώ ich kann
μπουζούκι, το Bouzouki (traditionelles Musikinstrument)
μπουκάλι, το Flasche
μπουτίκ, η Boutique, Modegeschäft
μπράβο! Gut gemacht! Bravo!
μπριάμ, το gemischtes Gemüse (mit Olivenöl gebacken)
μπριζόλα, η Steak
μπρίκι, το Kaffeekännchen aus Messing
μπροστά vorne, vorwärts
μύλος, ο Mühle
μοβ violett

N ν

να um ... zu
ναι ja
ναός, ο Tempel
Νέα Υόρκη, η New York
νέος (-α -ο) jung
νερό, το Wasser
νησί, το Insel
Νοέμβριος, ο November
νομίζω glauben, schätzen
Νορβηγία, η Norwegen
νορβηγικός (-ή -ό) norwegisch
νοσοκόμα, η Krankenschwester
νοσοκόμος, ο Krankenpfleger
νοσοκομείο, το Krankenhaus
νόστιμος (-η -ο) schmackhaft // hübsch
νότια südlich
νοτιοανατολικά südöstlich
νότος, ο Süden
νούμερο, το Nummer
ντίσκο, η Disco
ντολμαδάκια, τα gefüllte Weinblätter
ντομάτα, η Tomate
ντουλάπα, η Schrank
νυστάζω schläfrig sein
νωρίς früh

Ξ ξ

(ε)ξαδέλφη, η Kusine
(ε)ξάδελφος, ο Vetter
ξανά wieder
ξανθός (-ή -ό) blond
ξεκινάω (-ώ) starten, sich auf den Weg machen

ξένη, η Ausländerin
ξένος, ο Ausländer
ξενοδοχείο, το Hotel
ξένος (-η -ο) ausländisch
ξέρω wissen
ξεχνάω (-ώ) vergessen
ξεχωριστός (-ή -ό) separat, unabhängig
ξιφίας, ο Schwertfisch
ξύδι (ξίδι) το Essig
ξυπνάω (-ώ) aufwachen

O o

o best. Art. Masc. Sing. Nom.
ογδόντα achtzig
όγδοος (-η -ο) der achte
οδηγώ fahren
οδός, η Straße
οικογένεια, η Familie
οικονομία, η Wirtschaft // Sparen
οικονομικός (-ή -ό) ökonomisch // wirtschaftlich
Οκτώβριος, ο Oktober
Ολλανδία, η Holland
ολλανδικά, τα Holländisch
Ολλανδός (-έζα) Holländer (-erin)
όλοι (-ες -α) alle
όλος (-η -ο) der ganze
ομάδα, η Gruppe
ομιλία, η Vortrag
ομορφιά, η Schönheit
ομπρέλα, η Schirm
όμως aber
όνομα, το Name
ονομασία, η Name, Benennung
ονομαστική, η Nominativ (Gramm.)
όποιος (-α -ο) wer auch
όπου who auch immer
όπως wie
οπωσδήποτε auf jeden Fall, sicher
όργανο, το musikalisches Instrument, Organ
ορεινός (-ή -ό) bergig, gebirgig
ορεκτικό, το Vorspeise
όρεξη, η Appetit // Lust
οριζόντια horizontal
ορισμένος (-η -ο) ein gewisser
ορίστε bitte sehr
οριστικός (-ή -ό) definitiv
οροφοδιαμέρισμα, το Etagenwohnung
όροφος, ο Stockwerk
όσο ebenso viel, ebenso lange
όταν wenn
ΟΤΕ, ο Griechische Organisation für Telekommunikationen
ό,τι was, was auch immer
ότι daß
Ουγγαρέζος (-έζα) Ungar (-arin)
Ουγγαρία, η Ungarn
ουδέτερος (-η -ο) Neutrum (Gramm.) // neutral
ούζο, το Ouzo (Annisschnaps)
ουρά, η Schwanz, Schlange
ουσιαστικό, το Nomen (Gramm.)
ούτε weder... auch // nicht einmal
όχι nicht

οχτακόσιοι (-ες -α) achthundert
οχτώ (οκτώ) acht

Π π

παγάκι, το Eiswürfel
πάγος, ο Eis
(κάνει) παγωνιά es ist eiskalt
παθητική (φωνή), η Passiv (Gramm.)
παθητικός (-ή -ό) passiv
παϊδάκι, το Lammkotlett
παιδί, το Kind
παιδικός (-ή -ό) kindlich, kindisch
παίζω spielen
παίρνω nehmen
πακέτο, το Paket
πάλι wieder
παλιός (-ά -ό) all
πανσιόν, η Pension
πάντα immer
πάντα, τα alles
παντελόνι, το Hose
παντζούρι, το Fensterladen
παντρεμένος (-η -ο) verheiratet
παντού überall
πάνω oben
παπουτσάκια, τα gefüllte Auberginen mit Hackfleisch
παπούτσι, το Schuh
παρά vor (Uhrzeit)
παραγγέλνω bestellen
παράγραφος, η Absatz, Paragraph
παράγω produzieren
παράδειγμα, το Beispiel
παραθετικό, το Komparativ (Gramm.)
παράθυρο, το Fenster
παρακαλώ bitte // bitten
παρακάτω unten (Text)
παραλία, η Strand
παράλληλα parallel // zur gleichen Zeit
παράξενος (-η -ο) eigenartig
παραπάνω über, oben // mehr
Παρασκευή, η Freitag
παράσταση, η Vorstellung
παρέα, η Gesellschaft (Freunde)
παρένθεση, η Klammer, Parenthese
Παρίσι, το Paris
παρκαρισμένος (-η -ο) geparkt
παρκάρω parken
πάρκι(ν)γκ, το Parkplatz
πάρκο, το Park
πάρτι, το Party
πάστα, η Tortenstück
παστίτσιο, το gratinierte Makkaroni mit Hackfleisch
Πάσχα, το Ostern
πατάτα, η Kartoffel
πατέρας, ο Vater
Πάτρα, η Patras
πατρίδα, η Vaterland, Heimat
πάω (πηγαίνω) gehen, fahren
πέδιλο, το Sandale
πεζόδρομος, ο Fußgängerzone, Fußgängerstrasse
πεινάω (-ώ) Hunger haben

Vokabular

πειράζει es macht was aus, schadet
Πειραιάς, ο Piräus
Πεκίνο, το Peking
πέλαγος, το die See
πελάτης, ο Kunde
πελάτισσα, η Kundin
Πελοπόννησος, η Peloponnes
Πέμπτη, η Donnerstag
πέμπτος (-η -ο) fünfte
πενήντα fünfzig
πεντακόσιοι (-ες -α) fünfhundert
πεντάρι, το fünfzimmerwohnung
πέντε fünf
πεπόνι, το Zuckermelone
περασμένος (-η -ο) vorbei
περιβάλλον, το Umwelt
περιγράφω beschreiben
περιλαμβάνω beinhalten
περιμένω warten
περιοχή, η Gegend
περιπέτεια, η Abenteuer
περίπου ungefähr
περίπτερο, το Kiosk
περισσότεροι (-ες -α) mehr
περνάω (-ώ) vorbeigehen // Zeit verbringen
περπατάω (-ώ) gehen
πέρ(υ)σι letztes Jahr
πέτρα, η stein
πέφτω fallen
πηγαίνω (πάω) gehen // fahren
πιάνει halten (Schiff)
πιάτο, το Teller
πιλάφι, το gekochter Reis
πίνακας, ο Bild // Tafel // Schaubild
πίνω trinken
πιο mehr
πιπέρι, το Pfeffer
πιπεριά, η Paprika
πισίνα, η Schwimmbad
πίστα, η Piste (Ski)
πιστωτική κάρτα, η Kredit-Kart
πιτσαρία, η Pizzaladen
πλάγια (γράμματα), τα schräggeschrieben
πλαίσιο, το Rahmen
(έχει) πλάκα es ist lustig, es ist spaßig
πλανήτης, ο Planet
πλαστικός (-ή -ό) Plastik-
πλατεία, η Platz
πλένω waschen
πληθυντικός, ο Plural (Gramm.)
πλην minus
πληροφορίες, οι Information, Auskunft
πληρώνω zahlen
πλησίον nah, in der Nähe (veraltet)
πλοίο, το Schiff
πλυντήριο, το Waschmaschine
π.μ. a.m.
ποιος (-α -ο) wer (Frage)
πόλη, η Stadt
πολίτης, ο Bürger
πολιτικός (-ή -ό) politisch // zivil
πολλοί (-ές -ά) viele
πολύ sehr
πολυθρόνα, η Sessel
πολυκατοικία, η Hochhaus,
    Mehrfamilienhaus

πολύς (πολλή/πολύ) viel
πολυτελής (-ής -ές) luxuriös
πολωνέζικα, τα Polnisch
Πολωνία, η Polen
Πολωνός (-έζα) Pole (-in)
πονάω (-ώ) Schmerzen haben
ποντίκι, το Maus
πόρτα, η Tür
Πορτογαλία, η Portugal
πορτογαλικά, τα Portugiesisch
Πορτογάλος (-έζα) Portugiese (-iesin)
πορτοκαλάδα, η Orangensaft
πορτοκαλής (-ιά -ί) orange
πορτοκάλι, το Orange
πορτοφόλι, το Geltbeutel
πόσοι (-ες -α) wie viele
πόσος (-η -ο) wie viel
πότε wann (frage)
ποτέ jemals // niemals
ποτήρι, το Glas
ποτό, το Getränk
που der, das
πού wo (frage)
πουθενά irgendwo // nirgends
πουκάμισο, το Hemd
πουλάω (-ώ) verkaufen
πούλμαν, το Pullman
πουλόβερ, το Pullover
Πράγα, η Prag
πράγμα, το Ding
πραγματικά wirklich
πράξη, η Tat, Akt
πράσινος (-η -ο) grün
πρέπει man muß, es ist notwendig
πρεσβεία, η Botschaft
πρέσβης, ο Botschafter
πριν bevor
προάστιο, το Vorort
πρόβλημα, το Problem
προέλευση, η Herkunft
προηγούμαι den Vortritt haben,
    vorhergehen
προηγούμενος (-η -ο) vorherig
πρόθεση, η Präposition (Gramm.)
προϊόν, το Produkt
προκαταβολή, η Vorauszahlung
πρόκειται (για) es geht um
προλαβαίνω genug Zeit haben //
    es zeitlich schaffen
προορισμός, ο Zielort
πρόπερσι vor zwei Jahren
προσδιορίζω bestimmen
προσδιοριστικός (-ή -ό) bestimmend
προσεκτικά vorsichtig
προσέχω achten
προσθέτω addieren, hinzufügen
προσοχή, η Achtung
προσπαθώ versuchen
προστακτική, η Imperativ (Gramm.)
προσωπικός (-ή -ό) personal
προσωπικότητα, η Persönlichkeit
πρόσωπο, το Person // Gesicht
πρόταση, η Satz
προτιμάω (-ώ) vorziehen
προτίμηση, η Vorzug

προχθές (προχτές) vorgestern
πρωί, το Morgen
πρωί-πρωί am frühen Morgen
πρωινό, το Frühstück
πρώτα erst
πρωτεύουσα, η Hauptstadt
πρώτος (-η -ο) erste
πτήση, η Flug
π.χ. z.B.
πωλείται zu verkaufen
πωλητής, ο Verkäufer
πωλήτρια, η Verkäuferin
πως daß
πώς wie (Frage) // natürlich

Ρ ρ

ραγού Ragout, Fleisch mit Gemüsen
    gekocht
ρακή, η Raki (orientalischer Schnaps)
ραντεβού, το Verabredung
ραπανάκι, το Radieschen
ρεπό, το Urlaub, frei haben
ρέστα, τα Wechselgeld
ρετιρέ, το Penthouse
ρήμα, το Verb (Gramm.)
ροδάκινο, το Pfirsich
Ρόδος, η Rhodos
ροζ rosa
ροκ, η Rock-Musik
ρολόι, το Uhr
ρόλος, ο Role
ρούβλι, το Rubel
ρούχα, τα Kleidung, Wäsche
ρόφημα, το Getränk
Ρώμη, η Rom
ρωσικά, τα Russisch
ρωσικός (-ή -ό) russisch
Ρώσος (-ίδα) Russe (-in)
ρωτάω (-ώ) fragen

Σ σ

Σάββατο, το Samstag
σαββατοκύριακο, το Wochenende
σαγανάκι, το gebratener Käse
σακάκι, το Jacke
σακούλα, η Tüte
σαλάτα, το Salat
σαλάμι, το Salami
σαλόνι, το Wohnzimmer
σάλτσα, η Sauce
σαμπουάν, το shampoo
σαν wie
σαπούνι, το Seife
σαράντα vierzig
σαρδέλα, η Sardine
σας euer (Pl.)
σγουρός (-ή -ό) kraus
σε in, zu // dich, dir
σειρά, η Reihe
σελίδα, η Seite
Σεπτέμβριος, ο September
σερβιτόρα, η Kellnerin
σερβιτόρος, ο Kellner

σερβίτσιο, το Besteck
σέρφι(ν)γκ, το Surfen
σημαίνει es bedeutet
σημείο, το Punkt
σημείωμα, το Notiz
σημειώνω notieren
σημείωση, η Notiz
σήμερα heute
σιγά langsam
σιγά-σιγά langsam-langsam
σίγουρα sicher
σιδηροδρομικός (-ή -ό) Bahn-
Σικελία, η Sizilien
σινεμά, το Kino
σιτάρι, το Weizen
σκάκι, το Schach
σκεπάζω bedecken
σκέτος (-η -ο) einfach, nicht gemischt
σκέφτομαι (σκέπτομαι) denken
σκι, το Schi
σκορδαλιά, η Knoblauchsauce
σκουπίδια, τα Müll
σκυλί, το Hund
σοβαρά ernst
σοκολάτα, η Schokolade
σου dein- Ihr-
σούβλα, η Spieß
σουβλάκι, το Souvlaki
σουβλατζίδικο, το Suvlaki-Stand
Σουηδία, η Schweden
σουηδικά, τα Schwedisch
σουηδικός (-ή -ό) schwedisch
Σουηδός (-έζα) Schwede (-In)
σούπα, η Suppe
σουπερμάρκετ, το Supermarkt
σουτζουκάκια, τα Fleischklößchen in Tomatensauce
Σόφια, η Sofia
σπάνια selten
σπέσιαλ speziell, besonders
σπίρτο, το Streichholz
σπίτι, το Haus
σπουδάζω studieren
σπουδαστής, ο Student
σπουδάστρια, η Studentin
σταθμός, ο Station
σταματάω (-ώ) halten
στάση, η Haltestelle
στατιστική, η Statistik
σταφύλι, το Weintraube
σταυρόλεξο, το Kreuzworträtsel
σταχτής (-ιά -ί) grau
στέλνω senden
στενός (-ή -ό) eng
στήλη, η Kolumne, Säule
στιγμή, η Moment
στοιχεία, τα Daten, Elemente
Στοκχόλμη, η Stockholm
συγγενής, ο Verwandte
συγκρίνω vergleichen
συγκριτικός, ο vergleichend (Gramm.)
συγνώμη Verzeihung
συγχωρώ verzeihen
συμβαίνει geschelen, passieren
συμμαθητής, ο Schulkamerade

συμμαθήτρια, η Schulkameradin
συμπαθητικός (-ή -ό) sympathisch
συμπληρώνω ausfüllen
συμπόσιο, το Symposium
σύμφωνα με gemäß
σύμφωνο, το Konsonant (Gramm.)
συμφωνώ bin einverstanden
συναυλία, η Konzert
συνέδριο, το Kongreß
συνεργείο, το Reparaturwerkstatt
συνέχεια (συνεχώς) andauernd
συνεχίζω fortfahren, weitermachen
συνηθισμένος (-η -ο) geläufig, gewöhnlich
συνήθως meistens
συνθέτης, ο Komponist
συννεφιά, η bewölkter Himmel
συνορεύω grenzen
σύντροφος, ο/η Partner/Partnerin
Συρία, η Syrien
συστημένος (-η -ο) per Einschreiben
συστήνω vorstellen // empfehlen
συχνά oft
σχεδιάγραμμα, το Zeichnung
σχεδόν fast
σχέση, η Beziehung
σχετικά bezüglich // relativ
σχηματίζω formen
σχολείο, το Schule
σχολή, η Schule, Fakultät
σωστά richtig
σωστός (-ή -ό) richtig

Τ τ

ταβέρνα, η Taverne
τάβλι, το Tricktrackspiel
ταινία, η Film, Kinofilm
ταιριάζω passen
ταμείο, το Kasse
ταμπέλα, η Tabelle
τάξη, η Klasse, Klassenzimmer
ταξί, το Taxi
ταξιδεύω reisen
ταξίδι, το Reise
ταξιδιώτης, ο Reisender, Passagier
ταξιδιωτικός (-ή -ό) Reise-
ταξινομώ ordnen
τα πάντα alles
ταραμοσαλάτα, η Fischrogensalat
τάρτα, η Torte
τασάκι, το Aschenbecher
ταυτότητα, η Personalausweis, Identität
τάφος, ο Grab
ταχυδρομείο, το Post
ταχυδρομώ per Post schicken
Τελ Αβίβ, το Tel Aviv
τελειώνω beenden
τελευταία kürzlich
τελευταίος (-α -ο) letzter
τελικά endlich, zuletzt
τελικός (-ή -ό) endlich
τέλος, το Ende
τεμάχιο, το Stück
τεμπέλης (-α -ικο) faul
τέν(ν)ις, το Tennis

τεράστιος (-α -ο) groß, enorm
τεσσάρι, το Vierzimmerwohnung
τέσσερις (-ις -α) vier
τεστ, το Test
Τετάρτη, η Mittwoch
τέταρτο, το Viertel
τέταρτος (-η -ο) vierter (Adj.)
τετραγωνικός (-ή -ό) Quadrat, Quadratmeter
τετράγωνο, το Quadrat, Viereck // Wohnblock
τετράγωνος (-η -ο) viereckig
τετράδιο, το Heft
τετρακόσιοι (-ες -α) vierhundert
τέχνη, η Kunst
τζάκι, το Kamin
τζαμί, το Moschee
τζατζίκι, το Joghurt-Gurke Salat
τηγανητός (-ή -ό) frittiert
τηλεόραση, η Fernsehen
τηλεφωνικός (-ή -ό) telephonisch
τηλέφωνο, το Telephon
τηλεφωνώ telephonieren
της ihr
τι was
τιμή, η Preis
τίποτε nichts
τι συμβαίνει; Was ist los?
το best. Art. Neut. Sing.
Τόκιο, το Tokio
τόνος, ο Tonsignal // Betonung
το πολύ höchstens
τόσο... όσο so... wie
τοστ, το Toast
τόσο so, soviel
τότε dann, damals
του sein
τουαλέτα, η Toilette
τουλάχιστον wenigstens
τουρίστας, ο Tourist
τουρίστρια, η Touristin
τουριστικός (-ή -ό) touristisch
Τουρκία, η Türkei
τούρκικα, τα Türkisch
τουρκικός (-ή -ό) turkisch
Τούρκος (-άλα) Türke (-in)
τους ihr
του χρόνου nächstes Jahr
τραμ, το Straßenbahn
τράπεζα, η Bank
τραπεζαρία, η Eßzimmer
τραπέζι, το Tisch
τραπεζικός, ο Bankangestellter
τρένο, το Zug
τρεις/τρεις/τρία drei
τριακόσιοι (-ες -α) dreihundert
τριάντα dreißig
τριάρι, το Dreizimmerwohnung
Τρίτη, η Dienstag
τρίτος (-η -ο) dritter (Adj.)
τροπικός (-ή -ό) modal
τρόπος, ο Art und Weise, Benehmen
τροχαία, η Verkehrspolizei
τρώω essen
τσάι, το Tee

Vokabular

τσάντα, η Tasche
τσιγάρο, το Zigarette
τσιπούρα, η Brasse, Brachsen
τσουγκρίζω zusammenstoßen, mit
  Ostereiern anstoßen (gr. Sitte)
τσουρέκι, το Osterkuchen
Τυνησία, η Tunesien
τυπογραφείο, το Druckerei
τύπος, ο Typ // Charakter
τυρί, το Käse
τυρόπιτα, η Käse in Blätterteig
τυροπιτάκι, το kleines Käsegebäck
τυχερός (-ή -ό) Glück haben
τώρα jetzt

Υ υ

υδραυλικός, ο Installateur
υπάλληλος, ο Angestellter
υπάρχει es gibt
υπάρχω existieren
υπερθετικός, ο Superlativ (Gramm.)
υπνοδωμάτιο, το Schlafzimmer
ύπνος, ο Schlaf
υπόγειο, το Keller
υπογραφή, η Unterschrift
υπογράφω unterschreiben
υποκείμενο, το Subjekt
υποκοριστικό, το Diminutiv (Gramm.)
υπολογιστής, ο computer
υπόλοιπος (-η -ο) restlich
υποτακτική, η Konjunktiv (Gramm.)
υφαντό, το handgewebter Stoff
ύφασμα, το Stoff

Φ φ

φάβα, η getrocknete (halbe) Erbsen
φαγητό, το Essen
φαίνομαι aussehen
φάκελος, ο Umschlag // Akte
φακός, ο Taschenlampe
φαλακρός (-ή -ό) kahl
φανάρι, το Verkehrsampel
φανελάκι, το ärmellose Unterwäsche
φανερώνω zeigen
φαντάζομαι sich vorstellen
φαρμακείο, το Apotheke
φαρμακευτικός (-ή -ό) pharmazeutisch,
  medikamentös
φάρμακο, το Medikament
φασολάκια, τα Grüne Bohnen
Φεβρουάριος, ο Februar
φέρνω bringen
φέτα, η "Feta", Weißkäse // Scheibe
(ε)φέτος dieses Jahr
φεύγω fortgehen
φθινόπωρο, το Herbst
φιλάρες, οι große Küsse
φιλάω (-ώ) küssen
φίλη, η Freundin
φιλί, το Kuss
φιλικός (-ή -ό) freund schaftlich
Φιλιππίνες, οι die Filippinen
φιλμ, το Film

φίλος, ο Freund
φιλότιμο, το Pflichtbewußt // Stalz
Φλωρεντία, η Florenz
φοβάμαι Angst haben
φοιτητής, ο Student
φοιτήτρια, η Studentin
φορά, η Mal, Gelegenheit
φοράω (-ώ) anziehen, tragen
φόρεμα, το Kleid
φόρος, ο Steuer
φούρνος, ο Bäckerei // Backofen
φούστα, η Rock
φρα(ν)τζόλα, η Laib Brot
φράουλα, η Erdbeere
φραπέ, ο Pulverkaffee mit oder ohne
  Sahne geschlagen
φρέσκος (-ια -ο) frisch
φροντιστήριο, το Vorbereitungskurse
φρούριο, το Festung
φρούτο, το Frucht
φτάνω ankommen
φτηνός (-ή -ό) billig, preiswert
φτιάχνω machen
φυλάω (-ώ) schützen
φυσική, η Physik
φυσικός (-ή -ό) natürlich
φωνή, η Stimme
φωνήεν, το Vokal (Gramm.)
φωτεινός (-ή -ό) hell
φωτογραφικός (-ή -ό) photographisch

Χ χ

Χάγη, η den Haag
χαίρετε Hallo, Auf Wiedersehen
χαιρετίσματα, τα Grüse
χαίρομαι ich freue mich
χαίρω ich freue mich (ältere Form)
χαλάω (-ώ) kaputtmachen // Geld wechseln
χαλβάς, ο orientalische Süßigkeit, im
  Kochtopf zubereitet, aus Gries, Butter,
  Zucker und Pinienkerne "Chalwa"
χαμηλός (-ή -ό) niedrig
χάνω verlieren // verpassen
χάρτης, ο Landkarte
χαρτί, το Papier
χαρτιά, τα Spielkarten
χαρτοπετσέτα, η Serviette
χαρτοφύλακας, ο Brieftasche
χειμώνας, ο Winter
χήρα, η Witwe
χήρος, ο Witwer
(ε)χθες ((ε)χτές) gestern
χίλιοι (-ες -α) Tausend
χιλιάδες Tausend(e)
χιλιομετρικός (-ή -ό) Kilometer-
χιλιόμετρο, το Kilometer
χιόνι, το Schnee
χιονίζει es schneit
χοιρινός (-ή -ό) Schwein-
χολ, το Vorraum
χοντρός (-ή -ό) fett, dick
χορεύω tanzen
χόρτα, τα Grünzeug (wildwachsend)
χρειάζεται es ist nötig

χρειάζομαι brauchen
χρησιμοποιώ benutzen
Χριστός Ανέστη! Christus ist Auferstanden!
  (älteres Griechisch)
χρόνια, τα die Jahre
χρονικός (-ή -ό) zeitlich
χρόνος, ο Zeit // Jahr
χρυσός, ο Gold
χρυσός (-ή -ό) golden
χρώμα, το Farbe
χρωματίζω färben, bemalen
χρωματοπωλείο, το Farbengeschäft
χρωστάω (-ώ) schulden
χταπόδι, το Oktapus
χυμός, ο Saft
χώρα, η Land
χωριάτικος (-η -ο) vom Land
χωρίζω trennen
χωρισμένος (-η -ο) getrennt, geschieden
χωριστός (-ή -ό) separat
χώρος, ο Raum

Ψ ψ

ψάρι, το Fisch
ψαρόσουπα, η Fischsuppe
ψάχνω suchen
ψηλός (-ή -ό) groß
ψήνω braten
ψητός (-ή -ό) gebraten
ψηφίο, το Buchstabe
ψιλά, τα Kleingeld
ψιχαλίζει es nieselt, es gibt Sprühregen
ψυγείο, το Kühlschrank
ψυχίατρος, ο Psychiater
ψυχολόγος, ο Psychologe
(έχει/κάνει) ψύχρα es ist kühl, es ist kalt
ψωμί, το Brot
ψώνια, τα Einkäufe
ψωνίζω einkaufen

Ω ω

ώρα, η Zeit // Stunde
ωραίος (-α -ο) schön, gutaussehend
ώς bis

Vocabulario

A α

αβγό (αυγό), το huevo (el)
άγαλμα, το estatua (la)
αγαπάω (ώ) querer, amar
αγάπη, η amor, cariño (el)
αγαπητός (-ή -ό) querido
αγγελία, η anuncio (el)
Αγγλία, η Inglaterra
αγγλικά, τα inglés (el) *(idioma)*
αγγλικός (-ή -ό) inglés
Άγγλος (-ίδα) inglés-a *(persona)*
αγγούρι, το pepino (el)
αγία, η santa (la)
άγιος, ο santo (el)
Άγκυρα, η Ankara
άγνωστη, η desconocida (la)
άγνωστος, ο desconocido (el)
άγνωστος (-η -ο) desconocido
αγορά, η mercado (el)
αγοράζω comprar
αγόρι, το niño, chico, chaval (el)
άδειος (-α -ο) vacío
αδελφή, η hermana (la)
αδελφός, ο hermano (el)
αδύνατος (-η -ο) delgado, flaco
αέρας, ο aire, viento (el)
αεροδρόμιο, το aeropuerto (el)
αεροπλάνο, το avión (el)
αεροπορικός (-ή -ό) aéreo
Αθήνα, η Atenas
Αιγαίο (πέλαγος), το (Mar) Egeo
αιγυπτιακός (-ή -ό) egipcio
Αιγύπτιος (ία) egipcio-a *(persona)*
Αίγυπτος, η Egipto
αίθριος (-α -ο) despejado
αιτιατική, η acusativo (el)
αιτιολογικός (-ή -ό) (part./ adverb.) de
  causa o razón
ακολουθώ seguir
ακόμα todavía, aún
ακούω oír, escuchar
ακριβός (-ή -ό) caro
ακριβώς exactamente
Ακρόπολη, η Acrópolis (la)
αλάτι, το sal (la)
Αλβανία, η Albania
Αλεξάνδρεια, η Alejandría
αλήθεια verdaderamente, de verdad //
  por cierto
Αληθώς Ανέστη ha resucitado de veras
  (gr. purista)
αλλά pero, mas
αλλάζω cambiar
αλλαντικά, τα embutidos (los)
άλλος (-η -ο) otro
άλλοτε antaño
αλλού en otra parte
αλουμίνιο, το aluminio (el)
αλφάβητο, το alfabeto, abecedario (el)
Αμβούργο, το Hamburgo
αμερικανικός (-ή -ό) americano
Αμερικανός (-ίδα) americano-a *(persona)*
Αμερική, η América
άμεσος (-η -ο) directo, inmediato
αμέσως en seguida, inmediatamente

Άμστερνταμ Amsterdam
αν si
ανακατεύω mezclar
ανακεφαλαίωση, η recapitulación (la)
ανάκτορο, το palacio (el)
ανάληψη, η recuperación (la)
ανάλογα según, conforme
ανάμεσα entre
αναπτήρας, ο mechero, encendedor (el)
Ανάσταση, η Resurección (la)
ανατολή, η este (el) // amanecer (el)
ανατολικά al este, en el este
αναφέρομαι referirse
αναφέρω mencionar, citar // informar
αναχώρηση, η salida, partida (la)
αναψυκτικό, το refresco (el)
ανελκυστήρ, ο ascensor, elevador (el)
ανθοπωλείο, το floristería (la)
άνθρωπος, ο hombre (el), persona (la)
ανοίγω abrir
άνοιξη, η primavera (la)
ανοιχτός (-ή -ό) abierto
αντιγράφω copiar
αντίθετα al contrario
αντίθετος (-η -ο) contrario, opuesto
αντικαθιστώ reemplazar, sustituir
αντικείμενο, το objeto, artículo (el)
αντίο adiós
αντιπρόσωπος, ο/η representante (el/la)
αντίρρηση, η objeción (la)
αντιστοιχώ corresponder, equivaler
άντρας, ο hombre (el) // marido (el)
αντωνυμία, η pronombre (el)
ανυπόφορος (-η -ο) inaguantable,
  insoportable, intolerable
ανώμαλος (-η -ο) irregular, anormal //
  anómalo
αόριστος, ο pretérito indefinido (el) *(gr.)*
απαντάω (-ώ) contestar, responder
απάντηση, η contestación, respuesta (la)
απαρέμφατο, το infinitivo (el)
απέναντι enfrente, frente a
απέχω distar
απλή διαδρομή (billete) de ida (o de vuelta)
απλός (-ή -ό) simple, sencillo
απλώς simplemente, sencillamente,
  meramente
από de, desde, a partir de // que *(compar.)*
απόγευμα, το tarde (la)
απογευματινός (-ή -ό) de la tarde,
  verspertino
απόδειξη, η recibo (el) // prueba (la)
αποθετικό ρήμα verbo deponente *(gr.)*
αποθήκη, η almacén (el)
απόλυτος (-η -ο) absoluto
απολύτως absolutamente, en absoluto
απορρυπαντικό, το detergente (el)
απόψε esta tarde
Απρίλιος, ο abril
αραβικά, τα árabe (el) *(idioma)*
αρακάς, ο guisante (el)
αργά tarde // lentamente
αργότερα más tarde, luego
αργώ tardar, llegar tarde
αρθρο, το artículo (el)
αριθμητικό, το numeral (el)

αριθμός, ο número (el), cifra (la)
αριστερά a la izquierda
αρκετά bastante
αρνητικός (-ή -ό) negativo
αρνί, το cordero (el)
άρρωστος (-η -ο) enfermo
αρσενικός (-ή -ό) masculino
αρχαιολογικός (-ή -ό) arqueológico
αρχαιολόγος, ο/η arqueólogo/a (el/la)
αρχαίος (-α -ο) antiguo
αρχή, η comienzo, principio (el)
αρχίζω comenzar, empezar
αρχιτέκτονας, ο arquitecto (el)
άρωμα, το perfume, aroma (el)
ασανσέρ, το ascensor (el)
Ασία, η Asia
άσπρος (-η -ο) blanco
αστυνομία, η policía (la)
άσχετος (-η -ο) inconexo, no tener que ver
άσχημος (-η -ο) feo
ασχολούμαι ocuparse
ατζέντα, η agenda (la)
ατομικός (-ή -ό) individual
άτομο, το individuo (el), persona (la)
Αύγουστος, ο agosto
αυλή, η patio (el)
αύριο mañana
αυστραλέζικος (-η -ο) australiano
Αυστραλία, η Australia
Αυστραλός (-έζα) australiano-a *(persona)*
Αυστρία, η Austria
αυστριακός (-ή -ό) austríaco
Αυστριακός (-ή -ό) austríaco-a *(persona)*
αυτοκίνητο, το coche, automóvil (el)
Αυτόματη Ταμειακή Μηχανή, η cajero
  automático (el)
αυτόματος (-η -ο)
αυτός (-ή -ό) él, ello // és(t)e // es(t)e
άφιξη, η llegada (la)
Αφρική, η Africa
αχλάδι, το pera (la)

B β

βάζο, το jarrón, florero (el)
βάζω poner, colocar, meter
βαθμός, ο grado (el)
βαμμένος (-η -ο) pintado
βανίλια, η vanilla (la)
βαρετός (-ή -ό) aburrido, pesado
Βαρκελώνη, η Barcelona
Βαρσοβία, η Varsovia
βάση, η base (la)
βατ, το vatio (el)
βάφω pintar // teñir
βγάζω sacar, extraer // ganar (dinero)
βγαίνω salir
βέβαια (βεβαίως) por supuesto, naturalmente
Βέλγιο, το Bélgica
Βελιγράδι, το Belgrado
Βενεζουέλα, η Venezuela
Βενετία, η Venecia
βενετσιάνικος (-η, -ο) veneciano
βενζίνη, η gasolina (la)
βεράντα, η terraza (la)
βερίκοκο, το albaricoque (el)

Vocabulario

Βερολίνο, το Berlín
βήμα, το paso (el)
βιβλιάριο, το cartilla (la)
βιβλίο, το libro (el)
βιβλιοθήκη, η estantería (la) // biblioteca (la)
βιβλιοπωλείο, το librería (la)
Βιέννη, η Viena
βιετναμέζικος (-η -ο) vietnamita
βίντεο, το vídeo (el)
βιτρίνα, η escaparate (el)
βλέπω ver, mirar
βοηθάω (ώ) ayudar
βοήθεια, η ayuda (la) // socorro (el)
βόλτα, η paseo (el), vuelta (la)
Βόννη, η Bonn
βόρεια al norte, en el norte
βορειοανατολικά a nordeste (adv.)
βόρειος (-α -ο) de norte, norteño
βορράς, ο norte (el)
Βουδαπέστη, η Budapest
Βουκουρέστι, το Bucarest
Βουλγαρία, η Bulgaria
βουλγάρικος (-η -ο) búlgaro
Βούλγαρος (-άρα) búlgaro-a (persona)
βουλευτής, ο diputado (el)
βουνό, το montaña (la), monte (el)
βούτυρο, το mantequilla (la)
βραδιά, η anochecer (el), noche (la)
βραδινό, το cena (la)
βραδινός (-ή -ό) nocturno
βράδυ, το noche (la)
βραστός (-ή -ό) hervido, cocido
βράχος, ο roca (la), peñasco (el)
Βρετανία, η Gran Bretaña
βρέχει estar lloviendo, llover (imp.)
βρίσκεται se encuentra, está ubicado/situado
βρίσκω encontrar
Βρυξέλλες, οι Bruselas
βρώμικος (-η -ο) sucio
βυσσινής (-ιά -ί) purpúreo, morado

Γ γ

γάλα, το leche (la)
γαλάζιος (-α -ο) azul claro
γαλανός (-ή -ό) azul celeste, azul
γαλέος, ο musola (la) (pez)
Γαλλία, η Francia
γαλλικά, τα francés (el) (idioma)
γαλλικός (-ή -ό) francés
Γάλλος (-ίδα) francés-esa (persona)
γαρίδα, η gamba (la)
γάτα, η gato (el), gata (la)
γαύρος, ο boquerón (el)
γέλιο, το risa (la)
γεια ¡hola! // hasta luego
γεια σου/σας ¡hola! // hasta luego
γειτονιά, η vecindad (la), barrio (el)
γελάω (ώ) reír
(έχει) γέλιο està divertido
γεμάτος (-η -ο) lleno
γεμιστά, ο tomates y pimientos rellenos
γενέθλια, τα cumpleaños (el)
Γενεύη, η Ginebra
γένια, τα barba (la)

γενικά generalmente, en general
γενικότερα por lo general
Γερμανία, η Alemania
γερμανικά, τα alemán (el) (idioma)
γερμανικός (-ή -ό) alemán
Γερμανός (-ίδα) alemán-ana (persona)
γεύση, η gusto, sabor (el)
γεωργικός (-ή -ό) agrícola // rural
για por, para // sobre, de
γιαούρτι, το yogurt (el)
γιαπωνέζικα, τα japonés (el) (idioma)
γιαπωνέζικος (-η -ο) japonés
Γιαπωνέζος (-έζα) japonés-esa (persona)
για την ακρίβεια para ser exacto (preciso)
γιατί ¿por qué? // porque
γιατρός, ο/η médico-a (el, la)
γίγαντες, οι judías grandes (las)
γίνομαι hacerse, convertirse // sucede, pasar
γιορτάζω celebrar, festejar // celebrar una
  persona su santo
γιος, ο hijo (el)
γιουβέτσι, το carne con pasta en fuente
  de barro
γκαράζ, το garaje (el)
γκαρσονιέρα, η apartamento (el)
γκούντα, η queso Gouda
γκρίζος (-α -ο) gris
γλώσσα, η lengua (la) // idioma (el)
γνωστή, η conocida (la)
γνωστός, ο conocido (el)
γνωστός (-ή -ό) conocido
γονείς, οι padres (los)
γόπα, η boga (la) (pez)
γουρουνόπουλο, το cochinillo (el)
γούστο, το gusto (el)
γραβάτα, η corbata (la)
γραβιέρα, η queso curado tipo manchego
γράμμα, το letra (la) // carta (la)
γραμμάριο, το gramo (el)
γραμματέας, ο/η secretario-a (el, la)
γραμματική, η gramática (la)
γραμματόσημο, το sello (el)
γραφείο, το oficina (la), despacho (el) //
  mesa de trabajo (la)
γραφικός (-ή -ό) pintoresco
γράφω escribir
γρήγορα rápido, rápidamente, pronto
γρήγορος (-η -ο) rápido
γυαλιά, τα gafas (las)
γυμνάσιο, το bachillerato (el)
γυμναστήριο, το gimnasio (el)
γυναίκα, η mujer (la)
γυρεύω buscar
γυρίζω volver, regresar // girar, doblar
γύρω alrededor
γωνία, η esquina (la), rincón (el) // ángulo (el)

Δ δ

Δανία, η Dinamarca
δασκάλα, η maestra (la)
δάσκαλος, ο maestro (el)
δεικτικός (-ή -ό) demostrativo (gr.)
δείχνω enseñar, mostrar // parecer
δέκα diez

δεκάεξι dieciséis
δεκαεννιά (δεκαεννέα) diecinueve
δεκαεφτά (δεκαεπτά) diecisiete
δεκαοχτώ (δεκαοκτώ) dieciocho
δεκαπέντε quince
δεκατέσσερις (-ις -α) catorce
δέκατος (-η -ο) décimo
δεκατρείς (-είς -ία) trece
Δεκέμβριος, ο diciembre
δέμα, το paquete (el)
δεν no
δεξιά a la derecha
δεσποινίς, η señorita (la)
Δευτέρα, η lunes (el)
δευτερόλεπτο, το segundo (el)
δεύτερος (-η -ο) segundo
δέχομαι aceptar, admitir // recibir
δηλαδή es decir, o sea
δημοκρατία, η democracia (la) // república (la)
δημοσιογράφος, ο periodista (el)
δημοτικό, το escuela primaria (la)
δημοτικός (-ή -ό) municipal
διαβάζω leer // estudiar
διαβατήριο, το pasaporte (el)
διαγωνισμός, ο concurso (el), competición (la)
διακοπές, οι vacaciones (las)
διακόσιοι (-ες -α) doscientos
διαλέγω elegir, escoger
διάλεξη, η conferencia (la)
διάλειμμα, το recreo, descanso (el) //
  entreacto (el)
διάλογος, ο diálogo (el)
διαμέρισμα, το piso (el)
διάφοροι (-ες -α) varios, distintos
διδάσκω enseñar
διεθνής (-ής -ές) internacional
διερμηνέας, ο/η intérprete (el, la)
διεύθυνση, η dirección (la) // gerencia,
  gestión (la)
διευθυντής, ο director (el)
διευθύντρια, η directora (la)
δικηγόρος, ο/η abogado (el, la)
δίκλινος (-η -ο) de dos camas // habitación
  doble
δικός (-ή -ό) μου mío
δίνω dar, entregar
δίπλα al lado (de), junto a, a orilla de
διπλανός (-ή -ό) de al lado // contiguo //
  vecino
διπλωμάτης, ο diplomático (el)
δισκάδικο, το tienda de discos (la)
δίσκος, ο disco (el) // bandeja (la)
διψάω (-ώ) tener sed
δοκιμάζω probar // intentar
δολ(λ)άριο, το dólar (el)
δόξα, η gloria (la)
δουλειά, η trabajo (el) // tarea (la)
δουλειές, οι trabajos (los), faenas (las)
δουλεύω trabajar
δραχμή, η dracma (la)
δρόμος, ο calle, carretera (la) // camino (el)
δροσιά, η frescura (la), frescor, fresco (el)
δυάρι, το piso de dos habitaciones
δυνατά fuertemente, fuerte // alto
δυνατός (-ή -ό) fuerte, robusto // potente,
  poderoso

δύο dos
δύση, η oeste (el)
δύσκολος (-η -ο) difícil
δυστυχώς desafortunadamente, desgraciadamente
δυτικά al oeste, en el oeste
δώδεκα doce
δωδέκατος (-η -ο) duodécimo
δωμάτιο, το habitación (la), cuarto (el)
δώρο, το regalo, obsequio (el)

E ε

εβδομάδα, η semana (la)
εβδομήντα setenta
έβδομος (-η -ο) séptimo
έγινε ¡vale!
εγώ yo
εδώ aquí
εθνικός (-ή -ό) nacional
εθνικότητα, η nacionalidad (la)
είδος, το tipo (el), especie, clase, suerte (la)
εικόνα, η imagen (la) // icono (el)
είκοσι veinte
εικο(σ)ιτετράωρο, το jornada de 24 horas
εικοστός (-ή -ό) vigésimo
είμαι ser, estar
εισιτήριο, το billete, pasaje (el), entrada, localidad (la)
είσοδος, η entrada (la)
εκατό cien
εκατομμύριο, το millón (el)
(ε)κατοστίζω cumplir cien años
εκδρομή, η excursión (la)
εκεί allí
εκείνος (-η -ο) aquel
έκθεση, η exposición, feria (la)
εκκλησία, η iglesia (la)
έκταση, η área (la), espacio, terreno (el) // extensión (la)
έκτος (-η -ο) sexto
εκπτώσεις, οι rebajas (las)
έκφραση, η expresión (la)
Ελβετία, η Suiza
ελβετικός (-ή -ό) suizo
Ελβετός (-ίδα) suizo-a (persona)
ελευθερία, η libertad (la)
ελεύθερος (-η -ο) libre // soltero
ελιά, η aceituna (la)
Ελλάδα, η Grecia
Έλληνας (-ίδα) griego-a (persona)
ελληνικά, τα griego (el) (idioma)
ελληνικός (-ή -ό) griego
εμείς nosotros-as
έμπειρος (-η -ο) experto
εμπορικός (-ή -ό) comercial
εμπρός ¡diga! (tel.)
ένα art. indef. neutro sing., num.
ένας art. indef. masc. sing., num.
ένατος (-η -ο) noveno
ενδιαφέρομαι interesarse, estar interesado
ενδιαφέρων (-ουσα -ον) interesante
ενενήντα noventa
ενεργητική (φωνή), η (voz) activa (gr.)
ενεστώτας, ο presente (el) (gr.)

ενικός, ο singular (el) (gr.)
εννιά (εννέα) nueve
εννιακόσιοι (-ες -α) novecientos
ενοικιάζεται se alquila
ενοίκιο, το alquiler (el)
εντάξει vale, está bien
έντεκα once
εντράδα, η estofado (el)
έντυπο, το impreso (el)
ενώ mientras // mientras, al tiempo que
ένωση, η unidad, unión (la)
(ε)ξαδέλφη, η prima (la)
(ε)ξάδελφος, ο primo (el)
εξαιρετικός (-ή -ό) excepcional, excelente
εξακολουθητικός (-ή -ό) continuo, seguido, durable
εξακόσιοι (-ες -α) seiscientos
εξήντα sesenta
εξής, το/τα lo siguiente
έξι seis
εξωτερικός (-ή -ό) externo, exterior
εξωτικός (-ή -ό) exótico
εξπρές exprés (correo)
εξυπηρετικός (-ή -ό) atento, considerado (ser) // conveniente, cómodo
εξυπηρετώ atender, servir
έξυπνος (-η -ο) inteligente, listo
έξω fuera
εξωτερικός (-ή -ό)
εξωτερικός (-ή -ό)
επανάληψη, η
επί (multiplicado) por (aritm.)
επιγραφή, η letrero, rótulo, cartel (el)
επίθετο, το adjetivo (el) (gr.) // apellido (el)
επικοινωνώ comunicar
έπιπλο, το mueble (el)
επιπλωμένος (-η -ο) amueblado
επίσης también, asimismo // igualmente
επισκέπτομαι visitar
επιστροφή, η vuelta (la), regreso (el)
επιτάφιος, ο paso ortodoxo del Viernes Santo
επιτυχία, η éxito (el)
επόμενος (-η -ο) siguiente
επομένως por lo tanto, por consiguiente
εποχή, η época, era (la)
επώνυμο, το apellido (el)
εργασία, η trabajo (el), labor, tarea (la) // deberes (los)
εργατικός (-ή -ό) trabajador, laborioso
έργο, το obra de teatro (la) // película (la)
έρχομαι venir
ερχόμενος (-η -ο) siguiente, próximo
ερωτευμένος (-η -ο) enamorado
ερωτηματικός (-ή -ό) interrogativo (gr.)
ερώτηση, η pregunta (la)
εσείς vosotros-as
εσπρέσο, το espreso (el)
εστιατόριο, το restaurante (el)
εσύ tú
εταιρεία, η sociedad, compañía (la)
ετοιμάζω preparar
έτοιμος (-η -ο) preparado, listo
έτος, το año (el)
έτσι así, de este modo

ευγενικός (-ή -ό) cortés, amable, educado
ευκαιρία, η oportunidad, ocasión (la)
εύκολος (-η -ο) fácil
ευρώ, το euro (el)
ευρωπαϊκός (-ή -ό) europeo
Ευρώπη, η Europa
ευτυχώς afortunadamente, por fortuna // menos mal
ευχάριστος (-η -ο) agradable, ameno
ευχαριστώ dar las gracias, agradecer
(ε)φέτος este año
εφημερίδα, η periódico, diario (el)
εφτά (επτά) siete
εφτακόσιοι (-ες -α) setecientos
(ε)χθές ayer
έχει γέλιο está divertido
έχει πλάκα está divertido
έχω tener // haber (tiempos compuest.)
έως hasta // para

Z ζ

ζαμπόν, το jamón (el)
ζάχαρη, η azúcar (el)
ζαχαροπλαστείο, το pastelería, confitería (la)
ζέστη, η calor (el)
ζεστός (-ή -ό) caliente
ζευγάρι, το par (el) // pareja (la)
ζητάω (-ώ) pedir // buscar
ζυγίζω pesar
ζυμαρικά, τα pasta (la)
Ζυρίχη, η Zurich
ζω vivir, estar vivo
ζώο, το animal (el)
ζωή, η vida (la)
ζώνη, η cinturón (el)

H η

η art. def. fem. sing.
ή o/u
ηθοποιός, ο actor (el)
ηλεκτρικός, ο tren eléctrico (el)
ηλεκτρολόγος, ο electricista (el)
ηλιακός (-ή -ό) solar
ηλικία, η edad (la)
ήλιος, ο sol (el)
(η)μέρα, η día (el)
ημερολόγιο, το diario, calendario (el)
ημιυπόγειος (-α -ο) semi-sótano (el)
ημιώροφος, ο entresuelo (el)
Η.Π.Α. EEUU
ησυχία, η calma, tranquilidad (la)
ήσυχος (-η -ο) tranquilo, quieto

Θ θ

θα partícula para formar el futuro
θάλασσα, η mar (el)
θαλασσινά, τα mariscos (los)
θαλάσσιος (-α -ο) marítimo
θέα, η vista (la)
θέατρο, το teatro (el)

Vocabulario

θεία, η tía (la)
θείος, ο tío (el)
θέλω querer
Θεός, ο Dios (el)
θερινός (-ή -ό) veraniego
θέρμανση, η calefacción (la)
θερμοκρασία, η temperatura (la)
θερμοσίφωνας, ο calentador (el)
θερμοσίφωνο, το calentadora (la)
θέση, η sitio, asiento (el) // posición (la)
Θεσσαλία, η Tesalia
Θεσσαλονίκη, η Salónica
θηλυκός (-ή -ό) femenino
θόρυβος, ο ruido (el)
θυμάμαι recordar, acordarse
θυρίδα, η ventanilla (la)

Ι ι

Ιανουάριος, ο enero
Ιαπωνία, η Japón
ιαπωνικός (-ή -ό) japonés
ιατρικός (-ή -ό) medicinal, médico
ιδιοκτήτης, ο propietario, dueño (el)
ιδιοκτήτρια, η propietaria, dueña (la)
ίδιος (-α -ο) mismo, propio
ιδιωτικός (-ή -ό) privado, particular
Ι.Κ.Α. Seguridad Social
Ινδία, η India
ινδικός (-ή -ό) indio
Ινδός (-ή) indio-a (persona)
Ιόνιο (πέλαγος), το Mar Jónico
Ιούλιος, ο julio
Ιούνιος, ο junio
Ιρλανδία, η Irlanda
Ιρλανδός (-έζα) irlandés-a (persona)
ίσιος (-α -ο) recto, derecho
ισόγειο, το planta baja
Ισπανία, η España
ισπανικά, τα español (el) (idioma)
ισπανικός (-ή -ό) español
Ισπανός (-ίδα) español-a (persona)
Ισραήλ, το Israel
ισχύω estar en vigor/vigente, valer, ser válido
ίσως tal vez, quizás, a lo mejor
Ιταλία, η Italia
ιταλικά, τα italiano (el) (idioma)
ιταλικός (-ή -ό) italiano
Ιταλός (-ίδα) italiano-a (persona)

Κ κ

κ.α. etc.
καθαριστήριο, το tintorería, lavandería (la)
καθαρός (-ή -ό) limpio
κάθε cada
καθένας (καθεμιά/καθένα) cada uno
κάθετα verticalmente
καθηγητής, ο profesor (el)
καθηγήτρια, η profesora (la)
καθημερινά diariamente
καθόλου nada, en absoluto
κάθομαι sentarse, estar sentado // vivir
καθρέφτης, ο espejo (el)
καθώς και así como

και y/e
καινούργιος (-α -ο) nuevo
Κάιρο, το El Cairo
καιρός, ο tiempo (el)
κακό, το malo (lo), mala cosa
καλά bien
καλαμαράκι, το calamar (el)
καλημέρα buenos días
καλησπέρα buenas tardes
Καλιφόρνια, η California
Καλκούτα, η Calcuta
καλοκαίρι, το verano (el)
καλοριφέρ, το calefacción central
καλός (-ή -ό) bueno
κάλτσα, η calcetín (el), media (la)
καλ(τ)σόν, το leotardos, pantis (los)
καλύτερα mejor
καλώ llamar // invitar
καμιά φορά de vez en cuando, alguna vez
Καμπέρα, η Camberra
καμπίνα, η camarote (el)
Καναδάς, ο Canadá
καναδικός (-ή -ό) canadiense
Καναδός (-έζα) canadiense (persona)
κανένας (καμιά/κανένα) nadie, ningún(-o)
κάνω hacer
κάνει vale, cuesta (impers.)
κανονίζω arreglar
κανονικά normalmente, regularmente
καπέλο, το sombrero (el)
καπνίζω fumar
κάποιος (-α -ο) alguien, algún(-uno)
καπουτσίνο, το capuchino (el)
κάπως en cierto modo, de alguna manera, un poco
καράφα, η garrafa (la)
καραφάκι, το pequeña medida de vino o de ouzo
καρδιολόγος, ο cardiólogo (el)
καρέκλα, η silla (la)
καρμπονάρα, η espaguetis a la carbonara
καρότο, το zanahoria (la)
καρπούζι, το sandía (la)
κάρτα, η postal (la) // tarjeta (la)
(πιστωτική) κάρτα, η tarjeta de credito (la)
καρυδόπιτα, η pastel de nueces y almibar
κασέτα, η casete, cinta (la)
κασετόφωνο, το grabadora (la)
καστανός (-ή -ό) castaño
κατά sobre, alrededor
κατάδυση, η buceo (el)
κατάθεση, η ingreso, depósito (el)
καταλαβαίνω entender, enterarse
κατάλληλος (-η -ο) adecuado
κατάλογος, ο lista, relación (la) // carta (la)
καταπληκτικός (-ή -ό) sorprendente, asombroso
κατάσταση, η situación (la)
κατάστημα, το tienda (la), almacén (el)
καταφατικός (-ή -ό) afirmativo
κατεπείγων (-ουσα -ον) muy urgente, urgentísimo
κάτι algo
κάτοικος, ο habitante (el)
(ε)κατοστίζω cumplir cien años
κατσαβίδι, το destornillador (el)

κατσαρός (-ή -ό) rizado
κάτω bajo, abajo, (por) debajo
καφέ marrón
καφέ, το café (el)
καφές, ο café (el)
καφετής (-ιά -ί) marrón
κείμενο, το texto (el)
κενό, το vacío, hueco (el)
κεντρικός (-ή -ό) central, céntrico
κέντρο, το centro (el)
κεραμικό, το cerámica (la), objeto de cerámica
κεράσι, το cereza (la)
κερδίζω ganar
Κέρκυρα, η Corfú
κερνάω invitar
κεφαλαίο (γράμμα), το (letra) mayúscula
κέφι, το buen humor (el), gana(s) (las) // regocijo, júbilo (el)
κήπος, ο jardín (el)
κι y/e
κιλό, το kilo (el)
κιμάς, ο carne picada
Κίνα, η China
κινέζικα, τα chino (el) (idioma)
κινέζικος (-η -ο) chino
Κινέζος (-α) chino-a (persona)
κινηματογράφος, ο cine, cinematógrafo (el)
κινητό, το móvil (el)
κίτρινος (-η -ο) amarillo
κλασικός (-ή -ό) clásico
κλειδί, το llave (la)
κλείνω cerrar // reservar
κλειστός (-ή -ό) cerrado
κλίμα, το clima (el)
κλινική, η clínica (la)
κλίνω declinar, conjugar (gr.)
κοιμάμαι dormir
κοινότητα, η comunidad (la)
κοινόχρηστα, τα gastos de comunidad (los)
κοιτάζω mirar, contemplar
κοκκινιστό, το carne o pollo en salsa de tomate
κόκκινος (-η -ο) rojo
κολλάω (-ώ) pegar, encolar
κολοκύθι, το calabacín (el)
κόλπος, ο golfo (el), bahía, ensenada (la)
κολυμβητήριο, το piscina (la)
κολυμπάω (-ώ) nadar
κομμάτι, το pieza (la), trozo (el)
κομπιούτερ, το ordenador (el)
κομψός (-ή -ό) elegante
κοντά cerca
κοντός (-ή -ό) bajo // corto
κοπέλα, η muchacha, moza (la)
κόρη, η hija (la)
κορίτσι, το chica, muchacha, chavala (la)
κορόνα, η corona (la)
κόσμημα, το joya (la)
κοσμικός (-ή -ό) mundano
κόσμος, ο mundo (el) // gente (la)
κοστίζω valer, costar
κοστούμι, το traje (el)
κοτόπουλο, το pollo (el)
κουζίνα, η cocina (la)
κουκέτα, η litera (la)

κούκλα, η muñeca (la)
κουταλάκι, το cucharita (la)
κουτί, το caja (la)
κρασί, το vino (el)
κρατάω (-ώ) sujetar, agarrar // durar
κρατικός (-ή -ό) estatal
κρέας, το carne (la)
κρεατικά, τα (varios tipos de) carne
κρεβάτι, το cama (la)
κρεβατοκάμαρα, η dormitorio (el)
κρέμα, η crema (la)
Κρήτη, η Creta
κρίμα! ¡lástima!
κροκόδειλος, ο cocodrilo (el)
κρουασάν, το cruasán (el) (croissant)
κρύο, το frío (el)
κρύος (-α -ο) frío
κρυφός (-ή -ό) oculto, secreto
κτήριο, το edificio (el)
κτητικός (-ή -ό) posesivo (gr.)
κτλ. etc.
Κυκλάδες, οι Cícladas (las)
κυκλοφορώ circular
κυρία, η señora (la)
Κυριακή, η domingo (el)
κύριος, ο señor (el)
κώδικας, ο código (el)
Κωνσταντινούπολη, η Constantinopla,
  Estambul

Λ λ

λαδερό, το plato de verduras con aceite
  (y tomate)
λάδι, το aceite (el)
λάθος, το error (el), falta, equivocación (la)
(είναι) λάθος (es) incorrecto / un error
λαϊκός (-ή -ό) popular
λάμπα, η bombilla (la)
λαχανικά, τα verduras (las)
λεβ, το lev (el)
λέγομαι llamarse
λειτουργία, η misa (la) // función (la)
λειτουργώ operar, funcionar
λεμόνι, το limón (el)
λέξη, η palabra (la)
λεξικό, το diccionario (el)
λεπτό, το minuto (el)
λεπτός (-ή -ό) delgado, flaco
λέσχη, η club (el)
λευκός (-ή -ό) blanco
Λευκωσία, η Nicosia
λεφτά, τα dinero (el)
λέω decir
λεωφορείο, το autobús, autocar (el)
λεωφόρος, η avenida (la)
λιακάδα, η (hacer) sol
Λίβανος, ο Líbano
λίβινγκ ρουμ, το cuarto de estar (el)
λίγο (un) poco
λίγοι (-ες -α) pocos, unos (cuantos, pocos)
λίγος (-η -ο) poco
λιγότερο menos
λιμάνι, το puerto (el)
λίμνη, η lago (el)

λίρα, η libra (la) (moneda)
λίστα, η lista (la)
λογαριασμός, ο cuenta (la)
λόγια, τα palabras (las)
λογικός (-ή -ό) razonable, lógico
λογιστής, ο contable (el)
λογιστήριο, το contabilidad (la)
λογίστρια, η contable (la)
λόγος, ο razón (la), motivo (el)
λοιπόν pues, entonces
Λονδίνο, το Londres
λουκάνικο, το salchicha (la)
λουλούδι, το flor (la)
λουξ de lujo
Λουξεμβούργο, το Luxemburgo
λουτρό, το cuarto de baño, baño (el)
λύκειο, το grado superior del bachillerato //
  liceo (el)
λυπάμαι sentir, lamentar
λυπημένος (-η -ο) triste
Λωζάνη, η Lausana

Μ μ

μα pero
μαγαζί, το tienda (la)
μαγειρεύω cocinar
μαγειρίτσα, η sopa con los intestinos de
  cordero y verduras
Μαδρίτη, η Madrid
μαζί junto, juntos-as, con
μαθαίνω aprender // enterarse
μάθημα, το lección (la) // clase (la) //
  asignatura (la)
μαθηματικός, ο/η matemático/a (e/la)
μαθητής, ο alumno (el)
μαθήτρια, η alumna (la)
Μάιος, ο mayo
μακαρόνια, τα espaguetis (los)
μακριά lejos, a lo lejos
μακρύς (-ιά -ύ) largo, alargado
μαλακός (-ή -ό) blando, suave
μάλιστα sí (formal) // de hecho
μαλλί, το lana (la)
μαλλιά, τα cabello, pelo (el)
μάλλον más bien, mejor dicho //
  seguramente
μάνα, η madre (la)
μανάβης, ο verdulero (el)
μανάβικο, το verdulería (la)
μανιτάρι, το champiñón (el)
μανούρι, το queso blanco fresco
μανταρίνι, το mandarina (la)
μαντεύω adivinar
(μ') αρέσει (me) gusta
μαρίδα, η caramel, pescadito (el)
μαρκαδόρος, ο rotulador (el)
μαρούλι, το lechuga (la)
Μάρτιος, ο marzo
μας nuestro-a-os-as
Μασσαλία, η Marsella
μάτι, το ojo (el)
μαύρος (-η -ο) negro
με con
(Μεγάλη) Πέμπτη, η Jueves Santo

μεγάλος (-η -ο) grande // mayor (pers.)
μεζές, ο tapa (la)
μεθαύριο pasado mañana
Μελβούρνη, η Melburne
μέλι, το miel (la)
μελιτζάνα, η berenjena (la)
μελιτζανοσαλάτα, η ensalada de berenjenas
μέλλον, το futuro (el)
μέλλοντας, ο futuro imperfecto (gr.)
μέλος, το miembro, vocal (el)
μένω vivir, residir // quedarse
μεξικάνικος (-η -ο) mex(/j)icano
Μεξικανός (-ή) mex(/j)icano (persona)
Μεξικό, το Méx(/j)ico
μέρα, η día (el)
μερικοί (-ές -ά) algunos, unos
μέρος, το lugar, sitio (el), parte (la) //
  parte (la)
μέσα en, dentro
μεσάνυχτα, τα medianoche
μεσημέρι, το mediodía (el)
μεσημεριανό, το almuerzo (el), comida (la)
μεσογειακός (-ή -ό) mediterráneo
Μεσόγειος, η Mediterráneo (el)
με συγχωρείτε (Vd., Vds.) perdone(n),
  disculpe(n)
μετά después, luego
μεταβατικό ρήμα, το verbo transitivo (gr.)
μετανάστης, ο emigrante (el)
μεταξύ entre
μετοχή, η participio (el) (gr.)
μετρητά, τα en efectivo
μέτρο, το metro (el) // metro (el),
  medida (la)
μετρό, το
μέχρι hasta
μηδέν cero (el)
μήλο, το manzana (la)
μηλόπιτα, η tarta de manzana
μήνας, ο mes (el)
μήνυμα, το mensaje, recado (el)
μήπως; ¿acaso?
μητέρα, η madre (la)
μηχανή, η máquina (la) // moto (la) //
  cámara (la) // motor (el)
μηχανικός, ο/η ingeniero, mecánico (el)
μια art. ind. fem. sing., num.
μιάμιση una y media
μια χαρά (estar) muy bien
μικρός (-ή -ό) pequeño, menudo //
  menor (pers.)
Μιλάνο, το Milán
μιλάω hablar
μ.μ. p.m.
μίνι μάρκετ, το mini market (mercado)
μισθός, ο sueldo, salario (el)
μισός (-ή -ό) medio
μνημείο, το monumento (el)
μοκέτα, η moqueta (la)
μολύβι, το lápiz (el)
μοναστήρι, το monasterio, convento (el)
Μόναχο, το Munich
μόνο sólo, solamente
μονοκατοικία, η casa (la)
μονόκλινος (-η -ο) habitación individual

Vocabulario

μοντέρνος (-α -ο) moderno
μορφωμένος (-η -ο) culto
Μόσχα, η Moscú
μοσχάρι, το ternera (la)
μου mi
μουσείο, το museo (el)
μουσική, η música (la)
μουστάκι, το bigote (el)
μπαίνω entrar
μπακάλικο, το (tienda de) ultramarinos
μπακλαβάς, ο pastel con hojas de pastelería, frutas secas y almibar
μπαλκόνι, το balcón (el)
μπαλόνι, το globo (el)
μπάμιες, οι especie de verdura, quimbombo (Cuba)
μπανάνα, η plátano (el)
μπάνιο, το baño, (cuarto de) baño (el)
μπαρ, το bar (el)
μπαρμπούνι, το salmonete (el)
μπάσκετ, το baloncesto (el)
μπαχαρικά, τα especias (las)
μπεζ beige
μπέρδεμα, το confusión, mezcla(la)
μπερδεύω confundir
μπίρα, η cerveza (la)
μπλε azul
μπλούζα, η blusa (el)
μπλουζάκι, το camiseta (la)
μπορεί puede, tal vez
μπορντό burdeos (col.)
μπορώ poder
μπουζούκι, το instrumento popular de cuerdas
μπουκάλι, το botella (la)
μπουτίκ, η boutique (la)
μπράβο (σου)! ¡bravo!, ¡muy bien!
μπριάμ, το comida echa de verduras al horno
μπριζόλα, η chuleta (la)
μπρίκι, το aparato para hacer el café griego
μπροστά delante, por delante
μύλος, ο molino (el)
μοβ malva, morado

N v

να para (que), que, a
ναι sí
ναός, ο templo (el)
Νέα Υόρκη, η Nueva York
νέος (-α -ο) joven, nuevo
νερό, το agua (el - fem.)
νησί, το isla (la)
Νοέμβριος, ο noviembre
νομίζω creer, considerar
Νορβηγία, η Noruega
νορβηγικός (-ή -ό) noruego
νοσοκόμα, η enfermera (la)
νοσοκόμος, ο enfermero (el)
νοσοκομείο, το hospital (el)
νόστιμος (-η -ο) sabroso // mono, salado
νότια al sur, en el sur
νοτιοανατολικά a sureste (adv.)
νότος, ο sur (el)
νούμερο, το número (el)
ντίσκο, η discoteca (la)

ντολμαδάκια, τα carne picada y arroz envueltos en hojas de parra
ντομάτα, η tomate (el)
ντουλάπα, η armario (el)
νυστάζω tener sueño
νωρίς temprano, pronto

Ξ ξ

(ε)ξαδέλφη, η prima (la)
(ε)ξάδελφος, ο primo (el)
ξανά de nuevo
ξανθός (-ή -ό) rubio
ξεκινάω (-ώ) comenzar, empezar, iniciar
ξένη, η extranjera, forastera (la)
ξένος, ο extranjero, forastero (el)
ξενοδοχείο, το hotel (el)
ξένος (-η -ο) extraño, ajeno
ξέρω saber
ξεχνάω (-ώ) olvidar
ξεχωριστός (-ή -ό) separado, independiente
ξιφίας, ο pez espada
ξύδι (ξίδι), το vinagre (el)
ξυπνάω (-ώ) despertarse

O o

ο art. def. masc. sing.
ογδόντα ochenta
όγδοος (-η -ο) octavo
οδηγώ conducir
οδός, η calle (la)
οικογένεια, η familia (la)
οικονομία, η economía (la) // ahorros (los)
οικονομικός (-ή -ό) económico // financiero
Οκτώβριος, ο octubre
Ολλανδία, η Holanda
ολλανδικά, τα holandés (el) (idioma)
Ολλανδός (-έζα) holandés-esa (persona)
όλοι (-ες -α) todos
όλος (-η -ο) todo, entero
ομάδα, η grupo, equipo (el)
ομιλία, η discurso (el)
ομορφιά, η belleza (la)
ομπρέλα, η paraguas, parasol (el)
όμως pero, sin embargo
όνομα, το nombre (el)
ονομασία, η nombre (el), denominación (la)
ονομαστική, η nominativo (el) (gr.)
όποιος (-α -ο) el que, quien
όπου donde, adonde
όπως como
οπωσδήποτε sin falta, de todas formas
όργανο, το instrumento (el)
ορεινός (-ή -ό) montuoso
ορεκτικό, το aperitivo, entrante (el)
όρεξη, η apetito (el)
οριζόντια horintalmente
ορισμένος (-η -ο) determinado
ορίστε ya está, aquí tiene // ¡dígame!, ¡mande!
οριστικός (-ή -ό) definitivo
οροφοδιαμέρισμα, το apartamento que ocupa toda la planta
όροφος, ο piso (el), planta (la)

όσο cuanto, como
όταν cuando
ΟΤΕ, ο Telefónica (la)
ό,τι todo lo que, lo que
ότι que (conj.)
Ουγγαρία, η Hungría
Ουγγαρέζος (-α) húngaro-a (persona)
ουδέτερος (-η -ο) neutro, neutral
ούζο, το aguardiente anisado
ουσιαστικό, το sustantivo (el) (gr.)
ούτε ni, tampoco
όχι no
οχτακόσιοι (-ες -α) ochocientos
οχτώ (οκτώ) ocho

Π π

παγάκι, το cubito (el)
πάγος, ο hielo (el)
(κάνει) παγωνιά hace helada
παθητική (φωνή), η (voz) pasiva
παθητικός (-ή -ό) pasivo
παϊδάκι, το costilla (la)
παιδί, το niño, chico, chaval (el)
παιδικός (-ή -ό) infantil, para niños
παίζω jugar // actuar
παίρνω tomar, coger
πακέτο, το paquete (el)
πάλι de nuevo, otra vez
παλιός (-ά -ό) viejo, antiguo
πανσιόν, η pensión, casa de huéspedes (la)
πάντα siempre
(τα) πάντα todo
παντελόνι, το pantalón (el)
παντζούρι, το contraventana (la), postigo (el)
παντρεμένος (-η -ο) casado
παντού en todas partes
πάνω sobre, encima, arriba
παπουτσάκια, τα berenjenas al horno con salsa de tomate y sufrito
παπούτσι, το zapato (el)
παρά menos (hora)
παραγγέλνω pedir
παράγραφος, η párrafo (el)
παράγω producir
παράδειγμα, το ejemplo (el)
παραθετικό, το comparativo (adjetivo) (gr.)
παράθυρο, το ventana (la)
παρακαλώ rogar, pedir // por favor
παρακάτω más adelante, más allá
παραλία, η playa (la)
παράλληλα al mismo tiempo // en paralelo, paralelamente
παράξενος (-η -ο) curioso, extraño
παραπάνω más arriba // más, de más
Παρασκευή, η viernes (el)
παράσταση, η representación, actuación (la) // sesión (la)
παρέα, η compañía (la), grupo (el) // pandilla (la)
παρένθεση, η paréntesis (el)
Παρίσι, το París
παρκαρισμένος (-η -ο) aparcado
παρκάρω aparcar
πάρκι(ν)γκ, το aparcamiento (el)

πάρκο, το parque (el)
πάρτι, το guateque (el), fiesta (la)
πάστα, η pasta (la), dulce (el)
παστίτσιο, το pastel de macarrones, carne picada y besamel
Πάσχα, το Pascua (la)
πατάτα, η patata (la)
πατέρας, ο padre (el)
Πάτρα, η Patras
πατρίδα, η patria (la)
πάω (πηγαίνω) ir
πέδιλο, το sandalia (la)
πεζόδρομος, ο calle peatonal
πεινάω (-ώ) tener hambre
πειράζει importa (impers.)
Πειραιάς, ο El Pireo
Πεκίνο, το Pekín
πέλαγος, το mar (el)
πελάτης, ο cliente (el)
πελάτισσα, η cliente (la)
Πελοπόννησος, η Peloponeso
Πέμπτη, η jueves (el)
(Μεγάλη) Πέμπτη, η Jueves Santo
πέμπτος (-η -ο) quinto
πενήντα cincuenta
πεντακόσιοι (-ες -α) quinientos
πεντάρι, το piso de cinco habitaciones
πέντε cinco
πεπόνι, το melón (el)
περασμένος (-η -ο) pasado
περί sobre (griego antiguo)
περιβάλλον, το ambiente, contorno (el) // medio ambiente (el)
περιγράφω describir
περιλαμβάνω incluir
περιμένω esperar, aguardar
περιοχή, η zona (la), distrito (el), región (la)
περιπέτεια, η aventura (la)
περίπου aproximadamente, más o menos
περίπτερο, το quiosco, estanco (el)
περισσότεροι (-ες -α) más
περνάω (-ώ) pasar
περπατάω (-ώ) caminar, andar
πέρ(υ)σι el año pasado
πέτρα, η piedra (la)
πέφτω caer(se), tirarse
πηγαίνω (πάω) ir
πιάνει (el barco) para, hace escala
πιάτο, το plato (el)
πιλάφι, το arroz blanco
πίνακας, ο cuadro (el) // pizarra (la) // tablón (el), lista (la)
πίνω beber
πιο más
πιπέρι, το pimienta (la)
πιπεριά, η pimiento (el)
πισίνα, η piscina (la)
πίστα, η pista (la)
πιστωτικός (-ή, -ό) credencial
πιτσαρία, η pizzería (la)
πλαίσιο, το marco (el) // marco (el), moldura (la)
(έχει) πλάκα está divertido
πλανήτης, ο planeta (el)
πλαστικός (-ή -ό) plástico
πλατεία, η plaza (la)

πλένω lavar
πληθυντικός, ο plural (el) (gr.)
πλην menos
πληροφορίες, οι información (-ones) (la)
πληρώνω pagar
πλησίον cercano (gr. purista)
πλοίο, το barco, buque (el), nave (la)
πλυντήριο, το lavadora (la)
π.μ. a.m.
ποιος (-α -ο) quién, cuál
πόλη, η ciudad (la)
πολίτης, ο/η ciudadano/a (el/la)
πολιτικός (-ή -ό) político
πολλοί (-ές -ά) muchos
πολύ mucho, muy
(το) πολύ a lo más, a lo sumo, todo lo más
πολυθρόνα, η sillón (el), butaca (la)
πολυκατοικία, η casa de vecinos (la)
πολύς (πολλή/πολύ) mucho
πολυτελής (-ής ές) lujoso
Πολωνία, η Polonia
πολωνέζικα, τα polaco (el) (idioma)
Πολωνός (-έζα) polaco-a (persona)
πονάω (-ώ) sentir dolor (intrans.)
ποντίκι, το ratón (el)
πόρτα, η puerta (la)
Πορτογαλία, η Portugal
πορτογαλικά, τα portugués (el) (idioma)
Πορτογάλος (-έζα) portugués-esa (persona)
πορτοκαλάδα, η zumo de naranja (el), naranjada
πορτοκαλής (-ιά -ί) anaranjado, (color) naranja
πορτοκάλι, το naranja (la)
πορτοφόλι, το monedero (el), billetero/a (el/la)
πόσοι (-ες -α); ¿cuántos-as?
πόσος (-η -ο); ¿cuánto-a?
πότε; ¿cuándo?
ποτέ jamás, nunca
ποτήρι, το vaso (el)
ποτό, το bebida (la)
που quien, que
πού; ¿dónde?
πουθενά en/a ninguna parte, en/a ningún lugar
πουκάμισο, το camisa (la)
πουλάω (-ώ) vender
πούλμαν, το autocar (el)
πουλόβερ, το jersey (el)
Πράγα, η Praga
πράγμα, το cosa (la)
πραγματικά realmente, efectivamente
πράξη, η acción (la), acto (el)
πράσινος (-η -ο) verde
πρέπει haber que, tener que, deber (impers.)
πρεσβεία, η embajada (la)
πρέσβης, ο embajador (el)
πριν antes (de)
προάστιο, το suburbio, barrio (el)
πρόβλημα, το problema (el)
προέλευση, η origen (el), procedencia (la)
προηγούμαι preceder, ir delante
προηγούμενος (-η -ο) anterior, previo, precedente

πρόθεση, η preposición (la) (gr.)
προϊόν, το producto (el)
προκαταβολή, η anticipo (el)
πρόκειται (για) tratarse de
προλαβαίνω llegar a tiempo, dar a algn. tiempo de // anticipar
προορισμός, ο destino (el)
πρόπερσι hace dos años
προσδιορίζω definir, determinar
προσδιοριστικός (-ή -ό) determinante
προσεκτικά cuidadosamente, con atención
προσέχω cuidar, tener cuidado // atender // prestar atención
προσθέτω añadir, agregar
προσοχή, η atención (la) , cuidado (el)
προσπαθώ intentar, esforzarse
προστακτική, η imperativo (el) (gr.)
προσωπικός (-ή -ό) personal
προσωπικότητα, η personalidad (la), personaje (el)
πρόσωπο, το persona (la) // cara (la), rostro (el)
πρόταση, η oración, proposición (la)
προτιμάω (-ώ) preferir
προτίμηση, η preferencia, predilección (la)
προχθές (προχτές) anteayer
πρωί, το mañana (la)
πρωί-πρωί de madrugada
πρωινό, το desayuno (el)
πρώτα primero (adv.)
πρωτεύουσα, η capital (la)
πρώτος (-η -ο) primero
πτήση, η vuelo (el)
π.χ. p. ej.
πωλείται se vende
πωλητής, ο vendedor (el)
πωλήτρια, η vendedora (la)
πως que
πώς; ¿cómo? // ¿cómo nó?

Ρ ρ

ραγού ragú (el)
ρακή, η anis (el)
ραντεβού, το cita (la)
ραπανάκι, το rábano (el)
ρεπό, το librar del trabajo
ρέστα, τα vuelta (la)
ρετιρέ, το último piso con terraza grande
ρήμα, το verbo (el) (gr.)
ροδάκινο, το melocotón (el)
Ρόδος, η Rodas
ροζ (color) rosa
ροκ, η (música) rock
ρολόι, το reloj (el)
ρόλος, ο rol, papel (el)
ρούβλι, το ruvlo (el)
ρούχα, τα ropa (la)
ρόφημα, το bebida (la)
Ρώμη, η Roma
ρωσικά, τα ruso (el) (idioma)
ρωσικός (-ή -ό) ruso
Ρώσος (-ίδα) ruso-a (persona)
ρωτάω (-ώ) preguntar

Vocabulario

Σ σ

Σάββατο, το sábado (el)
σαββατοκύριακο, το fin de semana (el)
σαγανάκι, το queso frito
σακάκι, το chaqueta (la)
σακούλα, η bolsa (la)
σαλάτα, η ensalada (la)
σαλάμι, το salami (el)
σαλόνι, το salón (el)
σάλτσα, η salsa (la)
σαμπουάν, το champú (el)
σαν como
σαπούνι, το jabón (el)
σαράντα cuarenta
σαρδέλα, η sardina (la)
σας vuestro(s)-a(s), su/sus (de Vd.)
 (adj. pos.)
σγουρός (-ή -ό) rizado, ensortijado
σε en, a // te *(sing. acus.)*
σειρά, η fila (la) // turno (el)
σελίδα, η página (la)
Σεπτέμβριος, ο septiembre
σερβιτόρα, η camarera (la)
σερβιτόρος, ο camarero (el)
σέρφι(ν)γκ, το surf, surfing (el)
σημαίνει significa *(impers.)*
σημείο, το punto, signo (el)
σημείωμα, το nota (la)
σημειώνω apuntar
σημείωση, η nota (la), apunte (el)
σήμερα hoy
σιγά lentamente, despacio
σιγά-σιγά poco a poco
σίγουρα seguro
σιδηροδρομικός (-ή -ό) ferroviario
Σικελία, η Sicilia
σινεμά, το cine (el)
σιτάρι, το trigo (el)
σκάκι, το ajedrez (el)
σκεπάζω cubrir, tapar
σκέτος (-η -ο) neto, puro, simple // solo
 (bebidas)
σκέφτομαι (σκέπτομαι) pensar
σκι, το esquí (el)
σκορδαλιά, η puré de patatas
 condimentado con ajo
σκουπίδια, τα basura (la)
σκυλί, το perro (el)
σοβαρά seriamente, gravemente
σοκολάτα, η chocolate (el)
σου tu/tus *(adj. pos.)*
σούβλα, η asador, espetón, pincho (el)
σουβλάκι, το pincho moruno (el)
σουβλατζίδικο, το tienda que vende el suvlaki
Σουηδία, η Suecia
σουηδικά, τα sueco (el) *(idioma)*
σουηδικός (-ή -ό) sueco
Σουηδός (-έζα) sueco-a *(persona)*
σούπα, η sopa (la)
σουπερμάρκετ, το supermercado (el)
σουτζουκάκια, τα albóndigas alargadas
 con salsa de tomate y especias
Σόφια, η Sofia
σπάνια raramente, rara vez
σπέσιαλ especial

σπίρτο, το cerilla (la)
σπίτι, το casa (la)
σπουδάζω estudiar
σπουδαστής, ο estudiante (el)
σπουδάστρια, η estudiante (la)
σταθμός, ο estación (la)
σταματάω (-ώ) parar(se), detenerse(se)
στάση, η parada (la)
στατιστική, η estadística (la)
σταυρόλεξο, το crucigrama (el)
σταφύλι, το uva (la)
σταχτής (-ιά -ί) ceniciento
στέλνω enviar, mandar
στενός (-ή -ό) estrecho // ajustado
στήλη, η columna (la)
στιγμή, η momento (el)
στοιχεία, τα datos (los)
Στοκχόλμη, η Estocolmo
συγγενής, ο pariente (el)
συγκρίνω comparar
συγκριτικός (-ή -ό) comparativo
συγνώμη (pedir) perdón / permiso
συγχωρώ perdonar, disculpar
συμμαθητής, ο compañero de clase (el)
συμμαθήτρια, η compañera de clase (la)
συμπαθητικός (-ή -ό) simpático
συμπληρώνω completar, rellenar
συμπόσιο, το simposio (el)
σύμφωνα με de acuerdo con, conforme, según
σύμφωνο, το consonante (la)
συμφωνώ estar de acuerdo/conforme,
 ponerse de acuerdo, acordar
συναυλία, η concierto (el)
συνέδριο, το congreso (el)
συνεργείο, το taller mecánico (el)
συνέχεια (συνεχώς) continuamente, todo
 el tiempo/rato
συνεχίζω continuar, seguir
συνηθισμένος (-η -ο) habitual, corriente
συνήθως normalmente, habitualmente
συνθέτης, ο compositor (el)
συννεφιά, η nubosidad (la)
συνορεύω tener frontera
σύντροφος, ο/η compañero/a (el/la)
Συρία, η Siria
συστημένος (-η -ο) certificado (carta, etc.)
συστήνω presentar // recomendar
συχνά a menudo, frecuentemente,
 con frecuencia
σχεδιάγραμμα, το plano, esbozo,
 esquema (el)
σχεδόν casi
σχέση, η relación (la)
σχετικά relativamente // en relación con
σχηματίζω formar
σχολείο, το escuela (la), colegio (el)
σχολή, η escuela (la)
σωστά correcto, correctamente
σωστός (-ή -ό) correcto

Τ τ

ταβέρνα, η taberna, tasca (la)
τάβλι, το backgammon (el)
ταινία, η película (la), film (el)
ταιριάζω acoplar, emparejar, hacer juego

ταμείο, το caja (la)
ταμπέλα, η letrero, cartel (el)
τάξη, η clase (la), curso (el)
ταξί, το taxi (el)
ταξιδεύω viajar
ταξίδι, το viaje (el)
ταξιδιώτης, ο viajero, pasajero (el)
ταξιδιωτικός (-ή -ό) de viaje(s)
ταξινομώ clasificar
ταραμοσαλάτα, η ensalada con huevos
 de pescado
τάρτα, η tarta (la)
τασάκι, το cenicero (el)
ταυτότητα, η identidad (la)
τάφος, ο tumba (la)
ταχυδρομείο, το correo(s) (el)
ταχυδρομώ enviar (mandar) por correo
Τελ Αβίβ Tel Aviv
τελειώνω terminar, acabar, finalizar
τελευταία últimamente, recientemente
τελευταίος (-α -ο) último, reciente
τελικά finalmente, al final
τελικός (-ή -ό) final
τέλος, το final (el)
τεμπέλης, ο perezoso, vago
τέν(ν)ις, το tenis (el)
τεράστιος (-α -ο) enorme
τεσσάρι, το piso de cuatro habitaciones
τέσσερις (-ις -α) cuatro *(plural)*
τεστ, το prueba (la), test (el)
Τετάρτη, η miércoles
τέταρτο, το cuarto (el) *(hora, medida)*
τέταρτος (-η -ο) cuarto
τετραγωνικός (-ή -ό) cuadrado
τετράγωνο, το cuadrado (el) //
 manzana (la)
τετράγωνος (-η -ο) cuadrado
τετράδιο, το cuaderno (el)
τετρακόσιοι (-ες -α) trescientos
τέχνη, η arte (el)
τζάκι, το chimenea (la)
τζαμί, το mezquita (la)
τζατζίκι, το ensalada de yogur y pepino
 condimentada con ajo
τηγανητός (-ή -ό) frito
τηλεόραση, η televisión (la), televisor (el)
τηλεφωνικός (-ή -ό) telefónico
τηλέφωνο, το teléfono (el)
τηλεφωνώ telefonear, llamar (por teléfono)
της su/sus (de ella) *(adj. pos.)*
τι; ¿qué?
τιμή, η precio (el)
τίποτε nada
τι συμβαίνει; ¿qué ocurre/pasa/sucede?
το art. def. neutro. sing.
το αργότερο a más tardar
Τόκιο, το Tokio
τόνος, ο acento (el) // tílde (la)
τοστ, το sandwich (el), tostada (la)
τόσο tanto *(adv.)*
τόσο... όσο... tanto… como…
τότε entonces, en aquel entonces
του su/sus (de él) *(adj. pos.)*
τουαλέτα, η aseo, lavabo (el) // tocador (el)
τουλάχιστον por lo/al menos
τουρίστας, ο turista (el)

τουρίστρια, η turista (la)
τουριστικός (-ή -ό) turístico
Τουρκία, η Turquía
τούρκικα, τα turco (el) *(idioma)*
τουρκικός (-ή -ό) turco
Τούρκος (-άλα) turco-a *(persona)*
τους su/sus (de ellos-as) *(adj. pos.)*
του χρόνου el año que viene, el año próximo
τραμ, το tranvía (la)
τράπεζα, η banco (el)
τραπεζαρία, η comedor (el)
τραπέζι, το mesa (la)
τραπεζικός, ο empleado de banco // bancario
τρένο, το tren (el)
τρεις/τρεις/τρία tres
τριακόσιοι (-ες -α) trescientos
τριάντα treinta
τριάρι, το piso de tres habitaciones
Τρίτη, η martes (el)
τρίτος (-η -ο) tercer(o)
τροπικός (-ή -ό) relativo al modo *(gr.)*
τρόπος, ο modo (el), manera, forma (la)
τροχαία, η policía de tráfico (la)
τρώω comer
τσάι, το té (el)
τσάντα, η bolso (el)
τσιγάρο, το cigarrillo (el)
τσιπούρα, η dorada (la)
τσουγκρίζω chocar, cascar (huevos)
τσουρέκι, το bollo de Pascua (el)
Τυνησία, η Túnez
τυπογραφείο, το imprenta (la)
τύπος, ο tipo (el)
τυρί, το queso (el)
τυρόπιτα, η empanada de queso (la)
τυροπιτάκι, το empanadilla de queso
τυχερός (-ή -ό) afortunado, el que tiene suerte
τώρα ahora

Υ υ

υδραυλικός, ο fontanero (el)
υπάλληλος, ο empleado, funcionario (el)
υπάρχει hay *(imp.)*
υπάρχω existir
υπερθετκός, ο superlativo (el) *(gr.)*
υπνοδωμάτιο, το dormitorio (el)
ύπνος, ο sueño (el)
υπόγειο, το sótano (el)
υπογραφή, η firma (la)
υπογράφω firmar
υποκείμενο, το sujeto (el)
υποκοριστικό, το diminutivo (el)
υπόλοιπος (-η, -ο) restante (el)
υποτακτική, η subjuntivo (el)
υφαντό, το prenda/objeto de lana tejida a mano
ύφασμα, το tela (la), tejido (el)

Φ φ

φάβα, η fabada (la)
φαγητό, το comida (la)
φαίνομαι parecer, aparecer
φάκελος, ο sobre (el) // expediente (el)

φακός, ο literna (la)
φαλακρός (-ή -ό) calvo
φανάρι, το semáforo (el)
φανελάκι, το camiseta (la)
φανερώνω mostrar, demostrar // revelar
φαντάζομαι imaginarse
φαρμακείο, το farmacia (la)
φαρμακευτικός (-ή -ό) farmacéutico
φάρμακο, το medicamento (el), medicina (la)
φασολάκια, τα judías verdes (las)
Φεβρουάριος, ο febrero
φέρνω traer
φέτα, η queso blanco fresco // rebanada, loncha (la)
(ε)φέτος este año
φεύγω irse, marcharse
φθινόπωρο, το otoño (el)
φιλάρες, οι amigetes (los)
φιλάω (-ώ) besar
φίλη, η amiga (la)
φιλί, το beso (el)
φιλικός (-ή -ό) amistoso
Φιλιππίνες, οι Filipinas
φιλμ, το film (el), carrete (el) // película (la)
φίλος, ο amigo (el)
φιλότιμο, το amor propio, pundonor (el)
Φλωρεντία, η Florencia
φοβάμαι tener miedo
φοιτητής, ο estudiante (el)
φοιτήτρια, η estudiante (la)
φορά, η vez (la)
φοράω (-ώ) vestir, llevar, ponerse
φόρεμα, το vestido (el)
φόρος, ο impuesto (el)
φούρνος, ο horno (el) // panadería (la)
φούστα, η falda (la)
φρα(ν)τζόλα, η barra de pan (la)
φράουλα, η fresa (la)
φραπέ, ο café batido con cubitos de hielo
φρέσκος (-ια -ο) fresco
φροντιστήριο, το academia privada (la)
φρούριο, το castillo (el)
φρούτο, το fruta (la), fruto (el)
φτάνω llegar, arribar
φτηνός (-ή -ό) barato
φτιάχνω hacer, preparar, arreglar
φυλάω (-ώ) guardar
φυσική, η física (la)
φυσικός (-ή, ό) natural
φωνή, η voz (la)
φωνήεν, το vocal (la)
φωτεινός (-ή -ό) luminoso, claro, brillante
φωτογραφικός (-ή -ό) fotográfico

Χ χ

Χάγη, η La Haya
χαίρετε ¡hola! // adiós, hasta luego
χαιρετίσματα, τα saludos, recuerdos (los)
χαίρομαι alegrarse, estar encantado
χαίρω alegrarse, estar encantado *(gr. purista)*
χαλάω (-ώ) estropear // cambiar *(dinero)*
χαλβάς, ο pastel parecido al turrón echo con sesamo
χαμηλός (-ή -ό) bajo

χάνω perder
χάρτης, ο mapa (el)
χαρτί, το papel (el)
χαρτιά, τα naipes (los), cartas (las)
χαρτοπετσέτα, η servilleta (la)
χαρτοφύλακας, ο cartera (la)
χειμώνας, ο invierno (el)
χήρα, η viuda (la)
χήρος, ο viudo (el)
χθες (ε)χτές ayer
χίλιοι (-ες -α) mil
χιλιάδες miles
χιλιομετρικός (-ή -ό) kilométrico
χιλιόμετρο, το kilómetro (el)
χιόνι, το nieve (la)
χιονίζει estar nevando, nevar *(impers.)*
χοιρινός (-ή -ό) de cerdo
χολ, το zaguán, vestíbulo (el)
χοντρός (-ή -ό) gordo, grueso
χορεύω bailar, danzar
χόρτα, τα verduras (las)
χρειάζεται hacer falta *(imp.)*
χρειάζομαι necesitar, hacer falta a algn. algo
χρησιμοποιώ utilizar, usar
Χριστός Ανέστη ! ¡Cristo ha resucitado!
χρόνια, τα años (los)
χρονικός (-ή -ό) temporal
χρόνος, ο tiempo (el) // año (el)
χρυσός (ή -ό) dorado, de oro
χρυσός, ο oro (el)
χρώμα, το color (el)
χρωματίζω colorear, pintar
χρωματοπωλείο, το tienda de pinturas
χρωστάω (-ώ) deber
χυμός, ο zumo, jugo (el)
χώρα, η país (el)
χωριάτικος (-η -ο) rústico, campestre
χωρίζω separar
χωρισμένος (-η -ο) separado, divorciado
χωριστός (ή -ό) separado
χώρος, ο espacio (el)

Ψ ψ

ψάρι, το pez, pescado (el)
ψαρόσουπα, η sopa de pescado
ψάχνω buscar
ψηλός (-ή -ό) alto
ψήνω asar, tostar
ψητός (-ή -ό) asado (a la parilla)
ψηφίο, το dígito (el)
ψιλά, τα calderilla (la), (dinero) suelto
ψιχαλίζει lloviznar
ψυγείο, το nevera (la), frigorífico (el)
ψυχίατρος, ο psiquiatra (el)
ψυχολόγος, ο psicólogo (el)
(έχει/κάνει) ψύχρα hace fresco
ψωμί, το pan (el)
ψώνια, τα compra(s) la(s)
ψωνίζω comprar

Ω ω

ώρα, η hora (la) // tiempo, rato (el)
ωραίος (-α -ο) bonito, hermoso
ώς hasta

Vocabolario

A α

αβγό (αυγό), το l'uovo
άγαλμα, το la statua
αγαπάω (-ώ) amare
αγάπη, η l'amore
αγαπητός (-ή -ό) caro, prediletto
αγγελία, η l'annuncio
Αγγλία, η l'Inghilterra
αγγλικά, τα l'inglese (ling.)
αγγλικός (-ή -ό) inglese
Άγγλος (-ίδα) inglese (di pers.)
αγγούρι, το il cetriolo
αγία, η la santa
άγιος, ο il santo
Άγκυρα, η Ankara
άγνωστη, η la sconosciuta
άγνωστος, ο lo sconosciuto
άγνωστος (-η -ο) sconosciuto
αγία, η la santa
άγιος, ο il santo
αγορά, η il mercato
αγοράζω comprare
αγόρι, το il ragazzo
άδειος (-α -ο) vuoto
αδελφή, η la sorella
αδελφός, ο il fratello
αδύνατος (-η -ο) magro // debole
αέρας, ο l'aria // il vento
αεροδρόμιο, το l'aeroporto
αεροπλάνο, το l'aereo
αεροπορικός (-ή -ό) aereo, per via aerea
Αθήνα, η Atene
Αιγαίο (πέλαγος), το l'Egeo
αιγυπτιακός (-ή -ό) egiziano
Αιγύπτιος (-α) egiziano (di pers.)
Αίγυπτος, η l'Egitto
αίθριος (-α -ο) buono, sereno (di tempo)
αιτιατική, η accusativo (gr.)
αιτιολογικός (-ή -ό) causale, di causa
ακολουθώ seguire
ακόμα ancora
ακούω sentire // ascoltare
ακριβός (-ή -ό) caro
ακριβώς esattamente
Ακρόπολη, η l'Acropoli
αλάτι, το il sale
Αλβανία, η l'Albania
Αλεξάνδρεια, η Alessandria
αλήθεια veramente, davvero // a proposito
Αληθώς Ανέστη! è veramente risorto! (arc.)
αλλά ma
αλλάζω cambiare
αλλαντικά, τα i salumi
άλλος (-η -ο) altro
άλλοτε qualche volta // un tempo
αλλού altrove
αλουμίνιο, το l'alluminio
αλφάβητο, το l'alfabeto
Αμβούργο, το Amburgo
Αμερική, η l'America
αμερικανικός (-ή -ό) americano
Αμερικανός (-ίδα) americano (di pers.)
άμεσος (-η -ο) diretto

αμέσως subito, immediatamente
Άμστερνταμ, το Amsterdam
αν se
ανακατεύω mescolare
ανακεφαλαίωση, η la ricapitolazione
ανάκτορο, το il palazzo
ανάληψη, η il prelievo
ανάλογα a seconda, in modo adeguato
ανάμεσα tra (fra)
αναπτήρας, ο l'accendino
Ανάσταση, η la Resurrezione
ανατολή, η l'est
ανατολικά a est
αναφέρομαι riferirsi
αναφέρω riferire // riportare
αναχώρηση, η la partenza
αναψυκτικό, το la bibita
ανελκυστήρ, ο l'ascensore (catarev.)
ανθοπωλείο, το il negozio di fiori
άνθρωπος, ο l'uomo, l'essere umano
ανοίγω aprire
άνοιξη, η la primavera
ανοιχτός (-ή -ό) aperto
αντιγράφω copiare
αντίθετα al contrario
αντίθετος (-η -ο) opposto
αντικαθιστώ sostituire, rimpiazzare
αντικείμενο, το l'oggetto
αντίο arrivederci, addio
αντιπρόσωπος, ο/η il/la rappresentante
αντίρρηση, η l'obiezione
αντιστοιχώ corrispondere
άντρας, ο l'uomo // il marito
αντωνυμία, η il pronome (gr.)
ανυπόφορος (-η -ο) insopportabile
ανώμαλος (-η -ο) irregolare, anormale
αόριστος, ο il perfetto, il passato remoto (gr.)
απαντάω (-ώ) rispondere, replicare
απάντηση, η la risposta
απαρέμφατο, το l'infinito (gr.)
απέναντι di fronte, dirimpetto
απέχω distare
απλή διαδρομή sola andata
απλός (-ή -ό) semplice
απλώς semplicemente
από da // di, que (compar.)
απόγευμα, το il pomeriggio
απογευματινός (-ή -ό) pomeridiano
απόδειξη, η la ricevuta
αποθετικό ρήμα, το deponente (verbo) (gr.)
αποθήκη, η il magazzino
απόλυτος (-η -ο) assoluto
απολύτως assolutamente
απορρυπαντικό, το il detersivo
απόψε stasera
Απρίλιος, ο Aprile
αραβικά, τα l'arabo (ling.)
αρακάς, ο il pisello
αργά tardi // lentamente
αργότερα più tardi
αργώ tardare
αρέσω piacere
άρθρο, το l'articolo
αριθμητικό, το numerale (gr.)

αριθμός, ο il numero
αριστερά a sinistra
αρκετά abbastanza, sufficientemente
αρνητικός (-ή -ό) negativo
αρνί, το l'agnello
άρρωστος (-η -ο) malato
αρσενικός (-ή -ό) maschile
αρχαιολογικός (-ή -ό) archeologico
αρχαιολόγος, ο/η l'archeologo
αρχαίος (-α -ο) antico
αρχή, η l'inizio
αρχίζω cominciare, iniziare
αρχιτέκτονας, ο l'architetto
άρωμα, το il profumo, l'aroma
ασανσέρ, το l'ascensore
Ασία, η l'Asia
άσπρος (-η -ο) bianco
αστυνομία, η la polizia
άσχετος (-η -ο) non attinente, senza relazione
άσχημος (-η -ο) brutto // cattivo
ασχολούμαι occuparsi
ατζέντα, η l'agenda
ατομικός (-ή -ό) personale, individuale
άτομο, το la persona, l'individuo
Αύγουστος, ο Agosto
αυλή, η il cortile
αύριο domani
αυστραλέζικος (-η -ο) australiano
Αυστραλία, η l'Australia
Αυστραλός (-έζα) australiano-a (di pers.)
Αυστρία, η l'Austria
αυστριακός (-ή -ό) austriaco
Αυστριακός (-ή) austriaco-a (di pers.)
αυτοκίνητο, το l'automobile
Αυτόματη Ταμειακή Μηχανή, η il Bancomat
αυτός (-ή -ό) lui (nom.) // questo
άφιξη, η l'arrivo
Αφρική, η l'Africa
αχλάδι, το la pera

B β

βάζο, το il vaso
βάζω mettere
βαθμός, ο il voto, il grado
βαμμένος (-η -ο) dipinto
βανίλια, η la vaniglia
βαρετός (-ή -ό) noioso
Βαρκελώνη, η Barcellona
Βαρσοβία, η Varsavia
βάση, η la base
βατ, το il watt
βάφω dipingere, tingere
βγάζω togliere // guadagnare
βγαίνω uscire
βέβαια (βεβαίως) sicuramente, certamente
Βέλγιο, το il Belgio
Βελιγράδι, το Belgrado
Βενεζουέλα, η il Venezuela
Βενετία, η Venezia
βενετσιάνικος (-η -ο) veneziano
βενζίνη, η la benzina
βεράντα, η la veranda

βερίκοκο, το l'albicocca
Βερολίνο, το Berlino
βήμα, το il passo
βιβλιάριο, το il libretto
βιβλίο, το il libro
βιβλιοθήκη, η la biblioteca // la libreria
βιβλιοπωλείο, το la libreria, il negozio di libri
Βιέννη, η Vienna
βιετναμέζικος (-η -ο) vietnamese
βίντεο, το il video
βιτρίνα, η la vetrina
βλέπω vedere
βοηθάω (-ώ) aiutare
βοήθεια, η l'aiuto
βόλτα, η il giro, la passeggiata
Βόννη, η Bonn
βόρεια a nord
βορειανατολικά a nordest
βόρειος (-α -ο) settentrionale
βορράς, ο il nord
Βουδαπέστη, η Budapest
Βουκουρέστι, το Bucarest
Βουλγαρία, η la Bulgaria
βουλγάρικος (-η -ο) bulgaro
Βούλγαρος (-άρα) bulgaro-a (di pers.)
βουλευτής, ο il deputato, il parlamentare
βουνό, το la montagna
βούτυρο, το il burro
βραδιά, η la serata
βραδινό, το la cena
βραδινός (-ή -ό) serale
βράδυ, το la sera
βραστός (-ή -ό) bollito, lesso
βράχος, ο la roccia
Βρετανία, η la Gran Bretagna
βρέχει piove
βρίσκεται si trova
βρίσκω trovare
Βρυξέλλες, οι Bruxelles
βρώμικος (-η -ο) sporco
βυσσινής (-ιά -ί) purpureo

Γ γ

γάλα, το il latte
γαλάζιος (-α -ο) azzurro, celeste
γαλανός (-ή -ό) azzurro, celeste
γαλέος, ο il palombo
Γαλλία, η la Francia
γαλλικά, τα il francese (ling.)
γαλλικός (-ή -ό) francese
Γάλλος (-ίδα) francese-a (di pers.)
γαρίδα, η il gambero
γάτα, η la gatta
γαύρος, ο l'acciuga, l'alice
γεια ciao
γεια σου/σας ciao, salve
γειτονιά, η il vicinato // il rione
γελάω (-ώ) ridere
γέλιο, το il riso, la risata
(έχει) γέλιο è buffo
γεμάτος (-η -ο) pieno
γεμιστά, τα pomodori e peperoni ripieni
γενέθλια, τα il compleanno

Γενεύη, η Ginevra
γένια, τα la barba
γενικά in generale
γενικότερα più in generale
Γερμανία, η la Germania
γερμανικά, τα il tedesco (ling.)
γερμανικός (-ή -ό) tedesco (di cose)
Γερμανός (-ίδα) tedesco-a (di pers.)
γεύση, η il sapore
γεωργικός (-ή -ό) agricolo
για per
γιαούρτι, το lo yogurt
γιαπωνέζικα, τα il giapponese (ling.)
γιαπωνέζικος (-η -ο) giapponese
Γιαπωνέζος (-έζα) giapponese (di pers.)
για την ακρίβεια per l'esattezza
γιατί perché
γιατρός, ο/η medico
γίγαντες, οι i fagioloni
γίνομαι diventare // succedere, avvenire
γιορτάζω celebrare, festeggiare
γιος, ο il figlio
γιουβέτσι, το pietanza di carne e pasta al forno
γκαράζ, το il garage
γκαρσονιέρα, η la garçonniere
γκούντα, η Gouda (formaggio)
γκρίζος (-α -ο) grigio
γλώσσα, η la lingua
γνωστή, η la conoscente
γνωστός, ο il conoscente
γνωστός (-ή -ό) conosciuto, noto
γονείς, οι i genitori
γόπα, η la boga
γουρουνόπουλο, το il maialino da latte
γούστο, το il gusto
γραβάτα, η la cravatta
γραβιέρα, η Gruviere (formaggio)
γράμμα, το la lettera
γραμμάριο, το il grammo
γραμματέας, ο/η il segretario / la segretaria
γραμματική, η la grammatica
γραμματόσημο, το il francobollo
γραφείο, το l'ufficio // la scrivania
γραφικός (-ή -ό) pittoresco
γράφω scrivere
γρήγορα velocemente
γρήγορος (-η -ο) veloce, rapido
γυαλιά, τα gli occhiali
γυμνάσιο, το il Ginnasio (le Medie)
γυμναστήριο, το la palestra
γυναίκα, η la donna // la moglie
γυρεύω cercare
γυρίζω girare // ritornare
γύρω intorno
γωνία, η l'angolo

Δ δ

Δανία, η la Danimarca
δασκάλα, η la maestra
δάσκαλος, ο il maestro
δεικτικός (-ή -ό) dimostrativo (gr.)
δείχνω mostrare, indicare // sembrare
δέκα dieci

δεκαέξι sedici
δεκαεννιά (δεκαεννέα) diciannove
δεκαεφτά (δεκαεπτά) diciassette
δεκαοχτώ (δεκαοκτώ) diciotto
δεκαπέντε quindici
δεκατέσσερις (-ις -α) quattordici
δέκατος (-η -ο) decimo
δεκατρείς (-είς -ία) tredici
Δεκέμβριος, ο Dicembre
δέμα, το il pacco
δεν non
δεξιά a destra
δεσποινίς, η la signorina
Δευτέρα, η Lunedì
δευτερόλεπτο, το il secondo
δεύτερος (-η -ο) secondo
δέχομαι accettare
δηλαδή cioè, vale a dire
δημοκρατία, η la democrazia // la repubblica
δημοσιογράφος, ο/η il/la giornalista
δημοτικό, το la scuola elementare
δημοτικός (-ή -ό) comunale, municipale
διαβάζω leggere // studiare
διαβατήριο, το il passaporto
διαγωνισμός, ο il concorso
διακοπές, οι le vacanze
διακόσιοι (-ες -α) duecento
διαλέγω scegliere
διάλειμμα, το l'intervallo
διάλεξη, η la conferenza
διάλογος, ο il dialogo
διαμέρισμα, το l'appartamento
διάφοροι (-ες -α) vari, diversi
διδάσκω insegnare
διεθνής (-ής -ές) internazionale
διερμηνέας, ο/η l'interprete
διεύθυνση, η l'indirizzo // la direzione
διευθυντής, ο il direttore
διευθύντρια, η la direttrice
δικηγόρος, ο/η l'avvocato
δίκλινος (-η -ο) la stanza doppia
δικός (-ή -ό) μου mio
δίνω dare
δίπλα accanto
διπλανός (-ή -ό) adiacente, della porta accanto
διπλωμάτης, ο il diplomatico
δισκάδικο, το il negozio di dischi
δίσκος, ο il disco // il vassoio
διψάω (-ώ) avere sete
δοκιμάζω provare // assaggiare
δολ(λ)άριο, το il dollaro
δόξα, η la gloria
δουλειά, η il lavoro
δουλειές, οι le cose da fare
δουλεύω lavorare
δραχμή, η la dracma
δρόμος, ο la strada
δροσιά, η il fresco
δυάρι, το il bilocale
δυνατά forte // a voce alta
δυνατός (-ή -ό) forte, potente
δύο due
δύση, η l'ovest

Vocabolario

δύσκολος (-η -ο) difficile
δυστυχώς sfortunatamente, purtroppo
δυτικά a ovest
δώδεκα dodici
δωδέκατος (-η -ο) dodicesimo
δωμάτιο, το la stanza
δώρο, το il regalo, il dono

Ε ε

εβδομάδα, η la settimana
εβδομήντα settanta
έβδομος (-η -ο) settimo
έγινε! fatto! va bene!
εγώ io
εδώ qui
εθνικός (-ή -ό) nazionale
εθνικότητα, η la nazionalità
είδος, το il genere, il tipo
εικόνα, η la pittura // l'icona
είκοσι venti
εικοσ(ι)τετράωρο, το le 24 ore
εικοστός (-ή -ό) ventesimo
είμαι essere
εισιτήριο, το il biglietto
είσοδος, η l'entrata
εκατό cento
εκατομμύριο, το il millione
(τα) (ε)κατοστίζω compiere cent'anni
εκδρομή, η la gita, l'escursione
εκεί lì
εκείνος (-η -ο) quello
έκθεση, η la mostra // la fiera
εκκλησία, η la chiesa
έκταση, η l'area
έκτος (-η -ο) sesto
εκπτώσεις, οι i saldi
έκφραση, η l'espressione
Ελβετία, η la Svizzera
ελβετικός (-ή -ό) svizzero
Ελβετός (-ίδα) svizzero-a (di pers.)
ελευθερία, η la libertà
ελεύθερος (-η -ο) libero // non sposato
ελιά, η l'olivo // l'oliva
Ελλάδα, η la Grecia
Έλληνας (-ίδα) greco-a (di pers.)
ελληνικά, τα il greco (ling.)
ελληνικός (-ή -ό) greco
εμείς noi (nomin.)
έμπειρος (-η -ο) esperto
εμπορικός (-ή -ό) commerciale
εμπρός pronto (al tel.)
ένα uno-a // art. indet. neut.
ένας uno-a // art. indet. masc.
ένατος (-η -ο) nono
ενδέκατος (-η -ο) undicesimo
ενδιαφέρομαι essere interessato, interessarsi
ενδιαφέρων (-ουσα -ον) interessante
ενενήντα novanta
ενεργητική (φωνή), η voce attiva (gr.)
ενεστώτας, ο il presente indicativo (gr.)
ενικός, ο singolare (gr.)
εννιά (εννέα) nove

εννιακόσιοι (-ες -α) novecento
ενοικιάζεται si affitta, in affitto
ενοίκιο, το l'affitto
εντάξει va bene
έντεκα undici
εντράδα, η piatto di carne con verdura
έντυπο, το il modulo
ενώ mentre
ένωση, η l'unione
(ε)ξαδέλφη, η la cugina
(ε)ξάδελφος, ο il cugino
εξαιρετικός (-ή -ό) eccellente, eccezionale
εξακολουθητικός (-ή -ό) continuo
εξακόσιοι (-ες -α) seicento
εξήντα sessanta
εξής, το/τα il seguente, i/le seguenti
έξι sei
εξπρές espresso postale
εξυπηρετικός (-ή -ό) servizievole // conveniente
εξυπηρετώ servire // essere conveniente
έξυπνος (-η -ο) intelligente, sveglio
έξω fuori,
εξωτερικός (-ή -ό) esterno, esteriore
εξωτικός (ή -ό) esotico
επανάληψη, η il ripasso // la ripetizione
επί per (moltiplic.)
επιγραφή, η l'epigrafe // l'insegna
επίθετο, το l'aggettivo
επικοινωνώ comunicare
έπιπλο, το il mobile
επιπλωμένος (-η -ο) ammobiliato
επίσης inoltre
επισκέπτομαι visitare
επιστροφή, η il ritorno
επιτάφιος, ο la processione del Venerdì Santo
επιτυχία, η il successo
επόμενος (-η -ο) seguente
επομένως quindi, di conseguenza
εποχή, η la stagione
επώνυμο, το il cognome
εργασία, η il lavoro // lo studio
εργατικός (-ή -ό) lavoratore
έργο, το l'opera // il film
έρχομαι venire
ερχόμενος (-η -ο) prossimo
ερωτευμένος (-η -ο) innamorato
ερωτηματικός (-ή -ό) interrogativo (gr.)
ερώτηση, η la domanda
εσείς voi // lei, loro (forma di cortesia)
(ε)σένα te
εσπρέσο, το il caffè (espresso)
εστιατόριο, το il ristorante
εσύ tu
εταιρεία, η la società, la compagnia
ετοιμάζω preparare
έτοιμος (-η -ο) pronto
έτος, το l'anno
έτσι così, in questo modo
ευγενικός (-ή -ό) gentile
ευκαιρία, η l'occasione, l'opportunità
εύκολος (-η -ο) facile
ευρώ, το l'euro
ευρωπαϊκός (-ή -ό) europeo

Ευρώπη, η l'Europa
ευτυχώς fortunatamente, per fortuna
ευχαριστημένος (-η -ο) contento, soddisfatto
ευχάριστος (-η -ο) piacevole
ευχαριστώ grazie // ringraziare
(ε)φέτος quest'anno
έχει δροσιά fa fresco
εφημερίδα, η il giornale, il quotidiano
εφτά (επτά) sette
εφτακόσιοι (-ες -α) settecento
(ε)χθές ieri
έχει γέλιο è buffo
έχει πλάκα è divertente
έχω avere
έως fino

Ζ ζ

ζαμπόν, το il prosciutto cotto
ζάχαρη, η lo zucchero
ζαχαροπλαστείο, το la pasticceria
ζέστη, η il caldo
ζεστός (-ή -ό) caldo
ζευγάρι, το la coppia // il paio
ζητάω (-ώ) chiedere // domandare
ζυγίζω pesare
ζυμαρικά, τα la pasta
Ζυρίχη, η Zurigo
ζω vivere, essere in vita
ζώο, το l'animale
ζωή, η la vita
ζώνη, η la cintura

Η η

η art. fem. sing.
ή o
ηθοποιός, ο l'attore
ηλεκτρικός (-ή -ό) elettrico
ηλεκτρολόγος, ο l'elettricista
ηλιακός θερμοσίφωνας, ο il pannello solare
ηλικία, η l'età
ήλιος, ο il sole
(η)μέρα, η il giorno
ημερολόγιο, το il calendario // il diario
ημιυπόγειος (-α -ο) seminterrato
ημιώροφος, ο l'ammezzato
Η.Π.Α., οι gli U.S.A.
ησυχία, η la quiete
ήσυχος (-η -ο) quieto, tranquillo

Θ θ

θα particella del futuro indicativo
θάλασσα, η il mare
θαλασσινά, τα i frutti di mare
θαλάσσιος (-α -ο) marino
θέα, η la vista
θέατρο, το il teatro
θεία, η la zia
θείος, ο lo zio
θέλω volere
Θεός, ο Dio
θερινός (-ή -ό) estivo

θέρμανση, η il riscaldamento
θερμοκρασία, η la temperatura
θερμοσίφωνας, ο lo scaldabagno
θερμοσίφωνο, το lo scaldabagno
θέση, η il posto // la posizione
Θεσσαλία, η la Tessaglia
Θεσσαλονίκη, η Salonicco
θηλυκός (-ιά -ό) femminile
θόρυβος, ο il rumore
θυμάμαι ricordare
θυρίδα, η lo sportello

Ι ι

Ιανουάριος, ο Gennaio
Ιαπωνία, η il Giappone
ιαπωνικός (-ή -ό) giapponese
ιατρικός (-ή -ό) medico, di medicina
ιδιοκτήτης, ο il proprietario
ιδιοκτήτρια, η la proprietaria
ίδιος (-α -ο) stesso
ιδιωτικός (-ή -ό) privato
Ι.Κ.Α. Ente di Assistenza Sanitaria
Ινδία, η l'India
ινδικός (-ή -ό) indiano
Ινδός (-ή) indiano-a (di pers.)
Ιόνιο (πέλαγος), το lo Ionio
Ιούλιος, ο Luglio
Ιούνιος, ο Giugno
Ιρλανδία, η l'Irlanda
Ιρλανδός (-έζα) irlandese-a (di pers.)
ίσιος (-α -ο) diritto, piano
ισόγειο, το il pianterreno
Ισπανία, η la Spagna
ισπανικά, τα lo spagnolo (ling.)
ισπανικός (-ή -ό) spagnolo
Ισπανός (-ίδα) spagnolo-a (di pers.)
Ισραήλ, το Israele
ισχύω vigere, essere valido, essere in vigore
ίσως forse
Ιταλία, η l'Italia
ιταλικά, τα l'italiano (ling.)
ιταλικός (-ή -ό) italiano
Ιταλός (-ίδα) italiano-a (di pers.)

Κ κ

κ.α. ecc.
καθαριστήριο, το la lavanderia
καθαρός (-ή -ό) pulito
κάθε ogni
καθένας (καθεμιά/καθένα) ognuno, ciascuno
κάθετα verticalmente, perpendicolarmente
καθηγητής, ο il professore, l'insegnante
καθηγήτρια, η la professoressa, l'insegnante
καθημερινά ogni giorno
καθόλου affatto
κάθομαι sedersi, stare seduto // abitare
καθρέφτης, ο lo specchio
και e
καινούργιος (-α -ο) nuovo
Κάιρο, το il Cairo
καιρός, ο li tempo

κακό, το il male
καλά bene
καλαμαράκι, το il calamaretto
καλημέρα buongiorno
καλησπέρα buonasera
Καλιφόρνια, η la California
Καλκούτα, η Calcutta
καλοκαίρι, το l'estate
καλοριφέρ, το il calorifero
καλός (-ή -ό) buono
κάλτσα, η la calza
καλ(τ)σόν, το il collant
καλύτερα meglio
καλώ chiamare // invitare
καμιά φορά talvolta, qualche volta
Καμπέρα, η Camberra
καμπίνα, η la cabina
Καναδάς, ο il Canada
καναδικός (-ή -ό) canadese
Καναδός (-έζα) canadese-a (di pers.)
κανένας (καμιά/κανένα) qualche // nessuno
κάνει costa
κανονίζω fissare, organizzare, combinare
κανονικά normalmente
κάνω fare
καπέλο, το il cappello
καπνίζω fumare
κάποιος (-α -ο) qualcuno
καπουτσίνο, το il cappuccino
κάπως piuttosto // in un certo modo
καράφα, η la caraffa
καραφάκι, το la caraffetta (per ouzo o vino)
καρδιολόγος, ο il cardiologo
καρέκλα, η la sedia
καρμπονάρα, η la carbonara (spaghetti)
καρότο, το la carota
καρπούζι, το l'anguria, il cocomero
κάρτα, η la cartolina postale
(πιστωτική) κάρτα, η la carta di credito
καρυδόπιτα, η la torta di noci
κασέτα, η la cassetta
κασετόφωνο, το il mangianastri, il registratore
καστανός (-ή -ό) castano
κατά verso
κατάδυση, η l'immersione // il tuffo
κατάθεση, η il deposito
καταλαβαίνω capire
κατάλληλος (-η -ο) adatto, idoneo
κατάλογος, ο la lista, il menu
καταπληκτικός (-ή -ό) fantastico, splendido
κατάσταση, η la situazione
κατάστημα, το il negozio
καταφατικός (-ή -ό) affermativo
κατεπείγων (-ουσα -ον) urgentissimo
κάτι qualcosa // certi, alcuni
κάτοικος, ο l'abitante
(τα) (ε)κατοστίζω compiere cent'anni
κατσαβίδι, το il cacciavite
κατσαρός (-ή -ό) riccio
κάτω sotto, giù
καφέ marrone
καφέ, το il caffè (il posto)
καφές, ο il caffè

καφετής (-ιά -ί) marrone, color caffè
κείμενο, το il testo, il brano
κενό, το il vuoto // la lacuna
κεντρικός (-ή -ό) centrale
κέντρο, το il centro
κεραμικό, το oggetto in ceramica
κεράσι, το la ciliegia
κερδίζω vincere, guadagnare
Κέρκυρα, η Corfù
κερνάω (-ώ) offrire
κεφαλαίο (γράμμα) maiuscolo
κέφι, το il buonumore, l'allegria // la voglia
κήπος, ο il giardino
κι e (forma contr.)
κιλό, το il chilo
κιμάς, ο la carne tritata
Κίνα, η la Cina
κινέζικα, τα il cinese (ling.)
κινέζικος (-η -ο) cinese (di cose)
Κινέζος (-έζα) cinese (di pers.)
κινηματογράφος, ο il cinematografo
κινητό, το il (telefono) cellulare
κίτρινος (-η -ο) giallo
κλασικός (-ή -ό) classico
κλειδί, το la chiave
κλείνω chiudere // prenotare
κλειστός (-ή -ό) chiuso
κλίμα, το il clima
κλινική, η la clinica
κλίνω declinare, coniugare (gr.)
κοιμάμαι dormire
κοινότητα, η la comunità
κοινόχρηστα, τα le spese di condominio
κοιτάζω guardare
κοκκινιστό, το la carne in salsa rossa
κόκκινος (-η -ο) rosso
κολλάω (-ώ) attaccare, incollare
κολοκύθι, το lo zucchino
κόλπος, ο il golfo
κολυμβητήριο, το la piscina
κολυμπάω (-ώ) nuotare
κομμάτι, το il pezzo
κομπιούτερ, ο/το il computer
κομψός (-ή -ό) elegante
κοντά vicino
κοντός (-ή -ό) corto, basso
κοπέλα, η la ragazza
κόρη, η la figlia
κορίτσι, το la ragazza
κορόνα, η la corona
κόσμημα, το il gioiello
κοσμικός (-ή -ό) mondano, di mondo
κόσμος, ο il mondo
κοστίζω costare
κοστούμι, το l'abito a giacca (da uomo)
κοτόπουλο, το il pollo
κουζίνα, η la cucina
κουκέτα, η la cuccetta
κούκλα, η la bambola
κουταλάκι, το il cucchiaino
κουτάλι, το il cucchiaio
κουτί, το la scatola
κρασί, το il vino
κρατάω (ώ) tenere // durare

Vocabolario

κρατικός (-ή -ό) statale, pubblico
κρέας, το la carne
κρεατικά, τα le carni
κρεβάτι, το il letto
κρεβατοκάμαρα, η la camera da letto
κρέμα, η la panna // la crema
Κρήτη, η Creta
κρίμα! peccato!
κροκόδειλος, ο il coccodrillo
κρουασάν, το il croissant, il cornetto
κρύο, το il freddo
κρύος (-α -ο) freddo
κρυφός (-ή -ό) segreto, nascosto
κτήριο, το l'edificio
κτητικός (-ή -ό) possessivo (gr.)
κτλ. ecc.
Κυκλάδες, οι le Cicladi
κυκλοφορώ circolare
κυρία, η la signora
Κυριακή, η Domenica
κύριος, ο il signore
κύριος (-α -ο) principale
κώδικας, ο il codice
Κωνσταντινούπολη, η Costantinopoli,
  Istanbul

Λ λ

λαδερό, το ortaggi o legumi cucinati con olio
λάδι, το l'olio
λάθος, το l'errore, lo sbaglio
(είναι) λάθος è sbagliato
λαϊκός (-ή -ό) popolare, del popolo
λάμπα, η la lampada
λαχανικά, τα le verdure, gli ortaggi
λεβ, το il lev
λέγομαι chiamarsi
λειτουργία, η la messa // la funzione
λειτουργώ funzionare, essere in funzione
λεμόνι, το il limone
λέξη, η la parola
λεξικό, το il dizionario
λεπτό, το il minuto
λεπτός (-ή -ό) sottile, magro
λέσχη, η il club, il circolo
λευκός (-ή -ό) bianco
Λευκωσία, η Nicosia
λεφτά, τα i soldi
λέω dire
λεωφορείο, το l'autobus
λεωφόρος, η il viale
λιακάδα, η il bel tempo, la giornata di sole
Λίβανος, ο il Libano
λίβινγκ ρουμ il soggiorno
λίγο poco, un po'
λίγοι (-ες -α) pochi
λίγος (-η -ο) poco
λιγότερο (di) meno
λιμάνι, το il porto
λίμνη, η il lago
λίρα, η la sterlina
λίστα, η la lista
λογαριασμός, ο il conto
λόγια, τα le parole

λογικός (-ή -ό) logico, ragionevole
λογιστής, ο il contabile
λογιστήριο, το l'ufficio contabilità
λόγος, ο la ragione, il motivo
λοιπόν quindi, dunque, allora
Λονδίνο, το Londra
λουκάνικο, το la salsiccia
λουλούδι, το il fiore
λουξ di lusso
Λουξεμβούργο, το il Lussemburgo
λουτρό, το il bagno
λύκειο, το il Liceo
λυπάμαι dispiacersi, essere dispiaciuto
λυπημένος (-η -ο) triste, addolorato
Λωζάνη, η Losanna

Μ μ

μα ma
μαγαζί, το il negozio
μαγειρεύω cucinare
μαγειρίτσα, η zuppa d'interiora d'agnello
Μαδρίτη, η Madrid
μαζί insieme
μαθαίνω imparare // venire a sapere
μάθημα, το la lezione
μαθηματικός, ο il matematico
μαθητής, ο l'allievo, lo studente
μαθήτρια, η l'allieva, la studentessa
Μάιος, ο Maggio
μακαρόνια, τα gli spaghetti
μακριά lontano
μακρύς (-ιά -ύ) lungo
μαλακός (-ή -ό) morbido // mite
μάλιστα sì (formale) // anzi // addirittura
μαλλί, το la lana
μαλλιά, τα i capelli
μάλλον piuttosto // probabilmente
μάνα, η la madre, la mamma
μανάβης, ο fruttivendolo
μανάβικο, το il negozio di frutta e verdura
μανιτάρι, το il fungo
μανούρι, το tipo di formaggio bianco cremoso
μανταρίνι, το il mandarino
μαντεύω indovinare
(μ') αρέσει (mi) piace
μαρίδα, η il bianchetto, il zerro
μαρκαδόρος, ο il pennarello
μαρούλι, το la lattuga
Μάρτιος, ο Marzo
μας nostro-a, nostri-e
Μασσαλία, η Marsiglia
μάτι, το l'occhio
μαύρος (-η -ο) nero
με con // mi (pr. dir. accus.)
Μεγάλη Πέμπτη, η Giovedì Santo
μεγάλος (-η -ο) grande, largo // vecchio
μεζές, ο lo stuzzichino, lo spuntino
μεθαύριο dopodomani
Μελβούρνη, η Melbourne
μέλι, το il miele
μελιτζάνα, η la melanzana
μελιτζανοσαλάτα, η purea di melanzane
μέλλον, το il futuro, l'avvenire

μέλλοντας, ο il futuro indicativo (gr.)
μέλος, το il membro
μένω stare // abitare, vivere
μεξικάνικος (-η -ο) messicano
Μεξικανός (-ή) messicano-a (di pers.)
Μεξικό, το il Messico
μέρα, η il giorno
μερικοί (-ές -ά) alcuni
μέρος, το la parte
μέσα dentro
μεσάνυχτα, τα la mezzanotte
μεσημέρι, το il mezzogiorno, il primo
  pomeriggio
μεσημεριανό, το il pranzo
μεσογειακός (-ή -ό) mediterraneo
Μεσόγειος, η il Mediterraneo
με συγχωρείτε mi scusi, scusatemi
μετά dopo
μεταβατικό ρήμα, το transitivo (verbo) (gr.)
μετανάστης, ο l'emigrante
μεταξύ tra (fra)
μετοχή, η il participio (gr.)
μετρητά, τα i contanti
μέτρο, το il metro // la misura
μετρό, το la metropolitana
μέχρι fino
μηδέν lo zero
μήλο, το la mela
μηλόπιτα, η la torta di mele
μήνας, ο il mese
μήπως forse, forse che (solo in interr. dirette)
μητέρα, η la madre
μηχανή, η la macchina // il motore //
  la motocicletta // la macchina fotografica
μηχανικός, ο/η l'ingegnere
μια uno-a // art. indet. fem.
μιάμιση l'una e mezzo
μια χαρά bene, molto bene
μικρός (-ή -ό) piccolo // giovane
Μιλάνο, το Milano
μιλάω parlare
μ.μ. p.m.
μίνι μάρκετ, το il mini-market
μισθός, ο lo stipendio
μισός (-ή -ό) mezzo
μνημείο, το il monumento
μοκέτα, η la moquette
μολύβι, το la matita
μοναστήρι, το il monastero, il convento
Μόναχο, το Monaco
μόνο solo, soltanto
μονοκατοικία, η la casa unifamiliare
μονόκλινος (-η -ο) singolo, con un solo letto
μοντέρνος (-α -ο) moderno
μορφωμένος (-η -ο) colto, istruito
Μόσχα, η Mosca
μοσχάρι, το il vitello
μου mio-a, miei, mie
μουσείο, το il museo
μουσική, η la musica
μουστάκι, το il baffo
μπαίνω entrare
μπακάλικο, το la salumeria, la drogheria
μπακλαβάς, ο dolce di pasta sfoglia con
  noci e sciroppo

μπαλκόνι, το il balcone
μπαλόνι, το il pallone
μπάμιες, οι i cornetti greci
μπανάνα, η la banana
μπάνιο, το il bagno
μπαρ, το il bar, il caffè
μπαρμπούνι, το la triglia (di scoglio)
μπάσκετ, το la pallacanestro
μπαχαρικά, τα le spezie
μπεζ beige
μπέρδεμα, το la confusione, il guazzabuglio
μπερδεύω confondere
μπίρα, η la birra
μπιφτέκι, το la polpetta
μπλε blu
μπλούζα, η la blusa
μπλουζάκι, το la maglietta
μπορεί può darsi
μπορντό bordeaux *(colore)*
μπορώ potere
μπουζούκι, το il "bouzouki" (strum. mus. tradiz.)
μπουκάλι, το la bottiglia
μπουτίκ, η la boutique
μπράβο! bravo, complimenti
μπριάμ, το verdure miste al forno
μπριζόλα, η la bistecca, la braciola
μπρίκι, το il bricco
μπροστά davanti, di fronte
μύλος, ο il mulino
μοβ viola

N ν

να a, per
ναι si
ναός, ο il tempio
Νέα Υόρκη, η New York
νέος (-α -ο) giovane // nuovo
νερό, το l'acqua
νησί, το l'isola
Νοέμβριος, ο Novembre
νομίζω credere, pensare
Νορβηγία, η la Norvegia
νορβηγικός (-ή -ό) norvegese
νοσοκόμα, η l'infermiera
νοσοκόμος, ο l'infermiere
νοσοκομείο, το l'ospedale
νόστιμος (-η -ο) saporito, gustoso // carino
νότια a sud
νοτιοανατολικά a sudest
νότος, ο il sud
νούμερο, το il numero
ντίσκο, η il disco
ντολμαδάκια, τα involtini di foglie di vite
ντομάτα, η il pomodoro
ντουλάπα, η l'armadio
νυστάζω avere sonno
νωρίς presto, di buon'ora

Ξ ξ

(ε)ξαδέλφη, η la cugina
(ε)ξάδελφος, ο il cugino
ξανά di nuovo, ancora una volta
ξανθός (-ή -ό) biondo
ξεκινάω (-ώ) iniziare, avviare // avviarsi
ξένη, η la straniera, l'estranea
ξένος, ο lo straniero, l'estraneo
ξενοδοχείο, το l'albergo
ξένος (-η -ο) straniero, estero
ξέρω sapere
ξεχνάω (-ώ) dimenticare
ξεχωριστός (-ή -ό) separato, distinto
ξιφίας, ο il pesce spada
ξύδι (ξίδι), το l'aceto
ξυπνάω (-ώ) svegliare, svegliarsi

Ο ο

ο *artic. masc. sing.*
ογδόντα ottanta
όγδοος (-η -ο) ottavo
οδηγώ guidare
οδός, η via, strada
οικογένεια, η la famiglia
οικονομία, η l'economia // il risparmio
οικονομικός (-ή -ό) economico
Οκτώβριος, ο Ottobre
Ολλανδία, η l'Olanda
ολλανδικά, τα l'olandese *(ling.)*
Ολλανδός (-έζα) olandese-a *(di pers.)*
όλοι (-ες -α) tutti
όλος (-η -ο) tutto, intero
ομάδα, η il gruppo, la squadra
ομιλία, η la conferenza, il discorso
ομορφιά, η la bellezza
ομπρέλα, η l'ombrello
όμως comunque, tuttavia
όνομα, το il nome
ονομασία, η la denominazione
ονομαστική, η nominativo *(gr.)*
όποιος (-α -ο) chi, colui che
όπου dove, dovunque
όπως come
οπωσδήποτε senz'altro, assolutamente
όργανο, το lo strumento musicale, l'organo
ορεινός (-ή -ό) montuoso, montano
ορεκτικό, το l'antipasto
όρεξη, η l'appetito // la voglia
οριζόντια orizzontalmente
ορισμένος (-η -ο) certo, deteminato
ορίστε prego
οριστικός (-ή -ό) definitivo
οροφοδιαμέρισμα, το appartamento che occupa un intero piano
όροφος, ο il piano
όσο quanto
όταν quando
ΟΤΕ, ο l'Ente Ellenico delle Telecomunicazioni
ό,τι tutto ciò che, qualsiasi cosa
ότι che
Ουγγαρία, η l'Ungheria
Ουγγαρέζος (-έζα) ungherese *(di pers.)*
ουδέτερος (-η -ο) neutro (gr.) // neutrale
ούζο, το l'ouzo (bevanda all'anice)
ουρά, η la coda, la fila

ουσιαστικό, το il sostantivo *(gr.)*
ούτε né // neanche, neppure
όχι no, non
οχτακόσιοι (-ες -α) ottocento
οχτώ (οκτώ) otto

Π π

παγάκι, το il cubetto di ghiaccio
πάγος, ο il ghiaccio
(κάνει) παγωνιά fa molto freddo
παθητική (φωνή), η voce passiva *(gr.)*
παθητικός (-ή -ό) passivo
παϊδάκι, το la costoletta d'agnello
παιδί, το il bambino
παιδικός (-ή -ό) per bambini, infantile
παίζω giocare // recitare // suonare
παίρνω prendere
πακέτο, το il pacchetto
πάλι di nuovo, nuovamente
παλιός (-ά -ό) vecchio
πανσιόν, η la pensione
πάντα sempre
πάντα, τα tutto, ogni cosa
παντελόνι, το (un paio di) pantaloni
παντζούρι, το la persiana, l'imposta
παντρεμένος (-η -ο) sposato
παντού ovunque
πάνω su, sopra
παπουτσάκια, τα melanzane ripiene al forno
παπούτσι, το la scarpa
παρά meno *(di ora)*
παραγγέλνω ordinare
παράγραφος, η il paragrafo
παράγω produrre
παράδειγμα, το l'essempio
παραθετικό, το il comparativo *(gr.)*
παράθυρο, το la finestra
παρακαλώ per favore, prego // pregare
παρακάτω più in giù, più avanti // di seguito
παραλία, η la spiaggia, il litorale
παράλληλα nel contempo // parallelamente
παράξενος (-η -ο) strano, insolito
παραπάνω più su, di sopra // in più
Παρασκευή, η Venerdì
παράσταση, η la rappresentazione
παρέα, η la compagnia
παρένθεση, η la parentesi
Παρίσι, το Parigi
παρκαρισμένος (-η -ο) parcheggiato
παρκάρω parcheggiare
πάρκι(ν)γκ, το il parcheggio, il posteggio
πάρκο, το il parco
πάρτι, το la festa, il party
πάστα, η la pasta *(dolce)*
παστίτσιο, το pasta con carne trita e besciamella al forno
Πάσχα, το la Pasqua
πατάτα, η la patata
πατέρας, ο il padre
Πάτρα, η Patrasso
πατρίδα, η la patria
πάω (πηγαίνω) andare

Vocabolario

πέδιλο, το il sandalo
πεζόδρομος, ο la zona pedonale
πεινάω (-ώ) avere fame
πειράζει importa, ha importanza
Πειραιάς, ο il Pireo
Πεκίνο, το Pechino
πέλαγος, το il mare
πελάτης, ο il cliente
πελάτισσα, η la cliente
Πελοπόννησος, η il Peloponneso
Πέμπτη, η Giovedì
πέμπτος (-η -ο) quinto
πενήντα cinquanta
πεντακόσιοι (-ες -α) cinquecento
πεντάρι, το appartamento di cinque vani
πέντε cinque
πεπόνι, το il melone
περασμένος (-η -ο) passato, scorso
περί di, su, intorno
περιβάλλον, το l'ambiente
περιγράφω descrivere
περιλαμβάνω comprendere, includere
περιμένω aspettare, aspettarsi
περιοχή, η l'area, la zona
περιπέτεια, η l'avventura
περίπου circa, approssimativamente
περίπτερο, το il chiosco
περισσότεροι (-ες -α) più, maggiori
περνάω (-ώ) passare // trascorrere
περπατάω (-ώ) camminare
πέρ(υ)σι l'anno passato
πέτρα, η la pietra
πέφτω cadere
πηγαίνω (πάω) andare
πιάνει si ferma, tocca *(per navi)*
πιάτο, το il piatto
πιλάφι, το il riso pilaff
πίνακας, ο la pittura // la lavagna // la tabella
πίνω bere
πιο più
πιπέρι, το il pepe
πιπεριά, η il peperone
πισίνα, η la piscina
πίστα, η la pista
πιστωτική κάρτα, η la carta di credito
πιτσαρία, η la pizzeria
πλάγια (γράμματα), τα carattere corsivo
πλαίσιο, το la cornice, il quadro
(έχει) πλάκα è divertente
πλανήτης, ο il pianeta
πλαστικός (-ή -ό) di plastica
πλατεία, η la piazza
πλένω lavare
πληθυντικός, ο plurale *(gr.)*
πλην meno
πληροφορίες, οι le informazioni
πληρώνω pagare
πλησίον vicino a
πλοίο, το la nave
πλυντήριο, το la lavatrice
π.μ. a.m.
ποιος (-α -ο) quale, chi *(interr.)*
πόλη, η la città
πολίτης, ο/η il cittadino

πολιτικός (-ή -ό) politico // civile
πολλοί (-ές -ά) molti
πολύ molto
πολυθρόνα, η la poltrona
πολυκατοικία, η il palazzo, il condominio
πολύς (πολλή/ πολύ) molto
πολυτελής (-ής -ές) di lusso
πολωνέζικα, τα il polacco *(ling.)*
Πολωνία, η la Polonia
Πολωνός (-έζα) polacco-a *(di pers.)*
πονάω (-ώ) far male // provare dolore
ποντίκι, το il topo
πόρτα, η la porta
Πορτογαλία, η il Portogallo
πορτογαλικά, τα il portoghese *(ling.)*
Πορτογάλος (-έζα) portoghese-a *(di pers.)*
πορτοκαλάδα, η l'aranciata
πορτοκαλής (-ιά -ί) arancione
πορτοκάλι, το l'arancia
πορτοφόλι, το il portafoglio
πόσοι (-ες -α) quanti
πόσος (-η -ο) quanto
πότε quando *(interr.)*
ποτέ mai
ποτήρι, το il bicchiere
ποτό, το la bevanda, il liquore
που que *(pron. rel.)*
πού dove (interr.)
πουθενά da qualche parte *(interr.)* // da nessuna parte
πουκάμισο, το la camicia
πουλάω (-ώ) vendere
πούλμαν, το il pullman
πουλόβερ, το il maglione, il pullover
Πράγα, η Praga
πράγμα, το la cosa
πραγματικά veramente
πράξη, η l'azione, l'atto
πράσινος (-η -ο) verde
πρέπει bisogna, è necessario
πρεσβεία, η l'ambasciata
πρέσβης, ο l'ambasciatore
πριν prima
προάστιο, το il sobborgo
πρόβλημα, το il problema
προέλευση, η l'origine
προηγούμαι precedere // essere primo
προηγούμενος (-η -ο) precedente
πρόθεση, η la preposizione *(gr.)*
προϊόν, το il prodotto
προκαταβολή, η l'anticipo, l'acconto
πρόκειται για si tratta di
προλαβαίνω fare in tempo (a)
προορισμός, ο la destinazione, la meta
πρόπερσι due anni fa
προσδιορίζω determinare
προσδιοριστικός (-ή -ό) determinativo
προσεκτικά attentamente
προσέχω fare attenzione, stare attento
προσθέτω aggiungere
προσοχή, η l'attenzione
προσπαθώ cercare, provare, sforzarsi
προστακτική, η l'imperativo *(gr.)*
προσωπικός (-ή -ό) personale

προσωπικότητα, η la personalità
πρόσωπο, το la persona // il volto, il viso
πρόταση, η la proposizione *(gr.)*
προτιμάω (-ώ) preferire
προτίμηση, η la preferenza
προχθές (προχτές) l'altroieri, avantieri
πρωί, το il mattino
πρωί-πρωί mattino presto
πρωινό, το la colazione
πρώτα prima
πρωτεύουσα, η la capitale
πρώτος (-η -ο) primo
πτήση, η il volo
π.χ. p.e.
πωλείται in vendita, vendesi
πωλητής, ο il venditore, il commesso
πωλήτρια, η la venditrice, la commessa
πως che
πώς come // certamente

Ρ ρ

ραγού il ragù
ρακή, η acquavite
ραντεβού, το l'appuntamento
ραπανάκι, το il ravanello
ρεπό, το il giorno libero
ρέστα, τα il resto
ρετιρέ, το l'attico
ρήμα, το il verbo *(gr.)*
ροδάκινο, το la pesca
Ρόδος, η Rodi
ροζ rosa
ροκ, η la musica rock
ρολόι, το l'orologio
ρόλος, ο il ruolo
ρούβλι, το il rublo
ρούχα, τα gli abiti
ρόφημα, το la bevanda (calda)
Ρώμη, η Roma
ρωσικά, τα il russo *(ling.)*
ρωσικός (-ή -ό) russo
Ρώσος (-ίδα) russo-a *(di pers.)*
ρωτάω (-ώ) chiedere

Σ σ

Σάββατο, το Sabato
σαββατοκύριακο, το il fine settimana
σαγανάκι, το il formaggio fritto
σακάκι, το la giacca
σακούλα, η il sacchetto
σαλάτα, η l'insalata
σαλάμι, το il salame
σαλόνι, το il salotto
σάλτσα, η la salsa
σαμπουάν, το lo shampoo
σαν come
σαπούνι, το il sapone
σαράντα quaranta
σαρδέλα, η la sardina
σας vostro-a, vostri, vostre
σγουρός (-ή -ό) riccio
σε fra, in // ti *(pr. dir. accus.)*

σειρά, η il turno // la fila // la serie
σελίδα, η la pagina
Σεπτέμβριος, ο Settembre
σερβιτόρα, η la cameriera
σερβιτόρος, ο il cameriere
σέρφι(ν)γκ, το il windsurfing
σημαίνει significa
σημείο, το il punto
σημείωμα, το la nota, l'appunto // il biglietto
σημειώνω annotare, segnare
σημείωση, η la nota, l'appunto
σήμερα oggi
σιγά piano, adagio
σιγά-σιγά piano piano
σίγουρα sicuramente
σιδηροδρομικός (-ή -ό) ferroviario
Σικελία, η la Sicilia
σινεμά, το il cinema
σιτάρι, το il grano
σκάκι, το gli scacchi
σκεπάζω coprire
σκέτος (-η -ο) semplice, schietto, puro, senza latte e senza zucchero *(caffé)*
σκέφτομαι (σκέπτομαι) pensare
σκι, το lo sci
σκορδαλιά, η l'agliata
σκουπίδια , τα l'immondizia
σκυλί, το il cane
σοβαρά seriamente
σοκολάτα, η la cioccolata, il cioccolato
σου tuo-a, tuoi (tue)
σούβλα, η lo spiedo
σουβλάκι, το lo spiedino di carne
σουβλατζίδικο, το negozio che prepara e vende "suvlaki"
Σουηδία, η la Svezia
σουηδικά, τα lo svedese *(ling.)*
σουηδικός (-ή -ό) svedese
Σουηδός (-έζα) svedese-a *(di pers.)*
σούπα, η la zuppa
σουπερμάρκετ, το il supermercato
σουτζουκάκια, τα polpette fritte e cotte in sugo di pomodoro
Σόφια, η Sofia
σπάνια raramente, di rado
σπέσιαλ speciale
σπίρτο, το il fiammifero
σπίτι, το la casa
σπουδάζω studiare
σπουδαστής, ο lo studente
σπουδάστρια, η la studentessa
σταθμός, ο la stazione
σταματάω (-ώ) fermare, fermarsi
στάση, η la fermata
στατιστική, η la statistica
σταφύλι, το l'uva
σταυρόλεξο, το il cruciverba
σταχτής (-ιά -ί) cinereo, color cenere
στέλνω mandare, inviare, spedire
στενός (-ή -ό) stretto
στήλη, η la colonna, la rubrica
στιγμή, η il momento, l'attimo
στοιχεία, τα gli elementi // i dati
Στοκχόλμη, η Stoccolma

συγγενής, ο il parente
συγκρίνω paragonare
συγκριτικός, ο il comparativo *(gr.)*
συγνώμη scusa, scusi
συγχωρώ pardonare, scusare
συμβαίνει succede
συμμαθητής, ο il compagno di classe
συμμαθήτρια, η la compagna di classe
συμπαθητικός (-ή -ό) simpatico
συμπληρώνω completare
συμπόσιο, το il simposio
σύμφωνα με secondo
σύμφωνο, το la consonante *(gr.)*
συμφωνώ essere d'accordo
συναυλία, η il concerto
συνέδριο, το il convegno, il congresso
συνεργείο, το l'officina
συνέχεια (συνεχώς) continuamente, di continuo
συνεχίζω continuare
συνηθισμένος (-η -ο) usuale, comune
συνήθως di solito
συνθέτης, ο il compositore
συννεφιά, η la nuvolosità, il cielo nuvoloso
συνορεύω confinare
σύντροφος, ο/η il compagno
Συρία, η la Siria
συστημένος (-η -ο) raccomandato *(lettera)*
συστήνω presentare // racommandare
συχνά spesso
σχεδιάγραμμα, το la pianta, il disegno
σχεδόν quasi
σχέση, η il rapporto // la relazione
σχετικά relativamente // in relazione
σχηματίζω formare
σχολείο, το la scuola
σχολή, η la scuola, la facoltà
σωστά giusto, correttamente
σωστός (-ή -ό) giusto, corretto

Τ τ

ταβέρνα, η la taverna
τάβλι, το il backgammon
ταινία, η il film
ταιριάζω accoppiare, abbinare
ταμείο, το la cassa
ταμπέλα, η la tabella
τάξη, η la classe
ταξί, το il tassì
ταξιδεύω viaggiare
ταξίδι, το il viaggio
ταξιδιώτης, ο il viaggiatore, il passeggero
ταξιδιωτικός (-ή -ό) di viaggio
ταξινομώ classificare
ταραμοσαλάτα, η l'insalata di uova di pesce
τάρτα, η la torta, la crostata
τασάκι, το il portacenere
ταυτότητα, η l'identità // la carta d'identità
τάφος, ο la tomba
ταχυδρομείο, το la Posta
ταχυδρομώ imbucare, impostare
Τελ Αβίβ, το Tel Aviv
τελειώνω finire, terminare

τελευταία ultimamente, di recente
τελευταίος (-α -ο) ultimo
τελικά in fine, alla fine
τελικός (-ή -ό) finale
τέλος, το la fine
τεμάχιο, το il pezzo
τεμπέλης (-α -ικο) pigro
τέν(ν)ις, το il tennis
τεράστιος (-α -ο) enorme
τεσσάρι, το l'appartamento di quattro vani
τέσσερις (-ις -α) quattro
τεστ, το il test, il compito in classe, la prova d'esame
Τετάρτη, η Mercoledì
τέταρτο, το il quarto
τέταρτος (-η -ο) quarto
τετραγωνικός (-ή -ό) quadrato (metro ecc.)
τετράγωνο, το il quadrato // l'isolato
τετράγωνος (-η -ο) quadrato, quadro
τετράδιο, το il quaderno
τετρακόσιοι (-ες -α) quattrocento
τέχνη, η l'arte
τζάκι, το il camino
τζαμί, το la moschea
τζατζίκι, το insalata di yoghurt, aglio e cetriolo
τηγανητός (-ή -ό) fritto
τηλεόραση, η la televisione, il televisore
τηλεφωνικός (-ή -ό) telefonico
τηλέφωνο, το il telefono
τηλεφωνώ telefonare
της suo-a, suoi, sue
τι che (cosa)
τιμή, η il prezzo
τίποτε qualche cosa *(interr.)* // niente
τι συμβαίνει; che succede? qual è il problema?
το *art. neut. sing.*
το αργότερο al più tardi
Τόκιο, το Tokio
τόνος, ο il segnale // l'accento
το πολύ al massimo
τοστ, το il toast
τόσο così, tanto
τόσο... όσο tanto... quanto
τότε allora // in quel tempo
του suo-a, suoi, sue
τουαλέτα, η la toilette
τουλάχιστον almeno
τουρίστας, ο il turista
τουρίστρια, η la turista
τουριστικός (-ή -ό) turistico
Τουρκία, η la Turchia
τούρκικα, τα il turco *(ling.)*
τουρκικός (-ή -ό) turco
Τούρκος (-άλα) turco-a *(di pers.)*
του χρόνου il prossimo anno
τραμ, το il tram
τράπεζα, η la banca
τραπεζαρία, η la sala da pranzo
τραπέζι, το il tavolo
τραπεζικός, ο il bancario
τρένο, το il treno
τρεις/τρεις/τρία tre

Vocabolario

τριακόσιοι (-ες -α) trecento
τριάντα trenta
τριάρι, το l'appartamento di tre vani
Τρίτη, η Martedì
τρίτος (-η -ο) terzo
τροπικός (-ή -ό) modale, di modo
τρόπος, ο il modo, la maniera
τροχαία, η la polizia stradale
τρώω mangiare
τσάι, το il thè
τσάντα, η la borsa
τσιγάρο, το la sigaretta
τσιπούρα, η l'orata
τσουγκρίζω sbattere leggermente, urtare *(le uova)*
τσουρέκι, το dolce pasquale
Τυνησία, η la Tunisia
τυπογραφείο, το la tipografia
τύπος, ο il tipo, il genere
τυρί, το il formaggio
τυρόπιτα, η torta salata al formaggio
τυροπιτάκι, το la focaccina al formaggio
τυχερός (-ή -ό) fortunato
τώρα ora, adesso

Υ υ

υδραυλικός, ο l'idraulico
υπάλληλος, ο l'impiegato
υπάρχει c'è, esiste
υπάρχω esistere
υπερθετικός, ο il superlativo *(gr.)*
υπνοδωμάτιο, το la camera da letto
ύπνος, ο il sonno
υπόγειο, το la cantina, lo scantinato
υπογραφή, η la firma
υπογράφω firmare
υποκείμενο, το il soggetto *(gr.)*
υποκοριστικό, το il diminutivo
υπολογιστής, ο il computer
υπόλοιπος (-η -ο) rimanente, resto
υποτακτική, η il congiuntivo *(gr.)*
υφαντό, το il tessuto fatto al telaio
ύφασμα, το il tessuto, la stoffa

Φ φ

φάβα, η passato di piselli secchi
φαγητό, το il cibo
φαίνομαι apparire, sembrare
φάκελος, ο la busta // il fascicolo
φακός, ο la torcia, la pila
φαλακρός (-ή -ό) calvo
φανάρι, το il semaforo
φανελάκι, το la canottiera
φανερώνω rivelare, dimostrare
φαντάζομαι immaginare
φαρμακείο, το la farmacia
φαρμακευτικός (-ή -ό) farmaceutico
φάρμακο, το la medicina
φασολάκια, τα i fagiolini
Φεβρουάριος, ο Febbraio
φέρνω portare
φέτα, η "feta" (formaggio bianco) // la fetta

(ε)φέτος quest'anno
φεύγω partire, andare via
φθινόπωρο, το l'autunno
φιλάρες, οι i bacioni
φιλάω (-ώ) baciare
φίλη, η l'amica
φιλί, το il bacio
φιλικός (-ή -ό) amichevole
Φιλιππίνες, οι le Filippine
φιλμ, το il film
φίλος, ο l'amico
φιλότιμο, το l'amor proprio
Φλωρεντία, η Firenze
φοβάμαι avere paura, temere
φοιτητής, ο lo studente universitario
φοιτήτρια, η la studentessa universitaria
φορά, η la volta
φοράω (-ώ) indossare
φόρεμα, το il vestito
φόρος, ο la tassa, l'imposta
φούρνος, ο il forno
φούστα, η la gonna
φρα(ν)τζόλα, η il filone *(di pane)*
φράουλα, η la fragola
φραπέ, ο caffè istantaneo shakerato e servito freddo
φρέσκος (-ια -ο) fresco
φροντιστήριο, το la scuola privata
φρούριο, το la fortezza, il castello
φρούτο, το il frutto
φτάνω arrivare, giungere
φτηνός (-ή -ό) a buon mercato, economico
φτιάχνω fare, sistemare
φυλάω (-ώ) custodire // sorvegliare
φυσική, η la Fisica
φυσικός (-ή -ό) naturale
φωνή, η la voce
φωνήεν, το la vocale *(gr.)*
φωτεινός (-ή -ό) luminoso
φωτογραφικός (-ή -ό) fotografico

Χ χ

Χάγη, η l'Aia
χαίρετε salve // arrivederci
χαιρετίσματα, τα i saluti
χαίρομαι essere contento, rallegrarsi
χαίρω essere contento, rallegrarsi *(arc.)*
χαλάω (-ώ) rompersi, rovinare // cambiare *(denaro)*
χαλβάς, ο dolce a base di semolino
χαμηλός (-ή -ό) basso
χάνω perdere
χάρτης, ο la pianta
χαρτί, το la carta
χαρτιά, τα le carte
χαρτοπετσέτα, η η il tovagliolo di carta
χαρτοφύλακας, ο la cartella
χειμώνας, ο l'inverno
χήρα, η la vedova
χήρος, ο il vedovo
χθες ((ε)χτές) ieri
χίλιοι (-ες -α) mille
χιλιάδες mila // migliaia

χιλιομετρικός (-ή -ό) chilometrico
χιλιόμετρο, το il chilometro
χιόνι, το la neve
χιονίζει nevica
χοιρινός (-ή -ό) suino, di maiale
χολ, το l'ingresso
χοντρός (-ή -ό) grasso, grosso
χορεύω danzare, ballare
χόρτα, τα la verdura
χρειάζεται è necessario, bisogna
χρειάζομαι avere bisogno
χρησιμοποιώ usare, utilizzare
Χριστός Ανέστη Cristo è risorto *(arc.)*
χρόνια, τα gli anni
χρονικός (-ή -ό) temporale, di tempo
χρόνος, ο il tempo // l'anno
χρυσός (-ή -ό) d'oro
χρυσός, ο l'oro
χρώμα, το il colore
χρωματίζω colorare, tinteggiare
χρωματοπωλείο, το il negozio di vernici
χρωστάω (-ώ) essere debitore, dovere
χταπόδι, το il polpo
χυμός, ο il succo di frutta
χώρα, η il paese
χωριάτικος (-η -ο) paesano, alla contadina
χωρίζω separare
χωρισμένος (-η -ο) separato, divorziato
χωριστός (-ή -ό) separato
χώρος, ο lo spazio, il posto

Ψ ψ

ψάρι, το il pesce
ψαρόσουπα, η la zuppa di pesce
ψάχνω cercare
ψηλός (-ή -ό) alto
ψήνω cuocere, arrostire
ψητός (-ή -ό) cotto, arrostito
ψηφίο, το la cifra // la lettera
ψιλά, τα gli spiccioli
ψιχαλίζει pioviggina
ψυγείο, το il frigorifero
ψυχίατρος, ο lo psichiatra
ψυχολόγος, ο lo psicologo
(έχει/κάνει) ψύχρα fa fresco
ψωμί, το il pane
ψώνια, τα le spese, la spesa
ψωνίζω comprare

Ω ω

ώρα, η l'ora // il tempo
ωραίος (-α -ο) bello
ως fino (a)

Словарь

А α

αβγό (αυγό), το яйцо с
άγαλμα, το статуя ж
αγαπάω (-ώ) любить
αγάπη, η любовь ж
αγαπητός (-ή -ό) любимый, милый, дорогой (-ая -ое)
αγγελία, η 1. извещение с 2. объявление с
Αγγλία, η Англия
αγγλικά, τα английский язык
αγγλικός (-ή -ό) английский (-ая -ое)
Άγγλος (-ίδα) англичанин м, -ка ж
αγγούρι, το огурец м
αγία, η святая ж
άγιος, ο святой м
Άγκυρα, η Анкара
άγνωστη, η незнакомка ж
άγνωστος, ο незнакомец м
άγνωστος (-η -ο) незнакомый (-ая -ое)
αγορά, η базар м, покупка ж
αγοράζω покупать
αγόρι, το мальчик м
αδελφή, η сестра ж
αδελφός, ο брат м
αδύνατος (-η -ο) 1. слабый, худой 2. невозможный (-ая -ое)
αέρας, ο ветер м
αεροδρόμιο, το аэродром м
αεροπλάνο, το самолёт м
αεροπορικός (-ή -ό) самолётом, авиапочтой
Αθήνα, η Афины
Αιγαίο (πέλαγος), το Эгейское море
αιγυπτιακός (-ή -ό) египетский (-ая -ое)
Αιγύπτιος (-α) египтянин м, -ка ж
Αίγυπτος, η Египед
αίθουσα, η зал м
αίθριος (-α -ο) ясный, безоблачный (-ая -ое)
αιτιατική, η винительный падеж м
αιτιολογικά оправдательные, мотивирующие
ακολουθώ следовать за кем-либо
ακόμα ещё, пока
ακούω слушать, слышать
ακριβός (-ή -ό) дорогой (-ая -ое)
ακριβώς именно, как раз, точно
Ακρόπολη, η Акрополь
αλάτι, το соль ж
Αλβανία, η Албания
Αλεξάνδρεια, η Александрия
αλήθεια правда, в самом деле
Αληθώς Ανέστη ! Воистине воскрес
αλλά но, однако
αλλάζω менять
αλλαντικά, τα колбасные изделия мн.ч.
άλλος (-η -ο) другой (-ая -ое)
άλλοτε когда-то, прежде
αλλού в другом месте
αλφάβητο, το алфавит м
Αμβούργο, το Гамбург
αμερικανικός (-ή -ό) американский (-ая -ое)
Αμερική, η Америка
άμεσος (-η -ο) прямой (-ая -ое)
αμέσως тут же, сразу

Άμστερνταμ, το Амстердам
αν если
ανακεφαλαίωση, η подытоживание с
ανάλογα в соответствии
ανάμεσα между
αναπτήρας, ο зажигалка ж
Ανάσταση, η Воскрещение
ανατολή, η восток м
ανατολικά на востоке
αναφέρομαι ссылаться на что-либо
αναφέρω упоминать
αναχώρηση, η отъезд м
ανθοπωλείο, το цветочный магазин м
άνθρωπος, ο человек м
ανοίγω открывать
άνοιξη, η весна ж
ανοιχτός (-ή -ό) открытый (-ая -ое)
αντιγράφω переписывать
αντίθετα наоборот
αντίθετος (-η -ο) противоположный (-ая -ое)
αντικαθιστώ заменять
αντικείμενο, το предмет м
αντίο прощай
αντίρρηση, η возражение с
αντιστοιχώ соответствовать
άντρας, ο мужчина м, муж м
αντωνυμία, η местоимение с
ανυπόφορος (-η -ο) невыносимый (-ая -ое)
ανώμαλος (-η -ο) неправильный (-ая -ое)
αόριστος, ο неопределённый м, грам. аорист м
απαντάω (-ώ) отвечать
απάντηση, η ответ м
απαρέμφατο, το инфинитиф м
απέναντι напротив
απέχω быть на расстоянии
απλή διαδρομή, η билет в один конец
απλός (-ή -ό) простой (-ая -ое)
απλώς просто
από из-за, с, под
απόγευμα, το послеобеденное время с
απογευματινός (-ή -ό) послеобеденный (-ая -ое)
απόδειξη, η квитанция ж
αποθετικό ρήμα, το отложительный глагол м
αποθήκη, η склад м, хранилище с
απόλυτος (-η -ο) абсолютный (-ая -ое)
απολύτως безусловно, абсолютно
απορρυπαντικό, το моющееся средство с
απόψε сегодня вечером
Απρίλιος, ο апрель м
αραβικά, τα арабский язык мн.ч.
αρακάς, ο горох м
αργά поздно
αργότερα позднее
αργώ опаздывать
αρέσω нравиться
άρθρο, το статья ж
αριθμητικό, το числительное с
αριθμός, ο число с
αριστερά налево
αρκετά достаточно, довольно
αρνητικός (-ή -ό) отрицательный (-ая -ое)
αρνί, το баран м

άρρωστος (-η -ο) больной (-ая -ое)
αρσενικός (-ή -ό) мужской (-ая -ое), самец
αρχαιολογικός (-ή -ό) археологический (-ая -ое)
αρχαιολόγος, ο|η археолог м/ж
αρχαίος (-α -ο) древний (-яя -ее)
αρχή, η начало с
αρχίζω начинать
αρχιτέκτονας, ο архитектор м
άρωμα, το духи мн.ч., аромат м
ασανσέρ, το лифт м
Ασία, η Азия
άσπρος (-η -ο) белый (-ая -ое)
αστυνομία, η полиция ж
άσχετος (-η -ο) не имеющий отношения
άσχημος (-η -ο) некрасивый (-ая -ое)
ασχολούμαι заниматься
ατζέντα, η записная книжка ж
ατομικός (-ή -ό) личный (-ая -ое)
άτομο, το человек м, лицо с
Αύγουστος, ο август м
αυλή, η двор м
αύριο завтра
αυστραλέζικος (-η -ο) австралийский (-ая -ое)
Αυστραλία, η Австралия
Αυστραλός (-έζα) австралиец -ка
Αυστρία, η Австрия
αυστριακός (-ή -ό) австрийский (-ая -ое)
Αυστριακός (-ή) австралиец -ка
αυτοκίνητο, το автомобиль м
Αυτόματη Ταμειακή Μηχανή, η банкомат м
αυτος (-ή -ό) он, она, оно
άφιξη, η прибытие с
Αφρική, η Африка
αχλάδι, το груша ж

Β β

βάζο, το ваза ж
βάζω ставить, надевать
βαθμός, ο оценка ж, градус м
βαμμένος (-η -ο) крашеный (-ая -ое)
βανίλια, η ванилин м
βαρετός (-ή -ό) скучный (-ая -ое)
Βαρκελώνη, η Барселона
Βαρσοβία, η Варшава
βάση, η основа ж, база ж
βατ, το ватт м
βάφω красить
βγάζω снимать, зарабатывать
βγαίνω выходить
βέβαια (βεβαίως) конечно
Βέλγιο, το Бельгия
Βελιγράδι, το Белград
Βενεζουέλα, η Венесуэла
Βενετία, η Венеция
βενετσιάνικος (-η -ο) венецианский (-ая -ое)
βενζίνη, η бензин м
βεράντα, η веранда ж
βερίκοκο, το абрикос м
Βερολίνο, το Берлин
βήμα, το шаг м
βιβλιάριο, το книжка ж (сберегательная)

βιβλίο, το книга ж
βιβλιοθήκη, η библиотека ж
βιβλιοπωλείο, το книжный магазин м
Βιέννη, η Вена
βιετναμέζικος (-η -ο) вьетнамский (-ая -ое)
βίντεο, το видео, с
βιτρίνα, η витрина ж
βλέπω видеть, смотреть
βοηθάω (-ώ) помогать
βοήθεια, η помощь ж
βόλτα, η прогулка ж
Βόννη, η Бонн
βόρεια на севере
βορειοανατολικά на северо-востоке
βόρειος (-α -ο) северный (-ая -ое)
βορράς, ο север м
Βουδαπέστη, η Будапешт
Βουκουρέστι, το Бухарест
Βουλγαρία, η Болгария
βουλγάρικος (-η -ο) болгарский (-ая -ое)
Βούλγαρος (-άρα) болгарин -ка
βουλευτής, ο депутат м
βουνό, το гора ж
βούτυρο, το сливочное масло с
βραδιά, η вечер м,вечеринка ж
βραδινό, το ужин м
βραδινός (-ή -ό) вечерний (-яя -ее)
βράδυ, το вечер м
βραστός (-ή -ό) кипячёный, отварной
βράχος, ο скала ж
Βρετανία, η Великобретания
βρέχει идёт дождь
βρίσκεται находится
βρίσκω находить
Βρυξέλλες, οι Брюссель
βρώμικος (-η -ο) грязный (-ая -ое)
βυσσινής (-ιά -ί) вишнёвый (-ая -ое)

Γ γ

γάλα, το молоко с
γαλάζιος (-α -ο) голубой, синий, лазурный (-ая -ое)
γαλανός (-ή -ό) голубой, синий, лазурный (-ая -ое)
γαλέος, ο минога ж
Γαλλία, η Франция
γαλλικά, τα французский язык м
γαλλικός (-ή -ό) французский (-ая -ое)
Γάλλος (-ίδα) француз (-женка)
γαρίδα, η креветка ж
γάτα, η кошка ж
γαύρος, ο хамса ж
γεια привет
γεια σου|σας здравствуй / те
γειτονιά, η соседство с
γελάω (-ώ) смеяться
γέλιο, το смех м
(έχει) γέλιο смешно
γεμάτος (-η -ο) полный (-ая -ое)
γεμιστά, τα фаршированные мн.ч.
γενέθλια, τα день рождения м
Γενεύη, η Женева
γένια, τα борода ж

γενικά в общем, вообще; обычно
γενικότερα вобщем
Γερμανία, η Германия
γερμανικά, τα немецкий язык м
γερμανικός (-ή -ό) немецкий (-ая -ое)
Γερμανός (-ίδα) немец м
γεύση, η вкус м
γεωργικός (-ή -ό) сельскохозяйственный (-ая -ое)
για для
γιαούρτι, το простокваша ж
γιαπωνέζικα, τα японский язык м
γιαπωνέζικος (-η -ο) японский (-ая -ое)
Γιαπωνέζος (-α) японец (-ка)
για την ακρίβεια а точнее
γιατί почему, потому что
γιατρός, ο|η врач м/ж
γίγαντες, οι крупная фасоль ж
γίνομαι становиться
γιορτάζω праздновать, отмечать
γιος, ο сын м
γιουβέτσι, το мясо тушённое с картофелем, макаронами
γκαράζ, το гараж м
γκαρσονιέρα, η жилище холостяка с
γκούντα, η гуда(сыр) м
γκρίζος (-α -ο) серый (-ая -ое)
γλώσσα, η язык м
γνωστή, η знакомая ж
γνωστός (-ή -ό) известный (-ая -ое)
γονείς, οι родители мн.ч.
γόπα, η бычок м (рыба)
γουρουνόπουλο, το поросятина ж
γούστο, το вкус м
γραβάτα, η галстук м
γραβιέρα, η швейцарский сыр м
γράμμα, το письмо с
γραμμάριο, το грамм м
γραμματέας, ο|η секретарь м
γραμματική, η грамматика ж
γραμματόσημο, το почтовая марка ж
γραφείο, το бюро с, письменный стол м, рабочий кабинет м
γραφικός (-ή -ό) живописный (-ая -ое)
γράφω писать
γρήγορα быстро
γρήγορος (-η -ο) быстрый (-ая -ое)
γυαλιά, τα очки мн.ч.
γυμνάσιο, το гимназия ж
γυμναστήριο, το гимнастический зал м
γυναίκα, η женщина ж
γυρεύω искать, просить
γυρίζω возвращать, возвращаться, поворачиваться
γύρω кругом, вокруг
γωνία, η угол м

Δ δ

Δανία, η Дания
δασκάλα, η учительница ж
δάσκαλος, ο учитель м
δεικτικός (-ή -ό) указательный (-ая -ое)
δείχνω показывать

δέκα десять
δεκαέξι шестнадцать
δεκαεννιά (δεκαεννέα) девятнадцать
δεκαεφτά (δεκαεπτά) семнадцать
δεκαοχτώ (δεκαοκτώ) восемнадцать
δεκαπέντε пятнадцать
δεκατέσσερις (-ις -α) четырнадцать
δέκατος (-ή -ό) десятый (-ая -ое)
δεκατρείς (-είς -ία) тринадцать
Δεκέμβριος, ο декабрь м
δέμα, το посылка ж
δεν не
δεξιά направо
δεσποινίς, η девушка ж
Δευτέρα, η понедельник м
δευτερόλεπτο, το секунда ж
δεύτερος (-ή -ό) второй (-ая -ое)
δέχομαι соглашаться
δηλαδή то есть
δημοκρατία, η демократия ж
δημοσιογράφος, ο|η журналист м
δημοτικό, το начальная школа ж
δημοτικός (-ή -ό) народный (-ая -ое)
διαβάζω читать
διαβατήριο, το паспорт м
διαγωνισμός, ο конкурс м
διακοπές, οι каникулы мн.ч.
διακόσιοι (-ες -α) двести
διαλέγω выбирать
διάλειμμα, το перерыв м, перемена ж
διάλεξη, η лекция ж, доклад м
διάλογος, ο беседа ж, разговор м
διαμέρισμα, το квартира ж
διάφοροι (-ες -α) разные
διδάσκω преподавать
διεθνής (-ής -ές) международный (-ая -ое)
διερμηνέας, ο|η переводчик м/ж
διεύθυνση, η адрес м
διευθυντής, ο директор м
διευθύντρια, η директриса ж
δικηγόρος, ο|η адвокат м/ж
δίκλινος (-η -ο) двухместный (-ая -ое)
δικός (-ή -ό) μου свой, собственный
δίνω давать
δίπλα рядом
διπλανός (-ή -ό) соседний (-яя -ее)
διπλωμάτης, ο дипломат м
δισκάδικο, το магазин где продают диски м
δίσκος, ο диск м, поднос м
διψάω (-ώ) хотеть пить
δοκιμάζω пытаться, пробовать
δολ(λ)άριο, το доллар м
δόξα, η слава ж
δουλειά, η работа ж
δουλειές, οι дела мн.ч.
δουλεύω работать
δραχμή, η драхма ж
δρόμος, ο дорога ж
δροσιά, η роса ж
δυάρι, το двухкомнатная квартира ж
δυνατά сильно, крепко
δυνατός (-ή -ό) сильный (-ая -ое)
δύο два
δόση, η доза ж

δύσκολος (-η -ο) трудный (-ая -ое)
δυστυχώς к сожалению
δυτικά на западе
δώδεκα двенадцать
δωδέκατος (-η -ο) двенадцатый (-ая -ое)
δωμάτιο, το комната ж
δώρο, το подарок м

Ε ε

εβδομάδα, η неделя ж
εβδομήντα семьдесят
έβδομος (-η -ο) седьмой (-ая -ое)
έγινε! договорились!
εγώ я
εδώ здесь
εθνικός (-ή -ό) национальный (-ая -ое)
εθνικότητα, η национальность ж
είδος, το род м, сорт м, товар м
εικόνα, η картина ж, икона ж
είκοσι двадцать
εικοσ(ι)τετράωρο, το 24 часа, сутки
εικοστός (-ή -ό) двадцатый (-ая -ое)
είμαι быть
εισιτήριο, το билет м
είσοδος, η вход м
εκατό сто
εκατομμύριο, το миллион м
(ε)κατοστίζω жить до ста лет
εκδρομή, η экскурсия ж
εκεί там
εκείνος (-η -ο) тот (та, то)
έκθεση, η выставка ж
εκκλησία, η церковь ж
έκταση, η площадь ж, размер м
έκτος (-η -ο) шестой (-ая -ое)
εκπτώσεις, οι снижение цен с
έκφραση, η выражение с
Ελβετία, η Швейцария
ελβετικός (-η -ο) швейцарский (-ая -ое)
Ελβετός (-ίδα) швейцар (-ка)
ελευθερία, η свобода ж
ελεύθερος (-η -ο) свободный (-ая -ое)
ελιά, η олива ж, маслина ж (дерево)
Ελλάδα, η Греция
Έλληνας (-ίδα) грек (-анка)
ελληνικά, τα греческий язык м
ελληνικός (-ή -ό) греческий (-ая -ое)
εμείς мы
έμπειρος (-η -ο) опытный (-ая -ое)
εμπορικός (-ή -ό) торговый (-ая -ое)
εμπρός слушаю, да
ένα один; какое-то
ένας один; какой-то
ένατος (-η -ο) девятый (-ая -ое)
ενδέκατος (-η -ο) одиннадцатый
ενδιαφέρομαι интересоваться
ενδιαφέρων (-ουσα -ον) интересный
(-ая -ое)
ενενήντα девяносто
ενεργητική (φωνή), η активная
форма ж (гр.)
ενεστώτας, ο настоящее время с (гр.)
ενικός, ο единственное число с (гр.)

εννιά (εννέα) девять
εννιακόσιοι (-ες -α) девятьсот
ενοικιάζεται сдаётся внаём
ενοίκιο, το квартплата ж
εντάξει договорились
έντεκα одиннадцать
εντράδα, η мясо с овощами или
макаронами с подливой
έντυπο, το печатное издание с
ενώ в то время как
ένωση, η союз м, объединение с
(ε)ξαδέλφη, η двоюродная сестра ж
(ε)ξάδελφος, ο двоюродный брат м
εξαιρετικός (-ή -ό) необыкновенный
(-ая -ое)
εξακολουθητικός (-ή -ό) продолжительный
(-ая -ое)
εξακόσιοι (-ες -α) шестьсот
εξήντα шестьдесят
εξής, το|τα следующее
έξι шесть
εξπρές экспресс
εξυπηρετικός (-ή -ό) услужливый (-ая -ое)
εξυπηρετώ обслуживать
έξυπνος (-η -ο) умный (-ая -ое)
έξω вне, за пределами чего-либо
εξωτερικός (-ή -ό) внешний (-яя -ее)
εξωτικός (-ή -ό) экзотический (-ая -ое)
επανάληψη, η повторение с
επί умножить на
επιγραφή, η надпись ж
επίθετο, το фамилия ж, имя
прилагательное с
επικοινωνώ общаться, иметь связь
έπιπλο, το мебель ж
επιπλωμένος (-η -ο) меблированный
(-ая -ое)
επίσης также, тоже
επισκέπτομαι посещать
επιστροφή, η возвращение с
επιτάφιος, ο захоронение с
επιτυχία, η успех м, удача ж
επόμενος (-η -ο) следующий (-ая -ое)
επομένως следовательно
εποχή, η время года с
επώνυμο, το фамилия ж
εργασία, η работа ж
εργατικός (-ή -ό) трудолюбивый (-ая -ое)
έργο, το произведение с
έρχομαι приходить
ερχόμενος (-η -ο) следующий (-ая -ее)
ερωτευμένος (-η -ο) влюблённый (-ая -ое)
ερωτηματικός (-ή -ό) вопросительный
(-ая -ое)
ερώτηση, η вопрос м
εσείς вы
εσπρέσο, το кофе эспресо с
εστιατόριο, το столовая ж
εσύ ты
εταιρεία, η общество с, компания ж
ετοιμάζω готовить
έτοιμος (-η -ο) готовый (-ая -ое)
έτος, το год м
έτσι так, таким образом

ευγενικός (-ή -ό) вежливый (-ая -ое)
ευκαιρία, η оказия ж, удобный случай м
εύκολος (-η -ο) лёгкий (-ая -ое)
ευρώ, το евро с
ευρωπαϊκός (-ή -ό) европейский (-ая -ое)
Ευρώπη, η Европа
ευτυχώς к счастью
ευχαριστημένος (-η -ο) благодарный
(-ая -ое)
ευχάριστος (-η -ο) приятный (-ая -ое)
ευχαριστώ благодарить, спасибо
(ε)φέτος в этом году
εφημερίδα, η газета ж
εφτά семь
εφτακόσιοι (-ες -α) семьсот
έχει γέλιο смешно
έχει δροσιά сыро
έχει πλάκα смешно
(ε)χθές (χτές) вчера
έχω иметь
έως до

Ζ ζ

ζαμπόν, το ветчина ж, окорок м
ζάχαρη, η сахар м
ζαχαροπλαστείο, το кондитерская ж
ζέστη, η жара ж, тепло с
ζεστός (-ή -ό) горячий, теплый (-ая -ое)
ζευγάρι, το пара ж, чета ж
ζητάω (-ώ) требовать, просить
ζυγίζω весить, взвешивать
ζυμαρικά, τα мучные изделия мн.ч.
Ζυρίχη, η Цюрих
ζω жить
ζώο, το животное с, скотина ж
ζωή, η жизнь ж
ζώνη, η пояс м, ремень м

Η η

η определённый артикль жен. рода
ή или
ηθοποιός, ο актер м, артист м
ηλεκτρικός (-ή -ό) электрический (-ая -ое)
ηλεκτρολόγος, ο электрик м
ηλιακός (-ή -ό) солнечный (-ая -ое)
ηλικία, η возраст м
ήλιος, ο солнце с
(η)μέρα, η день м
ημερολόγιο, το календарь м, дневник м,
журнал м
ημιώροφος, ο этаж между первым и
вторым м
ημιπόγειος (-α -ο) полуподвал
Η.Π.Α., οι США
ησυχία, η тишина ж
ήσυχος (-η -ο) тихий (-ая -ое)

Θ θ

θα частица будущего времени
θάλασσα, η море с
θαλασσινά, τα устрицы мн.ч.
θαλάσσιος (-α -ο) морской (-ая -ое)
θέα, η вид м, пейзаж м

θέατρο, το театр м
θεία, η тётя ж
θείος, ο дядя м
θέλω хотеть
Θεός, ο бог м
θέρμανση, η отопление с
θερμάστρα, η печь ж, печка ж
θερμοκρασία, η температура ж
θέση, η место с
Θεσσαλία, η Фессалия
Θεσσαλονίκη, η Салоники
θηλυκός (-ιά -ό) женский (-ая -ое), женского пола
θόρυβος, ο шум м
θυμάμαι помнить
θυρίδα, η окошечко с

Ι ι

Ιανουάριος, ο январь м
Ιαπωνία, η Япония
ιαπωνικός (-ή -ό) японский (-ая -ое)
ιατρικός (-ή -ό) медицинский (-ая -ое)
ιδιοκτήτης, ο собственник м, владелец м
ιδιοκτήτρια, η собственница ж, хозяйка ж
ίδιος (-α -ο) тот же
ιδιωτικός (-ή -ό) частный (-ая -ое), личный
I.K.A., το Организация социального страхования
Ινδία, η Индия
Ινδός (-ή) индиец (-анка)
Ιόνιο (πέλαγος), το Ионическое море
Ιούλιος, ο июль м
Ιούνιος, ο июнь м
Ιρλανδία, η Ирландия
Ιρλανδός (-έζα) ирландец (-ка)
ίσιος (-α -ο) прямой (-ая -ое)
ισόγειο, το первый этаж м
Ισπανία, η Испания
ισπανικά, τα испанский язык м
ισπανικός (-ή -ό) испанский (-ая -ое)
Ισπανός (-ίδα) испанец (-ка)
Ισραήλ, το Израиль
ισχύω быть действительным
ίσως возможно, может быть
Ιταλία, η Италия
ιταλικά, τα итальянский язык м
ιταλικός (-ή -ό) итальянский (-ая -ое)
Ιταλός (-ίδα) итальянец (-ка)

Κ κ

κ.α. и.т.д.
καθαριστήριο, το химчистка ж
καθαρός (-ή -ό) чистый (-ая -ое)
κάθε каждый, всякий
καθένας (καθεμιά, καθένα) каждый (каждая, каждое)
κάθετα вертикально
καθηγητής, ο преподаватель м
καθηγήτρια, η преподаватель ж
καθόλου ничуть, нисколько
κάθομαι сидеть
καθρέφτης, ο зеркало с
καθώς και а также

και и
καινούργιος (-α -ο) новый (-ая -ое)
Κάιρο, το Каир
καιρός, ο погода ж
κακό, το зло с
καλά хорошо
καλαμαράκι, το кальмар м
καλημέρα доброе утро, добрый день
καληνπέρα добрый вечер
Καλιφόρνια, η Калифорния
Καλκούτα, η Колькутта
καλοκαίρι, το лето с
καλοριφέρ, το центральное отопление с
καλός (-ή -ό) хороший (-ая -ое)
κάλτσα, η чулок м, носок м
καλ(τ)σόν, το колготки мн.ч.
καλύτερα лучше
κάμαρα, η комната ж
καμιά φορά иногда
Καμπέρα, η Канберра
καμπίνα, η кабина ж
Καναδάς, ο Канада
καναδικός (-ή -ό) канадский (-ая -ое)
Καναδός (-έζα) канадец (-ка)
κανένας (καμία/κανένα) какой-нибудь (-ая -ое), никакой (-ая -ое)
κάνει стоит
κάνω делать
καπέλο, το шапка ж, шляпа ж
καπνίζω курить
κάποιος (-α -ο) кто-то
κάπως каким-то образом
καράφα, η графин м
καραφάκι, το графинчик м
καρδιολόγος, ο кардиолог м
καρέκλα, η стул м
καρμπονάρα, η карбонара ж (блюдо с макаронами)
καρότο, το морковь ж
καρπούζι, το арбуз м
κάρτα, η карта ж
κασέτα, η кассета ж
κασετόφωνο, το магнитофон м
καστανός (-ή -ό) каштановый (-ая -ое)
κατά к, по
κατάδυση, η погружение в воду с
καταλαβαίνω понимать
κατάλληλος (-η -ο) подходящий, удобный (-ая -ое)
κατάλογος, ο каталог м
καταπληκτικός (-ή -ό) изумительный (-ая -ое)
κατάστημα, το магазин м, предприятие с
καταφατικός (-ή -ό) утвердительный (-ая -ое)
κατεπείγων (-ουσα -ον) срочный (-ая -ое)
κάτι что-то
κάτοικος, ο житель м
κατσαβίδι, το отвёртка ж
κατσαρός (-ή -ό) кудрявый (-ая -ое)
κάτω под
καφέ коричневый
καφές, ο кофе м
καφετής (-ιά -ί) кофейный (-ая -ое)

κείμενο, το текст м
κενό, το пустота ж , пропуск м
κεντρικός (-ή -ό) центральный (-ая -ое)
κέντρο, το центр м
κεραμικό, το керамика ж
κεράσι, το черешня ж
κερδίζω выигрывать, зарабатывать
Κέρκυρα, η Керкира
κεφαλαίο (γράμμα) заглавная буква ж
κέφι, το настроение с
κήπος, ο сад м
κι и
κιλό, το килограмм м
κιμάς, ο фарш м
Κίνα, η Китай
κινέζικα, τα китайский язык м
κινέζικος (-η -ο) китайский (-ая -ое)
Κινέζος (-α) китаец (-янка)
κινηματογράφος, ο кинотеатр м
κίτρινος (-η -ο) желтый (-ая -ое)
κλασικός (-ή -ό) классический (-ая -ое)
κλειδί, το ключ м
κλείνω закрывать
κλειστός (-ή -ό) закрытый (-ая -ое)
κλίμα, το климат м
κλινική, η клиника ж
κλίνω спрягать
κοιμάμαι спать
κοινότητα, η община ж
κοινόχρηστα, τα коммунальные услуги мн.ч.
κοιτάζω смотреть
κοκκινιστό, το мясо в томатном соусе с
κόκκινος (-η -ο) красный (-ая -ое)
κολλάω (-ώ) приклеивать
κολοκύθι, το тыква ж
κόλπος, ο залив м
κολυμβητήριο, το бассейн м
κολυμπάω (-ώ) плавать
κομμάτι, το кусок м
κομπιούτερ, ο/το компьютер м
κομψός (-ή -ό) изящный, элегантный (-ая -ое)
κοντά рядом
κοντός (-ή -ό) низкий (-ая -ое)
κοπέλα, η девушка ж
κόρη, η дочь ж
κορίτσι, το девочка ж
κόσμημα, το украшение с
κοσμικός (-ή -ό) светский (-ая -ое)
κόσμος, ο народ м
κοστίζω стоить, обходиться
κοστούμι, το костюм м
κοτόπουλο, το цыплёнок м
κουζίνα, η кухня ж
κουκέτα, η маленькая койка ж (на судне)
κούκλα, η кукла ж
κουτί, το коробка ж
κρασί, το вино с
κρατάω (-ώ) держать
κρατικός (-ή -ό) государственный (-ая -ое)
κρέας, το мясо с
κρεατικά, τα мясной отдел м
κρεβάτι, το кровать ж

κρεβατοκάμαρα, η спальня ж
Κρήτη, η Крит
κρίμα! Как жаль!
κρουασάν, το круасан м
κρύο, το холод м
κρύος (-α -ο) холодный (-ая -ое)
κρυφός (-ή -ό) скрытый (-ая -ое)
κτηνοτροφικός (-ή -ό) животноводческий (-ая -ое)
κτητικός (-ή -ό) притяжательный (-ая -ое)
κτλ. и так далее
Κυκλάδες, οι Киклады
κυκλοφορώ ходить по улицам
κυρία, η госпожа ж
Κυριακή, η воскресенье с
κύριος, ο господин м
κύριος (-α -ο) основной (-ая -ое)
κώδικας, ο кодекс м
Κωνσταντινούπολη, η Константинополь (Стамбул)

Λ λ

λαδερό, το постный обед м
λάδι, το подсолнечное масло с
λάθος, το ошибка ж
(είναι) λάθος это ошибка
λαϊκός (-ή -ό) народный (-ая -ое)
λάμπα, η лампа ж
λαχανικά, τα овощи мн.ч.
λέγομαι называться
λειτουργία, η действие с, церк. литургия ж
λειτουργώ действовать, служить обедню (церк)
λεμόνι, το лимон м
λέξη, η слово с
λεξικό, το словарь м
λεπτό, το минута ж
λεπτός (-ή -ό) тонкий (-ая -ое), деликатный
λέσχη, η клуб м
λευκός (-ή -ό) светлый (-ая -ое)
Λευκωσία, η Никозия
λεφτά, τα деньги мн.ч.
λέω говорить
λεωφορείο, το автобус м
λεωφόρος, η проспект м
λιακάδα, η солнечный день м
Λίβανος, ο Ливан
λίβι(ν)γκ ρουμ салон м
λίγο мало
λίγοι (-ες -α) мало
λίγος (-η -ο) немногий
λιγότερο немного
λίρα, η лира ж (денежная единица)
λίστα, η список м
λογαριασμός, ο счёт м
λόγια, τα слова мн.ч.
λογικός (-ή -ό) логичный (-ая -ое), разумный
λογιστής, ο бухгалтер м
λογιστήριο, το бухгалтерия ж
λόγος, ο слово с, речь ж
λοιπόν итак, таким образом
Λονδίνο, το Лондон

λουκάνικο, το сосиска ж
λουλούδι, το цветок м
λουξ люкс
Λουξεμβούργο, το Люксембург
λουτρό, το баня ж
λύκειο, το лицей м
λυπάμαι жалеть
λυπημένος (-η -ο) грустный (-ая -ое)
Λωζάνη, η Лозанна

Μ μ

μα но
μαγαζί, το магазин м
μαγειρεύω готовить
μαγειρίτσα, η суп с овечьими потрохами
Μαδρίτη, η Мадрит
μαζί вместе
μαθαίνω изучать
μάθημα, το урок м
μαθηματικός, ο математик м
μαθητής, ο ученик м
μαθήτρια, η ученица ж
Μάιος, ο май м
μακαρόνια, τα макароны мн.ч.
μακριά далеко
μακρύς (-ιά -ύ) длинный (-ая -ое)
μαλακός (-ή -ό) мягкий (-ая -ое)
μάλιστα да, конечно
μαλλί, το шерсть ж
μαλλιά, τα волосы мн.ч.
μάλλον скорее, вероятнее всего
μάνα, η мать ж
μανάβης, ο продавец овощного магазина м
μανάβικο, το овощной магазин м
μανιτάρι, το гриб м
μανούρι, το жирный овечий сыр м
μανταρίνι, το мандарин м
μαντεύω отгадывать
(μ') αρέσει мне нравится
μαρίδα, η мелкая рыбёшка ж
μαρκαδόρος, ο маркировщик м
μαρούλι, το салатный матук м
Μάρτιος, ο март м
μας нас
Μασσαλία, η Марсель
μάτι, το глаз м
μαύρος (-η -ο) чёрный (-ая -ое)
με вместе с
Μεγάλη Πέμπτη, η Чистый четверг м
μεγάλος (-η -ο) большой (-ая -ое)
μεζές, ο закуска ж
μεθαύριο послезавтра
Μελβούρνη, η Мельбурн
μέλι, το мёд м
μελιτζάνα, η баклажан м
μελιτζανοσαλάτα, η салат из баклажан м
μέλλον, το будущее с, будущность ж
μέλλοντας, ο будущий м
μέλος, το член м
μένω жить
μεξικάνικος (-η -ο) мексиканский (-ая -ое)
Μεξικανός (-ή) мексиканец м
Μεξικό, το Мексика

μέρα, η день м
μερικοί (-ές -ά) некоторые, кое-кто
μέρος, το место с, часть ж
μεσάνυχτα, τα полночь ж
μεσημέρι, το полдень м
μεσημεριανό, το обед м
μεσογειακός (-ή -ό) средиземноморской (-ая -ое)
Μεσόγειος, η Средиземное море с
με συγχωρείτε извените
μετά затем
μεταβατικό ρήμα, το переходный глагол м
μετανάστης, ο эмигрант м, переселенец м
μεταξύ между, посредине
μετοχή, η участие с, причастие с
μετρητά, τα наличные мн.ч.
μέτρο, το метр м
μετρό, το метро с
μέχρι до
μηδέν нуль
μήλο, το яблоко с
μηλόπιτα, η яблочный пирог м
μήνας, ο месяц м
μήπως неужели, разве
μητέρα, η мать ж
μηχανή, η машина ж, мотоцикл м
μηχανικός, ο/η инженер м
μια одна; какая-то
μιάμιση полтора
μια χαρά прекрасно
μικρός (-ή -ό) маленький (-ая -ое)
Μιλάνο, το Милан
μιλάω разговаривать
μ.μ. после обеда.
μίνι μάρκετ, το минимаркет м
μισθός, ο зарплата ж
μισός (-ή -ό) половинный
μνημείο, το памятник м
μοκέτα, η мокета ж
μολύβι, το карандаш м
μοναστήρι, το монастырь м
Μόναχο, το Мюнхен
μόνο только
μονοκατοικία, η особняк м
μονόκλινο, το одноместный номер м
μοντέρνος (-α -ο) современный (-ая -ое)
μορφωμένος (-η -ο) образованный (-ая -ое)
Μόσχα, η Москва
μοσχάρι, το говядина ж
μου мой, моя, моё/ мне
μουσείο, το музей м
μουσική, η музыка ж
μουστάκι, το усы мн.ч.
μπαίνω входить
μπακάλικο, το балкон м
μπακλαβάς, ο паклава ж
μπαλκόνι, το балкон м
μπαλόνι, το баллон м
μπάμιες, οι бамья мн.ч.
μπανάνα, η банан м
μπάνιο, το купанье с
μπαρ, το бар м
μπαρμπούνι, το баралька ж (рыба)
μπάσκετ, το баскетбол м

μπαχαρικά, τα специи мн.ч., пряности мн.ч.
μπεζ беж
μπέρδεμα, το путаница ж
μπερδεύω путать
μπίρα, η пиво с
μπιφτέκι, το бифштекс м
μπλε синий
μπλούζα, η блузка ж
μπλουζάκι, το короткая маечка ж
μπορεί возможно
μπορντό бордо
μπορώ мочь
μπουζούκι, το бузуки м
μπουκάλι, το бутылка ж
μπουτίκ, η бутик м
μπράβο! Молодец !
μπριάμ, το овощное рагу с
μπριζόλα, η бризола ж, отбивная ж
μπρίκι, το кофеварка ж
μπροστά впереди, сначала
μύλος, ο мельница ж
μοβ мов, сиреневый

N ν

να чтобы, так чтобы
ναι да
ναός, ο храм м
Νέα Υόρκη, η Нью-Йорк
νέος (-α -ο) молодой (-ая -ое)
νερό, το вода ж
νησί, το остров м
Νοέμβριος, ο ноябрь м
νομίζω считать, думать
Νορβηγία, η Норвегия
νορβηγικός (-ή -ό) норвежский (-ая -ое)
νοσοκομείο, το больница ж
νόστιμος (-η -ο) вкусный (-ая -ое)
νότια на юге
νοτιοανατολικά на юго-востоке
νότος, ο юг м
νούμερο, το номер м
ντίσκο, η дискотека ж
ντολμαδάκια, τα голубцы мн.ч.
ντομάτα, η помидор м
ντουλάπα, η шкаф м
νυστάζω хотеть спать
νωρίς рано

Ξ ξ

(ε)εξαδέλφη, η двоюродная сестра ж
(ε)ξάδελφος, ο двоюродный брат м
ξανά опять
ξανθός (-ή -ό) белокурый (-ая -ое)
ξεκινάω (-ώ) отправляться, начинать
ξένη, η иностранка ж
ξένος, ο иностранец м
ξενοδοχείο, το гостиница ж
ξένος (-η -ο) чужой (-ая -ое)
ξέρω знать
ξεχνάω (-ώ) забывать
ξεχωριστός (-ή -ό) отдельный (-ая -ое), необыкновенный
ξιφίας, ο меч-рыба ж

ξύδι (ξίδι), το уксус м
ξυπνάω (-ώ) просыпаться

O o

ο опред.артикль мужского рода
ογδόντα восемьдесят
όγδοος (-η -ο) восьмой (-ая -ое)
οδηγώ водить, руководить
οδός, η улица ж
οικογένεια, η семья ж
οικονομία, η экономия ж
οικονομικός (-ή -ό) финансовый (-ая -ое)
Οκτώβριος, ο октябрь м
Ολλανδία, η Голландия
ολλανδικά, τα голандский язык м
Ολλανδός (-έζα) голандец / дка
όλοι (-ες -α) все
όλος (-η -ο) весь (вся всё)
ομάδα, η группа ж
ομιλία, η речь ж, разговор м
ομορφιά, η красота ж
ομπρέλα, η зонт м
όμως но, однако
όνομα, το имя с
ονομασία, η название с
ονομαστική, η именительный падеж м
οποίος (-α -ο) тот, кто
όπου где,; там,где
όπως как
οπωσδήποτε во что бы то ни стало
όργανο, το музыкальный орган м
ορεινός (-ή -ό) горный (-ая –ое)
ορεκτικό, το закуска ж
όρεξη, η аппетит м
οριζόντια горизонтально
ορισμένος (-η -ο) определённый (-ая -ое)
ορίστε пожалуйста, да
οριστικός (-ή -ό) определенный (-ая -ое)
οροφοδιαμέρισμα, το квартира на весь этаж ж
όροφος, ο этаж м
όσο сколько
όταν когда
ΟΤΕ, ο Управление связи Греции
ότι что
Ουγγαρία, η Венгрия
Ουγγαρέζος (-α) венгр (-грка)
ουδέτερος (-η -ο) нейтральный (-ая -ое)
ούζο, το узо с (сорт водки)
ουρά, η очередь ж
ουσιαστικό, το существительное с
ούτε ни
όχι нет
οχτακόσιοι (-ες -α) восемьсот
οχτώ (οκτώ) восемь

Π π

παγάκι, το кусочки льда мн.ч.
πάγος, ο лёд м
(κάνει) παγωνιά морозит
παθητική (φωνή), η страдательный залог м (грам)
παθητικός (-ή -ό) пассивный (-ая -ое)

παϊδάκι, το баранья грудинка ж
παιδί, το ребёнок м
παιδικός (-ή -ό) детский (-ая -ое)
παίζω играть
παίρνω брать
πακέτο, το пакет м
πάλι снова, опять
παλιός (-ά -ό) старый (-ая -ое), древний (-яя -ее)
πανσιόν, η пансион м
πάντα всегда
πάντα, τα всё
παντελόνι, το брюки мн.ч.
παντζούρι, το ставни мн.ч.
παντρεμένος (-η -ο) женатый, замужняя
παντού везде
πάνω наверху, на
παπουτσάκια, τα баклажаны начинённые фаршем мн.ч.
παπούτσι, το туфель м
παρά без
παραγγέλνω заказывать
παράγραφος, η параграф м, обзац м
παράγω производить, создавать
παράδειγμα, το пример м
παραθετικό, το сравнение с
παράθυρο, το окно с
παρακαλώ просить; пожалуйста
παρακάτω дальше; ниже
παραλία, η побережье с
παράλληλα параллельно
παράξενος (-η -ο) странный (-ая -ое)
παραπάνω выше; больше
Παρασκευή, η пятница ж
παράσταση, η спектакль м, представление с
παρέα, η компания ж
παρένθεση, η скобки мн. ч.
Παρίσι, το Париж
παρκάρω припарковать
πάρκι(ν)γκ, το паркинг м
πάρκο, το парк м
πάρτι, το семейный праздник м
πάστα, η пирожное с
παστίτσιο, το макаронник с мясом м
Πάσχα, το Пасха
πατάτα, η картофель м
πατέρας, ο отец м
Πάτρα, η Патры
πατρίδα, η родина ж
πάω (πηγαίνω) идти
πέδιλο, το сандалия ж
πεζόδρομος, ο тротуар м
πεινάω хотеть есть
πειράζω беспокоить; дразнить
Πειραιάς, ο Пирей
Πεκίνο, το Пекин
πέλαγος, το море с
πελάτης, ο клиент м, покупатель м
πελάτισσα, η клиентка ж, покупательница ж
Πελοπόννησος, η Пелопоннес
Πέμπτη, η четверг м
πέμπτος (-η -ο) пятый (-ая -ое)
πενήντα пятьдесят

πεντακόσιοι (-ες -α) пятьсот
πεντάρι, το пятикомнатная квартира ж
πέντε пять
πεπόνι, το дыня ж
περασμένος (-η -ο) прошлый (-ая -ое)
περί относительно
περιβάλλον, το среда ж, окружение с
περιγράφω описать
περιλαμβάνω включать, содержать
περιμένω ждать
περιοχή, η район м
περιπέτεια, η приключение с
περίπου около, приблизительно
περίπτερο, το киоск м
περισσότεροι (-ες -α) большинство
περνάω (-ώ) проходить
περπατάω (-ώ) шагать
πέρ(υ)σι в прошлом году
πέτρα, η камень м
πέφτω падать
πηγαίνω (πάω) идти
πιάνει охватывать
πιάτο, το тарелка ж
πιλάφι, το плов м
πίνακας, ο доска ж; картина ж
πίνω пить
πιο уже, больше
πιπέρι, το перец м
πιπεριά, η перец м (плод и растение)
πισίνα, η бассейн м
πίστα, η танцевальная площадка ж
πιστωτική κάρτα, η кредитная карточка ж
πιτσαρία, η пицария ж
πλάγια (γράμματα), τα выделенные слова мн.ч.
πλαίσιο, το рамка ж, оправа ж
(έχει) πλάκα он забавный
πλανήτης, ο планета ж
πλαστικός (-ή -ό) пластический (-ая -ое)
πλατεία, η площадь ж
πλένω мыть
πληθυντικός, ο множественное число с
πλην минус
πληροφορίες, οι информация ж
πληρώνω платить
πλησίον возле, около
πλοίο, το судно с, корабль м
πλυντήριο, το стиральная машинка ж
π.μ. до обеда
ποιος (ποια / ποιο) кто
πόλη, η город м
πολίτης, ο/η гражданин/анка
πολιτικός (-ή -ό) политический (-ая -ое)
πολλοί (-ές -ά) многие
πολύ очень
πολυθρόνα, η кресло с
πολυκατοικία, η жилой дом м
πολύς (πολλή / πολύ) много
πολωνέζικα, τα польский язык м
Πολωνία, η Польша
Πολωνός (-έζα) поляк/ полька
πονάω (-ώ) болеть
ποντίκι, το мышка ж
πόρτα, η дверь ж

Πορτογαλία, η Португалия
πορτογαλικά, τα португальский язык м
Πορτογάλος (-έζα) португалец /ка
πορτοκαλάδα, η апельсиновый напиток м
πορτοκαλής (-ιά -ί) оранжевый (-ая -ое)
πορτοκάλι, το апельсин м
πορτοφόλι, το кошелёк м
πόσοι (-ες -α) сколько
πόσος (-η -ο) сколько
πότε когда
ποτέ никогда
ποτήρι, το стакан м
ποτό, το алкогольный напиток м
που который (-ая -ое -ые)
πού где
πουθενά нигде
πουκάμισο, το рубашка ж
πουλάω (-ώ) продавать
πούλμαν, το туристический автобус м
πουλόβερ, το пуловер м
Πράγα, η Прага
πράγμα, το вещь ж
πραγματικά действительно, на самом деле
πράξη, η поступок м, действие с
πράσινος (-η -ο) зеленый (-ая -ое)
πρέπει нужно
πρεσβεία, η посольство с
πρέσβης, ο посол м
πριν до
προάστιο, το пригород м
πρόβλημα, το проблема ж
προέλευση, η происхождение с
προηγούμαι предшествовать, идти впереди
προηγούμενος (-η -ο) предыдущий (-ая -ое)
πρόθεση, η намерение с, замысел м
προϊόν, το продукт м
προκαταβολή, η аванс м
πρόκειται για речь идёт о
προλαβαίνω успевать
προορισμός, ο предназначение с
πρόπερσι в позапрошлом году
προσδιορίζω устанавливать, назначать
προσδιοριστικός (-ή -ό) определяющий
προσεκτικά внимательно
προσέχω быть внимательным
προσθέτω добавлять
προσοχή, η внимание с
προσπαθώ стараться
προστακτική, η повелительное наклонение с
προσωπικός (-ή -ό) личный (-ая -ое)
προσωπικότητα, η личность ж
πρόσωπο, το лицо с
πρόταση, η предложение с
προτιμάω (-ώ) предпочитать
προτίμηση, η предпочтение с
προχθές (προχτές) позавчера
πρωί, το утро с
πρωί-πρωί утром рано
πρωινό, το завтрак м
πρώτα сначала, прежде
πρωτεύουσα, η столица ж

πρώτος (-η -ο) первый (-ая -ое)
πτήση, η рейс м
π.χ. например
πωλείται продаётся
πωλητής, ο продавец м
πωλήτρια, η продавщица ж
πως что
πώς как

Ρ ρ

ραγού рагу
ρακή, η водка из виноградных выжимок
ραντεβού, το свидание с
ραπανάκι, το редиска ж
ρεπό, το выходной м
ρέστα, τα сдача ж, остаток денег м
ρετιρέ, το последний этаж жилого дома м
ρήμα, το глагол м
ροδάκινο, το персик м
Ρόδος, η остров Родос
ροζ розовый цвет
ροκ, η рок (музыка)
ρολόι, το часы мн.ч.
ρόλος, ο роль ж
ρούβλι, το рубль м
ρούχα, τα одежда ж
ρόφημα, το горячее питьё с
Ρώμη, η Рим
ρωσικά, τα русский язык м
ρωσικός (-ή -ό) русский (-ая -ое)
Ρώσος (-ίδα) русский (-ая)
ρωτάω (-ώ) спрашивать

Σ σ

Σάββατο, το суббота ж
σαββατοκύριακο, το суббота и воскресенье
σαγανάκι, το жаренный сыр в масле м
σακάκι, το пиджак м
σακούλα, η мешочек м, кулёк м
σαλάτα, η салат м
σαλάμι, το копчёная колбаса ж
σαλόνι, το салон м, гостиная ж
σάλτσα, η соус м, подлива ж
σαμπουάν, το шампунь м
σαν как
σαπούνι, το мыло с
σαράντα сорок
σαρδέλα, η сардина ж
σας вас, вам
σγουρός (-ή -ό) кудрявый (-ая -ое)
σε предлог в, на, за; тебя
σειρά, η ряд м, очередь ж, строка ж
σελίδα, η страница ж
Σεπτέμβριος, ο сентябрь м
σερβιτόρα, η официантка ж
σερβιτόρος, ο официант м
σέρφι(ν)γκ, το сёрфинг (вид спорта) м
σημαίνει это значит
σημείο, το точка ж, момент м
σημείωμα, το заметка ж, записка ж
σημειώνω делать заметки

Словарь

σημείωση, η заметка ж, примечание с
σήμερα сегодня
σιγά тихо
σιγά-σιγά медленно, потихоньку
σίγουρα безусловно
σιδηροδρομικός (-ή -ό) железнодорожный (-ая -ое)
Σικελία, η Сицилия
σινεμά, το кино с; кинотеатр м
σιτάρι, το пшеница ж
σκάκι, το шахматы мн.ч.
σκεπάζω накрывать
σκέτος (-η -ο) чистый, без примесей
σκέφτομαι (σκέπτομαι) думать
σκι, το лыжи мн.ч.
σκορδαλιά, η чесночный соус м
σκουπίδια, τα мусор м
σκυλί, το собака ж
σοβαρά серьёзно
σοκολάτα, η шоколад м
σου твой, твоя, твоё, твои; тебе
σούβλα, η вертел м
σουβλάκι, το шашлык м
σουβλατζίδικο, το шашлычная ж
Σουηδία, η Швеция
σουηδικά, τα шведский язык м
σουηδικός (-ή -ό) шведский (-ая -ое)
Σουηδός (-έζα) швед (-ка)
σούπα, η суп м
σουπερμάρκετ, το супермаркет м
σουτζουκάκια, τα люля-кебаб м
Σόφια, η София
σπάνια редко
σπίρτα, τα спички мн.ч.
σπίτι, το дом м
σπουδάζω учиться
σπουδαστής, ο учащийся м, студент м
σπουδάστρια, η студентка ж
σταθμός, ο станция ж, вокзал м
σταματάω (-ώ) останавливать
στάση, η остановка ж
στατιστική, η статистика ж
σταφύλι, το виноград м
σταυρόλεξο, το кроссворд м
σταχτής (-ιά -ί) пепельный (-ая -ое)
στέλνω посылать
στενός (-ή -ό) узкий (-ая -ое)
στήλη, η столб м, колонна ж
στιγμή, η момент м
στοιχεία, τα данные мн.ч.
Στοκχόλμη, η Стокгольм
συγγενής, ο родственник м
συγκρίνω сравнивать
συγκριτικός, ο сравнительный
συγνώμη извините
συγχωρώ извенять, прощать
συμβαίνει бывает, случается
συμμαθητής, ο одноклассник м
συμμαθήτρια, η одноклассница ж
συμπαθητικός (-ή -ό) симпатичный (-ая -ое)
συμπληρώνω заполнять; добавлять
συμπόσιο, το симпозиум м
σύμφωνα με согласно с
σύμφωνο, το согласная ж

συμφωνώ соглашаться
συναυλία, η концерт м
συνέδριο, το съезд м, конгресс м
συνεργείο, το мастерская ж
συνέχεια (συνεχώς) постоянно
συνεχίζω продолжать
συνηθισμένος (-η -ο) обыкновенный (-ая -ое)
συνήθως обычно
συνθέτης, ο композитор м
συννεφιά, η облачность ж
συνοικία, η квартал м, микрорайон м
συνορεύω сопровождать
σύντροφος, ο товарищ м
Συρία, η Сирия
συστημένος (-η -ο) заказной (-ая -ое)
συστήνω знакомить
συχνά часто
σχεδιάγραμμα, το чертёж м, план м
σχεδόν почти
σχέση, η связь ж
σχετικά относительно
σχηματίζω составлять
σχολείο, το школа ж
σχολή, η училище с, факультет м
σωστά верно
σωστός (-ή -ό) правильный, точный (-ая -ое)

Τ τ

τα определенный артикль муж. рода
ταβέρνα, η таверна ж
τάβλι, το тавли с, нарды мн. (игра)
ταινία, η фильм м, лента ж, плёнка ж
ταιριάζω подходить, соответствовать
ταμείο, το касса ж
ταμπέλα, η вывеска ж
τάξη, η класс м
ταξί, το такси с
ταξιδεύω путешествовать
ταξίδι, το путешествие с
ταξιδιώτης, ο путешественник м
ταξιδιωτικός (-ή -ό) относящийся к путешествию
ταξινομώ сортировать, классифицировать
τα πάντα всё
ταραμοσαλάτα, η салат с икрой м
τάρτα, η пирог м
τασάκι, το пепельница ж
ταυτότητα, η удостоверение личности с
τάφος, ο могила ж
ταχυδρομείο, το почта ж
ταχυδρομώ отправлять почтой
Τελ Αβίβ, το Тель -Авив
τελειώνω заканчивать
τελευταία за последнее время
τελευταίος (-α -ο) последний (-яя -ее)
τελικά в конце
τελικός (-ή -ό) окончательный (-ая -ое)
τέλος, ο конец м
τεμάχιο, το штука ж, кусок м
τεμπέλης (-α -ικο) лентяй м/ ка
τέν(ν)ις, το тенис м
τεράστιος (-α -ο) огромный (-ая -ое)

τεσσάρι, το четырёхкомнатная квартира
τέσσερις (-ις -α) четыре
τεστ, το тест м, контрольная работа ж
Τετάρτη, η среда ж
τέταρτο, το четверть ж
τέταρτος (-η -ο) четвёртый (-ая -ое)
τετραγωνικός (-ή -ό) квадратный (-ая -ое)
τετράγωνο, το квартал м
τετράγωνος (-η -ο) четырёхугольный (-ая -ое)
τετράδιο, το тетрадь ж
τετρακόσιοι (-ες -α) четыреста
τέχνη, η профессия ж, искусство с
τζάκι, το камин м, очаг м
τζάμι, το стекло с (оконное)
τζατζίκι, το салат из огурцов с йогуртом м
τηγανητός (-ή -ό) жареный (-ая -ое)
τηλεόραση, η телевизор м
τηλεφωνικός (-ή -ό) телефонный (-ая -ое)
τηλέφωνο, το телефон м
τηλεφωνώ звонить
της её
τι что
τιμή, η цена ж
τίποτε ничего
το опред. артикль среднего рода
το αργότερο позднее
Τόκιο, το Токио
το πολύ самое больше
τοστ, το тост м
τόσο столько
τόσο... όσο столько...сколько
τότε тогда
του его
τουαλέτα, η туалет м
τουλάχιστον хотя бы
τουρίστας, ο турист м
τουρίστρια, η туристка ж
τουριστικός (-ή -ό) туристический (-ая -ое)
Τουρκία, η Турция
τούρκικα, τα турецкий язык м
τουρκικός (-ή -ό) турецкий (-ая -ое)
Τούρκος (-άλα) турок (турчанка)
τους их
του χρόνου в следующем году
τραμ, το трамвай м
τράπεζα, η банк м
τραπεζαρία, η столовая ж
τραπέζι, το стол м
τραπεζικός, ο/η банковский работник м/ж
τρένο, το поезд м
τρεις/ τρεις/ τρία три
τριακόσιοι (-ες -α) триста
τριάντα тридцать
τριάρι, το трёхкомнатная квартира ж
Τρίτη, η вторник м
τρίτος (-η -ο) третий (-яя -ее)
τροπικά способ действия
τρόπος, ο способ м, образ м
τροχαία, η отдел регулирования уличного движения м
τρώω есть
τσάι, το чай м

τσάντα, η сумка ж
τσιγάρο, το сигарета ж
τσιπούρα, η лещ м
τσουγκρίζω чокаться
τσουρέκι, το чурек м (хлеб)
Τυνησία, η Тунис
τυπογραφείο, το типография ж
τύπος, ο тип м
τυρί, το сыр м
τυρόπιτα, η пирог с сыром м
τυροπιτάκι, το пирожок с сыром м
τυχερός (-ή -ό) счастливый (-ая -ое)
τώρα сейчас

Υ υ

υδραυλικός, ο водопроводчик м
υπάλληλος, ο служащий м
υπάρχει имеется
υπάρχω существовать
υπερθετικός, ο превосходная степень ж
(грам.)
υπνοδωμάτιο, το спальня ж
ύπνος, ο сон м
υπόγειο, το подвал м
υπογραφή, η подпись ж
υπογράφω расписываться
υποκείμενο, το подлежащее с
υποκοριστικό, το уменьшительная форма
имени ж
υπολογιστής, ο компьютер м
υπόλοιπος (-η -ο) остающийся
(-аяся -ееся)
υποτακτική, η зависимое, сослагательное
наклонение с
υφαντό, το материал м
ύφασμα, το ткань ж

Φ φ

φάβα, η бобовое пюре с
φιλί, το поцелуй м
φαγητό, το обед м
φαίνομαι казаться
φάκελος, ο конверт м, досье с
φακός, ο фонарь м, лупа ж, объектив м
φαλακρός (-ή -ό) лысый (-ая -ое)
φανάρι, το фонарь м
φανελάκι, το майка ж
φανερώνω показывать, проявлять
φαντάζομαι представлять себе
φαρμακείο, το аптека ж
φαρμακευτικός (-ή -ό) фармацевтический
(-ая -ое)
φάρμακο, το лекарство с
φασολάκια, τα зеленая фасоль ж
Φεβρουάριος, ο февраль м
φέρνω приносить
φέτα, η фета ж (сыр)
(ε)φέτος в этом году
φεύγω уходить
φθινόπωρο, το осень ж
φιλάρες, οι крепкие поцелуи мн.ч.
φιλάω (-ώ) целовать
φίλη, η подруга ж

φιλικός (-ή -ό) дружеский (-ая -ое)
Φιλιππίνες, οι Филиппины
φιλμ, το фильм м
φίλος, ο друг м
φιλότιμο, το самолюбие с
Φλωρεντία, η Флоренция
φοβάμαι бояться
φοιτητής, ο студент м
φοιτήτρια, η студентка ж
φορά, η раз
φοράω (-ώ) носить, одевать
φόρεμα, το платье с
φόρος, ο налог м, пошлина ж
φούρνος, ο печь ж, духовка ж, пекарня ж
φούστα, η юбка ж
φρα(ν)τζόλα, η булка хлеба ж
φράουλα, η клубника ж
φραπέ, ο холодный кофейный напиток м
φρέσκος (-ια -ο) свежий (-ая -ее)
φροντιστήριο, το подготовительная школа ж
φρούριο, το крепость ж
φρούτο, το фрукт м
φτάνω доставать, добираться
φτηνός (-ή -ό) дешёвый (-ая -ое)
φτιάχνω делать, готовить
φυλάω (-ώ) сторожить, защищать
φυσική, η физика ж
φυσικός (-ή -ό) естественный (-ая -ое)
φωνή, η голос м
φωνήεν, το гласная ж
φωτεινός (-ή -ό) светлый (-ая -ое)
φωτογραφικός (-ή -ό) фотографический
(-ая -ое)

Χ χ

Χάγη, η Гаага
χαίρετε привет
χαιρετίσματα, τα привет м, поклон м
χαίρομαι радоваться
χαίρω веселиться
χαλάω (-ώ) портить, тратить
χαλβάς, ο халва ж
χαμηλός (-ή -ό) низкий (-ая -ое)
χάνω терять
χάρτης, ο карта ж
χαρτί, το бумага ж
χαρτιά, τα карты мн.ч.
χαρτοπετσέτα, η салфетка ж
χαρτοφύλακας, ο портфель м
χειμώνας, ο зима ж
χήρα, η вдова ж
χήρος, ο вдовец м
χθες, (ε)χτές вчера
χίλιοι (-ες -α) тысяча
χιλιάδες тысяча
χιλιομετρικός (-ή -ό) километровый (-ая -ое)
χιλιόμετρο, το километр м
χιόνι, το снег м
χιονίζει идёт снег
χοιρινός (-ή -ό) свиной (-ая –ое)
χολ, το хол м
χοντρός (-ή -ό) полный (-ая -ое)
χορεύω танцевать

χόρτα, τα травы мн.ч.
χρειάζεται нужно, необходимо
χρειάζομαι нуждаться
χρησιμοποιώ пользоваться
Χριστός Ανέστη! Христос воскрес
χρόνια, τα годы мн.ч.
χρονικός (-ή -ό) временный (-ая ое)
χρόνος, ο год м
χρυσός, ο золото с
χρυσός (-ή -ό) золотой (-ая ое)
χρώμα, το цвет м
χρωματίζω красить, раскрашивать
χρωματοπωλείο, το магазин по продаже
красок м
χρωστάω (-ώ) быть должным
χταπόδι, το осьминог м
χυμός, ο сок м
χώρα, η страна ж
χωριάτικος (-η -ο) деревенский (-ая -ое)
χωρίζω отделять, разлучать
χωρισμένος (-η -ο) разведённый (-ая -ое)
χωριστός (-ή -ό) отдельный (-ая -ое)
χώρος, ο площадь ж, место с

Ψ ψ

ψάρι, το рыба ж
ψαρόσουπα, η уха ж
ψάχνω искать
ψηλός (-ή -ό) высокий (-ая -ое)
ψήνω печь
ψητός (-ή -ό) печёный (-ая -ое)
ψηφίο, το цифра ж, число с
ψιλά, τα мелочь ж
ψιχαλίζει моросит дождь
ψυγείο, το холодильник м
ψυχίατρος, ο психиатр м
ψυχολόγος, ο психолог м
(έχει/κάνει) ψύχρα прохладно
ψωμί, το хлеб м
ψώνια, τα покупки мн.ч.
ψωνίζω покупать

Ω ω

ώρα, η время с
ωραίος (-α -ο) красивый (-ая -ое)
ως до

Λύσεις

Λύσεις

Λύσεις

Μάθημα 1

8

(α) Λέγομαι / πολύ / πού / την / Είμαι
(β) Πώς / Με / Με / είσαι / από

Μάθημα 2

3

1. είμαι / είστε   2. είναι   3. είναι   4. είμαστε / είσαι   5. είναι / είναι   6. είμαι / είσαι   7. είστε

6

1. β   2. α   3. β

7

Τι / Εσύ / Πολύ (Είμαι) / ευχαριστώ / πού / Είμαι / από

8

Οριζόντια: 1. δύο   2. εννιά (εννέα)   3. πέντε   4. ένα   5. δέκα   6. τρία
Κάθετα: 1. μηδέν   2. εφτά   3. τέσσερα   4. έξι

Μάθημα 3

1

1. Σ   2. Λ   3. Σ   4. Λ   5. Σ   6. Λ

4

1. η   2. ο   3. η   4. το   5. η   6. ο   7. το   8. ο   9. η   10. η   11. η   12. ο   13. το   14. ο   15. το

5

1. την   2. τον   3. τον   4. το   5. το   6. στην   7. τον   8. τη(ν)   9. το   10. τον   11. τον   12. το
13. την   14. τη(ν)   15. το

6

1. Η / στην   2. Ο / στην   3. Ο / το   4. Η / στη(ν)   5. Ο / την   6. Η / στην   7. Ο / στη(ν)   8. Το / στον

8

1. μένω / μένεις   2. είναι / είμαστε   3. δουλεύουν(ε)   4. μένουμε / μένεις   5. έχουν(ε)   6. είμαι / είστε
7. δουλεύει / δουλεύω

12

1. β   2. α   3.   4.   5. β

13

1. Τι κάνεις   2. Από πού είσαι;   3. Πώς σε λένε;   4. Πού μένετε;   5. Τι κάνετε;   6. Λέγομαι...
7. Ο / Η... μένει στην Πάτρα;

Μάθημα 4

1

1. Σ   2. Λ   3. Σ   4. Λ   5. Σ

5

1. μου   2. της   3. μας   4. τους   5. του   6. σου   7. μας   8. σας

11

1. α   2. β   3. γ   4. α

12

1. Πώς λέγεστε; / Πώς σε λένε;   2. Έχετε/Έχεις κινητό;   3. Πού μένετε/μένεις;   4. Είστε/Είσαι... ;

Μάθημα 5

9

1. α   2. β   3. β   4. γ

10

1. Από πού είσαι;   2. Πού μένεις;   3. Πώς σε λένε;   4. Τι κάνεις;   5. Είμαι από την Αργεντινή.
6. Έχεις παιδιά;   7. Δουλεύω στη Λαμία.   8. Γεια σου.

11

1. Μιλάς/Μιλάτε αγγλικά;   2. Είσαι/Είστε παντρεμένος;   3. Έχετε   4. Τι δουλειά κάνεις/κάνετε;

Μάθημα 6

6

ισπανικά / αγγλικά / ελληνικά / ιταλικά
Σουηδία / Ινδία / Βραζιλία / Μαρόκο
οδός Σκουφά / πλατεία Μαβίλη / Τσιμισκή 67 / Ιθάκης 14
γιατρός / γραμματέας / διπλωμάτης / δασκάλα
μητέρα / αδελφός / πατέρας / κόρη

7

1. Τι δουλειά κάνετε;   2. Είμαι από την Ιταλία, από τη Ρώμη.   3. Πού μένει η κυρία Παπακώστα;
4. Δεν μιλάω καθόλου γερμανικά.   5. Ναι. Έχω τρία. Δύο κορίτσια και ένα αγόρι.

9

1. είμαστε / είμαι   2. μιλάω / μιλάς   3. μένουν(ε)   4. δουλεύετε   5. έχει   6. ξέρει / είναι   7. μιλάνε
8. έχω / έχεις   9. μαθαίνεις   10. δουλεύει / δουλεύουμε

11

1. β   2. γ   3. γ   4. β   5. α   6. α

13

1. δ, ζ   2. ε   3. α, η   4. γ   5. θ   6. β

Μάθημα 7

1

1. Λ   2. Σ   3. Λ   4. Σ

3

1. ο   2. το   3. ο   4. η   5. το   6. το   7. ο   8. η   9. το   10. το   11. το   12. η   13. το
14. η   15. ο

4

1. αυτός   2. Αυτό   3. Αυτή   4. αυτό   5. αυτός   6. Αυτή   7. Αυτό

Λύσεις

5

1. τριακόσιες   2. εκατόν πέντε   3. τετρακόσιες είκοσι   4. χίλιες   5. διακόσιες ογδόντα
6. εννιακόσια πενήντα   7. πεντακόσια σαράντα

12

1. α   2. β   3. γ

13

Καλημέρα σας / ήθελα / σας / Πόσο / και / αυτό / αρέσει / Ορίστε / Τα / η / Παρακαλώ

Μάθημα 8

7

Σουηδία - Σουηδός/Σουηδέζα - σουηδικά
Ελλάδα - Έλληνας/Ελληνίδα - ελληνικά
Αγγλία - Άγγλος/Αγγλίδα - αγγλικά
Γαλλία - Γάλλος/Γαλλίδα - γαλλικά
Ιταλία - Ιταλός/Ιταλίδα - ιταλικά
Γερμανία - Γερμανός/Γερμανίδα - γερμανικά
Ισπανία - Ισπανός/Ισπανίδα - ισπανικά
Κύπρος - Κύπριος/Κύπρια - ελληνικά/τουρκικά
Κίνα - Κινέζος/Κινέζα - κινέζικα
Πορτογαλία - Πορτογάλος/Πορτογαλέζα - πορτογαλικά (πορτογαλέζικα)

8

1. μικρός / μικρή / μικρό   2. παλιός / παλιά / παλιό   3. άσχημος / άσχημη / άσχημο
4. φτηνός / φτηνή / φτηνό   5. ακριβός / ακριβή / ακριβό   6. καινούργιος / καινούργια / καινούργιο
7. μεγάλος / μεγάλη / μεγάλο   8. ωραίος / ωραία / ωραίο

9

1. ωραία   2. ακριβό   3. καινούργια   4. φτηνός   5. βρώμικο   6. μικρή

13

1. Αυτός ο υπολογιστής είναι ακριβός.   2. Αυτό το άγαλμα είναι ωραίο.   3. Αυτό το τηλέφωνο είναι παλιό.
4. Αυτός ο αναπτήρας είναι καινούργιος   5. Αυτή η μηχανή είναι καθαρή   6. Αυτή η ομπρέλα είναι φτηνή
7. Αυτή η τηλεόραση είναι μικρή

14

1. ακριβός   2. Ρωσίδα   3. ωραίο   4. Πολωνός   5. παλιό   6. καινούργια   7. μικρό   8. Έλληνας

15

1. β   2. α   3. α   4. γ

Μάθημα 9

1

1. Σ   2. Λ   3. Σ   4. Σ   5. Λ   6. Σ   7. Λ

3

1. την Ελένη   2. τον Καναδά   3. την καθηγήτρια   4. το Κολωνάκι   5. τη(ν) γυναίκα   6. τη(ν) Βραζιλία
7. τον Κώστα   8. το παιδί

4

1. (Εγώ) θέλω τη μηχανή μου.   2. Η Ελένη θέλει την κυρία Παππά.   3. Ο Κώστας θέλει το ρολόι του.
4. (Εμείς) θέλουμε τον καθηγητή μας.   5. Η Άννα θέλει το βθβλίο της.   6. (Εγώ) θέλω τον αναπτήρα μου.

7

1. την καινούργια μαθήτρια   2. τον ακριβό φακό   3. τον έλληνα καθηγητή   4. το μικρό αυτοκίνητο
5. τη Νέα Κηφισιά   6. το μεγάλο τραπέζι   7. τον παλιό υπολογιστή   8. τον καινούργιο φίλο της
9. τον ωραίο κήπο

11

1. α   2. α   3. β   4. γ

12

1. Σ   2. Σ   3. Σ   4. Λ   5. Λ   6. Λ   7. Σ   8. Σ   9. Λ

13

1. πάνε   2. ακούτε   3. έρχεστε   4. τρως   5. έρχεται   6. γίνεστε   7. πάμε   8. λες   9. σκέφτομαι
10. τρώει   11. έρχεται   12. ακούμε

Μάθημα 10

6

1. 13:20   2. 07:40   3. 16:00   4. 21:45   5. 02:30   6. 10:40   7. 21:25   8. 14:55

7

1. τρεις   2. οχτώ   3. εφτά   4. είκοσι   5. και

9

1. Λ   2. Σ   3. Σ   4. Λ   5. Σ   6. Λ

13

1. αργεί   2. θυμάσαι   3. εγώ μπορώ / μπορείτε   4. Λυπάμαι   5. ζουν(ε)   6. τηλεφωνεί   7. οδηγείτε
8. φοβάται   9. κοιμούνται

Μάθημα 11

2

1. μία   2. ένας   3. ένα   4. ένας   5. μία   6. ένα   7. ένα   8. μία   9. ένα   10. ένα   11. ένας
12. ένας   13. ένα   14. ένας

4

1. στο   2. από την / στην   3. από την   4. στο   5. στο   6. από την / στην   7. από τον   8. από το

10

1. Σ   2. Λ   3. Σ   4. Λ   5. Λ   6. Σ

11

1. έναν   2. ένα   3. έναν   4. μία   5. έναν   6. ένα

Μάθημα 12

2

1. τον καινούργιο καθηγητή   2. η μεγάλη ομπρέλα   3. Ο ολλανδός γιατρός   4. έναν ελληνικό μέτριο
5. την ιταλίδα δικηγόρο   6. το καθαρό αυτοκίνητο   7. τον ακριβό αναπτήρα   8. στη μικρή ταβέρνα
9. την καινούργια μαθήτρια   10. το μικρό σπίτι

Λύσεις

3

1. θυμάσαι   2. έρχεται   3. τρώνε   4. αγαπάω   5. γίνεσαι   6. κοιμάστε   7. ανοίγει   8. σκέφτεσαι
9. ακούνε   10. φεύγουμε   11. ζει   12. πάμε   13. οδηγείτε

4

1. "Υπάρχει κανένα καινούργιο εστιατόριο εδώ κοντά;" "Ναι, υπάρχει ένα."
2. "Πόσω χρονών είσαι;" "Είμαι είκοσι τεσσάρων."
3. Θέλω τον ακριβό υπολογιστή.
4. Την Τρίτη και την Πέμπτη δεν πάω στο σχολείο.
5. "Ποια είναι αυτή;" "Είναι η Ελένη."

5

1. δεν   2. όχι   3. όχι   4. όχι / δεν   5. δεν / όχι   6. δεν

7

1. Ισπανίδα   2. την Κυριακή   3. κύριε   4. Αυτή η   5. υπάρχει   6. είκοσι τριών   7. Πόσο κάνει
8. Σ' αρέσει   9. Ποια είναι   10. δύο και μισή   11. Δεν ξέρω   12. Παρακαλώ   13. έναν καλό αναπτήρα

11

Κινέζα / Ελληνίδα / Ισπανός / Ουγγαρέζα
καρέκλα / υπολογιστής / ομπρέλα / τηλεόραση
φαρμακείο / πιτσαρία / σουβλατζίδικο / πάρκινγκ
χυμός / μπίρα / τσάι / καφές

12

1. βιβλιοπωλείο   2. βενζινάδικο   3. εστιατόριο   4. φούρνος   5. καφέ   6. φαρμακείο   7. πάρκινγκ
8. σουβλατζίδικο

16

1. χρόνια   2. χρονών   3. σπουδάζει   4. μένουν   5. πόλη   6. λίμνη   7. απέχει   8. αργά
9. σαββατοκύριακο   10. φαγητό   11. χιλιόμετρα   12. χωριό

17

1. σαββατοκύριακο   2. φαγητό   3. πόλη   4. απέχει   5. λίμνη   6. αργά   7. σπουδάζει
8. ζούμε / χρόνια   9. χρονών   10. χωριό

18

1. α   2. β   3. α   4. β

Μάθημα 13

3

1. κόρες / γιους   2. βιβλία   3. Αγγλίδες   4. αδελφούς / αδελφές   5. φούρνοι   6. καθηγητές
7. γιατροί   8. υπολογιστές   9. κιλά / πορτοκάλια   10. μαθήματα

5

1. Αυτά τα αυτοκίνητα είναι ακριβά.   2. Βλέπετε εκείνες τις μηχανές;   3. Αυτές οι ομπρέλες είναι παλιές.
4. Εκείνοι οι γιατροί είναι καλοί.   5. Αυτά τα κουτάλια είναι μικρά.
6. Θέλετε εκείνους τους φτηνούς αναπτήρες.

7

1. Στην τάξη μας δεν έχει Σουηδούς.   2. Στο περίπτερο έχει εφημερίδες και περιοδικά.
3. Στο τραπέζι έχει έναν υπολογιστή.   4. Στο γραφείο του έχει μόνο δύο καρέκλες.
5. Στο σπίτι δεν έχει καθόλου βιβλία.   6. Στο σχολείο έχει έναν ξένο καθηγητή.

12

1. Σ   2. Λ   3. Λ   4. Λ   5. Σ   6. Σ

Μάθημα 14

1

1. Σ   2. Σ   3. Λ   4. Λ   5. Σ   6. Λ

5

1. Το πουκάμισό μου είναι ιταλικό.   2. Οι κάλτσες μου είναι ελληνικές.   3. Το καπέλο της είναι ελβετικό.
4. Η φούστα της είναι αγγλική   5. Τα παπούτσια του είναι ισπανικά.   6. Το κοστούμι του είναι αμερικάνικο.
7. Οι γραβάτες του είναι γαλλικές.   8. Ο υπολογιστής της είναι γερμανικός.
9. Η τηλεόρασή μας είναι γιαπωνέζικη.

6

Οριζόντια: 1. ελληνικός   2. ινδικές   3. αυστριακή
Κάθετα: 1. ρώσικη   2. ολλανδικό   3. αγγλικά

7

Το πουκάμισο είναι άσπρο.   Οι κάλτσες είναι πράσινες.   Τα πέδιλα είναι μαύρα.
Η γραβάτα είναι κόκκινη.   Τα καπέλα είναι γκρίζα.   Το φανελάκι είναι καφέ.

9

1. μαύρα   2. καφέ   3. πορτοκαλιά   4. πράσινο   5. γκρίζες   6. μπεζ   7. κίτρινο   8. βυσινιές / κόκκινες
9. μπλε

12

1. Το αυτοκίνητο που μ' αρέσει είναι στο πάρκινγκ.
2. Ο υπολογιστής που είναι στο γραφείο του είναι ακριβός.
3. Τα φορέματα που είναι στη βιτρίνα είναι από την Ινδία.
4. Ξέρεις τον διπλωμάτη που μένει δίπλα στο σπίτι μας;
5. Οι κυρίες που δουλεύουν σ' αυτό το κατάστημα είναι Λιβανέζες.
6. Το σουβλάκι που είναι στο τραπέζι είναι για τον αδελφό σου.
7. Βλέπεις τη μηχανή που είναι απέναντι;

16

1. α   2. α   3. γ   4. β   5. α

Μάθημα 15

2

1β   2ζ   3α   4ε   5γ   6δ

3

1. θα φτάσετε   2. θα γυρίσετε   3. Θα είναι   4. θα παίξεις   5. θα έχουμε   6. θα καπνίσει   7. θα ψωνίσω
8. θα κλείσεις   9. θα ξέρουμε   10. θα αγοράσετε   11. θα περιμένεις   12. θα χορέψει

6

1. θα γυρίσουν   2. θα φτιάξει   3. θα έχει   4. θα χορέψεις   5. θα πάμε   6. θα ανοίξετε   7. θα ψωνίσεις
8. θα πληρώσουμε   9. θα καπνίσει

8

1. Λ   2. Σ   3. Σ   4. Λ   5. Λ   6. Σ   7. Λ   8. Σ

Λύσεις

Μάθημα 16

2

1γ   2ζ   3δ   4α   5β   6ε

4

1. θα φύγει   2. θα βγούμε   3. θα δει   4. θα πιείτε   5. θα πλύνει   6. θα φάνε   7. Θα μείνουμε
8. θα δώσεις   9. Θα πεις   10. θα στείλει   11. θα μπει   12. θα φέρεις   13. θα βρούνε   14. θα πάρετε

12

1ε   2η   3α   4ζ   5β   6γ   7δ

13

1. θα έρθεις   2. θα τηλεφωνήσω   3. θα ξυπνήσετε   4. θα μιλήσει   5. θα σταματήσεις
6. θα περπατήσουν(ε)   7. θα πεινάσουν(ε)   8. θα μπορέσω   9. θα οδηγήσετε   10. θα γίνει

Μάθημα 17

1

1. Σ   2. Σ   3. Λ   4. Λ   5. Λ   6. Σ   7. Σ   8. Σ   9. Σ   10. Λ

5

1. Σ   2. Λ   3. Σ   4. Λ   5. Λ   6. Σ   7. Λ   8. Λ   9. Σ   10. Σ   11. Λ

7

1. α   2. β   3. α   4. γ   5. γ

Μάθημα 18

1

1. ψωμί   2. καθιστικό   3. ξενοδοχείο   4. Σουηδός   5. γιατρός   6. ρολόι   7. δύο   8. διαμέρισμα
9. αλάτι   10. μπαλκόνι   11. κιλά   12. καρότα

2

1. τα καταστήματα   2. Κινέζους   3. τα παιδιά   4. ταβέρνες   5. διαμερίσματα
6. τους γερμανούς τουρίστες   7. τις κάλτσες   8. αυτοκίνητα   9. Οι φούρνοι   10. καθηγητές
11. Οι καρέκλες

3

1. πράσινες   2. ελληνικούς   3. παλιούς   4. καινούργια   5. καλοί   6. μεγάλα   7. ακριβά   8. ιταλικά
9. μπλε

4

1. φτηνές καρέκλες   2. καινούργια παπούτσια   3. μηχανές / γιαπωνέζικες   4. γαλλικά κρασιά
5. αχλάδια / καλά   6. καθαρές φούστες   7. αγγλικές εφημερίδες

5

πουκάμισα / κοστούμι / γραβάτες / φορέματα / πουλόβερ / σακάκια / καθρέφτης / παντελόνια

6

1. θα πιω   2. θα πάρει   3. θα φάνε   4. θα δώσεις   5. θα μείνουμε   6. θα παίξεις   7. θα δουλέψω / Θα δω
8. θα αγοράσουμε   9. θα μαγειρέψουν(ε) / θα πλύνουμε

9

1. Πόσα / πολλά   2. πολλούς / λίγες   3. Πόσες / λίγες   4. Πόσους / πολλούς   5. πολλά / λίγα
6. πολλές / λίγες   7. Πόσες / πολλές

10

1. πέμπτο   2. δέκατο πέμπτο / δέκατο έκτο   3. δεύτερο   4. τρίτο

11

1. β   2. α   3. γ   4. β   5. α

13

1. β   2. γ   3. α   4. α   5. β

14

παλιά / γραφική / στενοί / ορόφους / πολυκατοικίες / αυλή / λουλούδια / πεζόδρομοι / κυκλοφορούν /
υπάρχουν / λέγεται / πουλάνε / κοσμήματα / θερινό / βόλτα / ψώνια

15

1. κυκλοφορούν   2. κεραμικά   3. λουλούδια   4. φαγητό   5. θα πουλήσουμε   6. στενούς   7. όροφο
8. ψώνια

Μάθημα 19

2

1. να αγοράσει   2. να έρθετε   3. να μείνουμε   4. να διαβάσουν(ε)   5. να ξυπνήσω   6. να πιεις
7. να πάει   8. να παίξουμε   9. να φάω   10. να φτάσουν(ε)   11. να δω   12. να μιλήσουμε

3

1. περνάμε   2. βλέπω   3. φεύγει   4. γυρίζουν(ε)   5. μένεις   6. χορεύουν(ε)   7. μαγειρεύετε
8. φτάνουμε   9. ξεκινάω   10. πάει   11. γιορτάζουν(ε)   12. κάνεις   13. τρώνε   14. στέλνουμε

4

1. θα περάσουνε   2. μοναστήρια   3. θα βάψουν / θα ψήσουν   4. βόλτα   5. Ανάσταση   6. σούβλα
7. θα ξεκινήσουν

11

1. να μείνουμε   2. να έρθει ο Γιώργος   3. να φύγω   4. να φάμε   5. να ξεκινήσει η Ελένη   6. να δώσεις
7. να φέρω   8. να μιλήσετε   9. να μαγειρέψει ο πατέρας μου

12

1. β   2. γ   3. β   4. α   5. α

Μάθημα 20

2

1. ετοιμάσαμε   2. πήγαν(ε)   3. μείνανε (έμειναν)   4. μαγείρεψε   5. ήσουν(α)   6. είδα   7. έφτασε
8. είδαμε   9. κάνατε   10. ψώνισε   11. περιμέναμε / ήρθε   12. ήπια

5

1. φτάνουμε   2. μαγειρεύω   3. μένεις   4. ετοιμάζετε   5. πίνουν(ε)   6. έρχεται

Λύσεις

8

1. σε   2. τον   3. τα   4. το   5. τις   6. την   7. μας   8. τους

9

1. ποιους   2. ποια   3. ποιον   4. ποιες   5. ποια   6. ποιον

Μάθημα 21

10

1. η ταβέρνα   2. η Άννα   3. ο δρόμος   4. το πιρούνι   5. ο Γιάννης   6. η καρέκλα   7. η μάνα
8. ο Νικόλας   9. το κρασί   10. η μπίρα

11

1. αγοράκι   2. Δημητράκης   3. μαγαζάκι   4. τραπεζάκια   5. κουκλίτσα   6. κοριτσάκι   7. ψωμάκι
8. Ελενίτσα   9. Γιαννάκη

Μάθημα 22

1

1. Σ   2. Λ   3. Σ   4. Σ   5. Λ   6. Σ   7. Σ   8. Σ   9. Λ   10. Σ

3

1. Ο Άρης είναι πιο ψηλός από τον Αλέκο.   2. Ο Αλέκος είναι πιο κοντός από τον Άρη.
3. Ο Άρης είναι πιο νέος από τον Αλέκο.   4. Ο Ευάγγελος είναι ο πιο μεγάλος από τους τρεις.
5. Ο Άρης κι ο Αλέκος είναι λιγότερο πλούσιοι από τον Ευάγγελο.
6. Ο Αλέκος δεν είναι τόσο συμπαθητικός όσο ο Ευάγγελος.
7. Ο Ευάγγελος είναι πιο πλούσιος από τους άλλους δύο.
8. Ο Αλέκος κι ο Ευάγγελος είναι λιγότερο ψηλοί από τον Άρη.
9. Ο Αλέκος δεν είναι τόσο λεπτός όσο ο Άρης.

4

1. Ευάγγελος   2. λιγότερο   3. βγάζει   4. συμπαθητικός   5. ωραίος   6. Άρης

6

1. β   2. γ   3. α   4. α   5. β   6. γ   7. γ   8. α   9. γ

14

1. β   2. α   3. γ   4. α   5. β

Μάθημα 23

3

1. φτάσεις / δεις   2. αγοράσω / πάρω   3. είναι / πάνε   4. έρθουν / παίξουν   5. ξυπνήσουν / είναι
6. μείνουμε / ακούσουμε   7. έρθετε / μαγειρέψω

5

1. πήγαινε   2. περίμενε   3. καθίστε   4. έλα   5. περιμένετε   6. κάθισε (κάτσε)   7. φύγε

6

1. γ   2. α   3. β   4. α   5. γ   6. β

7

1. Σ   2. Λ   3. Σ   4. Σ   5. Λ   6. Λ   7. Σ

9

1. Λ   2. Σ   3. Λ   4. Σ   5. Λ   6. Λ   7. Σ

Λύσεις

10

1. Κι εγώ.   2. Ούτε η μία ούτε η άλλη.   3. Εμένα μ' αρέσει.   4. Εγώ όχι .   5. Κι εμένα .
6. Όχι, θα είναι κι η Μαρία.   7. Ούτε το ένα ούτε το άλλο.   8. Ούτε κι εγώ

11

1. γ   2. α   3. β   4. β

Μάθημα 24

1

1. δρόμος   2. ξυπνάτε   3. συμπαθητική   4. ήμασταν   5. τηλεόραση   6. διαβάζουνε   7. εγώ   8. χταπόδι
9. ζέστη   10. αύριο   11. γαλανά   12. πώς;

2

1. να γυρίσουμε   2. θα μείνουν(ε) / θα δουν(ε)   3. θα παίξουμε / θα κάνετε   4. να φτάσετε   5. να έρθω
6. θα ξεκινήσουμε / να είμαστε   7. θα φάτε / Θα πεινάσετε   8. να πάρεις   9. να ξυπνήσεις   10. να πιει
11. να μαγειρέψω   12. θα δώσουν

4

1. ήσουν   2. στην   3. τηλεφωνήσουν   4. εμένα   5. ποιον   6. βγούμε   7. να   8. τον κύριο Ζερβό
9. τόσο   10. φάμε   11. τον Ιούνιο   12. ακριβή

5

1. καταπληκτικό   2. χειμώνα   3. συννεφιά   4. χορέψουμε   5. έξυπνος   6. παραλία   7. λιμάνι / πλοία
8. νησιά   9. μισθός   10. καλέσω   11. κλίμα

7

πήγα(πήγαμε) / ήρθε / περιμέναμε / Αγοράσαμε / είδαμε / Ήταν / Πήγαμε / φάγαμε / Ήταν / φύγανε (έφυγαν) /
μείναμε / ήπιαμε / γυρίσαμε / ήμασταν

10

1. συνορεύει   2. υπόλοιπη   3. μνημεία   4. ορεινή   5. κατοίκους   6. ομορφιές   7. ναοί   8. σχετικά
9. γνωστά

11

1. συνορεύει   2. γνωστός / ναός   3. ορεινή   4. κατοίκους   5. Ευρώπη   6. σχετικά   7. μνημεία   8. νησί

13

1. ζέστη   2. Ακρόπολη   3. Όλυμπος   4. παραλίες   5. Ρόδος   6. μνημεία

Ερωτήσεις Ακουστικής Κατανόησης

Μάθημα 2
Άσκηση 6

1. Γεια σας, τι κάνετε;
2. Λέγομαι Έλσα Μινέλλι.
3. Από πού είσαι;

Μάθημα 3
Άσκηση 12

1. Πού μένετε;
2. Είσαι απ' τη Νορβηγία;
3. Είστε καθηγήτρια;
4. Πού δουλεύεις;
5. Πού είναι η Κρήτη;

Μάθημα 4
Άσκηση 11

1. Πού μένετε;
2. Ένα τηλέφωνο;
3. Είσαι γιατρός;
4. Μένεις στην οδό Μάρνη;

Μάθημα 5
Άσκηση 9

1. Μιλάς ελληνικά;
2. Είσαι παντρεμένη;
3. Έχετε παιδιά;
4. Πού μένεις;

Μάθημα 7
Άσκηση 12

1. Πόσο κάνει αυτό το πορτοφόλι;
2. Πώς λέγεται αυτό στα ελληνικά;
3. Σ' αρέσει αυτός ο υπολογιστής;

Μάθημα 8
Άσκηση 15

1. Ποιος είναι αυτός;
2. Από πού είναι η Ελένη;
3. Ωραίος δεν είναι ο Μάκης;
4. Αυτή η μηχανή σ' αρέσει;

Μάθημα 9
Άσκηση 11

1. Πώς το λένε αυτό στα ελληνικά;
2. Αυτή η μηχανή είναι ακριβή;
3. Πόσω χρονών είναι ο γιος σου;
4. Θέλεις τη μικρή τηλεόραση;

Μάθημα 12
Άσκηση 18

1. Πόσω χρονών είναι η αδελφή σου;
2. Ο Μιχάλης ξυπνάει νωρίς;
3. Πού μαθαίνεις ελληνικά;
4. Υπάρχει κανένα πάρκινγκ εδώ κοντά;

Μάθημα 14
Άσκηση 16

1. Πόσες θέλετε;
2. Τίποτε άλλο κυρία;
3. Τι νούμερο φοράτε;
4. Είναι ελληνικός;
5. Σ' αρέσουν τα παιδιά;

Μάθημα 17
Άσκηση 7

1. Θα έρθεις μαζί μας στο σινεμά απόψε;
2. Τι ώρα θα ξυπνήσουμε αύριο;
3. Σε ποιον όροφο πάτε;
4. Πόσο είναι το ενοίκιο;
5. Πόσο έχει η βραδιά;

Μάθημα 19
Άσκηση 12

1. Τον κύριο Λαμπίρη παρακαλώ.
2. Τι ώρα πρέπει να φύγουμε αύριο;
3. Πήρατε λάθος, κυρία μου.
4. Μπορείς να έρθεις αύριο στις 9;
5. Γιατί δεν θέλει να πάει;

Μάθημα 22
Άσκηση 14

1. Πόσον καιρό έχεις στην Ελλάδα;
2. Πού πήγες το Σάββατο το βράδυ;
3. Σε είδε χτες ο γιατρός;
4. Με ποιά θα μείνεις στη Μύκονο;
5. Έχει κρύο σήμερα;

Μάθημα 23
Άσκηση 11

1. Πότε είναι τα γενέθλια σου;
2. Ο Άλκης είναι πιό λεπτός απ' τον Νίκο;
3. Μ' αρέσει πολύ η μπίρα.
4. Έχω να διαβάσω σήμερα.

Από τις Εκδόσεις Δελτος κυκλοφορούν:

Μέθοδος Εκμάθησης Ελληνικών

- ΕΠΙΚΟΙΝΩΝΗΣΤΕ ΕΛΛΗΝΙΚΑ 1 (Αρχάριοι)
  Βιβλίο Σπουδαστή 1
  Βιβλίο Ασκήσεων 1Α
  Βιβλίο Ασκήσεων 1Β
  CD 1 / Κασέτα 1
- ΕΠΙΚΟΙΝΩΝΗΣΤΕ ΕΛΛΗΝΙΚΑ 2 (Μέσοι)
  Βιβλίο Σπουδαστή 2
  Βιβλίο Ασκήσεων 2Α
  Βιβλίο Ασκήσεων 2Β
  CD 2 / Κασέτα 2
- ΕΠΙΚΟΙΝΩΝΗΣΤΕ ΕΛΛΗΝΙΚΑ 3 (Προχωρημένοι)
  Βιβλίο Σπουδαστή 3
  Βιβλίο Ασκήσεων 3
  CD 3 / Κασέτα 3

Ενίσχυση Ακουστικής Κατανόησης

- ΑΚΟΥ ΝΑ ΔΕΙΣ 1 (Επίπεδο 1)
  Βιβλίο Ασκήσεων 1
  CD 1 / Κασέτα 1
- ΑΚΟΥ ΝΑ ΔΕΙΣ 2 (Επίπεδο 2)
  Βιβλίο Ασκήσεων 2
  CD 2 / Κασέτα 2

Μικρές Ιστορίες σε Απλά Ελληνικά

- Ξενοδοχείο Ατλαντίς, παρακαλώ (Επίπεδο 1)
- Ποιος είναι ο Α.Μ.; (Επίπεδο 1)
- Έναν Αύγουστο στις Σπέτσες (Επίπεδο 2)
- Η Νίκη και οι άλλοι (Επίπεδο 2)
- Το μοντέλο που ήξερε πολλά (Επίπεδο 3)
- Περιπέτεια στη Μάνη (Επίπεδο 4)
- Κανάλι 35 (Επίπεδο 4)
- Το μυστικό του κόκκινου σπιτιού (Επίπεδο 5)

Μυθολογία σε Απλά Ελληνικά

- Οι δώδεκα θεοί του Ολύμπου (Επίπεδο 3)
- Μύθοι (Επίπεδο 3)
- Ήρωες (Επίπεδο 3)